Redes Sensuais

Leonardo Midas

Redes Sensuais

Copyright © 2013 by Leonardo Midas

1ª edição — Julho de 2013

Grafia atualizada segundo o Acordo Ortográfico da Língua Portuguesa de 1990, que entrou em vigor no Brasil em 2009

Editor e Publisher
Luiz Fernando Emediato

Diretora Editorial
Fernanda Emediato

Editor
Paulo Schmidt

Produtora Editorial e Gráfica
Erika Neves

Capa
Alan Maia

Diagramação e Projeto Gráfico
Futura

Preparação de Texto
Leoclícia Alves

Revisão
Rinaldo Milesi
Josias A. Andrade

DADOS INTERNACIONAIS DE CATALOGAÇÃO NA PUBLICAÇÃO (CIP)
(Câmara Brasileira do Livro, SP, Brasil)

Midas, Leonardo
    Redes sensuais. -- 1. ed. -- São Paulo : Geração Editorial, 2013. -- (Coleção muito prazer)

    ISBN 978-85-8130-147-1
    1. Ficção brasileira I. Título. II. Série.

13-01176   CDD-869.93

Índices para catálogo sistemático:
1. Ficção : Literatura brasileira 869.93

GERAÇÃO EDITORIAL

Rua Gomes Freire, 225 – Lapa
CEP: 05075-010 – São Paulo – SP
Telefax: (+ 55 11) 3256-4444
E-mail: geracaoeditorial@geracaoeditorial.com.br
www.geracaoeditorial.com.br
twitter: @geracaobooks

Impresso no Brasil
Printed in Brazil

Agradeço à minha família, que me apoiou incondicionalmente durante todo o intenso processo de criação desta obra.

O leitor atento notará que no Brasil, de 1987 a 1994, a moeda não era o real. Para facilitar a leitura, todos os valores foram atualizados para os respectivos equivalentes nas moedas atuais.

Prefácio

POR QUE AS PESSOAS SÃO MAIS felizes antes do que depois do casamento?

Como é possível que o iPhone tenha sido coroado como o melhor telefone celular do mundo antes mesmo de haver chegado às lojas?

Por que Hollywood aposta suas fichas em trilogias?

A resposta para todas estas perguntas é uma só: expectativas. A evolução das expectativas acaba se traduzindo em uma realidade em que o amanhã é mais importante que o hoje. Vivendo em uma época em que muitas coisas são disponibilizadas com rapidez, passamos a nos tornar cada vez mais interessados no que está por vir, em detrimento do que já existe no momento.

Dessa forma, construímos uma sociedade expectadora. Corremos ao encontro do nosso próximo emprego, do próximo equipamento eletrônico, do próximo encontro amoroso. Continuamente em busca de uma próxima utopia que nos promete que o próximo — independentemente do que seja — será muito melhor do que tudo que já experimentamos antes. A sociedade das expectativas oferece diversas possibilidades para se ser feliz. Ao mesmo tempo, contraditoriamente, pesquisas feitas no mundo todo demonstram que nunca foi tão difícil manter a felicidade.

No meu livro *Nextopia*, explico o impacto desse desenvolvimento em nossa sociedade. Desde a forma como as empresas são avaliadas pelo mercado, as mudanças em suas estruturas operacionais até nossos próprios valores morais e pessoais, tudo é diretamente afetado por essa profunda mudança de paradigmas. Introduzo novas terminologias e teorias como sexo, drogas e *rock'n'roll* sendo apenas formas naturais por meio das quais o ser humano expressa seus desejos.

Bem, isso é tudo teoria.

Em *Redes Sensuais*, Leonardo Midas nos oferece uma visão extremamente realista sobre como o poder da gratificação instantânea — e a existência de uma variedade literalmente ilimitada de coisas para ver, comprar e fazer — propiciada pela internet, afeta a todos nós. Tal poder de escolha certamente não se restringe a bens materiais, estende-se, na verdade, às pessoas e aos relacionamentos.

Uma olhada rápida no Facebook nos revela um quase-infinito número de parceiros(as) em potencial que são certamente mais bonitos(as), mais divertidos(as) e mais *sexy(ies)* que os companheiros(as) que porventura tenhamos no momento. A questão passa a ser: por que não nos regozijarmos com mais um *rush* de adrenalina? Talvez nós, humanos, simplesmente não sejamos equipados para administrar tanta abundância de escolhas. Independentemente de qual seja a sua própria conclusão, não há como negar que tudo isso está acontecendo neste instante, mudando a forma como vivemos e encaramos o mundo ao nosso redor.

Aperte o cinto de segurança. Aperte bem apertado! *Redes Sensuais* provavelmente será uma viagem menos confortável do que você poderia supor.

Micael Dahlén (www.micaeldahlen.com) é professor catedrático em Economia Empresarial na Stockholm School of Economics, na Suécia. Com mais de trinta artigos publicados em revistas científicas e conselheiro das maiores empresas globais, é considerado um dos dez mais influentes pesquisadores na área de comportamento de consumidores, criatividade e *marketing*. Micael tem seis livros publicados, dentre eles *Nextopia*, o qual foi iniciado e mantém-se vivo por meio do irreverente *blog* www.nextopia.info.

Sumário

PARTE I

Sexta-feira, 1º de abril de 2011
Sábado, 2 de abril de 2011
Domingo, 3 de abril de 2011

O dia da mentira 15
Viagem à Ásia 23
Os Reis do Minas 53

PARTE II

Dezembro de 1987
Janeiro de 1988
Abril de 1988
Junho de 1988
Setembro de 1988
Agosto de 1989
Fevereiro de 1990
1996
1997
1998
2003
2007
2009
2011

Novos horizontes 91
Pegando o ritmo 105
Desmaio de dar orgulho 117
Ultimatos cabeludos 135
Radicalmente sóbrio 155
A verdade nem sempre liberta .. 175
É a menina. É um menino 195
Um amor de Europa 207
O guia 219
O côncavo das laranjas 241
Derrapada moral 247
Lance de gênio 257
Os empreendedores 265
Na dúvida, proteja sua
portinha de trás 283

PARTE III

Segunda-feira, 4 de abril de 2011	Terapia de segunda 301
Terça-feira, 5 de abril de 2011	Marcos contra o mundo 321
Quarta-feira, 6 de abril de 2011	Os assa-sinos 341
Segunda-feira, 11 de abril de 2011	Mudanças 351
Terça-feira, 12 de abril de 2011	O outro cara 363
Domingo, 17 de abril de 2011	A festa tem de continuar 371
Terça-feira, 26 de abril de 2011	Reis. Marcos Reis 385
Quinta-feira, 28 de abril de 2011	Pegadinhas 399
Sexta-feira, 29 de abril de 2011	Contatos 413
Segunda-feira, 2 de maio de 2011	Presente de sócio 419

PARTE IV

Quarta-feira, 11 de maio de 2011	Abre-te sésamo 435
Quinta-feira, 12 de maio de 2011	Caminhada da vergonha 457
Sexta-feira, 13 de maio de 2011	Apocalipse real 465

PARTE I

SEXTA-FEIRA, 1º DE ABRIL DE 2011

O dia da mentira

DEITADO NO SOFÁ-CAMA, na sala de televisão dos pais, Marcos relembra os momentos vividos há poucas horas. As lembranças ainda lhe trazem um sorriso aos lábios. "Hum, ainda estou bom na coisa", pensa com indisfarçável orgulho. "Esta noite eu estava inspirado. Há tempos não mandava tão bem. Sandra, Sandrinha, que delícia! Ainda mais bonita do que eu imaginava. Tão ardente, fogosa... Mineira quente!" "Acho que ainda aguento mais uma, será?"

Sandrinha viera por cima e a Marcos coube somente curtir o prazer. Fecha os olhos, sentindo-se dentro dela. Era quente, gostoso, *sexy*. Lembra quando ela gritou da maneira certa, nem muito alto para parecer falso, nem muito baixo porque perdia a graça:

— Nossa, meu Deus, que delícia... você é muito gostoso... não aguento mais... — e disparou a rir, numa gargalhada deliciosa, não um riso de chacota, mas entremeado com suspiros, palavras... — Delícia, tesão, gostoso!

Marcos nunca havia experimentado algo assim: a parceira dando uma gargalhada bem na hora H.

O riso ecoa até agora em sua cabeça.

Ainda sente os efeitos emocionais do encontro: a leve palpitação, o suor das mãos. "Será que ela vai mesmo gostar de mim?", o primeiro olhar. Sente-se indeciso entre tentar o prazer solitário antes de dormir ou simplesmente dormir. Porém, dormir é impossível. Ouve a gargalhada, relembra também o momento do seu primeiro orgasmo da noite. Naquela hora lhe passara pela cabeça perguntar se poderia ou não, mas Sandra era tão habilidosa com os lábios, que seria quase inconcebível que ela não o deixasse terminar da maneira certa. Além do mais, "hoje em dia qualquer garota semiadolescente já faz isso, é uma coisa básica, algo como raspar os pelos pubianos: ninguém em sã consciência e com menos de setenta anos deixa o mato crescer ao léu". Sente que caiu em uma armadilha do seu inconsciente ao lembrar que, em breve, a sua Valéria entraria na adolescência. "E agora, hein?" Balança a cabeça, como se quisesse espantar aquele pensamento, e volta a pensar em Sandra, que não desapontou e continuou as carícias mesmo depois de passado o turbilhão do orgasmo dele. Marcos também não fizera feio, pelo contrário, mostrou sua força de macho sem perder o fôlego. No máximo, um pequeno momento de insensibilidade, mas os lábios daquela deusa da luxúria foram mais fortes. Ela não demonstrou surpresa, mas com certeza ficara impressionada. Afinal, ele estava com quarenta e dois anos e não era sempre que conseguia duas performances em sequência. Nos bons tempos, três ou quatro, sem intervalo comercial. Era o que ele considerava básico. Mas fora isso antes, e agora a idade estava chegando. "Preciso encontrar umas ex-namoradas da época dos meus vinte anos para atestarem em cartório que eu realmente fazia aquilo. Ninguém acredita." Mesmo com a mulher, às vezes, ele ainda mostra a velha forma, mas hoje em dia isso era um fato cada vez mais raro.

"Esta noite voltei no tempo", pensa, contente consigo mesmo. Em quatro horas fez com aquela ninfa tudo o que demorou anos para fazer com Vanessa, sendo que com Sandrinha as coisas tinham ido muito mais além. Vanessa tinha certos tabus e limites, que ele tentara arduamente "extrapolar" durante os primeiros anos depois de casados. Uma vez, uma única vez, quando ela estava muito bêbada, ele pensou que iria conseguir. Mas Vanessa "bêbada" significava uma taça de champanhe, no máximo duas, e assim que ele fez menção de tentar entrar no lugar "errado" ela pulou da cama feito um gato. Acendeu a luz, fez cara de choro, já havia dito mil vezes que ali não era lugar para fazer "aquilo", que tinha lido em várias revistas que o ato trazia problemas no futuro, que existiam doenças, que era coisa de *gay*... blá, blá, blá. No início do falatório, ele se preocupara mais em tentar abafar para poder ao menos continuar a transa, mas ela não parou mais e a essa altura ele já tinha até perdido o "ímpeto". Fora a última vez, ele preferiu não insistir mais. Mas com Sandra era diferente. Ela obviamente não tinha tabus. Não que tivesse sido fácil. Ainda bem. Não queria transar com uma mulher que desse a bunda logo de cara para qualquer um. Ele sabe que ela fez uma concessão especialmente para ele por puro tesão — aquilo era algo que, com certeza, ela só concedia a namorados muito especiais e que mesmo assim eles deviam levar anos para conseguir. Mas ele, não. Conseguira na primeira noite, graças ao seu charme e também às horas perdidas no Facebook.

De fato, ele a seduzira lá no *chat*. O primeiro beijo — na verdade, apenas uma bitoquinha — na choperia Redentor da Savassi, a área do agito noturno de Belo Horizonte, tinha sido apenas uma extensão dos bate-papos no Face. Uma espécie de prolongamento físico dessas conversas, já que, mesmo no *chat*, por vezes haviam trocado "beijos virtuais". Falavam de tudo: da vida, do presente, do passado, da economia, do jeito do Brasil, do trânsito infernal da capital mineira e, nos últimos dias, o assunto terminava sempre com um papo sexual, mas nada muito desbocado, apenas o suficiente para entender que ela era uma jovem que "curtia de tudo, mas não gostava de tomar iniciativas", que "apreciava fazer com a luz acesa" e tinha tido "relativamente poucos parceiros"... Claro, ficava a dúvida do que "relativamente" significava para ela. "No meu tempo, a expressão 'poucos parceiros' queria dizer, no máximo, três; hoje em dia 'poucos' talvez seja mais que cinco e menos que dez. Ou será menos de quinze?"

Marcos sabia como proceder e o fez com muito cuidado e calma. Foi difícil, mas ela curtiu. "E muito, a danada! Será que ela gozou? Talvez não, já que não deu gargalhada. Será que é para todo orgasmo ou só para os especiais? Ela só gargalhou aquela primeira vez. Mas ela pareceu ter tido mais orgasmos." Não sabia. "Também não dá pra ficar perguntando direto. 'E aí, terminou? Foi bom pra você? Teve orgasmo? Teve? E agora, teve?' Foda-se. Eu gozei umas três ou quatro vezes." Tenta contar. "Vamos ver. Teve a primeira. E a especial, lá atrás . Ah, tá, claro, gozei com ela embaixo, o clássico papai e mamãe não pode faltar, senão acho que nem conta como transa. Esse foi o número dois, inclusive, estou trocando a ordem. Ah, no estilo cachorrinho! Ali ela teve um orgasmo pois, se me lembro bem, ouvi uma minigargalhada. Teve sim. Garanto que teve. Acho que teve. Engraçado que só aí que notei que ela tinha uma tatuagem no ombro direito. Seria aquela a fadinha do Peter Pan? Nunca vou lembrar o nome. Putz, é Sininho! Como diabos lembrei disso? Tenho muito lixo na cabeça. E quando ela estava por baixo deu um suspiro mais forte, acho que foi um orgasmo também. Um gozo leve. Um gozinho. Mulher tem isso, gozo pequeno. Um espasmo. Meio que uma rápida cãibra, só que gostosa. Cãibra gostosa? Isso existe? Como vou saber? Vanessa às vezes me fala que teve um gozo pequeno, deve ter sido um desses, então... merda! Perdi a conta. Onde eu estava? Peraí, deixa eu contar de novo. Teve a do..." Mas interrompe a contagem e começa a pensar em Vanessa. Os pensamentos seguem sem controle e ele agora vê a filha mais velha fazendo sexo oral com um homem. "Mato o filho da puta!" Agora ele se vê a beijar Sandra mas, de repente, é Vanessa quem beija Sandra, as duas estão nuas.

"Raios, vou perder a 'tradição de sábado de manhã!'" Marcos está ao lado do seu pai, este desmaiado na calçada; não, não está desmaiado, apenas apático, incomunicável, como um demente bêbado. Marcos escuta a gargalhada de Sandra enquanto tenta acordar o pai que está desmaiado ou apenas apático, incomunicável... Finalmente, cai num sono profundo e tudo fica escuro e, por bem ou por mal, não se ouve nenhuma risada.

* * *

JARVIS LINDEMANN TRABALHA COM rapidez e eficiência. *On-line*, confere os recebimentos do dia anterior. Utilizando um programa de planilhas eletrônicas, localiza os nomes dos clientes, faz a checagem dos pagamentos efetuados e atualiza suas classificações na tabela. A escala varia de 0 a 3. Se for o primeiro pagamento, passa para o número 1, se segundo, número 2. Os que chegam ao número 3 são trocados para outra planilha intitulada "clientes encerrados". Assim, ele tem uma rápida visão do estado atual das finanças, bem como dos pagamentos futuros. Executa esse trabalho diariamente, fechando os clientes um a um. É uma tarefa monótona. Já pensou várias vezes em aderir a um programa de classificação automática, mas acaba sempre por decidir continuar a fazer do seu jeito. Jarvis não quer deixar nada ao acaso e gosta de olhar os nomes, analisar cada cliente individualmente.

Efetua a transferência do dia, deixando a conta do PayPal livre para o pagamento de amanhã. Dessa forma, também fica certo de identificar o cliente que porventura faça uma queixa. Nunca aconteceu. Ninguém nunca se queixou. Alguns tentam negociar. Jarvis nunca negocia. É patético que tentem. "Fechamos um negócio, não há como desfazê-lo, quer eles queiram ou não. É a vida. Você faz uma burrice, pronto, tá feita, não tem como voltar atrás. As pessoas estão tontas, pulam numa piscina rasa, ou em um rio com uma pedra escondida." Tinha lido isso no livro do Marcelo Rubens Paiva — que a maior causa de pessoas irem parar numa cadeira de rodas é essa: pular em piscina rasa. "A gente vê o sujeito entrevado, todo esquisito numa cadeira de rodas e pensa que é porque ele se acidentou de carro, algo sério, que nada, o cara tava tonto e pulou numa piscina sem água. Aposto que o infeliz daria de tudo para voltar no tempo, não ter dado aquele pulo. Mas deu. Não tem jeito de voltar. Meus clientes se arrependem, mas é tarde. Agora é pagar. E todos sempre pagam. Ficam aborrecidos, mas pagam. Se sentem enganados, mas pagam. Provavelmente, alguns mudam para melhor. Aliás, depois de uma dessas, todos devem mudar para melhor. Quanto a negociar, nunca negocio! Talvez Daniel o faça. Mas eu não. Meu negócio na empresa é cuidar da receita que chega todo dia. Transferir para os bancos. Fazer contatos com empresas, pagar os meus fornecedores. Eis tudo."

É fechamento de mês. Entra no vWorker, um *site* de trabalhos *on-line*. Como ele existem vários: Odesk, Elance, Freelance, Guru e muitos outros. O empregador entra nesses *sites* e especifica o tipo de trabalho que precisa. Algo virtual ou possível de ser feito a distância. Um trabalho de tradução de texto, um *website* de internet, até mesmo trabalhos de contabilidade, programas de *marketing*. Põe o trabalho em leilão. Os trabalhadores, então, se candidatam a resolver o problema e estipulam suas condições de preço e entrega. É mundial. Tudo em dólar, mas os trabalhadores estão na China, nos Estados Unidos, no Peru, em países que ninguém sabe onde fica. Não necessariamente o empregador escolhe o mais barato. Geralmente opta por aquele que parece ter o melhor currículo ou já ter feito projetos semelhantes ou pela pontuação no *site*. Uma combinação de tudo isso certamente atrai. Jarvis sempre trabalha com uma das quatro firmas que conhece — cada uma especialista em determinados serviços.

"Hora de pagar" e clica no ícone dentro do vWorker indicando que a tarefa foi concluída com satisfação. Em, no máximo, dois dias, a empresa recebe o dinheiro dela. Jarvis não tem obrigação de saber nada dessa empresa. Se ela está pagando seus impostos em dia, se não está. Não tem nada a ver com ela. Melhor ainda, ele está pagando para a vWorker, não para a pessoa que executa o trabalho. Ele liquida a fatura com a vWorker, que paga o contratado. A empresa pega um percentual para si. Varia de 2 a 5% do preço total da empreitada. Apesar da perda de receita, as duas empresas preferem fazer dessa forma, com esse fator de isolamento entre si. Não há nada ligando as duas companhias. É tudo virtual. Os eventuais problemas da empresa contratada não o afligem. Por isso mantém tudo muito bem separado.

"Bem, a contabilidade do mês agora está fechada. Sinal verde para iniciarmos o mês seguinte. É a parte mais chata. O início. Este mês se inicia no dia 3 de abril. Muita coisa pra fazer." Mas é Daniel quem cuida dessa parte. Ele teria de fazer isso no domingo. "Agora vou dormir", pensa Jarvis.

SÁBADO, 2 DE ABRIL DE 2011

Viagem à Ásia

É SÁBADO DE MANHÃ EM BELO HORIZONTE. Marcos acorda ao som de uma maldita britadeira da construção ao lado. Nos últimos oito, dez anos, o prédio dos pais, anteriormente isolado na rua Fernandes Tourinho, viera recebendo a amaldiçoada companhia de vizinhos. Isso, além de transformar a piscina do prédio numa experiência digna da Sibéria, contribuiu também para que ninguém conseguisse dormir depois das 7 da manhã nos dias de semana. O torturante som de martelos, britadeiras, serras elétricas e outros equipamentos barulhentos tornou-se constante. Quando a economia está mais devagar, as obras geralmente param durante o final de semana. Mas atualmente, com a economia aquecida, os operários trabalham aos sábados, domingos, feriados e dias santos. Por causa das reclamações, felizmente, passaram a iniciar mais tarde nesses dias. "E santo dia esse, pleno sábado, ser acordado às 9 da manhã com essa barulheira... ninguém merece...", é o primeiro pensamento de Marcos, logo interrompido pela lembrança da noite anterior. "É, dos males o menor." Pensa e continua esticado no sofá-cama, ainda saboreando as memórias ainda vívidas na mente e no corpo.

Ontem, sabendo que não iria para casa, nem precisou se lavar demais. "Essa parte é sempre a mais complicada, o 'chegar em casa'. Sempre se corre o risco de a mulher notar um perfume diferente. Ou, pior, sentir o 'cheiro de motel'." Se bem que, no caso dele, não houve qualquer despesa com motel : Sandra tinha ganhado uma noite gratuita num apart-hotel, este mantido por uma agência de modelos que a contratara. A empresa reservava esse espaço para garotas que, como ela, vinham do interior para fazer testes fotográficos. Mesmo antes disso, Marcos chegara a pensar em ir a Montes Claros encontrá-la — as conversas estavam boas demais para esperar muito — quando Sandra disse que, finalmente, tinha chegado uma resposta positiva da agência. Foi como um presente dos céus. Ela faria testes para uma nova marca de maquiagens. Ou algo do gênero. "Quem se importa com esses detalhes?"

Ele iria dar uma saída para beber com "a turma" e depois dormiria na casa dos pais: "Você sabe, hoje em dia tem a lei seca, e com lei ou sem lei dirigir bêbado é sempre algo a se evitar". Como essas saídas eram normais, Vanessa não tinha nem como desconfiar.

Tudo se encaixando perfeitamente, o primeiro discreto beijinho no Redentor veio rápido, a conversa fluindo. Marcaram bem cedo e, após uma hora de chope e conversa, o Redentor começou a ficar perigoso. Até aquele momento, se alguém os encontrasse ainda rolava o papo de que ela era "namorada de um amigo que estava para chegar". Mas a conversa começou a esfriar na mesma proporção que o clima esquentou: toques furtivos de mão, olhares... Mais cinco minutos e o "namorada de amigo" não colaria mais. Marcos pediu a conta, pagou sem esperar pelo troco e saiu de lá em ritmo acelerado.

O apart-hotel ficava no mesmo quarteirão, em quinze minutos estavam no quarto, isso porque o *check-in* fora demorado. Devia ser 21h30 quando saíram do Redentor, mas só foi tocar a campainha do prédio dos pais depois das duas da manhã. "Uma noite perfeita, mas isso foi ontem. Hoje é outro dia. Maldita marreta, malditas construções."

Levanta, está suado, o sofá-cama é muito felpudo para um dia quente como esse. Vai pro banheiro, toma um ducha, veste uma roupa antiga que mantém "para ocasiões como estas". Olha-se no espelho, a camisa da época dos trinta e poucos anos deixa entrever uma barriguinha que começa a evoluir para "Barriga, com B maiúsculo". Os cabelos grisalhos não importam, "me dão um ar de George Clooney". Lembrou a si mesmo que todo careca acha que a falta de cabelo lhe faz parecer com o Bruce Willis, quando, na verdade, a careca apenas o faz ficar feio e dez anos mais velho. O mesmo devia se passar com Marcos — seus cabelos provavelmente não o faziam parecido com George Clooney coisa nenhuma. "Mas, convenhamos, cabelo grisalho ainda é melhor que a falta de cabelo, exceto quando os 'acinzentados' estão localizados mais ao sul do Equador." Será que existe uma tintura própria? E será que o George Clooney, todo bonitão, fica tão bonito assim pelado com a pentelhada cinza? O que ele faz para controlar o problema? Taí uma boa ideia: *Tintura Íntima George Clooney*. Já posso até imaginar o comercial: ele, com aquele sorriso hollywoodiano, olha para a câmera, os cabelos grisalhos todos à vista, e diz: "Tenha o visual George Clooney", e apontando para a própria cabeça diz: "Ah, não é aqui". Pisca um olho e adiciona: "Onde realmente importa. Confie em mim. Desse problema eu entendo...".

Pelo sim, pelo não, há muito tempo Marcos adotara um corte bem rente na região, além de cortar cuidadosamente (e apesar de todo o cuidado, acidentes aconteciam) os eventuais pentelhos brancos rente à raiz. No torso, começam a aparecer uns peitinhos estranhos, em inglês chamados de *man-tits*, peitos de homem. Coisa de velho. "Tenho que reiniciar um programa de treinamento urgente. Urgentíssimo." Há uns seis anos entrara numa de cuidar do corpo utilizando o método *Body for Life*. Funcionou e aderiu ao método por quase dois anos. Nunca estivera tão em forma. Vanessa até tinha gostado do resultado na cama, não por causa da performance, mas sim porque ele perdera peso e, o mais importante, deixara de roncar. Mas a pressão dos amigos, que não o encontravam mais nas saídas, de Vanessa e suas obrigações sociais foram mais fortes. Pouco a pouco ele foi cedendo, e hoje estava novamente acima do peso: 80 kg, com 1,78m. Não era exatamente um desastre, mas começava a se sentir envergonhado ao tirar a camisa no clube.

Vanessa, contudo, parecia só melhorar com o passar dos anos. Quando se conheceram, em 1990, Vanessa tinha acabado de completar dezoito anos. Era loura, cabelos lisos e longos. Acima de tudo, grandes e curiosos olhos verdes, que chamavam a atenção por onde ela passava. Era uma *mignon*, tipo 1,58m, com tudo duríssimo no lugar. Os peitos eram tamanho A, a bunda, pequena e arrebitada, desafiando a gravidade. Quando iniciou a faculdade, passou a trabalhar como *freelancer*, dando aulas de aeróbica para empresas. Fazia também alguns trabalhos como modelo em exposições e convenções. Era virgem e inexperiente. Hoje, mais que o dobro do tempo depois, e tendo gerado duas filhas, Vanessa não tem mais a virgindade, a inexperiência e nem faz mais trabalhos *freelance*. Tirando isso, o resto da descrição ainda lhe serve. Se antes, aos dezoito, ela era uma nota 8 fortíssima (considerando que nota 10 seriam modelos altíssimas de dezessete, dezoito anos e que faturam milhões por desfile) hoje ela é uma nota 9, ou talvez 9,5. Isso porque a competição, literalmente, caiu por terra. As que não caíram, entraram na faca. Com resultados às vezes estranhos. A pele do rosto muito esticada, mas enrugada no pescoço. Ou então as pernas, os culotes. Ou as mãos. Algo sempre denunciava que se tratava de uma intervenção artificial. Mas Vanessa estava acima disso. Ainda tinha uma carinha de vinte e cinco, trinta anos, no máximo, o que às vezes lhe trazia até problemas no Buffet Vanessa. Frequentemente, clientes novos não acreditavam que aquela mulher tão jovem pudesse ser a Vanessa, que dava nome ao bufê ou que ela tivesse toda a experiência que dizia ter. Uma conversa rápida com o cliente, um sorriso e tudo estava resolvido. "Vanessa é a pessoa mais sociável que já inventaram na face da Terra", costuma dizer Marcos. De fato, a simpatia e o carisma de Vanessa eram lendários no bairro Floresta, onde ela cresceu e fez questão de morar após o casamento. Simpatia não só da boca pra fora, mas algo que podia ser comprovado quase que cientificamente: prova número 1 era o bufê que começou do absoluto nada, simplesmente com Vanessa organizando festas de aniversário para amigos, familiares e colegas da Faculdade de Comunicação da UFMG. Investimento inicial de zero real; prova número 2 é que, mesmo depois de o bufê ficar conhecido, durante os quatro meses que Vanessa ficou ausente da empresa logo após o nascimento de Verônica, em 2002, o faturamento praticamente caiu pela metade, voltando rapidamente aos níveis normais assim que ela retornou ao trabalho. "A comida do bufê é ótima, o serviço impecável, o local excelente. Mas o diferencial todo mundo sabe: é a dona", dizia Marcos.

De frente para o espelho, se examinava: "Um dia desses, ela me larga. Vai achar um cara novo, rico e com um cajado enorme e, aí, como eu fico? Ainda mais agora, que já não estou lá essas coisas... Se bem que ontem eu mostrei que ainda sou 'o bicho'. Ou então ela não me deixa, mas eu caio fulminado por um ataque cardíaco. Tenho de me cuidar. Toma vergonha, seu veado! Põe essa barriga pra correr!".

Sai do banheiro, a mãe o espera com o café da manhã na mesa. Já são quase 10 horas, come pouco, porque sabe que ao meio-dia, pontualmente, será servido o almoço. A comida, baseada numa dieta de pouco sal, pouca gordura, poucos temperos, pouco tudo, já que o pai é diabético, com problemas de pressão, coração e qualquer outro "ão" que possa existir, provavelmente não será aquela apetitosa comida de sábado de outrora. "Foda-se, hoje é um sábado glorioso." Pela porta da sacada, vê o sol lá fora, o céu sem nuvens. E põe-se a conversar com a mãe sobre o trabalho, o Brasil, as meninas, o último desastre natural na Cochinchina, a Dilma... Realmente, um sábado glorioso apesar do barulho da britadeira que continua incessante, do lado de fora.

* * *

Daniel João Cotto, o Dadá, abre os olhos com preguiça. Consulta o relógio de cabeceira, que já passa das 13 horas. O sol entra pela janela, atingindo-lhe diretamente o rosto, pois tinha esquecido de fechar as persianas na noite anterior. O enorme aposento que ocupa todo o subsolo da casa é dividido em duas partes por uma imensa estante. De um lado, o quarto de dormir. Do outro, o escritório da empresa. A divisão não é apenas física: é também organizacional. No lado dormitório, a cama *king size* está em total desalinho; latas de Coca-Cola, cerveja e garrafas de suco se empilham na cesta de lixo; papéis de assoar o nariz encontram-se espalhados, com algo grudento neles. O projetor no teto está aceso e a parede branca reflete um filme pornô, desses sem história, sem maquiagem, estilo amador. Não há som. Não se vê nenhuma TV, DVD ou qualquer outro aparelho do gênero. O que é, de certa forma, desconcertante, sabendo-se que Dadá é fanático por filmes. Até mesmo aqueles com história. Geralmente só assiste aos recentes, não lançados no país, e desde que não tenham a Angelina Jolie, que "passa o tempo todo fazendo caras e bocas tentando parecer *sexy*". Ao lado da cama, um *laptop* com controle remoto e teclado sem fio, os únicos aparelhos de que precisa para seu entretenimento.

"Apesar de ser sábado, o trabalho não para", pensa Daniel. Olha novamente para o sol lá fora e se consola imaginando que "vai ver, tá frio pacas". Mira a parede azul embaixo da escada. Tenta entrever qualquer tipo de desalinho, fresta que denunciaria a porta falsa que criara. Há dois anos fazia isso diariamente. Mesmo resultado de sempre: impossível de se perceber algo. Levanta de um salto, vai ao banheiro fazer a higiene matinal. Ouve os passos de sua mãe no piso superior. Não apenas imagina que é a mãe, na verdade *sabe* que é ela. Conhece o seu andar. "Incrível como a gente, sem perceber, grava certas coisas", pensa.

Anos atrás, durante as férias, trabalhou como estagiário numa firma. Com dois dias, entendeu tudo o que tinha de fazer, e, no processo, entendeu também que seu chefe era um idiota completo. Após uma semana, sabia mais que o chefe, talvez mais do que o chefe do chefe. Quando não tinha mais nada a aprender desinteressou-se e passou a ficar de papo no MSN. De longe, ouvia o andar do chefe e, sem precisar se virar, imediatamente abria uma grande planilha do Excel. Tinha de desenvolver algo *idiótico*, mas que o chefe e o chefe do chefe achassem ser grande coisa. Duas horas de busca no Google e já tinha encontrado um programa com código fonte e manual para o usuário que atendia a 90% dos requisitos. De vez em quando o chefe perguntava como estava indo, Dadá explicava algo como:

— Você sabe, estou tendo problemas em conectar a base de dados SQL com a planilha, existe um *bug* no Windows, mas já reportei à Microsoft. Enquanto isso, estou trabalhando na sub-rotina de apresentação gráfica. Mas o pior mesmo é o manual de utilização, estou escrevendo um para deixar pronto quando meu estágio terminar. É o que leva mais tempo: a documentação.

O chefe acenava com a cabeça.

— Mmm, mmm, muuito bem, boa iniciativa. — Enquanto isso pensava: "Esse estagiário é um idiota. Não entende que eu nem faço ideia do que ele está falando? O que sei é que a Accenture nos cobrou uma fortuna para escrever os requisitos desse programa complicadíssimo, que até hoje nem entendi para que serve. Iríamos a falência se aceitássemos pagar o que pediram para programarem esse *software*. Inclusive, nos propuseram também trabalhar numa segunda revisão, já que o consultor deles vê uma grande possibilidade de economia, mas não colocou nessa primeira versão porque essa análise ia além do escopo contratado. Estávamos nesse aperto, já tendo pago pela consultoria, mas sem ter dinheiro para ir pra frente, e aí me aparece esse babaca, trabalhando quase de graça; o sujeito tá se matando, não sai da frente do computador nem pra almoçar. Pena que ele não é uma tremenda gata, porque seria ainda melhor. Não, é melhor que seja esse magricela alto mesmo porque assim não fico tentado.

Logo ele vai embora e eu pego as glórias junto à diretoria por ter introduzido esse programa por um preço bem mais em conta. Com certeza esse ano meu bônus vai ser gordo, graças a esse magricela. Talvez eu devesse chamá-lo para tomar uma cerveja. Ha, ha, ha! Porra nenhuma, cerveja tá cara. E ele provavelmente é menor de idade." Uma vez, depois de dar o tradicional tapinha nas costas e dizer "é isso aí, Daniel, pega firme" e ir embora, com ar de satisfeito, resolveu mudar o *script*. Deu meia-volta e disse:

—Você tá fazendo um ótimo trabalho, mas lembre-se que isso é prioritário.

Falou isso e colocou a mão direita dez centímetros acima da cabeça, fisicamente indicando que alguém *mais alto* que ele estava por trás daquele sucesso. E continuou:

—Se precisar da minha ajuda, não hesite em pedir. Isso tem de estar rodando, testado e bonitinho muito antes de você terminar o estágio. Talvez tenha de fazer hora extra, precisando nem precisa pedir: pagamos tudo dentro da lei, o dobro do salário.

Daniel acenou com a cabeça e retrucou com o semblante pensativo:

— Bom que mencionou isso porque já estava para falar que será mesmo muito difícil manter o cronograma.

Durante o resto do estágio, Dadá trabalhou todos os dias até as 10, 11 horas da noite. Nas últimas três semanas, praticamente morou no escritório da empresa. Virou noites, finais de semana. Inclusive estendeu o estágio por um mês devido a uns *bugs* que teimavam em aparecer. Por causa dos estudos, tinha de trabalhar em casa, via internet. Mas continuava indo na empresa nos dias livres e finais de semana. Poderia continuar assim indefinidamente, mas no final acabou ficando entediado. Um belo dia, todos os problemas sumiram, "sim, porque era tudo um *bug* do Windows, por isso nunca dava certo; agora instalei o novo Service Pack 3 e os problemas foram resolvidos". No final a empresa lhe pagou tudo: o salário básico era pouco, mas quando acrescido de todos os 50% e 100% adicionais, percentuais de férias, etc., pareceu-lhe uma imensa fortuna. Inclusive lhe deram um bônus por desempenho. Seu chefe até entregou uma carta de recomendação que dizia muito, mas não falava nada.

— Daniel, com uma carta dessas na mão, quando você se formar, arrumará emprego em qualquer lugar.

Fê-lo prometer que voltaria no próximo ano. Daniel agradeceu com entusiasmo. Na verdade, nunca mais apareceu por lá. Com o dinheiro fez um *upgrade* no computador, colocando o antigo como servidor, adquiriu um novo *router*, trocou toda a fiação elétrica da casa, instalando cabeamento estruturado, e pagou a taxa extra de conexão para o acesso via fibra óptica. O restante guardou porque sabia que em breve iria precisar daquela reserva. Sempre teve a noção de que poderia utilizar suas habilidades, tanto aquelas inerentes à sua pessoa quanto as adquiridas, para estabelecer um negócio inovador.

Uma ideia começava a crescer dentro de sua cabeça. No momento ainda eram pedaços desconexos mas, como num quebra-cabeças, ele já havia montado primeiro as bordas, para depois encaixar o miolo.

Assim que entrou na estação do metrô, a caminho de casa, jogou sua carta de recomendação na primeira lata de lixo que viu.

* * *

Marcos abre a porta do apartamento e dá de cara com Valéria, a filha mais velha. Ela não se contém e aproveita para brincar com ele:

— Legal pai, os anos 80, pelo visto, voltaram com força total! Talvez você não saiba, mas estamos em 2011!

Ele a encara, sério, mas os dois começam a rir.

— Anos 80... Você nem sabe qual era o estilo... Você nem era nascida. Esta camisa tem apenas uns quatro ou cinco anos.

Verônica, a mais nova, vem correndo curiosa.

— Que foi, que foi?

Valéria diz:

— Não tá vendo o estilo do papai?

Verônica olha, não vê tanta graça, mas mesmo assim ri.

— Vocês estão com inveja — diz Marcos.

Vanessa aparece e faz cara de dó. Marcos a abraça e canta ao ritmo de Tom Jones *"sex bomb, sex bomb, you are a sex bomb"*. Vanessa ri e diz para as duas filhas, como quem sussurra baixinho:

— Gente, me lembra de, por favor, deixar umas roupinhas do seu pai lá na casa da vovó. Se não, podem acontecer mais tragédias como esta. Me poupem, né? Pega até mal pra nós. Já pensou se alguém nos vê com seu pai assim? Que iriam pensar?

Todo mundo ri, as meninas vão para seus quartos e Vanessa fala com ar sério:

— Marcos, preciso falar uma coisa com você. Vem aqui no quarto.

Ele gela. Tenta manter a compostura, mas sua mente está a mil por hora. "Ela não pode ter descoberto nada. Não tem como." Responde:

— Claro, o que foi?

Caminham para o quarto, ela fecha a porta. Ele ainda está gelado, um frio na espinha lhe corrói os pensamentos, ela vira para ele com cara bem séria e diz:

— Finalmente consegui falar lá na corretora de imóveis. Engraçado como o Patrício, o corretor, sempre atendeu nossas ligações prontamente quando queríamos comprar. Agora que precisamos de uma ajuda, ele não está e também não atende o celular. Pela secretária, mandou dizer que não conseguiu encontrar uma solução. Disse que nós assinamos o documento com a entrada do imóvel para daqui a dois meses e que o proprietário atual não tem como sair do apartamento porque está esperando terminar uma reforma. Segundo ele, vamos ter de esperar, não há outro jeito.

Marcos praticamente nem ouviu o que ela disse, tamanho o alívio. Captou só o final da frase. Concentra-se. Respira fundo, pega um ar, processa os pedaços que entendeu e faz senso de toda a mensagem. "Ah, tá. Só daqui a dois meses. Patrício", pensa. Era isso. Finalmente vocaliza:

— Hum... bem... se não tem jeito...

Vanessa insiste:

— Mas você sabe, Verônica está tão animada para fazer o aniversário dela no apartamento novo! Mataríamos dois coelhos: o aniversário e também a festa de inauguração do nosso novo ninho de amor.

Ela falou "ninho de amor" com um riso nos lábios; essa era a expressão que Marcos usava quando queria ser romântico, mas não sem uma certa ironia. Igual como quando a chamava de "minha nega".

— Pra gente seria até econômico — prossegue Vanessa. — Você sabe que teremos de dar uma festa, não tem jeito de mudarmos *sem* uma festa, afinal, pega até mal pra quem é dona de um bufê. Então, em vez de gastarmos duas vezes, gastamos uma vez só. Será que se você conversasse pessoalmente com o proprietário, em vez de ficarmos vendo isso por intermédio da corretora, não seria melhor?

"E mais, estou com a impressão de que o Patrício não tá nem aí, já recebeu o dele e partiu pra outra. Vai ver nem falou com o proprietário. Já te falei que ele é muito esquisito. Me olha sempre de alto a baixo. Dá um calafrio! Não quero mais que ele seja nosso mediador."

Agora, bem mais calmo, Marcos sorri para a esposa, abraça-a dizendo:

— Vem cá, minha nega. — Enquanto pisca pra ela, meio que falando "entendi seu ninho de amor, viu?!". Mas não foi preciso vocalizar as palavras, desde que se conheceram se comunicavam pelo olhar, sabia que Vanessa havia entendido a mensagem.

— Pode deixar. Vou ver isso. Xá comigo. Quanto ao Patrício, eu não o culpo. Tenho certeza absoluta de que ele tá doido pra te comer. Deve ter batido muita punheta em sua homenagem.

Mas te pergunto, quem não quer? Só se for veado. — Ri, olha Vanessa nos olhos e a beija.

Para sua surpresa, Vanessa geme baixinho e aperta-o forte. É um bom sinal. Fazia um bom tempo que não davam uma no sábado à tarde.

Ela diz:

— Saudade.

Ao que ele responde:

— E eu ainda mais porque perdi a tradição de sábado.

—Pois é, prefere sair e ficar vagabundando!

Ele pensa em retrucar, mas já estão na cama, os beijos mais profundos, a mão dele já por baixo da camisa leve. Mas ela se levanta, de súbito.

— Tenho de ir ao banheiro. — E sai para a suíte.

Marcos fica sozinho na cama, se despe jogando as roupas numa cadeira e fica nu debaixo dos lençóis. Vanessa sai do banheiro, está nuazinha. Com certeza se lavou no bidê, ela está sempre cheirosa *lá embaixo*. Ela senta na cama, uma posição que é sua marca registrada. Ajoelhada, com a bunda encostando no calcanhar. Marcos está deitado, eles se olham. Marcos sempre admirou a beleza daquela deusa. Gosta da cor dos bicos dos seios dela. Lembra-se de quando ela estava grávida. Durante toda a gestação e amamentação os bicos dos seios sempre estavam excitados. *D-u-r-o-s*. Dia sim, o outro também. Vanessa desliza e, apoiando-se em um cotovelo, repousa a sua cabeça em uma mão, ficando assim numa posição entre sentada e deitada, algo também sua marca registrada. Com a mão livre, ela começa a acariciá-lo. Ele se põe a chupar-lhe os seios — na gravidez eles aumentaram bem, mas depois voltaram ao tamanho normal. "Realmente uma pena", ele pensa.

Ela começa o sexo oral. A chupada dela é gostosa, ele fecha os olhos. Pensa: "pelo visto, a tradição de sábado não foi quebrada". A tal tradição, algo mantido havia anos, consistia nela fazer-lhe um oral quando eles acordavam.

— Existe maneira melhor de iniciar um fim de semana? — Marcos sempre dizia.

Passa a sentir a boca dela acariciando-o. Tenta evitar, mas não tem como não comparar com a chupada da noite anterior. A que experimentava agora era uma chupada contida. *Ele* era de um tamanho médio, dezoito centímetros, nada excepcional, mas também não fazia feio.

Vanessa chupa-o basicamente na região da cabeça do pênis, uma ação meio seca, meio tímida. Sandra, ao contrário, engolia todo o membro, era uma chupada molhada, era variada, ela batia o pênis no rosto, na língua, fazia caras e bocas, ora usava as mãos, ora somente a boca.

Marcos sente a hora do gozo chegar, Vanessa já o conhece muito bem, e passa a usar somente as mãos. Os jatos quentes molham a barriga de Marcos. "Caralho, na 4ª série primária eu já devia ter uma namorada que me deixava, pelo menos, gozar nos peitos dela", pensa. Acha chato que nem isso Vanessa permita, quer dizer, havia acontecido algumas vezes, mas muito tempo atrás.

Pega uma toalha, enxuga-se, beija Vanessa e vai direto chupá-la. Sem muitos rodeios. Marcos sabe que possui uma capacidade inimitável em relação à potência, mas teme que as coisas se tornem repetitivas na cama. Como agora, por exemplo: "Eu a chupo da forma como sempre fiz. Talvez precise inovar também". Lembra-se de um jornal, ou artigo de revista, que dizia que o homem deveria fazer o alfabeto com a língua. Marcos inicia fazendo o A, o B, o C, o D... de repente, sente Vanessa meio que... dando um sinal que alguma coisa estava errada. Um sinal de frustração, dando um tranco com a pélvis. Ele capta a mensagem, volta a fazer do jeito convencional. Nota ela retornando ao ritmo do orgasmo. Ela inicia um leve vai e vem com o quadril, vai aumentando o ritmo, assim prossegue até um pequeno tranco. Não grita, não geme. No máximo, um suspiro mais profundo. Imediatamente, ela procura tirar a boca dele do seu sexo, ao que Marcos resiste e prossegue agora num ritmo mais devagar, porém mais profundo.

Ela retesa ainda mais o corpo, gozando uma segunda vez, e começa a relaxar enquanto ele vai diminuindo o ritmo até parar. Beija as coxas dela, limpando-se parcialmente do suco vaginal e da saliva na boca. "Talvez eu devesse, quando ela fosse gozar, parar e fazer só com os dedos. Será que ela iria gostar?", pensa, enquanto limpa a boca numa outra toalhinha ao lado da cama. Beijam-se, o gosto era de sexo nas duas bocas. Marcos sente o membro ereto, querendo mais. Olha pra ela, que já sabia e faz cara de "deixa pra mais tarde". Ele não insiste. Também quer tirar uma soneca. Eles continuam abraçados, se beijam e se olham.

Ela diz:

— Eu te amo.

Ele responde:

— Eu também.

Ele pensa na noite de ontem. Fora bem melhor, em termos de prazer, que agora, mas com certeza "esse momento aqui dá de 10". Nunca poderia haver algo, nesse paralelo "psicológico", que fosse semelhante ao que tinha com Vanessa. Entre eles rolava algo muito especial. Talvez fosse a melhor coisa que tinha na sua vida. Talvez ainda melhor do que as filhas, que adorava, mas sabia que um dia elas iriam embora, se casariam, teriam outra família. Isso que tinha com Vanessa era o bem mais precioso que possuía.

Começa a divagar, os pensamentos aceleram e atingem a coerência. Vanessa sabe que o "eu também", em resposta ao "eu te amo" era uma brincadeira, porque tanto poderia significar "eu também te amo" como "eu também me amo, obrigado". Por isso, no último segundo antes de dormir, ele murmura:

— Vanessa, eu também te amo.

* * *

DADÁ É UNIVERSITÁRIO. Às vezes, como hoje, aproveita as tardes de sábado para fazer algum trabalho. Raramente tem necessidade de ir fisicamente ao *campus*. Estuda a distância. Dessa forma, pode trabalhar na empresa durante a tarde e a noite, quando talvez fosse necessário atender o telefone ou responder algum e-mail. Há muito não estuda mais as cadeiras específicas do seu curso. Foi chamado na universidade duas vezes, para conversar com a orientadora. Isso porque sua grade de matérias era muito díspar. Estudou finanças internacional e corporativa; direito internacional; psicologia e português. Mas ele cursa, pelo menos oficialmente, computação. Nas duas vezes em que foi questionado, enrolou. Explicou que estava confuso. Não contou a verdade. Que havia muito perdera o interesse pela área da computação em si. Era uma pessoa prática. Herdara a praticidade da mãe e a inteligência matemática do pai. Queria ter o conhecimento, a base teórica para resolver problemas. Por exemplo, durante o curso de psicologia, ele interessou-se pelo trabalho da psiquiatra suíça Elisabeth Kübler-Ross, que descreveu os cinco estágios de uma grande perda, como a morte de um ente querido ou a perda de bens materiais (como no caso de uma pessoa que tem seu lar destruído por uma enchente) etc. Os estágios eram: negação, raiva, negociação, depressão e aceitação. Leu livros, procurou artigos. Passou muitas noites em claro, estudando. No final do curso, escreveu um trabalho muito além, em qualidade, do que lhe era exigido. Foi aprovado com nota máxima. Durante o mesmo semestre, estudou também português, sistemas operacionais e base de dados relacionais. Em todas elas, passou com pouco mais que o mínimo necessário. Mas para essas disciplinas nem chegou a comprar os livros didáticos indicados. Não estudou para as provas, nem na véspera. Não estudou, ponto final. Apenas fez as provas. E passou.

Não que fosse um gênio das ciências exatas. Em uma analogia, se o virtuoso Wolfgang Amadeus Mozart já compunha e tocava piano aos quatro anos de idade, Daniel tocaria somente aos sete ou oito. Não é gênio, apenas possui facilidade inata superior às outras pessoas para captar os conceitos de matemática e computação. Para ele, é natural pensar em termos de tabelas de base de dados. Em termos de "objetos". Em termos de "protocolos". Falta-lhe, entretanto, o raciocínio espacial. Nunca poderia ser arquiteto. Não consegue desenhar sequer uma casinha com fumaça saindo da chaminé. Ninguém é perfeito.

Mas havia uma matéria em computação que ele se dedicava com afinco: segurança da informação. Já havia cursado todas as matérias dentro dessa área existentes na universidade. Depois cursou mais duas, numa universidade que tinha convênio para poder transferir os créditos. Se não pudesse transferir, teria feito assim mesmo.

A empresa precisava estar com os dados seguros. Os dados estavam assegurados. Agora faltava apenas a parte mais difícil, a lógica, que é assegurar que ninguém entraria nos seus servidores, ou que seguiria as pegadas e traços que deixasse pela internet — toda vez que alguém acessa uma página da web, envia um *e-mail*, está deixando pegadas atrás de si. Como na historinha dos pedacinhos de pão marcando o caminho, essas pegadas denunciam, para pessoas com um bom conhecimento, qual computador enviou qual mensagem. Qual computador acessou qual página. É assim que a polícia rastreia quem foi o *hacker* que entrou em um determinado computador, que colocou um vírus na Nasa, por exemplo.

Após todos os cursos, chegou à conclusão de que era impossível apagar todos os rastros. Se o governo de um país quiser descobrir quem foi o *hacker*, consegue. É inerente à natureza da internet. Deixar rastros. A questão, nesse caso, é fazer a coisa ficar tão complicada que seja necessário um governo para rastrear. Nesse caso, tinha o cofre como último recurso. Mas, antes disso, tinha a psicologia ao seu lado. Os cinco estágios da dor. E, antes disso, as finanças e a legislação como barreira protetora.

Como qualquer pessoa com razoável conhecimento de informática sabe, os rastros na internet são deixados, prioritariamente, pelo endereço IP da máquina (uma coletânea de números do estilo 127.192.8.7). Esses números são designados pelo provedor de internet. Sabendo-se esse endereço pode-se, com menor ou maior esforço, descobrir quem é o provedor de internet e, por meio dele, o assinante por trás do número.

Daniel conecta-se à internet por meio de dois provedores convencionais. Porém, feito isso, ele conecta-se, de forma aleatória, a outros dois provedores de endereços IP especializados no chamado "IP Secreto". Na prática, a cada meia hora os computadores da rede de Dadá recebem novos endereços IP de diferentes países. Isto significa que, se alguém rastreasse um *e-mail* enviado por Daniel descobriria que havia sido enviado de um país, digamos, Tailândia. Meia hora depois, o próximo *e-mail* proveniente do mesmo computador seria, então, rastreado a um computador localizado na Argentina. O chamado Endereço MAC, o que identifica o computador em si, fazendo a conexão entre o endereço IP virtual e a máquina física (literalmente, provando que esse computador em específico era o computador o qual tinha um dado endereço 127.192.8.7 no dia tal, hora tal) também era trocado. Para isso, Daniel gastou dois meses quebrando a cabeça. Existem muitos programas na internet que fazem tal troca, porém Daniel precisava fazer isso *on-line*. Não queria ter de ligar e desligar as máquinas, como todos os programas necessitam. Por fim, logrou fazê-lo. Na verdade, poderia até tirar patente da sua invenção. Na prática, significava que mesmo se rastreassem algo e eventualmente chegassem a ele (o que somente aconteceria depois que fosse expedido um mandado de segurança contra os provedores do IP Secreto para que abrissem seus registros, um localizado nos Estados Unidos e outro na Holanda), não existiria nenhuma prova de que teriam sido esses os computadores utilizados.

Daniel poderia argumentar, num eventual julgamento, que alguém invadiu sua rede, sem o seu conhecimento, e utilizou sua conexão sem fio para fins que desconhecia.

Quando finalmente deu-se por satisfeito no quesito segurança, era praticamente fim de verão. Sentia-se pronto. Já havia começado, furtivamente, a contatar clientes e fornecedores. As empresas já estavam funcionando, legalmente, havia, no mínimo, um ano. Brixare e Lindemann estavam a postos. Pensou que em dois, três meses pudesse iniciar a fase de testes: "Talvez em outubro fechemos com uns cinco clientes-piloto", pensou. Mas nunca imaginou que o negócio pudesse ir tão bem. Em outubro, precisou exercer o autocontrole para não exceder dez clientes. Em novembro, preferiu não atuar para ter total controle da situação. No meio do estresse de dezembro e Natal, pensou que a clientela fosse diminuir, mas para sua surpresa fechou, sem esforço, com quinze clientes. Em 13 de janeiro de 2011, já tinha uma cartela de clientes suficientes para os meses de janeiro e fevereiro. Agora em abril estava perto do ponto de saturação: não tinha como dar vazão a tantos fregueses. Seu pensamento se voltava, como sempre acontecia nessas horas, às mulheres. Tudo ia bem na sua vida. Para ir melhor, só precisava aprender a controlar as mulheres. "Essas sim, dão dor de cabeça." Ainda não havia encontrado o programa de computador capaz de ajudá-lo nessa tarefa. Por mais que procurasse no Google. "Hora de pegar um rango."

* * *

Acordam praticamente juntos. Já passa das 18 horas. A noite está quente, úmida. Talvez um tenha acordado primeiro e, ao mexer, acordou o outro. Continuam entrelaçados, nus, parecem duas cobras. Marcos sente o sexo dela encostado em sua coxa. Faz pressão. Vanessa fecha os olhos e curte a carícia. Sabe que seu marido é o melhor homem que já conheceu. O seu *primeiro*.

Na época, ela achava que todos os homens eram iguais a Marcos. Por isso, talvez não tenha dado todo o valor ou a atenção merecidos. Ele teve de esperar muito, pudera, ela só tinha dezoito anos. Ele teve de fazer tudo pacientemente, dentro do ritmo que ela ditou. Das primeiras carícias no alto da Afonso Pena, por cima da camisa, até a primeira chupada nos seios devem ter se passado, no mínimo, seis meses. Sem contar os meses iniciais nos Estados Unidos onde só rolou beijo e mais nada. Ela tinha medo. Ou receio. Ou insegurança. Ou tudo junto. Não queria ser fácil, não queria ser puta. A avó lhe dizia:

— Tome cuidado com os meninos, eles só querem uma coisa.

A mãe lhe falava:

— Casei virgem, seu pai foi o único homem que conheci.

Ela acreditava. Não sentia aquela ardência louca que as colegas da UFMG lhe falavam entre risos. Uma ardência tal que as fazia perderem a cabeça, ficarem ensandecidas. Vanessa era diferente, gostava mais dos carinhos, dos beijos. Para ela, estava bom assim.

Mas o tempo foi passando, a intimidade aumentando. Os corpos, consciente e inconscientemente, queriam mais. Evoluíram para um *drive-in*, o Charm, na BR-040 indo para o Rio de Janeiro, como que treinando para chegar aos motéis que ficavam logo à frente. Longas sessões de sexo oral. Por muito tempo, só ele a masturbava. Ela gozava. Era delicioso. Quente, úmido, macio. Sem peso na consciência ou medo. Ela, então, passara a retribuir, usando a mão para fazê-lo gozar. Por fim passou a usar a boca. Não gostava muito. Fazia porque sabia o quanto Marcos gostava: "Ele merece, né?", pensava. Uma vez, sentiu o *sabor* do esperma. O gosto ruim perdurou em sua boca por uma semana. Detestou. Finalmente, com quase dois anos de namoro, sentiu-se pronta. Já tinham feito de tudo, menos "aquilo". Foram para um motel.

Simplesmente o Chalet, suíte superluxo, enorme. Tudo perfeito. A menstruação dela tinha acabado dias antes, assim não iam precisar nem de camisinha. Não queria que sua primeira vez fosse com preservativo, pois ouvira que o *acessório* diminuía o prazer. Ela queria que tudo saísse da melhor maneira. Tinha medo. Medo da dor. As colegas de faculdade, todas, contavam como algo que havia acontecido há milênios. Mesmo assim, elas se lembravam da dor. Que tinha sido horrível.

Recordava de um episódio na faculdade quando a turma formanda havia organizado uma rifa cujo prêmio seria uma noite num motel. Todas as meninas de sua sala compraram a rifa, a turma era formada basicamente de mulheres, poucos homens e os que haviam pareciam ser *gays*. Ela não comprou. Fingiu que não viu o risinho disfarçado de uma colega cochichando com a outra:

— A Vanessa, aposto que ela é virgem.

Deitaram-se, nus. Marcos perguntou se ela queria ver um filme pornô. Ela disse que sim, porque nunca tinha visto um. Ele ligou a televisão, na tela, uma mulher estava ajoelhada entre dois homens. A câmera focava na penetração: dois pênis enormes, um em cada buraco. Tentou não se mostrar assustada. A câmera abriu para uma visão mais ampla mostrando a mesma mulher chupando um membro ereto, escuro, que começou a jorrar uma enorme quantidade de esperma em seu rosto, Vanessa virou a cara, nem precisou falar nada. Marcos desligou imediatamente a TV. Ela o beijou. Não sabia se tinha ficado excitada ou enojada com o filme. Não sabia que era daquele jeito. Não queria levar esperma no rosto. Uma vez a mãe havia lhe dito:

— Hoje, todo mundo fala de sexo anal. Isso pra mim é coisa de prostituta. Prostituta da Guaicurus, porque com certeza as melhorzinhas não fazem não! Ou então é coisa de veado. Se tem uma coisa tão boa na frente, feito na medida certa, por que querer o *sujo* lá atrás? Eu não entendo.

A mãe, às vezes, falava coisas desse tipo. Principalmente quando voltavam do clube e ela havia tomado umas. Nessas horas, Vanessa preferia não ficar perto. A mãe podia fazer uma pergunta embaraçosa. Ia para o quarto e lia, estudava e depois tomava um banho e se aprontava para sair com Marcos.

Eles se beijaram. Ela esqueceu o filme, se concentrou nele. Tentou esquecer o medo. Começou a sentir-se molhada. Leve. Excitada. Marcos já tinha tido outras experiências. Ele não era virgem. O que era bom. Ela não queria alguém que não soubesse o que fazer. Ele levou a mão dela ao seu pênis, que a essa altura estava gigante. Nunca o tinha sentido tão grande. Masturbaram-se mutuamente. Marcos começou a chupá-la. Molhou-a bem. Mas teve o cuidado de parar antes que ela gozasse. Ele se posicionou para entrar nela. Ela flexionou as pernas, colocou os pés firmes no colchão. Sentiu algo forçando lá embaixo. De súbito, o prazer se foi. Sentiu-se seca. Boca seca. A vagina seca. Sentiu falta de ar. Marcos pesava uma tonelada em cima dela. Sentiu que ele tentava enfiar uma coisa muito grande num orifício muito pequeno. Dor. Dor. Dor! Não viu mais graça naquilo.

— Por favor, pare!

Ele parou.

— Tá doendo muito...

Ele olhou no fundo dos olhos dela com cara de cachorro chorão, mas quedou-se ao seu lado. Ela começou a chorar. Não sabia o porquê. Frustração? Medo? E se ela fosse diferente e nunca gostasse de sexo? Havia lido nas revistas que isso seria possível. "Umas pessoas não gostam e ponto final." Leu também que algumas meninas tinham o hímen tão forte, que era necessária uma cirurgia para perfurá-lo. Como podia saber se não era uma dessas?

Começaram a conversar. Parou de chorar. Ele sugeriu um banho de hidromassagem para relaxar. Foram. Ficaram quase uma hora na banheira. Abriram o teto solar, a noite estava quente. Ela sentiu a vontade voltar, se enxugaram e voltaram para a cama. Começaram a se beijar, ela se sentiu úmida de novo. Assim que ele ameaçou tomar posição de penetração, ela sentiu o medo voltar, sentiu o sexo secar. Olhou-o nos olhos e falou:

— Hoje, faz pra mim com a língua, tá? Outro dia a gente tenta de novo.

Nos finais de semana seguintes, voltaram ao mesmo motel duas vezes. A primeira novamente na superluxo, depois na *standard*. Começou a ficar muito caro e passaram a frequentar motéis mais baratos. Ela só foi perder a virgindade quase dois meses depois, no motel Las Vegas, o mais barato da 040.

* * *

Johannes Brixare senta-se em seu escritório. Tudo em ordem, perfeitamente organizado. Livros. Muitos livros. Pastas. Pastas de arquivar, dessas com quatro anéis, formato A4, todas propriamente identificadas na lombada. Marcadas com o nome da empresa correspondente. Há pastas de 2009. De 2010. Todas finas. As de 2011, apesar de ainda ser meio do ano, já estão bem grossas. Provavelmente terá de abrir outras, nomeá-las 2011/2.

É sábado à noite. Ao olhar para fora não vê nada além da escuridão. Talvez esteja ventando. Não sabe, pois as janelas encontram-se fechadas. Pensa em abri-las. O escritório está quente. Mas se o fizer talvez esfriasse demais. "Não, melhor deixar assim." As janelas ficam no alto, daria trabalho. Precisa pôr uma escada. Ouve o barulho de algo caindo no chão no andar de cima. Acredita estar sozinho. "*Fever night, fever night, fever*", lembra-se daquela música antiga dos Bee Gees. "As pessoas gostam de sair sábado à noite. Muitos crimes." Lembra-se nitidamente que o pai adorava sair sábado à noite. Curtir a noite de Belo Horizonte. Cervejaria Brasil. Provincia di Salerno. Macau. Tip Top. Casa dos Contos. Chez Bastião, etc. Os pais eram clientes cativos. Nunca precisavam reservar mesa, os donos dos estabelecimentos sempre vinham cumprimentá-los, davam desconto. Depois que o pai morreu, a mãe passou muitos sábados em casa. Muitos. Anos. Agora não, ela costuma sair e se divertir. Mas sempre com amigas, nunca com homens. Johannes vê nos olhos dela que o pai foi o único homem de sua vida, seu grande amor. A mãe sempre fora bonita. Lindíssima. Até os quarenta e quatro anos, quando aparentava ter trinta e dois, no máximo trinta e quatro. Já ao fazer quarenta e cinco, tinha cara de quarenta e cinco mesmo.

Ainda pensa na mãe: "Tomara que ela saia hoje mesmo, melhor assim. Uma preocupação a menos". Imagina que, em breve, também sairia sábado à noite. Escolheria a melhor boate.

Pediria champanhe. Rios de champanhe. "Mulher gosta de dinheiro, quem gosta de homem é bicha." Gostava dessa frase. Continha muita sabedoria. Já tinha tentado várias vezes sair, arrumar uma namorada. Ou uma transa. Mas seu tipo franzino não soava atraente. "Pra chamar a atenção na boate, na noite, o cara tem de ter um supercorpo, passar o dia malhando." Sabia que nunca faria isso. Mas existia uma segunda opção: dinheiro. Bastava reservar um lugar VIP. Depois, era só descer e convidar as garotas para tomar um champanhe no reservado nobre. Podia, também, simplesmente pedir ao garçom que entregasse uma taça de champanhe para a garota que escolhesse. Talvez ela tivesse namorado e não topasse. Mas, sem dúvida, muitas topariam. Em breve, elas estariam fazendo fila para sentar junto a ele. A partir daí, era só usar a imaginação para desfrutar todas as possibilidades...

"Mas, para isso acontecer, tenho que me concentrar agora", pensa. Johannes é o homem dos investimentos e impostos. Coleta o dinheiro que recebeu por meio dos *sites* de trabalho *on-line* como o vWorker e transfere-o para diversas contas. Contas correntes, poupanças, contas de investimento, fundos de ações e contas de aposentadoria. Até mesmo para o exterior. Para a Suíça. Prepara as declarações de fechamento do mês junto perante o Fisco. Imprime tudo e, contrariando todas as expectativas, não faz o envio *on-line*. Prefere arquivar uma cópia em uma pasta preta. Coloca a outra cópia em um envelope. Sela. Irá colocar no correio no dia seguinte. Se fosse para receber dinheiro, enviaria *on-line*. Como é para pagar, prefere por correio. "Tenho pressa de receber, pagar não. O governo que escaneie, redigite tudo. Talvez erre pra menos. Se errar pra mais, tenho a minha cópia."

O mês está fechado, redondo. Tudo legal. Em todos os sentidos, dentro da lei. "Pegaram Al Capone por causa do imposto de renda. Martha Stewart também. Muita gente. Só no Brasil que não pegam os deputados, senadores, governadores... e isso porque não querem. Ter conta no exterior não é crime, crime é não declarar. Pegá-los não seria um processo muito complicado. Bastava auditar cuidadosamente as declarações de renda uma por uma."

Uma vez leu que o próprio presidente decide se o Fisco audita ou não os deputados e senadores. Ele receberia uma lista com os nomes que os peões do Fisco suspeitam estarem fazendo algo. Tirado direto do computador, só baseado na análise financeira nua e crua. O presidente vai e marca, um a um. Seus amigos são vetados de qualquer investigação. Depois os aliados. Os indecisos, provavelmente marca de amarelo. É para colocarem uma pressãozinha. Os adversários, por sua vez, são marcados com tinta verde. O que, na verdade, significa apenas que é para darem uma multa nas empresas deles, já que, nunca se sabe, o adversário de hoje é o aliado de amanhã, então melhor não pegar pesado. Leu isso quando procurava informações na internet sobre o *impeachment* do ex-presidente Collor para um trabalho escolar. Mas como não conseguiu achar nenhuma outra informação que confirmasse a existência dessa lista, não colocou no trabalho. Na época de Collor, propriamente dita, pode-se dizer que ele não se interessava por política. Agora continuava não se interessando, mas era atento ao mundo ao seu redor. A política era sua grande aliada, mas podia tornar-se uma grande inimiga. Por isso, estar informado era vital.

"Tô cansado. Acho que vou tirar um cochilo. Mas antes vou colocar um filme dos bons."

* * *

Marcos abre os olhos. Vanessa está enroscada nele. Ele mantém a pressão da coxa contra o sexo dela. Ela responde com um sussurro manhoso e se aninha ainda mais nos braços dele. Pensa em desfrutar um pouco mais do sábado. Uma trepadinha rápida para despertar? Olha no relógio, já são quase 18h30. Tem que fazer o jantar para as meninas. Dá um beijo na esposa, que ainda está com cara de sono. Toma uma ducha rápida. "Está um calor infernal", pensa. Sai do banheiro e vê Vanessa nua, de pernas cruzadas, sentada na beirada da cama esperando a sua vez. Abaixa-se para beijá-la e diz, em inglês:

— *You're great.* — Continua, em português: — Se dependesse de mim, a gente ficaria um pouco mais no quarto. Como nos velhos tempos. Mas, como você sabe, a vida é duuuura. — Faz uma pausa. Acrescenta: — Um homem tem que fazer aquilo que tem que fazer, não é verdade? — diz, parafraseando um ditado americano. — Então, já que é assim, se eu te convidar para uma pequena viagem à Ásia, o que você diz?

— Acho ótimo — Vanessa responde. Ao mesmo tempo se levanta e entra no banheiro, fechando a porta atrás de si.

Marcos sai do quarto e pergunta em voz alta para as filhas ouvirem:

— Alguém gostaria de uma pequena viagem à Ásia?

Não ouve resposta. "Droga. Antigamente, minha recepção nessa casa era outra", pensa. Bate no quarto de Valéria. Não há resposta. Bate de novo. Idem. Abre com cuidado a porta e a menina o olha, tirando os olhos da revista que lia e puxando o fone de ouvido. Marcos consegue claramente ouvir a música que ela escutava: *"Judas"*, da Lady Gaga.

— Filha, estou ouvindo daqui. Você vai arrebentar seu ouvido assim.

Ouve suas próprias palavras e pensa "raios, eu estou falando isso? Como fui parar aqui? Ontem mesmo estava ouvindo isso da minha mãe", e prossegue:

— O que você acha de uma pequena viagem à Ásia?

A filha faz cara de alegria, manda um beijo pro pai e diz:

— Ótima ideia. Te adoro, papi! — e volta a enfiar o pequeno fone na orelha.

Por fim, Marcos bate no quarto de Verônica, que grita:

— Eeeeentra!

Marcos abre a porta e vê a filha entretida jogando no *site* Panfu. Ou Stardoll. Um desses. Sente-se seguro com a filha de oito anos no computador. Ele instalara o "Segurança da Família", da Microsoft. Os *sites* eram bem policiados. Uma vez, assistiu a uma palestra do sueco dono da Stardoll. Ele enumerara todas as medidas de segurança do *site*. Por exemplo, o bate-papo não é em tempo real. Existem filtros para evitar o uso de vocabulário adulto ou grosseiro. Um grupo de pessoas passa o dia lendo textos do bate-papo, que são todos gravados. A conversação fecha às 20 horas, horário local do país. E por aí vai... O palestrante era um gordinho simpático, mas ao mesmo tempo com uma certa presença. Ouviu dizer que o cara dirigia um Porsche rosa conversível que ficava sempre parado na rua Hudiksvallsgatan, próxima ao centro de Estocolmo, onde fica a sede da Stardoll. A filha lhe sorri e diz:

— Que foi?

Ele retruca:

— O que você me diz de uma pequena viagem à Ásia?

Ela faz sinal de positivo com o polegar. Ele imita o gesto, batem os polegares e os dois dizem: "tchuuum". Ele sai, fechando a porta do quarto enquanto ela grita lá de dentro:

— Não muito apimentado!!!

Ele vai para a cozinha. "Uma pequena viagem à Ásia" era um prato de sua autoria. Cozinhava bem. Geralmente pratos exóticos, de sabores fortes. A pasta bolonhesa dele era famosa entre as colegas das meninas. O segredo era usar pouco molho (para não ficar aguado), muita carne moída, bastante tempero e uma pequena abobrinha verde, ralada, espremida para tirar a água e misturada com a carne.

Morou muitos anos sozinho. Quase três nos Estados Unidos, entre 1988 e 1991. Porém, tecnicamente, não era exatamente uma morada solitária. Primeiro, na casa de um político, depois na casa da namorada do político. Esta ficava pouco em casa, então Marcos morava *relativamente* só. Anos depois, foi para Estocolmo. Novamente, sozinho em termos, porque se tratava de uma moradia estudantil. Tinha seu quarto, mas nunca estava completamente só. Era como um hotel, mas todos no hotel eram estudantes.

Estar solitário é sempre uma questão relativa. O famoso *sentir-se sozinho* em meio à multidão. Todo mundo já se sentiu assim. Mas, agora, com Vanessa e as garotas, muito raramente experimentava isso. Faziam parte de uma unidade, um time. E ele era o capitão. O piloto do avião.

A copiloto lhe sorri, parada na porta da cozinha. Ele abre uma garrafa de vinho branco, serve uma taça para ela, outra para si. Fazem um brinde:

— À esta tarde maravilhosa... e quem sabe à noite tem mais?
— riem.

Ele passa a mão na bunda dela. Ela deixa. Ele põe-se a trabalhar. Marcos havia comprado em uma loja de produtos asiáticos um potinho de coentro amassado; molho de peixe (*fish sauce*); quatro pimentas parecidas com a dedo-de-moça, porém tailandesas. Na geladeira já tinha um pacote de brócolis congelado e também filés de frango. Começa cortando o frango em cubinhos; doura-os numa *wok*, um utensílio básico da cozinha asiática. De vez em quando retira o caldo que se forma colocando-o em uma vasilha à parte "senão o frango fica com gosto de cozido". O frango dourado já e suficiente.

Vanessa não está mais na porta. Pensa em Sandrinha e lembra que conversava diariamente com ela no Facebook. "Agora ela deve estar achando estranho o sumiço, bem assim: comeu e sumiu, né?" Pensa: "Às vezes é até perigoso fazer esse tipo de coisa. Dar uma e desaparecer. Não é bom deixar uma mulher puta da vida." Junta quatro, cinco colheres pequenas de coentro, suficiente para dar gosto ao prato, sem exagero, mais a pimenta fresca cortada bem fininha. Adiciona um tablete de caldo de frango Knorr. Volta com o líquido, abaixa bem o fogo, joga uma boa mão cheia de buquês de brócolis na panela. Pensa de novo em Sandra: "Que trepada! Fantástica!". Imagina que ainda vá encontrá-la uma, duas, no máximo três vezes. "Ela vai aparecer de vez em quando. É até bom que more longe, porque seria difícil evitá-la. Mas na segunda ou terceira vez ela virá com papo que 'essa situação é muito complicada para mim, entenda'. Entraremos em comum acordo que 'é melhor assim, vamos deixar como está e não nos envolveremos mais.'"

Toque final, salga o prato utilizando o molho de peixe, nunca sal. Satisfeito com o gosto, enche o ebulidor elétrico de água, um truque antigo, "muito mais rápido do que ferver na panela". Experimenta pela última vez o sabor, agora a *wok* está com maior quantidade de caldo, vindo principalmente do brócolis que estava congelado. "O grande perigo é o brócolis. Você tem de ficar atento porque brócolis muito cozido é horrível."

Tudo agora tem de ser muito rápido: a água ferve, ele a põe numa grande vasilha, e nela submerge o macarrão de arroz chinês fininho. O tempo de cozimento é de apenas três minutos. Mexe muito bem, certifica-se de que todo o macarrão está solto, joga-o no escorredor e imediatamente banha-o com água fria: "Senão vira tudo uma paçoca só". O brócolis já está quase no ponto, joga o macarrão frio na panela com o frango, agora é só aquecer um pouco. Grita para as meninas:

— Atenção, viajantes! O avião está saindo. Em breve estaremos em um restaurante na Ásia!

Trabalha rápido, em ritmo quase frenético. Monta os pratos preocupando-se com a estética: coloca uma porção de massa e o frango por cima. Faz isso para todos, de forma proporcional ao tamanho da pessoa. Leva os pratos para a mesa. Volta correndo para a cozinha e grita de novo:

— Atenção, esta é a última chamada!

Ouve barulho de portas se abrindo. Pega o suco de laranja para as meninas, a garrafa de vinho.

— Meninas, peguem os seus copos — fala alto antes que elas se sentem à mesa.

Quase tromba com as duas. Ele detesta comida fria, diz sempre que "um verdadeiro 'Reis' sempre come ou bebe comidas servidas quentes, bem quentes, e comidas servidas frias, bem frias". Vanessa já está sentada à mesa. Marcos pensa em como tem uma esposa maravilhosa. Ao mesmo tempo, involuntariamente, lembra-se de Sandra, o rosto molhado, e do tesão monumental que sentiu naquela hora. Lembra-se da "doida" nos Estados Unidos, coisa de muitos anos atrás, gemendo alto, de quatro. "Devo estar ficando maluco, que merda é essa? Estou perdendo o controle?" Olha as duas filhas. Serve mais vinho para a esposa, põe suco de laranja para as garotas. Finalmente se serve de mais vinho. Antes de começar a comer, ergue a taça e propõe um brinde:

— A vocês, queridas!

Todas erguem as taças e no momento que elas se encostam, Verônica adiciona:

— E que a nossa 'viagem' de hoje não esteja muito apimentada.

Todos riem. Começam a comer. Tudo perfeito.

DOMINGO, 3 DE ABRIL DE 2011

Os reis do Minas

Para Daniel, o fechamento de um mês e a abertura de outro é o momento mais crítico da empresa. Enquanto os fechamentos diários feitos por Lindemann são vitais para o controle das contas a receber e as transferências semanais entre empresas, os de Brixare são cruciais para se manter um fluxo de caixa adequado. É sempre durante o fechamento do mês que o fator humano tornava a empresa vulnerável. Por isso ainda está acordado. É começo de madrugada de sábado para domingo. Por volta do dia quinze, já iniciava a procura de novos fornecedores da estrutura física da empresa para o mês seguinte. Sabendo que qualquer dia perdido significava perda de receita, a troca tinha de ser feita com extremo cuidado.

O fornecedor escolhido dessa vez, a Eletro Bréscia, já tinha sido notificada de que o serviço teria de ser efetuado no domingo. Domingo era o melhor dia para se efetuar a troca, já que era raro aparecer um cliente. Poucas empresas funcionavam nesse dia, mas a que selecionara era uma das exceções. Para confirmar que não se tratava de propaganda enganosa, no domingo passado Daniel havia escrito um *e-mail* perguntando detalhes de banco e número da conta de depósito. Ficou satisfeito quando recebeu a mensagem de volta menos de duas horas depois. Mas, como dizia: "é nessa hora que o fator humano pode criar complicações, então todo cuidado é pouco".

Abre uma planilha no Excel intitulada: "Lucro Previsto, Lucro Real 2011". Seleciona a planilha "abril". As planilhas de janeiro, fevereiro e março têm cor amarela. Já estão fechadas. Abril tem cor branca. Na coluna custos fixos, linha "Hotel", coloca R$ 9.435. Foi o preço que pagou ao Max Savassi para a reserva do mês de abril. "Abril", era por assim dizer, relativo. Abril era "contábil", e este ano se estendia do dia 3 ao dia 30. A reserva no Max fora feita via Hotels.com, e o pagamento, por meio de depósito direto na conta do hotel, feito em caixa automático. Haviam dividido o depósito em três pagamentos. Dois de R$ 4 mil e o terceiro com o valor restante. Detestava que fizessem isso. Mas não tinha como reclamar, era o procedimento deles. Às vezes, faziam isso com valores irrisórios, o que o irritava profundamente. Não fazia diferença para ele, mas achava um procedimento pobre, não otimizado, ineficiente. Na linha de baixo, "Instalação e Desmonte", R$ 637. A linha seguinte, "Depreciação de Hardware", em cor amarela, está preenchida com R$ 853. Esse número vinha de uma outra planilha. Nela havia uma listagem de vários tipos de computadores, telefones celulares, *modems*, aparelhos de TV, Xbox etc. A linha seguinte, "Custos Financeiros", também é de cor amarela e está preenchida com R$ 535. Também vinha de uma outra planilha, com a listagem de números de contas bancárias, com o custo mensal de cada uma.

Mais abaixo, em destaque, está: "Total de custos fixos: R$ 11.460".

A próxima seção é intitulada: Previsão de Receita.

O resto da tabela tem cor amarela. São resultados de outras tabelas ou números resultados de fórmulas. "Receita por Cliente: R$ 30.000."

"Custo Marginal por Cliente: R$ 1.173."

"Despesas Financeiras por Cliente: R$ 723."

Essa é a parte mais complicada da planilha. Isso porque a verdadeira receita por cliente é de R$ 15.000 + R$ 15.000. Não se pode contabilizar o valor todo em um mês porque isso inflaria a previsão de ganhos. Por outro lado, a planilha do mês anterior já se encarrega de transferir para o mês seguinte os respectivos valores. Por isso, mesmo antes de entrar qualquer coisa na linha final "Previsão de Receita", já há o valor de R$ 435.000 vindo do mês de março. O março contábil havia sido longo, de 27 de fevereiro a 2 de abril. O único campo em branco lia-se "Previsão de clientes". Entra o número 26. Já tem vinte e seis clientes fechados para o mês de abril. Aparece R$ 390.000. Receita prevista do mês: R$ 825.000.

Confere a linha final, a mais grossa, escrita em fonte 16: "Previsão de lucro ideal: R$ 784. 232,00". Um outro campo, logo abaixo, lê-se:

"Média de Clientes Perdidos". O número mostra "34,5%". Desde que iniciou a operação esse número estava fixo na casa do 35%. Independentemente das mudanças operacionais, novos procedimentos, o número estava lá, impassível. Desafiando-o.

"Previsão de Lucro com perdas: R$ 513.671,00."

A linha seguinte tem o peso da mão de Mike Tyson desferindo-lhe um *jab* que lhe abre o supercílio e fere seus brios: "Lucro Perdido no mês: R$ 270.561,00".

Daniel faz cara de desgosto consigo mesmo. Salva o arquivo. Abre um documento do Word, intitulado: "E-mail para ligação da TV". Copia, cola na tela do Outlook. Anexa o arquivo "Esquema de ligação". Faz algumas alterações. Por fim, relê:

Prezados senhores,

Gostaria de confirmar que hoje, 3 de abril, conforme previamente combinado, será feita a remoção dos seguintes itens do apartamento 807 do hotel Promenade Volpi, localizado na tua Levindo Lopes, 231. A recepção irá lhes providenciar as chaves para abertura dos cabos de segurança dos aparelhos.

1 TV Sony modelo KDL-40EX524. Essa TV tem uma adaptação especial para o dispositivo *Kinect* do *Xbox*. Esse dispositivo está acoplado por um cabo diretamente à TV, não sendo possível removê-lo (para evitar furtos).
1 Sony Blu-Ray BDP-S370.
1 Microsoft Xbox 360.
1 mala Samsonite preta.
1 quadro grande, espelhado, "*Make Up Store*".
4 quadros pequenos, de ficar em pé, "*Make Up Store*".
1 mala grande, transparente, contendo amostras dos produtos "*Make Up Store*". Essa mala está lacrada — o hotel não tem a chave.

Todo o equipamento deve ser levado para o Max Savassi Hotel, localizado na rua Antônio de Albuquerque, 335, apartamento 912. A mala Samsonite tem um acolchoado especial para o transporte do Xbox, do Blu-Ray e dos quatro quadros de mesa. Cuidado especial deve ser tomado com o quadro grande, que é frágil por ser de vidro.

Segue incluso o esquema detalhado de como efetuar a ligação dos cabos. Note que para assegurar o funcionamento correto deste modelo de DVD, juntamente com o *Xbox*, a ligação deve ser feita exatamente conforme consta no modelo anexo. Sem exceções.

A TV deverá ficar posicionada de frente para a cama para que o hóspede possa confortavelmente assistir à TV deitado. O hotel irá fornecer um suporte adequado para os dispositivos, caso já não exista algo. Deixe a mala à vista em um canto do quarto. O quadro deve ser posicionado na cabeceira da cama — substitua o quadro existente, colocando-o atrás do sofá da sala. Deixe a mala com as amostras "*Make Up Store*" em cima da mesa da sala. Os quadros pequenos também devem ser colocados na sala.

Assegure-se de que o acesso à internet funciona utilizando o navegador da TV. Deve ser possível visualizar os vídeos do YouTube. A senha e detalhes para conexão à internet serão disponibilizados pelo hotel.

Conforme combinado, metade do preço de instalação já foi depositada na conta indicada. O depósito tem o número 453223476. A outra metade será depositada uma vez que o técnico ligar, estando na frente da TV, com tudo funcionando, para o número (11) 3231-5459. Esse controle é imprescindível para nós, e sem ele não nos será possível autorizar a segunda metade do pagamento.

Atenciosamente,
CLB Representações
Rua Senador Paulo Rocha Beltrão, 365.
São Paulo, Capital.

"Mais claro que isso, impossível", pensa Daniel. Nos últimos meses, havia reescrito esse *e-mail* uma dezena de vezes. Aparentemente, não importava o que ele escrevesse. "Somente uma vez alguém deve ter se dado ao trabalho de ler e fez tudo certo de primeira. Um conectou tudo da maneira dele. Quase queimou a TV. O outro, telefonou já estando de volta ao escritório, no final do dia. E um outro, esse ganha o prêmio, colocou a TV virada para a parede!" "É o fator humano", pensou. Em todos esses casos, conseguiu contornar. No pior deles, chegou a perder quatro dias de faturamento. "Empresa filha da puta." Mas no final das contas, dava certo. "As mulheres dão muito mais problemas. Precisava diminuir, radicalmente, o percentual de erros nessa área. Mas como? Cadê o manual de instruções?"

E pressionou o botão de enviar. O *e-mail*, entretanto, não seguiu imediatamente. Daniel havia programado uma regra no seu Outlook que impedia que *e-mails* de certas contas fossem enviados entre as 2 horas da manhã e antes do meio-dia. E já eram 2h30 de domingo. O *e-mail* só seguiu ao meio-dia e um segundo.

* * *

MARCOS ACORDA. UM LEVE zumbido na cabeça, um leve gosto de guarda-chuva na boca. Está sozinho no quarto. Lembra-se de ontem à noite. "Pequena Viagem à Ásia." Filme com todo mundo, "Harry Potter". Aquele em que o velho morre. Dumbledore.

— Tá bom. O cara é o maioral dos maiorais e morreu assim, fácil desse jeito. Me engana que eu gosto — professou no final da exibição.

As meninas riram da cara que ele fez. Cara do velho morrendo. Lembra que tomou umas "cervejinhas". Olha o relógio, ainda é cedo. 8h30. Vai na suíte, dá uma lavada no rosto, escova os dentes. Toma água. Ele mantém uma cacimba dessas de barro no quarto. É a água mais gostosa da casa. Às vezes, quando a transa foi boa, toma a água pelado, suado. Vê-se como um touro. Não! Como um guerreiro. E na cama, sua mulher olha com aqueles olhos de aprovação, como que dizendo: "Você é o melhor!". Nessas horas, a água da cacimba é a mais deliciosa do mundo!

Sai, vai na sala. Não se engana. Vanessa está no sofá. Ele já sabe que roncou. Às vezes ela o acorda para que ele vá para o sofá. O problema é que com frequência ele não acorda, ou dá muito trabalho. Então acha mais fácil ir ela mesma. Ele dá um beijo no rosto dela, que se vira pro outro lado. Ele enfia as mãos por debaixo e a carrega para o quarto. Vanessa se aninha, gosta de ser carregada. Mas, ao mesmo tempo, queria ter ficado no sofá, "tava muito gostoso lá". Ele a coloca na cama com cuidado. Tranca a porta. Posiciona-se ao seu lado, começa a beijar-lhe o seio. Ultimamente, tem pensando muito na fase da amamentação. Adorou vê-la de seios grandes. Tão *sexy*! Ele a irritava, dizendo que isso era injusto:

— Imagina se, um belo dia, meu potente ficasse três, quatro centímetros maior. E você se acostumasse com isso. E aí, de repente, ele voltasse ao normal. Seria injusto!

Eles riam. Após a segunda gravidez, ele teve de tomar muito leite dela. O bico do seio, principalmente o direito, entupia. Tinham de botar compressa quente e ele sugava para não inflamar. Ela gostava. Ele também. Uma vez falou:

— Eu bebo seu leite, por que você não bebe o meu?

Ao que ela respondeu:

— Porque você é um tarado pervertido e eu sou normal.

Os dois riram, ele acrescentou:

— Pelo menos eu nunca mais gripei, seu leite é forte. São os anticorpos.

Vanessa nunca se sentiu tão mulher quanto na época que estava com os peitos crescidos.

— Sentir a Verônica sugar é uma coisa, sentir você sugando, é outra — assim ela definiu.

A filha, recém-nascida, era um ato de amor. O marido sugava diferente, dava um toque sexual. Ela se molhava. Ficava sensível. Marcos adorava quando ela vinha por cima, cavalgando. Os seios, cheios de leite, começavam a vazar. Aquele líquido quente pingando no peito dele... Delícia. Diferente. Sacana. Ele apertava os seios dela, ela cavalgava. Havia muito descobrira que, na região entre a virilha e o umbigo dela, existia um lugar especial. Ele segurava-a pelos quadris, pressionava os polegares nessa região. Sentia a respiração dela ficar cada vez mais ofegante até que os polegares finalmente sentiam pulsações em ritmo agitado. A vagina então relaxava um pouco a pressão. Ela havia gozado.

Mas, agora, mesmo essas lembranças não foram suficientes para trazer-lhe o tesão. Ainda estava sob o efeito do álcool. Pensou em Sandra. Pensou em dois tipos de mulher: aquelas que ele já teve e as que nunca experimentara. Pensou nas suecas. Uma que bateu na porta dele enviada pela amiga. "Foi a mulher mais fácil que já comi na vida. Achei até que fosse algum trote." Josie?

Johanna? Ah, teve aquela outra que também foi fácil, Karita. "Fui bonito uma época", pensou. Historicamente falando, sempre teve que "se esforçar" para conseguir mulher. Tinha de levar pelo papo. Seu primo Gui, por exemplo, tinha uma época que pegava qualquer mulher fácil. Era só aparecer e faturar. "Hoje, não pega nem resfriado", pensou. O primo Gui provavelmente teve sua fase áurea entre os dezesseis e os dezoito anos. A sua havia sido mais tardia. "A minha fase de ser bonito começou em 1996, quando eu tinha meus vinte e sete anos. Ou vai ver, é o mesmo caso da Vanessa, fiquei mais bonito porque a concorrência ficou mais feia."

Volta a pensar em Vanessa, passa para a posição de conchinha e levemente lhe acaricia o sexo. Vanessa deixa-se tocar, mas finge dormir. Passa a mão na bunda dela. É uma bunda fantástica, firme. E lisa. Sem imperfeições na pele macia. O membro continuava lá, impassível. Igualzinho a Vanessa, virado pro outro lado e fingindo dormir. A bunda o fez lembrar da lituana novinha. Da fase áurea. Ela tinha dezoito anos, ele, vinte e oito. A essa altura, já havia trocado de faixa etária em termos de mercado-alvo, evoluíra dos dezoito para vinte e dois a vinte e cinco. Ela era muito ruim de cama. Totalmente inexperiente. Mas o corpo era maravilhoso. Era bem alta, tinha o cabelo longo, louro e muito cacheado. As pernas eram longas. Ela era atleta. Dançava também. A bunda era aquilo que toda bunda aspira ser. Lembrou-se dela nua. Ela gostava de tudo bem tradicional. Não tinha peitos. Um detalhe é que ele a comeu, diferentemente de todas, sem camisinha. Ela era muito nova, muito gostosa. Começaram com camisinha, mas ao iniciar o vai e vem não teve jeito. Precisava comê-la sem nada. Ela topou, mas pediu: "Goza fora, tá?". Na hora H, ele tirou e jorrou. Geralmente, gozava pouco, porém nesse dia, baixou nele o espírito do Peter North. Ejaculou rios. Com força, com pressão. As golfadas foram direto no rosto dela, cabelo, travesseiro. Fizeram um caminho de leite, saindo da parte logo acima da vagina e encharcando-a. Agne, "sem s", era o nome dela, não colocou a mão na frente, tentando se proteger. Não se desesperou. Esperou ele terminar os espasmos do gozo. Fechou os olhos. Ficou assim um tempo. "Acho que ela curtiu, e muito, estar toda suja de esperma. Estranho, para alguém tão tradicional. Talvez ela escondesse algo." Ele ali, ajoelhado, admirava aquela visão extremamente *sexy* do corpo branco, jovem, duro, molhado com seu leite. Ainda nessa posição, Marcos esticou-se e pegou uma toalhinha, que estava em uma cômoda perto da cabeça dela. Ela continuava de olhos fechados. Colocou a toalha na sua mão. Ela não ria, mas estava com cara de felicidade. Passou a toalha no rosto. Abriu os olhos azuis. Um azul profundo. Olhou-o fixamente e disse: "Uau!", enquanto secava o resto do corpo. Depois disso se viram ainda umas quatro vezes. Ela aparecia no quarto estudantil dele, fazia a viagem de barco até Estocolmo. Chegava lá na sexta à noite, com uma sacolinha de *hippie* na mão. Ia embora no domingo, de avião. Ele custeava as passagens dela.

    A lembrança daquele orgasmo gigante finalmente causou algum resultado e o velho companheiro dá sinal de querer sair da prostração. Masturba-se um pouco. O pênis ainda está a meia-bala, mas talvez fosse o suficiente. Marcos pega o tubinho de lubrificante KY. Passa um pouco no dedo, volta a acariciar Vanessa, preparando-a, mas ela continua "dormindo". Tenta penetrá-la. É difícil. O pênis está muito mole. Força, fica frustrado. Masturba-se um pouco. O dito volta a 50% da energia. Tenta de novo. Pensa em desistir. Pensa no gozo. Agne molhada. Chupando-o. Só que ela nunca o chupou. Nunca fizeram oral. Pensa, então, na tal de Josie. Ou Johana. Ela chupou até o talo. Ah! Lembra-se da russa. A do *cocktail*. Era uma das únicas palavras que os dois sabiam. Ela não falava nada de inglês. Ele não falava nada de russo. Um total impasse. Então o negócio era ficar mudo e trepar, porque pra isso não precisava de língua. Aliás, língua, precisava. Não precisava era falar. Mas *cocktail* ela sabia. E queria muito do *cocktail* dele. E ele deu. Aquela gostava.

Sente o pênis dar um arranco. Consegue penetrar. De início é meio desajeitado. Mas com o tempo, o membro chega nos 70% de energia e a coisa engrena. Ficam ali, de ladinho. A posição do dia de semana pela manhã. Sem esforço. Vanessa começa a respirar mais profundamente. Marcos sabe que, provavelmente, não vai aguentar muito. Coloca a mão e fica sentindo se Vanessa goza. Ali, perto da virilha. O polegar agora nas costas dela e os outros quatro dedos monitorando. Esperando o espasmo. Sente que está chegando perto de gozar, mas Vanessa ainda nada. Nas condições de temperatura e pressão desta manhã, não acredita em segundas. Não vai rolar. Está a um minuto do orgasmo. Melhor frear. Começa a pensar em coisas bem fora daquele contexto: na fome, nas crianças negras cheias de mosquitos dos comerciais para doar dinheiro. Mas vê Agne rindo pra ele, dizendo "uau" e não tem como segurar mais. Por sorte, meio segundo após o seu primeiro espasmo sente os quatro dedos da mão esquerda vibrarem num ritmo diferente do seu. Havia satisfeito a fêmea também. Sente-se feliz. Fica dentro dela, aninha-se mais ao corpo dela. Beija-a na nuca. Dormem de novo.

Às 10 horas, as filhas batem na porta. Não entram sem permissão.

— Vamos, gente — elas gritam do lado de fora.

Marcos acorda, sente-se bem melhor. "Tô novo."

Domingo de sol. Domingão. Dia de clube.

— Vamos lá, minha nega. — Marcos a cutuca. Vanessa resmunga.

Ele levanta-se, coloca uma cueca, veste um roupão. Está muito calor. Felizmente é um roupão leve, não daqueles felpudos. Até uns meses atrás, teria ficado só de cueca. Agora, começava a ficar meio consciente de que as meninas talvez não gostassem de ver o pai seminu. Não tinha imaginado que ele de cueca seria algo "chato" para as meninas. Vanessa disse que ela gostava de vê-lo de cueca, mas que quando tinha a idade das meninas não curtia ver o pai assim. As meninas ainda trocavam de roupa na frente dele. Era uma fase meio estranha. Marcos lembrou-se de quando era pequeno. O pai dele, isso quando devia ter uns sete anos de idade, corria pelado pelo apartamento. Cedinho, tipo 5 horas da manhã, quando todo mundo dormia. O pai corria no mesmo lugar, corrida estacionária. Mas de repente, ele saía para dar uma volta. A sala era relativamente grande, então ele fazia um contorno pela sala. Passava pelo *hall*, ia para a cozinha. Fazia uma meia-volta lá. Mantinha-se uns minutos, correndo no mesmo lugar. Voltava para a sala. Pelado. Peladão. Foi a primeira vez que viu um pênis adulto. "Um pênis não, um pau. Era um pauzão, com uma cabeçorra. E muitos pelos." Afinal, era 1976, 1977. A moda era natural na época. Fecha os olhos. Tenta imaginar o pai, correndo. Ele, acordando com um "tum, tum, tum", indo ver o que era e dando de cara com o pai peladão com um pauzão pra cima e pra baixo. "Como será que ele conseguia, acho tão desconfortável." Entendeu tudo. "Aaaah... Foi isso." Foi trauma. Por isso ele era assim, do jeito que era. Tarado, obsessivo, compulsivo, querendo gozar a torto e a direito. Em vez de ficar quieto em casa. Queria sair por aí, trepando. O trauma de ver o pai, com um pauzão devia ter deixado profundas cicatrizes emocionais nele. "Vai ver olhei pro meu e fiquei com dó de mim. Tá explicado. Freud explica tudo, né?", pensa para si.

Seus pensamentos são interrompidos quando Verônica, com seus oito anos, corre para abraçá-lo. Diga-se um *abração*. Ele beija a cabeça loura da garotinha. É uma menina linda. Magra. Valéria vê isso e vem logo também. É ciumenta. Ciumentíssima. Não pode ver a irmã de chamego com o pai que quer também. Ele aproveita. Está consciente que momentos assim estão com os dias contados. Pergunta alto, do jeito que sempre faz:

— Alguém quer *smörgåsbaren*?

Smörgås é sueco para sanduíche e *baren*, obviamente, bar. Bar do Sanduíche. Marcos tem um desses liquidificadores de mão Braun Minipimer que chamam de Braun Minigui. Uma homenagem ao primo Guilherme, que lhe deu o aparelho de presente de casamento. O mesmo primo que havia "demandado" dele um conjunto de sala: sofá grande, duas poltronas e mesa de centro. Couro legítimo, claro. Na época do casório de Marcos, o primo Gui trabalhava de gerente em uma concessionária Fiat em Belo Horizonte. Dizia ser gerente, mas não se sabia exatamente o que ele gerenciava. Gerente-geral não devia ser. Mas estava bem. Trocou de carro. Um Fiat, claro. Mudou de apartamento. Mas, pelo visto, não tão bem para algo melhor que um Minipimer. Que, por sinal, nem Braum legítimo era, era das cópias baratas, pifou logo. O Minigui estava na segunda geração, servia para fazer vitamina. Vitamina com leite, banana, iogurte, sorvete. A sanduicheira era nova e já estava na quinta geração: tinham ganhado de brinde do Estado de Minas. Essas sanduicheiras, quando não pifam, o teflon começa a sumir. Aí fica a dúvida: "Pra onde está indo o Teflon? Se ele tá sumindo, tá indo pra algum lugar. Não está evaporando". Melhor não perguntar. Depois que inventaram o Teflon, o telefone celular e os adoçantes, o número de pessoas com câncer aumentou consideravelmente.

As duas meninas levantam as mãos, entusiasmadas.

— Adoro smörgåsbaren! — Fala Verônica.

Vanessa completa:

— É o melhor do final de semana.

— Qual vai ser o sanduíche? — elas perguntam quase em uníssono.

— Hoje teremos o "Clássico".

Para tudo Marcos tinha dado nome. Era uma marca registrada sua. Talvez, depois que morresse, as meninas se lembrassem dele, das manias de nomes. Vai ver manteriam os apelidos para os netos delas. Imortalizando-o. O "Clássico" era um sanduíche de queijo e presunto de peito de frango, tipo misto. Porém, com um ovo frito dentro. O segredo era fazer o ovo virando-o na panela. Deixar só o meiozinho do ovo ainda mole. Para escorrer, quando mordido, mas só um pouquinho. O pai de Marcos sempre fala que não existe nada mais difícil de fazer que ovo frito.

Bastava alguém falar algo sobre culinária que seu pai dizia: "Não tem nada mais difícil que fazer ovo frito". O que, obviamente, é uma coisa sem sentido. Existem milhares de empregados no McDonald's fazendo milhares de ovos fritos mundo afora. Perfeitamente redondos. Nem por isso eles são *chefs* de cozinha, muito longe disso. Já havia dito isso ao pai. Mas ele era igual àquele personagem do filme *Casamento grego*, que sempre dava conselhos de colocar limpador de vidros em tudo. No caso em questão, era fixado em ovo frito.

Mas o velho tinha um humor interessante. Certa vez, a esposa tinha feito um bacalhau em casa. A família estava toda reunida, e ela, após todo o trabalho de cozinhar para vinte pessoas, recebia as felicitações por um prato tão delicioso. Foi aí que o marido interrompeu e disse:

— Mais do que saber fazer, é saber comprar o bacalhau.

"Pensando bem, com uma família dessas, eu até que me saí bem", conclui Marcos, enquanto prepara os próximos dois "clássicos", um para si, outro para Vanessa, que faz o café. Vanessa sempre faz o café. Vira-se para a turma e pergunta:

— A que horas vamos hoje para o clube?

* * *

Próximo à piscina, de olho nas meninas que estão nadando, Vanessa estica-se em uma espreguiçadeira do Minas Tênis Clube, o mais tradicional de Belo Horizonte, fundado em 1935. Sua sede original na rua da Bahia — hoje conhecido como Minas I, para diferenciar das outras unidades — fica próxima à casa dos pais de Marcos. Entretanto, ele só passou a frequentá-lo como sócio após seu casamento com Vanessa. Durante o namoro, ela sempre tinha de conseguir convites com as amigas para poder levá-lo. Ela sempre diz que não aprendeu somente a nadar no clube: "Aqui eu primeiro aprendi a andar". Seu pai havia feito parte do conselho do clube no início dos anos 90 e ainda era muito conhecido.

Vanessa herdou grande parte das amizades do pai e estendeu-as. Era raro vê-la sozinha por lá. Estava sempre rodeada de pessoas. Além de ponto de lazer e de encontro, o Minas passou também a ser uma importante ferramenta de *marketing* para o seu negócio. Sempre discretamente. Não fazia propaganda de forma afetada. Seu amor pelo clube, pelo sol, por poder confraternizar com sua extensa roda de amigos e brincar com as crianças, era legítimo. Mas ela nunca se esquecia de levar seus cartões de visita, que ficavam sempre bem acessíveis na bolsa e eram prontamente sacados caso alguma pessoa mencionasse estar "interessada em saber mais". Sempre aparecia alguém apresentando um novo conhecido e, naturalmente, o papo fluía e ela dizia: "Aqui, meu cartão para você não esquecer". Às vezes, ela notava Marcos atento aos seus movimentos. Seguindo-a de longe com o olhar, bem disfarçadamente. Não raro, se era um desconhecido, ele se aproximava, dava-lhe um beijo e se apresentava:

— Olá, sou Marcos, marido dessa menina bonita aqui. — Quando o sujeito ia embora, ele falava para a mulher: — Vi você dar seu cartão pra ele, o que foi?

Ela retrucava:

— É, ele falou que está pensando em fazer o aniversário da filha de quinze anos. Precisa fazer uns orçamentos.

Ele olhava pra ela:

— O que ele quer é orçar a sua bunda.

Ao que ela retrucava, rindo:

— Lá vem você com essa história de que todo mundo quer a minha bunda. Se fosse assim, nem bunda eu teria mais, de tanta gente que já tirou pedaço.

Na verdade, ela sabia que o novo conhecido provavelmente não iria fazer festa nenhuma. Depois de tantos anos, sabia que em 90% dos casos isso não daria em nada. Muitas vezes, as pessoas falavam para "ficar bonitas na foto" ou "passar a impressão que têm grana". Principalmente no caso das mulheres. Os homens contavam essa história porque queriam, realmente, a bunda dela. Contudo, o único homem por quem Vanessa se interessava era Marcos.

Não apenas supunha isso, mas sabia, de fato. Aprendera a duras penas. Não se arrependia de nada que acontecera. Ela precisara daquelas *provações* para ser a pessoa que era hoje. Custou a perder a virgindade, essa tinha sido a parte fácil. Difícil foi relaxar. Tirar o sentimento de culpa, deixar de pensar que estava fazendo algo errado. Nos primeiros seis meses de sexo, sentia-se culpada. Transava, mas não gozava. Não com a penetração. Marcos fazia-a gozar com a língua, com os dedos. Com o tempo, foi acostumando-se com a ideia. Passou a sentir menos culpa ou isso era porque já tinha vinte e um anos e as atenções dos pais agora se concentravam nos irmãos menores. Os pais deviam suspeitar que ela já transava com Marcos depois de dois anos de namoro. Naquela época, com toda a sacanagem das novelas, com tantas notícias de meninas de quinze anos engravidando, certamente eles sabiam que sua filha não era a última virgem de vinte e um anos do Brasil. Não num país que tinha exibido a novela "O Dono do Mundo" dois anos antes. Aquela do Antônio Fagundes bem mais velho comendo a Malu Mader ainda novinha antes do casamento dela.

O sexo foi evoluindo. Começaram a fazer pequenas viagens juntos, sem a companhia dos pais. Um casamento de uma amiga em Pirapora. Um baile de formatura de um primo dele em São João Del Rei. No final de 1993, o sexo já estava bom. Transavam várias vezes numa noite. Marcos gozava muito. Ela via isso como natural. As amigas da faculdade falavam muito de sexo. Um dia, uma comentou que o namorado dela era muito viril: às vezes conseguia dar três numa noite, caso dormissem juntos no motel. As outras meninas não se fizeram de rogadas e se gabaram que os namorados também eram assim. Vanessa pensou consigo: "Que turma de brochas". Sabia que qualquer homem normal dava várias consecutivas: via isso nos filmes pornôs nos motéis, sempre que Marcos ia tomar banho. Ou então quando ela voltava do banho e Marcos estava assistindo. Ela se aninhava nos braços dele e fingia não estar atenta, mas acompanhava pelo reflexo do espelho, ou olhava de soslaio. Não queria que ele a visse curtindo um filme daqueles. Tinha começado a gostar de sexo, mas ainda tinha medo de ser puta.

— Tenho medo de ser puta — disse para a analista.

No final de 95, o namoro ia muito bem. A vida sexual, por outro lado, nem tanto. Ela havia começado a fazer análise. Sabia que tinha complexo de certinha. De menina perfeita. A mais popular na escola, no clube. Na família também. Era o centro das atenções. Gostava disso. Quando pequena, era a mais franzina, a menorzinha. Uma gracinha, mas ninguém dizia que era linda. No ginásio, a mesma coisa. Era a chefe de turma, fazia parte da comissão de formatura. Mas era miúda, pouco desenvolvida fisicamente. Os rapazes queriam as potrancas, de peitão. Continuava sendo a mais simpática. Depois dos dezoito anos ela sentiu a coisa mudar. Na universidade, no clube, os peitos das potrancas começaram a cair. A celulite começou a aparecer. Os pés de galinha começaram a ficar visíveis. Com vinte anos, ela ainda tinha cara de quinze. Um rostinho inocente. Começou, pela primeira vez, a se sentir desejada. Homens das mais diversas idades passaram a olhar para ela com um novo brilho nos olhos. Mas sempre namorara Marcos. O relacionamento já durava mais de quatro anos, entrando para o quinto. Ambos se formariam no ano seguinte. A família, os amigos, todos começaram a perguntar quando ficariam noivos. Quando seria o casamento. Sentia-se encurralada. A analista perguntou:

— Mas qual o problema de ser puta para o seu namorado?

A resposta lógica era "nenhum". Tinha total certeza disso. Não era idiota. Mas o buraco era mais embaixo, mais psicológico. Ela temia, ou melhor, sabia que se fosse "puta", teria sua imagem arruinada. A imagem que Marcos tinha dela. A imagem que ela tinha de si mesma. Havia chegado ao seu limite sexual. Não queria ultrapassar certas barreiras. Não queria ser igual às mulheres dos filmes. Ou melhor, talvez, no íntimo, quisesse sim. Queria experimentar aquela *transgressão*. Mas não sabia como. Nunca conseguiria fazê-lo com Marcos. Marcos era sua cara-metade, sua alma gêmea. Eles terminavam frases um do outro. Sempre diziam um para o outro em tom de gracejo: "Você sabe, a gente tem que dar um desconto porque nesse mundo só nós dois somos normais". Se mostrasse seu lado negro, se desse vazão aos pensamentos que às vezes lhe passavam pela cabeça, o encanto se quebraria. Um papai e mamãe, uma posição de cachorrinho, sexo oral. Estava ótimo assim.

Começou a minimizar os programas íntimos e focar nos *sociais*. Com tantas festas de aniversário, casamento, formaturas, por vezes ficavam um mês sem fazer sexo. Quando acontecia, era uma transa gostosa. Marcos sempre queria mais. Sentia que ele nunca estava totalmente satisfeito. Ela dizia:

— Domingo temos de ir na casa da Fátima, vamos fazer um *fondue* lá. Mas semana que vem a gente transa, tá? Sem falta.

Inevitavelmente, a paciência de Marcos se esgotou. Ela sabia até a data em que isso acontecera. Foi em 1º de março de 1996. Era uma sexta-feira. Tinham preparado todo um esquema para passarem o final de semana em Ouro Preto. Ainda davam desculpas para os pais dessa forma. Inventavam histórias, sabendo que os pais estavam mais que cientes que eles transavam. Depois de cinco anos, era impossível que não soubessem. Mas agiam conforme manda o figurino da boa família mineira. Nesse dia, ela deu aula de aeróbica e acabou atrasando. Saíram bem mais tarde do que o programado de Belo Horizonte. Chegaram a Ouro Preto relativamente tarde. Passava das 11 da noite. Estava muito frio. Não tinham levado roupas adequadas. Marcos entrava e saía das pousadas e repúblicas, todas lotadas. Não era carnaval. Mas algo devia estar acontecendo na cidade para estar tudo lotado. Nunca souberam o que foi, que festividade era. Por fim, Marcos não teve alternativa senão dar um enorme *upgrade* no hotel. Pegaram um quatro-estrelas, bem acima do orçamento deles. Quando entraram no quarto, estavam congelando. Tomaram uma ducha bem quente juntos. Foram para a cama. Eles não transavam havia muito tempo. Ela fez sexo oral nele, levando-o rapidamente ao orgasmo. Depois ele a penetrou. Ela demorou muito a chegar lá. Ele se conteve e esperou, gozando logo depois dela. Ele ainda queria mais. Vanessa sentiu isso, mas optou por fingir que não entendeu a deixa. Ignorou-o e fingiu que dormia. No sábado, um clima estranho. Marcos estava pensativo, distante. No domingo, ao voltarem a Belo Horizonte, eles comeram uma *pizza* na Pizzarella da Olegário Maciel. Terminaram ali. Nos meses seguintes, se viram umas vezes. Conversaram. Mas não voltaram. Ambos iriam se formar em julho. Marcos havia falado, há muito, que gostaria de ir à Europa. Estava juntando dinheiro. Levando em conta a situação em que se encontrava, não tinha mais razões para não ir. Era um sonho antigo.

 O que nunca foi falado, no entanto, foram os verdadeiros motivos por que o namoro acabara. Um deles, o mais óbvio, era que Marcos queria mais sexo enquanto Vanessa havia chegado ao seu limite qualitativo e quantitativo. Isso os dois sabiam, era nítido. Mas também havia a questão da idade. Ambos sentiam-se encurralados. Marcos via-se casando com Vanessa, mudando-se para um apartamento de dois quartos. Fazendo sexo duas vezes por semana. Ele conhecia os Estados Unidos e o Canadá, mas queria viajar mais. Conhecer a Europa. Talvez estudar lá. Fazer algo mais com sua vida. Já Vanessa queria experiências. Descobrir seu corpo. Ela imaginava que, se trocasse de parceiro, conseguiria se soltar. Que tudo era devido à sua sintonia com Marcos. Ele a conhecera certinha, agora não tinha como mudar. Queria ser diferente. Ousada. Com outro homem conseguiria. Tinha certeza disso.

 Passadas as festividades de formatura, pela primeira vez na vida Vanessa encontrou-se "órfã" em Belo Horizonte. Com vinte e quatro anos, sentia-se inexperiente. Vivera dentro de uma redoma. Todas as amigas estavam com namorado, inclusive sua *best friend* estava se casando. Sua vida social, solteira, minguou. Voltou a dar aulas de inglês enquanto procurava emprego na área de comunicação. Sem namorado, nem dinheiro para sair tinha. Estava com vergonha de pedir ao pai. As amigas a chamavam para sair: "Vou levar o amigo do Renato para te conhecer. Ele é uma gracinha". O amigo do Renato era um porre, um tipo chato. Ela tentava puxar conversa, mas faltava assunto. Justamente ela, que era faladeira. Com Marcos isso não acontecia. A salvação, naquele momento, foi o clube.

No Minas I, Vanessa começou a paquerar. Em pouco tempo, a notícia de que Marcos e Vanessa não eram mais um casal estava mais divulgada do que se tivesse sido impressa no jornalzinho do clube. Os grandes amigos de Marcos, sabendo que ele agora estava, literalmente, bem longe, começaram a aparecer no Minas. Muitos deles nem sócios eram. O preço do convite no mercado negro para os domingos na unidade I pareceu ter explodido durante aquele mês de julho. E estava frio! Até o primo Gui, que sempre dizia ter um conhecido no clube mas nunca havia sido visto por lá, resolveu dar as caras. Apareceu duas vezes, com um papo furado. Marcos dizia que ele tinha sido um grande Don Juan. Mas, trinta quilos depois, ele estava mais para Dom Quixote, aquele que vivia das histórias do passado. Ele, Vanessa cortou. Com classe, claro. Usando seu estilo. Com um grande sorriso nos lábios de tamanho médio, mas carnudos. Os dentes brancos. Não eram retinhos. Um dente era inclinado. Isso, mais que um defeito, era um charme. Já os outros pretendentes, ela deu corda. Curtia ser desejada. Um dia chegou aos seus ouvidos, por meio de uma amiga, que corria um boato de que era quente na cama. Nunca se sentiu tão bem na vida. Mas, na verdade, havia meses, desde 1º de março, não transava. Às vezes se masturbava. Tinha escondido, em casa, um vídeo pornô. Assistia quando todos saíam. Uma vez, quase a pegaram. Conseguiu colocar as roupas e esconder o vídeo debaixo do travesseiro a tempo. Aliás, a mãe suspeitou. A mãe até hoje não entendia por que ela tinha terminado com Marcos. Na verdade, temia que a filha fosse como ela. Sim, ela dizia que casara virgem, o que não era uma mentira. Mas ela era da época que dava-se uma outra coisa para não precisar perder a virgindade. Dava-se *atrás*. De quebra, ainda não corria o risco de engravidar. "Bons tempos!", pensava, com saudade da juventude.

Finalmente, em setembro, Vanessa decidiu que era hora de acabar com o celibato. Tinha um dos caras do clube, um tal de Juliano, que parecia ser o certo. Ele era todo saradão. Um desses que, no passado, nunca teriam olhado para ela e que agora estava babando. Começaram a sair. Ela esperou o quarto final de semana, exatamente um mês para dar para ele. Mas o rapaz era fraco. Gozou duas vezes, com uma grande pausa entre os orgasmos, e o gás acabou. Não conseguiu fazê-la gozar. Ela creditou ao fato de ser a primeira vez. Estavam ambos nervosos. Após três meses de namoro, haviam chegado ao mesmo ponto que chegara com Marcos. Com a diferença que ela quase nunca gozava. Ela geralmente tinha de terminar em casa, sozinha, o serviço que ele começava no motel. Também não conseguiu ser puta com Juliano. Talvez precisasse mudar de tática. Ou de cabeça.

De repente, Marcos encosta uma latinha de cerveja Skol geladíssima nas suas costas, provocando-lhe um gritinho.

— Vou falar pras meninas saírem da água e logo depois a gente vai almoçar, tá certo? — diz Marcos, sem esperar resposta e já caminhando para a beira da piscina falando alto: — Valéria, Verônica, queridas, saiam da água. Vamos pegar a boia, o rango.

* * *

Jarbas Coelho, o Lindim, abre a porta do quarto 712. Um rapaz novo, aparentando ter pouco menos de dezoito anos, entra no quarto e deixa a porta aberta. Ele usa um macacão com o nome "Eletro Bréscia" costurado nas costas. A costura já se desprendeu em alguns lugares, formando uma espécie de abertura quando o sujeito curva as costas. Lindim nota isso e pensa: "Se eu usasse um macacão desses, talvez eu pudesse esconder meus cigarros ali". Tinha dito para a esposa que havia parado de fumar. Eram um casal novo, ele tinha vinte e dois, ela, vinte e quatro. Ele trabalhava como recepcionista no hotel Max Savassi. Já ela, era ascensorista do Shopping Boulevard. Eles riam juntos do curioso emprego. "Será que tem alguém que ainda não sabe andar de elevador?" Ele zombava dela. Tinham uma vida dura. Mas eram jovens, sem filhos. Ganhavam pouco. "As coisas vão melhorar", pensa ele enquanto empurra um daqueles carrinhos porta-malas de hotel para dentro do quarto. O do macacão começa a tirar as coisas do carrinho.

— Puta TV, hein? — diz Lindim.

O "Bréscia" retruca:

— Último modelo. Deve ser cara pra *carai*. Mas tô vendo que ali no quarto já tem uma TV — fala, espiando o cômodo, que fica separado da sala. É um quarto de hotel com dois aposentos. Em um, o quarto com a cama. No outro, a sala de estar com sofá, uma mesa de refeições e uma pequena cozinha.

O rapaz da elétrica tira do bolso um papel.

— Tá mandando colocar ela no quarto.

Os dois levam a TV para o quarto. É tela plana. Em cima dela, o Kinect da Xbox faz redobrar o cuidado no transporte. Colocam a TV em cima da cama. "Bréscia" rapidamente conclui, olhando a TV existente no quarto, que não será possível substituí-la. Isso porque a conexão da TV a cabo é feita diretamente dentro da TV — não existe conector para desenroscar. "Quase todo hotel é assim para evitar que o pessoal roube a TV", pensa. "Se não for assim o povo leva até os fios." Ele relê o papel que tem na mão.

— Conforme o cara tá pedindo, não rola — diz ele para o sujeito do hotel que está parado, olhando-o. — Seguinte: vamo levá a TV pra sala. A gente coloca na mesa de jantar.

Levam a TV para a mesa de jantar.

"Vou aproveitar pra dar uma fumada agora. Tô à toa mesmo", pensa Lindim. No mesmo instante, o telefone do apartamento toca. Ele atende:

— Não, tô aqui com o cara da elétrica. — Fica mudo uns instantes, pergunta para o "Bréscia": — Aqui, você vai demorar muito?

Ele responde:

— Acho que pelo menos uma hora. Nunca mexi com essa TV. Vai ser foda configurar a internet dela.

Lindim fala no telefone:

— Uma hora.

Fica mudo. Desliga o telefone. Vira pro sujeito da elétrica e fala:

— O chefe pediu para eu dar uma mão lá embaixo porque chegou um tanto de hóspede. Ele falou que é pra você ficar aqui no quarto, não sair. Sabe como é, a gente não pode confiar hoje em dia, né?

"Bréscia" responde:

— Beleza, chefia.

Mais de quarenta minutos depois, Juca, outro recepcionista do hotel, abre a porta do quarto 712. Um jovem de macacão está falando ao telefone celular: "Já coloquei o quadro conforme o senhor pediu. Tá bem atrás da cama". Juca vê um grande quadro espelhado em cima do sofá da sala. Nele está o mapa-múndi com uns países em vermelho. Está escrito *Make Up Store*. O rapaz diz: "Mas co...?", e interrompe a frase. Fica meio vermelho. Vira-se para o recém-chegado Juca:

— Ele tá me mandando colocá esse quadro no lugar do que tá na parede. Posso fazer isso?

Juca hesita.

— Vou ver com a recepção.

"Bréscia" começa a responder: "Aqui o..." Fica mudo. Vira-se pra Juca de novo:

— Ele tá falando que foi tudo já arranjado aqui no hotel. Diz ele que hoje mesmo vai chegar um hóspede aqui e que é pra estar tudo certinho. É só tirar o quadro que está lá e colocar esse. Não vai fazer furo novo.

Juca coça a cabeça:

— Vou ligar pra recepção — repete.

Sai para telefonar usando o telefone da sala. Enquanto isso, o rapaz da elétrica ao telefone: "Vou ligar", e liga o Blu-Ray. "Mas não tem disco", fala no telefone de novo, apertando o botão de *eject*. "Ah tá", diz ele. "Desliga. Tá. Liga de novo. Tá. Aperta o *play*", repete enquanto faz simultaneamente. De repente, começa a tocar um vídeo com umas modelos. Coisa de maquiagem. Parece ser um vídeo de instruções. Muito bonito. Aparece um menu para selecionar várias línguas. "Cadê o português?", pensa. "Tá, vou desligar", diz e aperta novamente o ON/OFF.

Juca volta:

— Aqui, tá *ok*, mas falaram que é pra ter muito cuidado. Falaram pra eu mesmo fazer.

Tira o quadro do lago azul pintado que fica na parede perto da cabeceira da cama. Tenta guardá-lo dentro do armário, mas o espaço é pequeno. O sujeito da elétrica diz:

— O cara falou que você deve colocar ele atrás do sofá da sala. Ah, e que é pra colocar aquela mala grande, com aquele monte de coisa de mulher, em cima da mesa da sala. E os quadros pequenos na sala também.

Juca põe o quadro atrás do sofá. Levanta a mala, que devia pesar uma tonelada. Presa a ela está um manual grande, com fotos. Em papel cartolina. Deve estar em inglês. Deixa a mala em cima da mesa conforme fora instruído, pega o quadro de vidro, não sem se surpreender: " É levinho, pensei que fosse pesadão", e o coloca em cima da cabeceira da cama utilizando o mesmo prego anterior. O quadro tem aquele arame de prender muito longo, não ficando rente à parede. Na verdade, forma um ângulo. Suficiente para que alguém, deitado, olhando para cima pudesse ver pelo menos parte do seu próprio corpo refletido.

— Será que não cai, não? — pergunta Juca, tanto pra si mesmo quanto para o rapaz. Ficam na dúvida. — Vou tirar.

O rapaz retruca:

— Não precisa, o cara te ouviu falar e tá dizendo que o quadro é levinho. Se cair, a culpa é dele. Pra você não se preocupar.

Juca e o "Bréscia" só saem do quarto pelo menos meia hora depois. Por duas vezes, chegam a comentar, bem longe do telefone: "Caralho, esse cara parece que tá vendo a gente". Só depois de tudo feito, conforme as instruções do papel, é que o telefone é desligado. No quarto, a TV antiga foi posta no canto, no chão.

— Aqui, essa nova TV não vai pegar os canais, não — diz o rapaz da elétrica para Juca. — Essa grande é só para o pessoal fazer o curso deles, entendeu? — E acrescenta: — E também pra jogar *videogame*.

No Xbox, pressiona o *eject*, mas não sai nada.

— Uai, não tem disco. Como que o pessoal vai jogar sem disco?

Juca dá de ombros e diz:

— Já acabou? Então vamu simbora que hoje é domingo, tô querendo sair mais cedo.

"Bréscia" retruca:

— Eu também tô nessa. Ah, aqui as chaves dos cadeados. Ele mandou você colocar isso na caixa de correspondência do quarto que é pra saber onde está quando forem tirar o equipamento.

Juca estende a mão, pega a chave.

— Vamos logo que o jogo do Galo já vai começar.

* * *

D<small>E VOLTA</small>, M<small>ARCOS HESITA</small> entre uma soneca, uma transa ou trabalhar. "Maldito publicitário que inventou a campanha do Gelol, ele fodeu meio mundo com aquela história de 'Não basta ser pai, tem que participar'. Nunca me lembro do meu pai brincando comigo. Hoje, se o cara não estiver lá, dando aquele apoio, é considerado um pai ausente." Pensa isso porque passara a maior parte do tempo no clube brincando com as meninas na piscina. Não que achasse ruim, mas queria poder ter dado uma relaxada mais completa, talvez pegado uma sauna. Precisava relaxar. Ultimamente andava preocupado com a empresa que mantinha com o sócio Luiz, Luiz Antônio Prado, o Pradinho.

Decide que tem de trabalhar. Faz um café instantâneo. Moram em um apartamento de três quartos, mais um reversível. A empregada nunca dormia em serviço, "graças a Deus que não, porque Vanessa deve fazer a seleção com base no 'quanto mais feia melhor'. Se desse de cara com uma delas à noite na casa eu poderia ter um ataque do coração de susto". O reversível passou a ser o escritório e biblioteca da casa. Aproveita que estão todos tirando um cochilo antes do jantar e vai checar seu Facebook. Algumas mensagens de familiares, uns *updates*. Uma antiga conquista, Nívea, mandava-lhe uma mensagem: "Oi, sumido". Morava em São Paulo. Nenhum contato da Sandra. "Ela deve estar puta, mulher detesta homem que come e some", pensa. "Por isso, nem 'oi' ela mandou." Começa a escrever uma mensagem para ela: "Oi. Estive pensando em você. Infelizmente o fim de semana foi agitado e não deu para fazer contato". Acha fraco. Seco. Tem de melhorar isso. Adiciona: "Mas estou com saudades. Grande beijo". "Melhorou", pensa. Por precaução, fecha o Facebook. Abre o Hotmail. Tinha um endereço críptico: m3544@hotmail.com. Isso porque, na época, havia aberto um MarcosAvilarReis@passagen.se em um provedor sueco. Resolvera deixar esse apenas para a família e o estudo. E passou a usar o m3544 para todas as outras coisas: revistas, *sites* de tecnologia, sorteios, brindes, etc. Com o passar do tempo, entendeu que ter um *e-mail* críptico tinha suas vantagens. Para se registrar em *sites* pornôs, fazer contatos via ICQ, trocar mensagens sem, necessariamente, revelar sua identidade. Porém, o *site* Passagen acabou, ficando só com o Hotmail. Quanto a permanecer incógnito, o Facebook agora estava lá pra mostrar para todo o mundo que ele era o rosto por trás do m3544. Não aderiu rapidamente ao Facebook, mesmo sendo uma pessoa ligada à tecnologia. Achou o *site* perigoso. Para começo de conversa: perdia-se o anonimato. Mas com a pressão dos amigos, familiares, colegas de emprego, acabou cedendo.

Havia o lado bom, conhecera Sandra na rede social. E ela não tinha sido a primeira. "Facebook é o bicho", pensa. "Eu deveria ter aderido antes. Já teria comido mais duas ou três."

Há somente um *e-mail* novo. Está escrito em inglês: "Hora de checar seu balanço no HigherOne". "Devo ser o único brasileiro pobre que tem conta bancária nos Estados Unidos e na Suécia." Imediatamente, corrige seu pensamento. "Falar que sou pobre é uma afronta aos verdadeiros pobres. Devo ser o único brasileiro não milionário que tem conta bancária nos Estados Unidos e na Suécia." Quando estudava computação na Universidade de Houston, Marcos trabalhava como monitor de laboratório. Para receber seu salário, a universidade requereu que ele abrisse uma conta bancária. Abriu. A manutenção da conta era relativamente custosa para quem ganhava salário mínimo. No ano da sua formatura, porém, a universidade instituiu um novo sistema. A identidade de estudante passou a ser um cartão magnético, igual a um cartão de crédito. Inclusive, com a foto do estudante no cartão. Este era conectado a uma conta bancária e funcionava como cartão de débito em qualquer estabelecimento comercial que aceitasse a bandeira Mastercard. A manutenção da conta, desde que a pessoa fizesse todas as movimentações por cartão, era gratuita. Talão de cheques e outras coisas eram à parte. Isso simplificou muito a vida de estudantes que ganhavam mesada, por exemplo. O sujeito fazia tudo, dentro e fora da universidade, utilizando o cartão magnético e podia fazer retiradas em qualquer caixa automático do mundo. Mesmo depois de formado, como ex-aluno, Marcos tinha o direito de manter o cartão. O único compromisso era movimentar a conta a cada noventa dias. De tempos em tempos, ia até um McDonald's e comprava um sanduíche com o cartão a fim de evitar a multa de trinta dólares. "Quem sabe um dia ainda não fico rico e vou ter de desviar muito dinheiro para essa conta", suspira. Ele sabe que, normalmente, para abrir uma conta no exterior é necessário muito dinheiro, abrir uma empresa no país em questão, ter um imóvel como garantia lá. Ele não tem nada disso. "Será que não existe um uso mais inteligente para essa conta?" Sabe que deve haver algo, só não consegue imaginar o que seja. Deixa esses pensamentos de lado. Entra na conta, via internet. Saldo: US$ 3 mil. Vê que, no mais tardar em junho terá de movimentá-la. Coloca um lembrete no calendário do computador. Sincroniza o computador com o telefone celular, um SonyEricsson Xperia Arc. No dia 27 de maio, às 10h30, seu telefone soará um alarme e a mensagem "Atenção. Movimente a conta da UH" aparecerá no visor.

 Tira da gaveta um dispositivo preto que mais parece uma minicalculadora. É um identificador eletrônico para a sua conta na Suécia. Os bancos suecos têm uma tecnologia muito desenvolvida em relação à internet. Marcos entra na página do banco, digita seu número pessoal (ano de nascimento, mês e dia de nascimento, mais quatro dígitos pessoais — 690606-5350). Na tela, aparecem dois números: 4534 e 4576. Digita sua senha individual 8693 no aparelhinho, seguido do número 2, e digita primeiro 4534. O aparelho pisca. Digita o segundo número 4576. O aparelho pisca novamente e meio segundo depois lhe dá uma contrassenha: 567 345. Marcos digita essa senha no computador e no próximo segundo seus dados bancários aparecem. Tem 45 mil coroas suecas, o equivalente a R$ 10 mil. A conta foi aberta durante a época que fez mestrado na Suécia, em 1997. Talvez, o melhor ano da sua vida. A manutenção era mais cara, custando cerca de R$ 15 por mês. Porém essa conta tinha mais utilidade do que a dos Estados Unidos, pois foi por meio dela que financiara a empresa que mantinha na Suécia com seu sócio, Pradinho. E seria por meio dela que receberia os lucros que obteriam em breve.

Marcos conheceu Pradinho em uma festa na embaixada brasileira no início de 1997. Estava recém-separado de uma namorada e já havia se mudado para o apartamento estudantil. A essa altura, estava há pouco mais de seis meses na Suécia e já farto da turma brasileira, um retrato em miniatura do país: tinha o pessoal do samba, do forró, do futebol, da pinga, e aqueles que queriam levar vantagem. Todos se abraçavam, cantavam um sambinha, exaltavam as belezas do Brasil varonil e criticavam a Suécia. Reclamavam do frio, do povo, das ruas. Uma mulher afirmava que a Suécia era um país muito subdesenvolvido. A outra, dizia que estava cansada de perfume francês, que tinha saudade mesmo era do leite de rosas. E uma outra concordava e acrescentava: "E da pomada Minancora para passar debaixo do sovaco". Não raro, de repente alguém começava a falar do dia em que foi assaltado no Rio ou em São Paulo:

— O cara foi e botou o berro no meu cangote. Pensei comigo. Agora tô fodido!

Um outro retrucava:

— Que é isso meu, isso não foi nada. E eu que dei de cara com dois caras, totalmente drogados, e eles falaram um pro outro "vamos traçar esse cara".

E por aí continuava, cada um contando uma história mais escabrosa que a outra, para no final todos chegarem à conclusão que "bom é o Brasil. É o melhor país do mundo. A Suécia é uma merda". Mas ninguém arredava o pé. A maioria estava contando o tempo para receber o visto permanente. Que sai com, no mínimo, um ano de residência desde que se esteja casado ou oficialmente com um parceiro sueco. No caso de Marcos, o MBA dele terminaria no final de 97. Teria morado lá um ano e meio. Não sabia o que faria depois. Talvez fizesse um estágio. Talvez continuasse na Suécia. Foi nesse contexto, com muitas mulheres dando mole e nenhum amigo homem, que Marcos encontrou o Pradinho.

Pradinho era cantor. Tocava violão e guitarra. Tinha sido contratado para a festa da embaixada. Obviamente, já era conhecido na comunidade brasileira. Era negro claro, se é que essa definição existe. Na Suécia, Marcos encontrou pela primeira vez os verdadeiros *negões*. Os africanos legítimos, sem uma gota de cor branca no sangue. Do Senegal, da Nigéria, da Costa do Marfim. Pradinho já era aquele negro abrasileirado. O cabelo era crespo e curto. Um pouco mais baixo que Marcos, devia medir 1,70m. Mas era mais forte. Tinha uma tatuagem de serpente no pulso esquerdo que se mexia à medida que ele tocava guitarra. Na embaixada, mostrou que dominava vários ritmos, desde MPB, passando por samba, axé, pagode até um forró. Cantava também em inglês, tocando os *hits* da moda. Tinha um brinco discreto na orelha direita. Nas costas, escrito em letras góticas, trazia a inscrição: "Somente Deus pode me julgar". "Somente Deus" estava centrado a uns cinco dedos de distância da nuca, formando um arco que ia do meio de um ombro ao outro. "Pode me julgar" aparecia em letras menores e escrito em linha reta, centralizado em uma altura correspondente aos mamilos. Quando ele fez uma pausa para descanso, após ter tocado quase uma hora e meia, colocaram um CD de músicas brasileiras. As mulheres, suecas ou brasileiras, fizeram fila para dançar com ele, que se mostrou mais que interessado em satisfazer a todas.

 A bem da verdade, Marcos praticamente não o notou, pois estava mais interessado em fazer contatos com pessoas do sexo feminino. Apenas observou, não sem uma ponta de ciúmes, que o tal músico se mostrava bem mais popular do que ele. Amaldiçoou nunca ter aprendido a tocar um instrumento. E nunca ter aprendido a dançar. Tinha dois pés esquerdos. O máximo que conseguia era arriscar uma discoteca. E olhe lá. Após a festa, uma turma decidiu esticar em um barzinho próximo. Foi então que fez contato com Pradinho. O mulato era muito conversador. À primeira vista, Marcos viu em Pradinho um contador de histórias. Não foi com a cara dele. Achou-o afetado, mentiroso. Falava que tinha estado no Spy Bar — a boate mais cara de Estocolmo, frequentada até pela família real — e que havia tomado champanhe com um sujeito que teria lhe dito: " Hoje estou muito feliz". Pradinho perguntou-lhe a razão e ele afirmou: "Porque hoje ganhei o prêmio Nobel". Contou que com dezesseis anos já tinha deflorado umas quatro meninas, transado com uma tia quarentona e "colocado o pé no mundo". Que, dois dias antes, fora transar com uma mulher, mas quando ela tirou o tênis o cheiro de chulé foi tão forte, que ele disse que ia comprar um cigarro e nunca mais voltou. "Vai ver ela está nua na cama até agora." Mas falava isso com muito humor e, por mais inverossímil que parecesse, Marcos venceu a antipatia inicial e começaram a conversar longe do grupo, para se conhecerem melhor.

Descobriu que não eram, afinal, tão diferentes. Ambos eram de Belo Horizonte, ambos gostavam de computadores. Pradinho se sustentava por meio da música à noite e durante o dia trabalhava em uma empresa de turismo. Estudava, por conta própria, como fazer *sites*. Havia feito o *site* da empresa de turismo.

Encontraram-se algumas vezes. Pradinho passou a convidar Marcos para assistir aos *shows* que fazia em pequenos bares, geralmente no centro ou na parte velha, turística, de Estocolmo. O melhor é que Marcos bebia cerveja de graça na cota de Pradinho e pegava também as rebarbas das mulheres que sempre vinham para a mesa deles para "conhecer o artista". Mas a amizade entre eles foi se consolidar, pra valer, no verão daquele ano. Eles foram para Kos, considerada a ilha da balada na Grécia.

Se Vanessa era "a" pessoa mais sociável, Marcos descobriu que Pradinho era "o" vendedor inato. Ao chegarem ao hotel em Kos, os dois foram direto para a praia. Como é de praxe, as praias eram pagas. A pessoa aluga as cadeiras e o para-sol. A praia é dividida em setores (posto 1, posto 2, como no Rio de Janeiro). Cada posto tem a sua cor. Posto 1 tem os para-sóis verdes, o 2, azuis, etc. Todos já estão, enfileiradinhos, na praia. Existem também os locais gratuitos, mas nesses o sujeito tem de levar sua própria cadeira, sua própria sombrinha.

Ao andar pela praia com cara de quem está procurando lugar, sempre há os vendedores dos postos prontos para uma abordagem. Vêm com aquela conversa mole perguntado de onde a pessoa é ou oferecendo um preço especial "para você, meu amigo", falado num inglês capenga. Marcos, como sabia disso, já foi passando direto. Não deu conversa. Sabia que queria ficar mais ou menos no meio da praia, de preferência num local que tivesse um monte de meninas novas e gostosas fazendo o tradicional *topless*. Pradinho, esse parou. Ficou lá, conversando com o vendedor. Algo que pareceu uma eternidade, naquele sol escaldante. Marcos estava doido para beber uma cerveja, sentar debaixo do para-sol. Tomar um banho de mar. Finalmente, prosseguiram caminhada. No posto seguinte, lá vem outro vendedor. Pradinho parou. Conversou de novo. Mais dez minutos. "Saco", Marcos pensou. "Esse cara vai me foder." No posto seguinte, Marcos já foi logo falando: "É aqui que a gente fica", quando viu duas louras deliciosas. Deixou suas coisas na cadeira e largou Pradinho conversando com o vendedor.

Foi tomar banho de mar. Retornou, Pradinho havia sumido. Mais quinze minutos, nada do Pradinho aparecer. Depois, ouve um grito:

— Vem cá, Marcos!

Era o amigo chamando. Rumou para o bar, que ficava na beirada do calçadão. Chegando lá, Pradinho já foi logo apresentando a turma.

— Este aqui é o dono do bar, este é o filho dele, essa é a mãe, etc.

Sentaram-se. Pradinho conversava animadamente com o dono. Falava de política, de futebol. O dono do bar era também dono de uma boate, no centro do agito em Kos. Fez Pradinho jurar que iria lá, deu o cartão e tudo mais. Marcos se cansou e voltou para a esteira depois de uma hora de papo. Pradinho ainda ficou lá um tempão. Depois voltou e tirou um cochilo debaixo da sombra do para-sol. À noite, a mesma história se repetiu.

A zona do agito em Kos é um lugar fechado para o trânsito, onde só existem bares, boates e restaurantes. Andar por ali é ser constantemente abordado por um exército de pessoas cuja função é levar clientes para dentro dos estabelecimentos. Pradinho, ao ser abordado, parava. Conversava. Dizia ser brasileiro. Gastava tempo, contava história. Foram no tal bar do sujeito da praia. Ele os recebeu com um coquetel fortíssimo, de graça. Tomaram duas cervejas, só pagaram uma. O bar tinha garçonetes lindas, de várias nacionalidades. Todas eram colegiais europeias, estavam ali ganhando um dinheirinho à noite enquanto pela manhã trabalhavam no bronzeado. Assim era em todos os bares. Elas moravam em repúblicas e hotéis baratos. Não ganhavam muito, mas comiam onde trabalhavam. Pelo visto se divertiam bastante, porque frequentavam os estabelecimento mesmo nos dias de folga. Nestes, elas bebiam à vontade. Uma festa só.

No dia seguinte, ao voltarem à praia, o primeiro vendedor rapidamente os reconheceu. E aí, o inusitado: ele REALMENTE ofereceu para os dois um preço bem mais barato! Já na segunda noite, ao aparecerem nos bares, os empregados a cargo da porta já vinham com um abraço (falso, a bem da verdade) mas também ofereciam licor, batida, uísque, tudo de graça. Esses sim, reais. Ao cabo de três dias, ficaram conhecidos como "os brasileiros" e, para cada cerveja que compravam levavam outra de graça mais quatro doses de uísque. Durante o resto da semana, Marcos se acostumou com Pradinho batendo papo com os garçons, falando de futebol, do tempo, da economia. Invariavelmente, a conta vinha com um abatimento, ou ganhavam uma bebida ou sobremesa de graça.

Ao final da semana, havia entendido que a mágica de Pradinho estava em não tentar vender algo para a pessoa, mas, de forma reversa, incutir na pessoa o desejo de comprar dele. Era "o" vendedor.

Agora, mais de dez anos depois, a mágica de Pradinho parecia ter acabado. A empresa que eles tinham fundado juntos, no final de 2009, estava indo à bancarrota. Com menos de um ano e meio, o capital inicial da empresa, de R$ 30 mil (R$ 15 mil de cada) havia se esvaído. De início, a empresa investiu na ideia de Pradinho de trabalhar com transferências de dinheiro, principalmente entre a Suécia e o Brasil. Agora, o foco era um aplicativo do Facebook, criado por Marcos, chamado CruiseKontrol. Porém, o capital restante na empresa era de menos de R$ 1 mil, insuficiente para levar essa ou qualquer outra ideia adiante.

Havia quase dois meses os dois sócios discutiam a questão. Marcos queria uma nova injeção de capital na empresa no valor de no mínimo R$ 10 mil. Ele tinha esse dinheiro disponível. Queria investir no aplicativo. Talvez desse certo, não tinham como saber pois não tinham dinheiro para fazer um *marketing* adequado. O máximo que fizeram foi umas propagandas no próprio Facebook, o que lhes custara R$ 500. Já tinham mais de 900 usuários, porém Marcos acreditava que precisavam de sete a dez mil adesões para iniciarem a parte seguinte do projeto, quando, então, poderiam, por meio de publicidade paga, ganhar dinheiro.

Por enquanto, era tudo custo e nenhuma receita. Pradinho, no entanto, protelava. Dizia estar em contato com possíveis patrocinadores. Que talvez não precisassem do dinheiro. Um dia, Marcos perdeu a paciência, e discutiram feio. Ficou um clima pesado. Não se falaram por mais de uma semana, quando o normal era conversarem com relativa frequência.

De repente, há duas semanas, Pradinho mudou da água para o vinho. Disse estar pronto para investir não apenas R$ 10 mil, mas R$ 20 mil na empresa. Justo ele, que nunca tinha dinheiro para nada. Decidiu que a empresa deles, a Protheus, deveria se dedicar a fundo ao CruiseKontrol, mergulhar de cabeça, apostar tudo. Fazer *merchandising* para vender na internet: camisetas, calcinhas para mulheres, miniatura de navios, tudo com o emblema CruiseKontrol. Uma boia salva-vidas branca com um coração vermelho dentro e o nome do aplicativo escrito no coração. Disse que já tinha os contatos para a fabricação de tudo isso, e que estava perto de conseguir poder vender isso também a bordo dos navios da Viking Line e Silja Line. Eles ganhariam um percentual na venda de passagens para os cruzeiros que fossem compradas por meio do *click* no *banner* do *site*. A única coisa que faltava era essa injeção de capital. Para respaldar suas afirmações, Pradinho enviou uma série de documentos para Marcos, que naquele momento tentava entender tudo. Não conseguiu encontrar nem um contrato sequer, algo concreto. Todos os documentos eram apenas panfletos escaneados, listas de preços, material de *marketing* de fabricantes chineses. "Típico do Pradinho", pensa.

Já passa das 9 da noite. Marcos, exausto, decide desligar o computador. "Por hoje chega. Amanhã tenho de tentar conversar com Pradinho pelo Skype para entender isso." Pensa em programar um alarme no seu celular, mas fica com preguiça. Vai lembrar amanhã, sem dúvida. Clica no símbolo do Windows, move o *mouse* para desligar, quando resolve checar o Facebook.

Qual não é a sua surpresa quando não vê mais, entre os seus contatos, a Sandra. "Vixi, será que ela se emputeceu mesmo? Coisa estranha, não mandou nada. Será que aconteceu algo?"

Fecha o Facebook, resolve conferir o Hotmail. Uma mensagem nova, vinda de um endereço desconhecido "xyzaaaxyz@hotmail.com" com o assunto "Urgente. Marcos Avilar Reis. Favor ler imediatamente."

"Estranho. Talvez *spam*. Incrível como esse pessoal tem a capacidade de achar nosso nome."

Sr. Marcos,
No dia 1º de abril você esteve no Promenade Volpi.
Parabéns!
Clique em www.seeyou.net/01042011 para uma amostra do que preparamos para você.
Atenciosamente,
XYZAAAXYZ

O sangue de Marcos congelou nas veias. Nunca clicaria em um *link* desse tipo por medo de vírus, mas a mensagem era clara. Se fosse trote, era uma coincidência em um milhão. Mais fácil ganhar sozinho na megassena acumulada. Clica. A página abre um filme, e ele é a estrela. Seu rosto aparece em foco, através do espelho, comendo a Sandra de cachorrinho. Depois novamente, quando ela lhe faz o oral. Termina quando ele goza. O rosto dele fica em foco quatro segundos.

O vídeo é curto, uma espécie de *melhores momentos*. Deve ter de dois a três minutos somente. A tela fica preta. Marcos está suado. Atônito. Assustado. Tenta recarregar a página para ver novamente o vídeo. Recebe apenas *page not found*. Clica de novo, deve ser um erro. *Page not found*. Tenta novamente *page not found*. Volta ao *e-mail*, clica no *link*. A única resposta é: *page not found*.

Novo *e-mail*. Vindo de outro endereço, 15servicos15@hotmail.com com o assunto "Orçamento. Marcos Avilar Reis. Válido somente por 24 horas".

Prezado senhor Marcos Avilar Reis,

Por meio de nossa visita, pudemos notar a urgente necessidade de se fazer uma reforma na sua residência da rua Marina Inês, 15, ap. 301, a fim de se evitar o mau cheiro que será causado pelo iminente vazamento do esgoto por nós averiguado.

O custo será de R$ 15 mil, pago via PayPal para a conta "15servicos15@hotmail.com" até as 23 horas de amanhã.

Caso o senhor resolva pelo não pagamento, entraremos em contato com a sua esposa, a sra. Vanessa Rennó Reis, a fim de combinarmos horário e dia mais convenientes para a entrega do DVD com a filmagem que nos foi confiada. O DVD pode ser entregue também a algum amigo, colega de empresa, suas filhas Valéria ou Verônica, etc..., sem maiores problemas.

Gostaríamos de adiantar que o valor não é negociável, e que essa será nossa única oferta.

Finalmente, é importante que deixemos claro que a sra. Sandra não tem nenhum tipo de vínculo conosco. Ela é simplesmente uma profissional terceirizada do ramo. Em virtude de nosso convívio, conhecemos as suas necessidades específicas e a selecionamos para parte do orçamento. De maneira alguma ela participará ou tem conhecimento da reforma que evitará os problemas acima citados. Caso, mesmo assim, o sr. decida-se de alguma forma contatá-la, lembramos que isso significará quebra de contrato com todo o ônus que isso pode trazer ao senhor e à sua família.

Atenciosamente,
A Gerência.

PARTE II

DEZEMBRO DE 1987

Novos horizontes

Gustav Axel Cotto acabava de completar quarenta anos. Esse detalhe não apenas confirmava como também lhe dava o embasamento físico e teórico que necessitava para entender de vez que estava em plena crise dos quarenta.

Havia doze anos recebera o título de Ph.d em engenharia elétrica. Sua tese, "Redução de perdas em transformadores de extrema alta potência", rendeu-lhe ofertas de emprego em várias universidades do mundo todo. Na época, sua namorada Francis, também estudante de engenharia elétrica, pediu-lhe que esperasse enquanto ela completava os estudos. Francis cursava mestrado em linhas de transmissão. Os dois eram extremamente compatíveis intelectualmente. Gostavam de estudar. Tinham aptidão para o cálculo. Eram também fisicamente compatíveis. Ambos pouco atraentes, chamavam pouco a atenção. O único ponto de discordância entre os dois era a paixão de Axel por futebol, que Francis detestava. Vestiam-se com roupas discretas, compradas em lojas populares. Gostavam do anonimato. Eram suíços de origem alemã. Conversavam entre si em alemão. Ambos compreendiam perfeitamente inglês, francês e, em menor escala, italiano. Frequentemente, eram tidos como irmãos. Ambos estavam um pouco acima do peso, tinham a pele clara, olhos claros, rosto redondo. Ele mantinha o cabelo bem curto, ela, um pouco mais longo, na altura dos ombros. A confusão devia-se não somente ao fato da semelhança física e da personalidade em si; mais importante talvez fosse o fato de que eles raramente demonstravam afeição publicamente. Apesar de relativamente jovens, nunca eram vistos beijando-se efusivamente. No quarto, na intimidade entre quatro paredes, pouca coisa mudava. Apesar de morarem juntos havia apenas um ano, o sexo, que no calor inicial da paixão significava uma transa rápida, duas ou, no máximo, três vezes por semana, agora resumia-se a uma só. E quando a semana era boa. Na verdade, se fizessem a conta, veriam que estava mais para duas vezes ao mês.

Fazia, então, doze anos que Axel trocara as possibilidades de uma vida acadêmica em algum país distante por um estável emprego na empresa suíça BBC Brown Boveri. Surpreendentemente, assim que terminou seus estudos, aproximadamente três anos depois de tê-lo convencido a permanecer em Genebra, Francis o deixou por um imigrante etíope que havia conhecido dois meses antes. Ela pediu muitas desculpas, mas não deu muitas explicações. Disse-lhe, laconicamente:

— É mais forte do que eu, não posso resistir, não consigo mais morar com você, seria uma farsa. — Por fim: — Descobri uma nova Francis que eu mesma não conhecia.

Ela deu-lhe um beijo no rosto e nunca mais se viram.

Naquele ano, ele inteirou os quarenta. Não havia feito uma expedição pelo Nepal. Não atravessara de costa a costa o continente norte-americano em uma Harley-Davidson. Não havia participado de uma caravana no deserto do Saara. Só tinha estudado e trabalhado. Mesmo assim, provavelmente não seria um dos laureados com o Prêmio Nobel. Após Francis, tivera outras namoradas, nenhuma muito séria. Todas parecidas com ele mesmo. Nenhum filho. Pelo visto, não os teria. Pensou em um Axelzinho. Seus pais já haviam perdido a esperança de serem avós. Talvez se isso acontecesse, eles estivessem muito velhos para poderem curtir o netinho. Quando nascera, seus pais eram jovens. O pai tinha dezoito, a mãe, dezesseis. Axel nunca pensou em seguir os passos dos pais. Tinha os estudos, a carreira. Agora, era o único do departamento que não tinha filhos. Pelo lado positivo, tinha um cargo bom, era o chefe. Mas começou a sentir o peso da idade. Deprimiu-se. Quando, no ano anterior, a sua empresa uniu-se à sueca Asea formando a ABB — Asea Brown Boveri — maior empresa de engenharia elétrica do mundo, Axel deu de ombros. Foi somente no dia do seu aniversário, quando um dos diretores chamou-lhe à sua sala para fazer-lhe uma proposta, que Axel entendeu que havia tido uma segunda chance. Sua segunda chance de escalar o Nepal. Mais precisamente, chefiar o departamento de alta voltagem recém-criado na cidade de Betim, no Brasil. País do qual não sabia basicamente nada, exceto o que ouvia nos comentários que antecediam as partidas durante as copas do mundo de futebol. "Já é o suficiente", pensou. Nas viagens que fazia a trabalho, pelo mundo inteiro, nunca havia tido problemas de comunicação. Quer dizer, nada muito sério. Sempre se virava com inglês, alemão ou francês. "Vai ser tranquilo."

Em 5 de dezembro de 1987, Axel já estava instalado no Brasil. Morava em um hotel, próximo ao local de trabalho em Betim. Betim, sede da fábrica da Fiat no Brasil, e de uma das maiores refinarias da Petrobras, era uma das cidades-satélite de Belo Horizonte. Não se tratava exatamente de uma cidade de cartão-postal. As opções noturnas eram extremamente limitadas, ainda mais se comparadas com Genebra ou outra grande cidade que conhecia. Axel recusou o carro a que tinha direito, limitando-se a fazer o percurso hotel-trabalho a pé. Não gostava muito da comida, que achava indigesta. Em uma ocasião o levaram a um restaurante para comer algo que se chamava feijoada. Nunca havia visto algo tão repugnante na vida. Passou o primeiro mês praticamente no hotel. A dieta forçada e as caminhadas fizeram com que perdesse peso. Fez buracos extras nos dois cintos, com a ajuda dos funcionários do hotel. O trabalho o absorvia por completo e nos finais de semana caminhava ao redor do hotel. Tinha medo de sair à noite porque entendia a real possibilidade de ser assaltado. Na melhor das hipóteses, levariam apenas seu dinheiro. Via no jornal fotos de pessoas mortas à bala. As casas ostentavam muros altos, de 2,5 metros de altura. Os prédios tinham seguranças. Descobriu que o Brasil era um país muito violento. Sua única extravagância era ir ao Mineirão, assistir aos jogos do Atlético ou do Cruzeiro. Não havia se decidido por qual time torcer. Um dia viu um jogador do qual nunca tinha ouvido falar. Um tal de "Dario Peito de Aço". Entendeu que ele havia sido um grande jogador do Atlético. Era um documentário ou um programa esportivo. Seus conhecimentos em português eram bastante limitados, Porém, nesse dia, assistindo televisão, ouviu a coisa mais engraçada da sua vida. Era o tal do Dario, dizendo:

— Me diz o nome de três coisas que param no ar: beija-flor, helicóptero e Dadá Maravilha.

Naquele dia, repetiu para si mesmo essa frase, em voz alta, umas cinquenta vezes.

A vida de Axel transformou-se no início de janeiro. Apesar de ser um sujeito pacato, aquela vida começava a ficar monótona. Um dia, um colega de trabalho sugeriu que se encontrassem em uma choperia chamada Fim de Tarde. Disse que ela ficava na Avenida do Contorno, próximo ao tobogã, e que qualquer motorista de táxi saberia o local. Que iria levar uma amiga da mulher dele. Como Axel era solteiro, quem sabe não seria interessante? Relutou: "A corrida de táxi vai ficar muito cara". Como expatriado, Axel recebia uma fortuna para os padrões brasileiros. Parte do salário era depositada diretamente na sua conta na Suíça. Como havia optado por não ter carro, tinha direito a reembolso de táxi. Hotel, lavanderia, todas as despesas eram arcadas pela empresa.

No domingo, às 16 horas, lá estava ele na porta do bar. Trajava uma calça bege e um sapato marrom. As meias pretas destoavam. Uma camisa verde meio desbotada fazia com que o conjunto não soasse harmônico. A calça era muito social e a camisa muito descontraída. A parte que sobrava do cinto apertado até o último furo teimava em se desprender do passador da calça, demonstrando ser deselegantemente grande. O caimento da calça, no mínimo dois números acima do que seria o ideal, deixava muito a desejar. O restaurante ocupava uma grande varanda, conferindo um aspecto de *deck* ao bar. Em vez de mar ou lagoa, contemplava-se a avenida. Típico de Belo Horizonte. Era um dia quente, um bom domingo de sol. Os garçons eram ágeis, prontos para substituir o copo assim que ele estivesse com menos de um terço do conteúdo. Axel nunca havia estado em um lugar assim. Nem bebera uma cerveja tão leve. O tal chope. "Finalmente encontrei algo que não conhecia e que é realmente bom", pensou.

O colega chegou logo depois, com a esposa. A esposa, com a amiga. A amiga não falava inglês. Não era interessante. Axel podia ser tímido, contido, mas sabia o que era uma mulher atraente. Como aquelas da mesa ao lado. Ou as sentadas mais à frente. Ou da mesa de fora, perto da sacada, já dentro do restaurante. De fato, Axel começou a notar que nunca tinha visto tantas mulheres atraentes juntas. O colega falava bem inglês, era divertido. As mulheres não falavam nada e, como, obviamente, Axel não havia nem se esforçado em tentar conversar com a amiga, deram-se por vencidas. Após uma hora arrumaram uma desculpa qualquer e foram embora. O colega ficou, voltaria para casa de táxi. Este percebera Axel tentando se comunicar melhor no escritório. Mas entendia que ele não havia feito o mínimo esforço além do tradicional cinco minutos de conversa inicial, do tipo "qual o seu nome, com o que você trabalha?".

A amiga era mesmo uma encalhada. A esposa sempre tentava encaixá-la com alguém, mas, verdade seja dita, ela era feia e sem sal. "Se a pessoa é feia, ela tem de dar um jeito. Se produzir. Ou ter um papo legal. Ou ser engraçada. Tem que fazer igual cego. O cara perde a visão, então aguça algum outro sentido para compensar", pensava o colega. O nome dele era Pacheco. Pache-

ção. Não era nenhum primor de beleza, mas seguia seu próprio ditado e compensava sendo bom de papo. Assim que as mulheres foram embora, Pachecão virou-se para Axel e disse, em inglês:

— Aquela mina tá te dando a maior bola.

Axel não entendeu. O inglês de Pachecão era um dos melhores da firma, mesmo assim, às vezes, falhava. Pediu para ele explicar melhor. O amigo insistiu:

— Tá vendo aquela ali? Ela gostou de você.

Axel continuou sem entender. Pachecão mostrava uma mulher de uns trinta anos, no máximo. Ela usava um bustiê, uma minissaia e botas. Exalava sexo. A boca, vermelha. Era bem morena. Tinha os seios pequenos, a bunda média. Os olhos pretos. Os cabelos eram longos, encaracolados. Axel viu ali uma deusa tropical. Dessas de comercial de TV, na Suíça, quando necessitavam de um estereótipo de sexualidade. Um xampu tropical, algo assim. A mulher saindo da lagoa, cabelos molhados. A foto do xampu. Quem quisesse ser igual a ela, bastava usar o tal xampu. Somente nessas horas, pela TV, tinha visto uma deusa dessas. O Pachecão devia estar fazendo hora com a cara dele. Compreendera errado. Estava confuso. Todas as namoradas que tivera na vida eram... o contrário. O oposto do que via ali na mesa próxima à sua. "Vai ver os chopes me subiram à cabeça e eu estou é bêbado, vendo mulher de comercial de xampu da TV suíça."

Pachecão cansou de explicar, virou para Axel e disse: "Espere aqui". Levantou-se e foi na mesa vizinha. Deu beijinhos nas duas meninas, o que para Axel era algo inexplicável. Nunca vira alguém beijar desconhecidos. Ali eles beijavam no rosto como forma de se apresentar. "Muito estranho, não sei se consigo fazer isso", pensou. As meninas olharam para ele. Pachecão continuava lá. Gesticulava. Chamou o garçom. Envergonhado, Axel notou quando as duas garotas levantaram da mesa. "Com certeza se ofenderam e estão indo embora. Onde vou colocar a minha cara?" Porém, em vez de descerem a escada da rua que ficava no centro do bar, elas continuaram. Pararam na frente da mesa de

Axel. Pachecão chegou, todo afobado, puxando as cadeiras. Axel enrubesceu. Ficou vermelhinho, um pimentão. Estendeu a mão para cumprimentá-las. Foi recusado. As duas, em vez de aperto de mão, lhe deram três beijinhos no rosto. Elas riram da timidez dele. Acharam divertido o fato de ele estar sem jeito. Ele enrubesceu ainda mais. A "deusa" então colocou a mão na perna dele e disse *"no problem"*, enquanto olhava em seus olhos. Axel se perdeu naquele olhar. Sentiu-se leve. Quente. Era o calor do desejo. Imaginou-se beijando aquele corpo moreno. Tinha dificuldades de se expressar. As palavras não saíam. Mas não precisava. Pachecão se incumbia de azeitar a conversa. Ele só olhava, sorria. Não acreditava, mas aquela mulher parecia estar realmente se insinuando para ele. "Será possível?", se perguntava.

Já passava das 22 horas quando Pachecão disse que precisava ir embora. A amiga da "deusa", aparentemente, morava perto da casa dele, então iriam dividir um táxi. Pelo menos foi o que Axel entendeu. A deusa ficou. Assim que eles saíram, ela, cansada de esperar ele tomar a iniciativa depois de se insinuar por mais de duas horas, beijou-o. Ela tinha a língua grande e grossa, e beijava intensamente. Não era o beijo tímido que ele esperava. Pôs a mão dele na sua perna nua. Ela já tinha mais de trinta anos. Era experiente. Mas nunca havia beijado um estrangeiro. Desde a tardinha estava excitada com a ideia de experimentar aquele gringo. Ele vestia-se mal, umas roupas esquisitas, mas tinha seu charme. Um charme inocente. Divertiu-se com a ideia de deflorar o gringo. "Vai ver, ele é virgem." Já tinha dado para muitos, por muito menos. Uns escrotos babacas. Desde quando ela tinha vinte anos, os caras na idade do gringo caíam matando. Os acima dos trinta e cinco eram os mais indecentes. A maioria casados. Mentirosos. Naquela idade, inocente, inexperiente, ela caía na conversa, se apaixonava. O gringo parecia menino, todo feliz, rindo pra ela. Mostrou, pela respiração, que estava excitado.

"Tenho de improvisar", pensou. Colocou a mão dele um pouco mais para cima da coxa dela. O gringo mostrava-se desnorteado e a coisa não evoluía. Ela pediu ao garçom um pedaço de papel. Ele lhe deu três folhinhas que arrancou do bloco que usava para anotar os pedidos, e a caneta. Ela esperou o garçom ir embora. Escreveu hotel e, abaixo da palavra, um coração. Entregou para Axel com um sorriso. Depois, à vista dele, fez um xis em cima do H e colocou embaixo um M. Axel já estivera nos Estados Unidos e sabia que motel era um hotel usado por viajantes para descansar na estrada. Que era pago por hora. Ele retribuiu o sorriso com um beijo e chamou o garçom fazendo um gesto. Quando este chegou, fez o sinal de que estava escrevendo algo. Sabia que isso significava pedir a conta. A "deusa", a essa altura, mordiscava-lhe o lóbulo da orelha, e passava a mão em seu peito. Depois ela escorregou a mão, e em um descuido, tocou-lhe o pênis. Ela riu. Ele estava duro por debaixo da mesa. Ela gostou. Naquela noite Axel ia descobrir o fogo mineiro.

* * *

AO CHEGAR A HOUSTON nos últimos dias de 87, Marcos foi recebido no aeroporto George H. W. Bush pelo seu "padrinho" no Rotary International. O clube estava patrocinando para ele uma bolsa de estudos integral. O tal padrinho havia concordado em hospedá-lo na sua casa enquanto o semestre letivo não começava. Logo após os cumprimentos iniciais, antes mesmo de chegarem ao carro, o padrinho contou-lhe que um amigo dele era *state representative* — algo equivalente a deputado estadual — e procurava alguém disposto a morar na casa dele. O sujeito passava a maior parte do tempo em Austin, capital do Texas, assim, sua casa em Houston ficava sempre vazia. Recentemente, havia sido arrombada. Por causa do sistema de alarme, os ladrões não tinham levado nada, mas isso era uma questão de tempo. Disse que a residência ficava longe da universidade, mas que talvez pudesse ser interessante. Obviamente, a ideia de economizar com despesas de moradia, já que a bolsa custeava apenas as despesas universitárias mais uma mesada de meros 500 dólares, era tentadora. Poderia usar os 3 mil dólares que levara para comprar um carro.

Um ex-colega do Colégio Santo Antônio, ao saber que iria a Houston, disse-lhe:

— Somente mendigos não têm carro em Houston. Mulher nenhuma sequer olha para a cara de alguém que não tenha carro. É mais fácil um cara sem pinto pegar uma mulher do que um sujeito sem carro.

Isso para ele foi uma surpresa. Esperava que Houston fosse uma cidade moderna, com metrô, ônibus. Procurou se informar e encontrou, em um guia turístico, a informação de que ali era "provavelmente a maior cidade dos Estados Unidos com o transporte público mais deficiente".

"Talvez seja exagero deles. Coisa de gente que não pega ônibus, acostumada com o bem-bom. Não pode ser pior do que Belo Horizonte", raciocinou. Descobriu que não era exagero dois dias depois, no sábado. Havia marcado de ir até a casa do tal político às 18 horas. Estudou bem o trajeto. Tinha de pegar três ônibus. Saiu bem cedo, às 16 horas. Percebeu que consultara os horários do dia errado. Era final de semana e os ônibus passavam de meia em meia hora. O frio era congelante.

"Houston deve ser uma das cidades mais frias do mundo", pensou. O guia que leu afirmava que era um lugar quente. "Veadinhos. Vou me foder nesse frio." Não tinha levado roupas adequadas. Descobriu também que as distâncias eram quilométricas. O ponto de ônibus, que ficava pertinho de casa, na verdade demandara uma caminhada de quinze minutos com passo firme. Eram 18 horas e ele ainda estava no centro. Ligou para o tal sujeito, que demonstrou uma certa arrogância ao ouvir Marcos dizer: " Estou indo de ônibus". Acabou chegando lá às 20h30. Isso porque o cara foi buscá-lo no ponto. A parada mais perto ficava uns dez minutos da casa, indo de carro. O homem tinha um desses carros enormes. Um Buick azul, quatro portas. Nunca havia entrado num carro tão grande. Todo em couro bege, mas no painel do motorista e nas beiradas das portas, madeira escura. A mudança de marchas era automática. A alavanca para mudar de P para D ficava junto ao volante. Marcos lembrou-se de já ter visto um mecanismo parecido antes. Um carro antigo brasileiro. Mas o motorista tinha de passar marcha. Talvez fosse um jeep antigo que o avô tinha.

Dentro do carro fazia uma temperatura de perfeitos 25 graus. O cara apresentou-se como Bob Sparks. Falou, com um inglês arrastado, bem típico do Texas:

— Você demorou, então espero que não se importe de nós irmos a um restaurante comer alguma coisa.

Marcos não se importava. Estava faminto.

— Mas, antes, vamos ali na casa da minha namorada. Ela vai conosco.

O tal de Bob tinha uma latinha de cerveja na mão. No chão do carro, do lado do passageiro onde Marcos estava sentado, estavam cinco latinhas de cerveja, unidas por um anel quase transparente encaixado no topo delas.

— Você gosta de cerveja? — Bob perguntou, mostrando a sua lata e apontando para as outras próximas aos pés de Marcos. — Se quiser, pode se servir, porém seja discreto. Aqui no Texas existe a lei do "contêiner aberto". — E continuou, notando que Marcos não tinha a menor ideia do que isso significava na prática: — O sujeito pode transportar bebidas alcoólicas na cabine do passageiro, mas elas devem estar lacradas. Abertas, só no porta-malas.

Marcos puxou uma latinha. Sentiu que era bem mais leve e flexível do que as que conhecia. Demorou cinco segundos para entender que, ao contrário das latinhas do Brasil, com aquelas tinha-se que empurrar um selo de metal para dentro. Achou meio anti-higiênico. "Prefiro essas que a gente puxa o lacre. E se a tampinha estiver suja?" Tinha ouvido dizer que latas e garrafas poderiam estar sujas de xixi de rato. "Agora já era", e tomou um gole, fazendo o máximo para ser discreto, mantendo a lata abaixo da linha de visão de quem estivesse do lado de fora do carro.

O Buick Electra trafegou uns cinco minutos pela avenida Uvalde, depois adentrou um setor residencial, chamado Woodforest. Bob ficou zanzando, virou numa esquina, virou na outra, seguiu. A casa da namorada, obviamente, ficava longe. Finalmente, embicou o carrão em uma porta de garagem, subindo um pouco a rampa de concreto. O percurso todo levou uns dez, doze minutos. Era uma casa grande, baixa. Ele buzinou. Esperou um minuto. Buzinou de novo. Uma loura, de cabelo curto e óculos, saiu de dentro da casa. Ambos tinham por volta dos cinquenta anos. Um pouco menos ou um pouco mais. Poderiam ser seus pais. Marcos se deu conta da sua falta de educação e abriu a porta, fazendo menção de passar para o banco de trás. Ainda do lado de fora, a loura fez sinal para ele se sentar. Ela acomodou-se no banco de trás e disse para Marcos: "Prefiro sentar aqui. O banco atrás do motorista é o local mais seguro do carro. Eu não confio muito nas habilidades de Bob quando ele está no volante". Ela riu, estendeu a mão e disse:

— Ruth Brooks.

Marcos a cumprimentou, rindo. Bob perguntou para Marcos:

— O que você quer comer? — enquanto, ao mesmo tempo, estendia uma latinha de cerveja Miller light para Ruth.

Marcos falou que era melhor que eles decidissem. Ela abriu a sua lata. Foram a um restaurante mexicano. O restaurante, que era próximo, ficava a meia hora de carro. Marcos descobriu que, em termos de Houston, as duas casas eram praticamente vizinhas.

Mudou-se para a casa de Bob Sparks no dia seguinte. Bob e Ruth haviam gostado daquele sujeito franzino. A testa ampla conferia-lhe uma aparência inteligente. Eles ajudaram-lhe na mudança, que consistia em duas malas, uma de rodinha e a outra dessas de se carregar na mão. Modelo retirante nordestino, provavelmente nem se fabricava mais. Mesmo naquela época, já estava fora de moda. Mas era a maior que a mãe tinha em casa.

Era por volta das 11 horas da manhã. Os dois entraram, conversaram um pouco com o "padrinho", que se chamava John. John Konstantinikoplas. Era de origem grega. Tinha um posto de gasolina. Estava, com certeza, contente por livrar-se do hóspede. John tinha uma filha nos seus dezessete anos, cursando o último ano do ginásio. O nome dela era Maria. O tal Marcos tinha dezenove. John sabia que dezessete mais dezenove era igual a sexo. Ficou, de soslaio, vendo se percebia durante o almoço do dia anterior algum tipo de "clima" entre os dois. Estava com todos os seus sentidos ligados. À noite, deitados na cama, a esposa dele tinha-lhe dito para relaxar, que "não era por aí". Ele somente respondeu: "Você se esqueceu que foi mais ou menos assim que você engravidou?". E passou a noite em claro atento a qualquer ruído na casa.

Direto da casa de John, o trio Bob, Ruth e Marcos rumou para uma revenda de carros usados. Marcos estava acostumado com a oferta de carros ser limitada a Volkswagen, Ford, Chevrolet e Fiat. Cada marca tinha uns quatro, cinco modelos. No total, em 1988, contando-se modelos já saídos de linha, deveriam existir uns trinta ou quarenta modelos de carros em oferta na maior revendedora de Belo Horizonte. Naquela hora, andando de carrinho de golfe no pátio imenso de carros, Marcos sentia-se completamente desnorteado. Nunca havia visto tantos carros juntos. Era como se a feira de carros do Mineirão, a qual tinha ido uma única vez, tivesse se multiplicado por cem. Era carro a perder de vista. Marcas que nunca ouvira falar. Mazda. Oldsmobile. Peugeot. Toyota. Saab. "Uai, Honda não era marca de motocicleta?"

Mercedes-Benz ele conhecia pela fama, mas fora ônibus, não se recordava de ter visto nenhum ao vivo. Volvo. "Esse nome não pegaria no Brasil. Polvo? Vulva?" Bob parecia entender de carro, então Marcos pediu que ele o ajudasse. Estava perdidinho, igual a garoto em loja de brinquedo com vinte dólares na mão.

Com 3 mil dólares podia comprar um carro infinitamente melhor do que o Fiat 147 que usava emprestado da mãe. Mas Ruth e Bob achavam esse valor muito baixo. Fizeram-lhe uma proposta. Se ele comprasse um modelo picape, eles colaborariam com mil dólares. Uma das primeiras coisas que Marcos havia reparado era a imensa quantidade de picapes. "Houston deve ser a cidade com maior número de picapes *per capita* do mundo", pensou. E realmente era.

A ideia de Bob e Ruth era que, talvez um dia precisassem do carro. Aparentemente, eles eram donos de uns prédios e casas. Não entendia direito a relação dos dois. Apesar do medo de que ele virasse o *office-boy* da dupla, o *upgrade* de mil dólares fazia uma diferença substancial. Acabou comprando um El Camino, ano 1984. Era algo assim como um Opala de dois lugares, com a caçamba atrás. O banco era inteiriço. A cor era metálica puxando para cinza. A frente era grandona, com uma grade cromada e faróis retangulares. O motor era imenso. Era um *muscle car*, Bob comentou. Na parte posterior a roda traseira, no lado do motorista, estava escrito "El Camino SS". O ruído do motor fazia o Fiat parecer um cortador de grama. Deixava os opalões que lentamente navegavam a rua Fernandes Tourinho, ali na altura do Beb's, ponto de encontro da época com suas batidas servidas em copos descartáveis, no chinelo. Aqueles mesmos que eram o sonho de consumo de Marcos.

No trajeto para sua nova moradia, Marcos dava-se conta de que mesmo os sonhos mais inatingíveis estavam tornando-se realidade. O carro era fantástico: tinha câmbio automático, regulava a altura e inclinação do volante, e ainda tinha um dispositivo chamado *cruise control*, que permitia dirigir sem nem apertar o acelerador e mantinha a velocidade constante. Marcos calibrou para 55 milhas por hora, postou-se atrás do carro de Bob que seguia em frente e, tendo cuidado para não perdê-lo de vista, ligou o rádio. Tocava uma música *country*. Apertou o número um do rádio. O ponteiro indicador de frequência não se mexeu. Apertou o dois. O indicador pulou para o meio do *display*. Outra música *country* tocava, essa mais lenta que a primeira. Apertou o três. Tocava "I got my mind set on you". Era uma batida legal. Estava feliz. "Mais feliz impossível", pensou. Imediatamente, corrigiu seu pensamento: "Vou estar ainda mais feliz no dia que inaugurar essa máquina. Só não sei se vai ser aqui no banco ou na caçamba. Talvez compre um colchão para desenrolar e colocar lá atrás". Já havia notado que dentro da cabine, logo atrás do banco único, havia um pequeno espaço. Talvez coubesse um pequeno colchão ou, no mínimo, um saco de dormir. "*To do it, to do it, to do it, to do it, to do it riiiiiiight*", cantarolou, alto. Bem alto. Alto o suficiente para ouvirem lá no Brasil.

JANEIRO DE 1988

Pegando o ritmo

O HORÁRIO ERA O MESMO, o local também e até o mesmo dia da semana, domingo. Mas podia-se jurar que era um outro Gustav Axel Cotto que estava sentado na varanda do Fim de Tarde, tomando chope e beliscando uma porção de linguiça com mandioca frita, e que, de vez em quando, beijava uma morena sentada ao seu lado.

Ele trajava uma calça *jeans* Vide Bula, sapatos *dockside* sem meia, e uma camisa branca de manga curta da Zak. O cabelo apresentava um corte assimétrico e estilizado com gel. A deusa, que se chamava Patrícia, também ostentava um novo corte de cabelo mais moderno, mais curto. Trajava uma blusinha leve, também da Vide Bula, em um tom azul-claro e uma saia branca modelo tenista. As unhas estavam pintadas de esmalte incolor. Completava o seu visual sandálias da Arezzo e um perfume Chanel nº 5. Na porta do restaurante estava parado o Santana azul metálico, alugado da Localiza, que Axel havia usado para pegar Patrícia em casa, que ficava no alto do bairro Santo Antônio, na Praça Cairo.

Tudo estava diferente. O ar estava diferente. "Nunca me senti tão vivo", pensou Axel, enquanto a morena lhe afagava o peito por cima da camisa. Era um mundo de novas sensações, de novos prazeres. Na noite em que se conheceram, a morena lhe deu uma aula de sexo. Era uma selvagem na cama. Não só na cama, mas no chuveiro, na sauna, na banheira. Em pé. Sentada. Deitada. Tinham ido de táxi para o motel. Ela conversou com o motorista e ele deixou-os na porta da suíte 12 do motel *Playboy*. Era a superluxo. Ela guiava Axel. Fazia-o tocá-la de todas as formas. Quando ele se cansou, depois do primeiro orgasmo, ela ligou o vídeo. Deixou-o assistindo ao filme pornô enquanto o chupava, vagarosamente. Trabalhava com calma. Não tinha pudores. Esperou, pacientemente, que ele ficasse duro novamente. Ela havia ligado todas as luzes. Queria que ele a visse. Fez caras e bocas para ele deleitar-se. Ela sabia que a grande maioria dos homens era *visual*, tirava grande parte do prazer por meio do olhar. Era uma boa amante e, como tal, queria que a experiência dele fosse completa. Que ele a comesse com o membro, mas também com os outros sentidos... olfato, visão, tato. Mostrou-lhe a língua tocando seu pênis. Encheu a boca de saliva e tocou a cabeça do pênis com a ponta da língua. Deixou a saliva escorrer enquanto mexia, vagarosamente, a língua de um lado para o outro. Olhava-o nos olhos. Por fim, sugou-o profundamente, ora rápida, ora devagar. Quando ele fez menção de tirar porque ia gozar, ela o segurou, deixando o leite entrar em sua boca. Depois disso, ainda olhando para ele, hipnotizando-o, ela se levantou, abriu a boca e deixou escorrer o sêmen e a saliva pelo seu queixo, até pingar nos seios. Usou aquele leite como um creme de corpo, massageando-se.

Nem nos seus sonhos Axel havia imaginado viver um momento assim, sentia-se renascido. Era tudo tão diferente das namoradas, que agora entendia, eram insossas. A morena puxou-o pela mão, levando-o para a ducha. Mudando de ideia, ela fez sinal para ele ligar a banheira de hidromassagem, enquanto entrou na ducha. Antes mesmo de ele começar a encher a banheira, ela já estava de volta. Tinha uma toalha em volta dos cabelos e outra no corpo, que deixou cair dando-lhe a visão do corpo perfeito. Começou a dançar para ele. Ele se sentia exausto. Já tinha tido dois orgasmos. Ela o beijava. Dava-lhe o seio para beijar. Pegou a mão dele, guiou-a para o seu sexo. Fez com que ele a penetrasse com os dedos. Com a mão em cima da mão dele, ela forçava os movimentos de vai e vem. Fez sinal para ele entrar na banheira. Ela continuou de pé e guiou a boca dele para o sexo dela. A morena segurava a cabeça dele enquanto, com os quadris, iniciava um movimento ritmado, no sentido dos ponteiros do relógio. Começou a acelerar e deu um grito, ao mesmo tempo em que Axel sentiu um fluido inundar-lhe a boca, o rosto. Ele sorveu tudo aquilo, enquanto ouvia a respiração dela voltar ao normal. Ela se abaixou e lhe deu um grande beijo, tomando com isso um pouco do gosto para si. Axel sentia-se um pouco zonzo, ela ligou a hidromassagem, e ele deixou-se levar pelas sensações dos jatos d'água tocando-lhe o corpo. Ela sentou-se por cima dele, cavalgando-o. Colou os seios no peito dele, descansou o corpo. Ficou assim um tempo e quando viu, Axel dormia a sono solto mesmo com o barulhão da banheira. Deixou-o dormir. Sabia que ainda tinha muito a ensiná-lo, e que aquela noite era apenas o começo. Sentiu, pela cara de satisfação dele, que se ela quisesse haveria muitas noites assim pela frente.

Acariciando seu peito, a morena sentia-se ainda mais à vontade com o seu "gringuinho", como ela o chamava na sua imaginação ou nas conversas com suas amigas, nunca diretamente com ele. Assim que terminassem a porção, iriam para o novo hotel dele, o apart-hotel Champagnat, localizado perto dos agitos da Savassi. Dentro da bolsa, trazia consigo uns potinhos de óleos comestíveis e um pequeno vibrador que ela tanto poderia pedir para ele aplicar nela, quanto também poderia usar sozinha, "em um caso de emergência". Trazia também uma fita de vídeo com um filme pornô "para o gringuinho se inspirar". Sentia-se feliz. Sortuda. "Já não era sem tempo." Nunca na sua vida tivera a sorte de ter um namorado bem de vida. Todos eram pobres ou casados. Ou pior, ambos. Desde aquela noite "mágica", como ela mesma definiu com as amigas, não sem um duplo sentido, ela passava a maior parte do tempo no BH Shopping. Contou para Axel que tinha perdido o emprego, quando, na verdade, pedira demissão do trabalho de recepcionista: "Horrível, salário de fome!". E resolveu investir em uma nova carreira: namorada. Ele dava dinheiro para ela ir de táxi e almoçar. Ela já deixava as roupas escolhidas nas lojas, separadas. Ele só chegava e pagava. No caso dele, primeiro vestia, para comprovar o tamanho e o caimento. Caso ela dissesse que havia ficado bom, ele comprava. Separava sempre a mesma quantidade de roupas para os dois. Em uma semana, ambos estavam com um guarda-roupa de verão completo, "tudo comprado na liquidação", ela disse. Ele entendeu os preços remarcados de vermelho na etiqueta. Ela custou a explicar para ele que os artigos de verão estavam na promoção, mas agora tinham de começar a comprar os artigos de outono que estavam chegando e esses eram mais caros. Por ser uma boa companheira, fez questão que ele comprasse um conjunto de paletó e *blazer* na Richard's. Ela não comprou nada igual para si. Por outro lado, ela nem tão discretamente namorou um par de brincos na H.Stern que custavam mais ou menos próximo do valor do terno. Na sexta-feira, ele fez sinal que ia ao banheiro enquanto ela estava na Siberian Husky. De rabo de olho, ela o viu entrar na H.Stern. "Ele não é um doce?", pensou.

 Tomando seu chope, passeando a mão pelo corpo, Patrícia tinha a certeza que faria tudo que fosse possível, tudo que estivesse ao seu alcance para proporcionar a Axel um outro domingo inesquecível. Nem que para isso precisasse fazer uso de um outro potinho, indicação de uma amiga, que continha uma pomada japonesa com reputação de "fazer milagres".

* * *

Foi antes mesmo do início das aulas na Universidade de Houston que Marcos conheceu Eva. Nos dias que precederam a aula inaugural, havia um sem-número de palestras e atividades com o intuito de informar aos calouros sobre a universidade. Tinha o passeio pelo *campus*, localizado na rua 4.800, Calhoun Road, "próximo" ao centro da cidade (o que em termos de Houston já se entendia ser a distância que possa ser percorrida de carro em menos de quinze minutos, dirigindo-se dentro dos limites legais), ou então um coquetel na biblioteca, onde as associações estudantis das mais diversas (a turma da música, da leitura, da rádio universitária, dos esportes, da ação comunitária nos bairros pobres de Houston, e por aí vai) tentavam ganhar novos membros. Excetuando-se a fantasia secreta de participar, como mascote, do time de *cheerleaders*, esses grupos não o interessavam.

Foi na palestra dedicada aos alunos estrangeiros que ele a viu pela primeira vez. Enquanto ouvia a coordenadora explicar sobre questões de imigração, vistos, moradia etc., Marcos observava, discretamente, os presentes. Vários grupos de asiáticos. Não imaginava que existissem tantos asiáticos em Houston. Um grupo de indianos. Na fila de registro, no dia anterior, já tinha visto alguns, com suas roupas estilo bata, gota vermelha entre os olhos, e um cheiro esquisito. Descobriu depois que era perfume indiano. Uma catinga. Achava tudo muito exótico. Em Belo Horizonte, era todo mundo igual. Tudo brasileiro. Mesma cultura. Ali, uma mistura total. Ouvia várias línguas que não reconhecia. Ao final da palestra, chatíssima porque grande parte do tempo foi dedicada à questão da moradia que ele já havia resolvido de forma brilhante, haveria um outro coquetel. Todo mundo com uma plaquinha na lapela, com o nome e o país de origem, escrito com caneta hidrocor de ponta quadrada larga.

Assim que foi dada a largada para a boca-livre, foi direto na loura alta de cabelos longos e lisos. Na lapela estava escrito: "Eva, Suécia". Pensou como seria "chique demais" inaugurar o "El Camino" com ela. Com uma sueca. Os amigos nunca iriam acreditar. Sueca. A Suécia era um país misterioso. Sabia onde ficava no mapa. Sabia que era muito frio. Que o pessoal lá transava, e muito. Tinha visto umas revistas ditas suecas. Mulheres lindas numa paisagem verde. "Se era tão frio, como podia ser tão verde?" Sabia que os esquimós viviam em iglus metade do ano, mas na outra metade eles habitavam umas tendas. "Os esquimós são suecos?" Honestamente, conhecia pouco da Suécia. Mas adoraria saber mais. Conhecer a Suécia, de cabo a rabo. Principalmente rabo. Ou de peitos a rabo. Ela tinha uns peitões. Seria bom, um dia, entrar na Suécia. Quanto mais rápido melhor.

Ela ria, conversava com ele. Também não sabia nada do Brasil. Ele pensou em mostrar-lhe o que seu país tinha de melhor: dezessete, dezoito centímetros de puro calor tropical. Ela pediu licença, tinha de continuar seu giro pelo salão. Ele encontrou um outro cara brasileiro. Babacão. Cara de japonês e usava óculos. No segundo seguinte esqueceu o nome dele. Se havia algo que não queria era "entrar numa de Brasil". De ficar falando português. De ficar melancólico, chorando a distância, afogando-se na saudade. "Se for assim, melhor ficar sozinho." Sabia de gente que ia para os Estados Unidos e a primeira coisa que fazia ao chegar lá era querer comer feijoada. Ou ouvir um samba. "Tô fora. Quero me 'americanizar'. No mínimo, voltar com o inglês perfeito, para poder dar aulas." O inglês dele já era excelente, resultado de seis anos de Cultura Inglesa. Faltava-lhe a fluência. Às vezes, as palavras lhe fugiam. Continuou o giro. Assinou uma lista escrevendo seu nome, país e telefone. Apareceu uma irlandesa até gostosa. Duas alemãs. Muito homem feio, independentemente da origem. Outro compatriota apareceu-lhe, dessa vez uma menina. Era cheia de espinhas. Caso sério mesmo. "Tem de fazer um tratamento urgente."

A sala começou a se organizar em grupinhos, por país/região. Os brasileiros, que agora já eram uns cinco, fizeram sinal para que ele se juntasse. Notou que dois argentinos estavam no grupo. "Agora que quero distância mesmo", pensou. Com eles estava também a peruana do cabelo cor acaju. Sempre ouvira falar da cor acaju, mas não fazia ideia que cor era até encontrar a peruana. Aquilo devia ser o tal do acaju. Fez um aceno de "espera aí". Gostava mais do grupo europeu. Ao final, apareceram cópias da lista com todos os nomes. Pegou a sua e foi ao banheiro. Tinha essa mania, de ir ao banheiro meio que como uma pausa mental. Era uma desculpa para si mesmo e para o mundo. Se estava em uma festa e via-se de repente sozinho, ia ao banheiro. A desculpa conferia-lhe um propósito. Um destino. Atravessava a festa estudando os presentes. Se alguém lhe parasse, poderia dizer "Estou indo ao banheiro".

Chegando ao toalete, analisou a situação e chegou à conclusão que o encontro "já tinha dado o que tinha de dar". Resolveu ir embora para a livraria da universidade. Tinha de comprar os livros para o início das aulas.

Notou, surpreso, que a própria livraria vendia livros usados. Tremendo negócio: os estudantes vendiam os livros usados a 50% do preço de capa e a livraria os revendia a 70%. Viu um ou outro tentando vender os livros na porta a 65% do preço de capa. Nenhum lhe serviria. A livraria estava completamente lotada. Praticamente todos os livros da lista existiam em versões "usadas". Cuidadosamente, vasculhou os livros procurando aqueles com o mínimo de anotações e marcas de uso. Depois descobriu que o bom mesmo eram os que estavam marcados, porque já davam as dicas, os macetes, onde prestar atenção. Deve ter ficado uma hora ou mais nessa pesquisa. Comprou também duas pastas de três anéis: uma com o emblema da universidade e outra com o *puma* americano, o animal símbolo da instituição.

Por coincidência divina, quando estava na fila do caixa já a ponto de pagar, viu Eva entrando na livraria. Saiu imediatamente da fila, ficou na frente da prateleira de revistas e seguiu-a com os olhos. Quando ela parou em um ponto, ele foi, disfarçadamente, na direção dela como quem procurava um livro específico. Ela o viu e foi logo dizendo:

— Você sumiu, não ficou até o final do coquetel?

Ele, ao ouvir isso, ficou contentíssimo. Isso queria dizer que ela o havia procurado. Ou, no mínimo, notado sua ausência.

"Bom sinal", pensou. Ela estudava em Estocolmo. Estudava Artes. A escola dela tinha convênio com a Universidade de Houston. Faria um semestre ali, contando pontos como se houvesse estudado lá. Marcos nunca tinha ouvido falar nesse tipo de programa. Sentiu inveja. Depois que conquistasse os Estados Unidos, iria conhecer a Europa.

Quando saíam juntos da livraria, uma voz chamou:

— Eva!

Ela se virou. Sorriu para o cara negro que a chamava. Ele fez sinal para ela se aproximar; ela puxou Marcos pelo braço e disse:

— Vem. Você tem de conhecer esses caras. Eles são demais.

Paul Cullin era um negão com um físico igual ao do Ben Jonhson. Tinha quase dois metros. Cabeça raspada. Bíceps enormes, que ele flexionava com prazer. Tinha um corpo invejável e plena consciência disso. Usava uma camiseta sem mangas e sem cobertura para a barriga. Era a primeira vez que Marcos via um homem vestido daquele jeito. Marcos nunca ousaria repetir a façanha. Era mais fácil ele colocar uma placa dizendo: "sou *gay*". O sujeito usava também um calção desses de Lycra, próprio para andar de bicicleta. O calção, não havia como ignorar, mostrava todo o potencial do rapaz. Lá dentro, estava algo parecido com uma banana-da-terra. O colega dele, Brandon Foley, era um pouco mais alto e um pouco mais magro. Estavam rodeados de uma turma de louras, cada uma mais gostosa que a outra. Deviam ser umas seis. Todos riam muito alto. Dançavam, gesticulavam. Brandon, o mais magro, literalmente dobrava-se de rir. Aparentemente, discutiam sobre o "Homem-Melancia". Brandon apontava para o calção de Paul. Falavam sobre a banana-da-terra e as duas pequenas melancias que ele tinha entre as pernas e que ficavam expostas naquele calção coladíssimo. Os dois eram jogadores de basquete e usavam o boné com a aba para trás.

Eva fez as devidas apresentações, e Marcos ficou até surpreso com a simpatia dos dois. Pensou que seria ignorado, tendo em vista que eles, obviamente, gostavam da companhia feminina. Mas eles se mostraram atenciosos, perguntaram sobre o Brasil e o que ele achava dos Estados Unidos, a que chamavam de "América". Ao final, o convidaram para uma festa que aconteceria no mesmo dia, à noite. Deram o endereço. Seria em uma casa próxima, situada a apenas quinze minutos da universidade — de carro, claro.

A festa estava um porre. Lembrou-se daquelas dos filmes, como *Porky's*. Só que não havia garotas de *topless*. Nem ninguém pulava pelado na piscina. Todo mundo já tinha seu grupo de amigos. Sentiu-se só. Eva não apareceu. Quando pensava em ir embora, apareceu Brandon. Ele bateu no ombro dele e disse:

— Vamos lá conversar com o Paul.

Brandon entrou no carro, pelo lado do motorista. Era um carro marrom. O que restava do estofamento também era marrom. Devia ser 1970. O carro fedia a mofo. O acabamento do teto estava despencando. Não tinha rádio. Em seu lugar havia um buraco com os fios aparecendo. O ar-condicionado estava obviamente quebrado, já que os *knobs* de controle haviam sido removidos. No banco de trás, Marcos identificou camisas, agasalhos, meias, uma bola de basquete um pouco vazia, um taco de beisebol, vários quepes. No chão havia latas de cerveja, Coca-Cola, suco, sacos de papel marrom, vazios amassados, com embalagens de hambúrguer cor branca. Nunca vira um carro tão sujo por dentro.

Brandon, antes de abrir a porta, fez um movimento de arrasto com a mão direita, jogando ao chão o que pareceu ser uma pilha de papéis de sanduíche, copos de papel tamanho gigante, panfletos de propaganda, e muitos, muitos sacos de papel marrom com um emblema da letra W estilizada e escrito embaixo "Whataburger". Brandon, então, se esticou para puxar a alavanca que abria a porta do passageiro. Marcos notou que a maçaneta praticamente saiu na sua mão, estava obviamente quebrada. A porta só abria por dentro.

Brandon ligou o carro. Colocou a alavanca na posição D e, imediatamente, um ruído agudo iniciou-se. O ruído parou assim que o carro pegou mais velocidade. Brandon parecia não saber, exatamente, aonde ir. Estavam rodando o final de um bairro. Parecia ser novo, ou a extensão do bairro antigo. Tudo escuro, as ruas não tinham iluminação e estavam desertas. Muitas casas sendo construídas ali, mas não havia nenhum morador ainda. De repente, Marcos sentiu um pouco de medo. Na verdade, nunca tinha visto aquele negão. Ele não seria páreo para Brandon. Os pensamentos anuviaram-lhe a mente. O coração começou a disparar, sentiu a respiração ficar pesada e enormes jatos de adrenalina entrarem em sua corrente sanguínea. Pensou que ia perder a virgindade para o negão. Se saltasse ali agora e começasse a correr, não tinha a menor ideia de para onde iria.

De repente, Brandon apagou os faróis e riu baixinho, falando: "Lá está ele". Marcos viu um carro parado no ponto mais escuro da rua. Notou que alguém, muito grande e escuro, estava no assento do motorista. Usava um boné e tinha a cabeça caída para trás, como que repousando. Brandon mandou Marcos abaixar o vidro, enquanto emparelhava seu carro com o outro e mandava Marcos bater na janela. O *boné* deu um arranco pra frente e uma loura ergueu a cabeça, ajeitando-se no banco do passageiro. Marcos notou que era uma daquelas que havia visto, horas antes. Brandon, rindo, perguntou:

— E aí, tudo bem?

Paul não parecia chateado, respondeu que sim, que estava tudo bem. Brandon começou a papear sobre o que fariam no dia seguinte. Ria. Paul também ria. Marcos também não podia se conter diante do insólito da situação. Sabia que, separados por duas portas de automóvel, do lado de lá estava um pênis com P maiúsculo. A única pessoa que não ria era a garota. Permanecia quieta. Por fim ela se fartou:

— Porra, Brandon, vai arrumar algo pra fazer. Daqui a pouco eu tenho que ir embora. Não enche mais o saco!

Brandon fingiu que não ouviu. Impassível, ainda papeou com o amigo mais alguns minutos. Depois, ligou o carro e foi embora. Perguntou para Marcos:

— Tá com fome? Vamos comer alguma coisa?

No "Whataburger", obviamente, o hambúrguer favorito de Brandon, ele contou que era amigo de infância de Paul. Brandon devia ter uns quatro ou cinco empregos. Todos em meio período. Andava com um bipe na cintura. Trabalhava numa loja de artigos esportivos, chamada Academy. Em um supermercado, o Kroger. Num posto de gasolina... Durante o verão, trabalhava muito cortando grama. Um amigo era dono de uma empresa que fazia esse tipo de serviço. Contou que Paul não tinha carro. Só uma bicicleta. Que trepavam em ritmo de cavalo de reprodução, quase todos os dias. Que as louras enlouqueciam com eles. Disse uma vez ter encontrado uma menina logo depois que ela tinha transado com Paul: "A infeliz quase não conseguia andar". Que tinham esperanças de poderem conseguir estudar com uma bolsa esportiva. Haviam tentado todas as universidades do Texas. Estavam esperando resposta. Tinham estudado na North Shore High School, coincidentemente perto de onde Marcos morava. Lá, fizeram parte do time titular de basquete. Mas a temporada de 87 havia sido ruim. O time nem chegou às quartas-de-final do torneio estadual. Ambos haviam se contundido. Falou que as louras eram fáceis, ele iria se casar mesmo era com uma negra. Nunca se casaria com uma loura. Contou que Eva, aquela sueca, havia saído com Paul. Ele tentou beijá-la, mas ela se recusou. Não deixou nem ele pegar nos peitos. "E eu que pensava que sueca dava fácil", disse Brandon, ecoando o pensamento simultâneo de Marcos. Paul tinha dado o veredicto que não perderia mais tempo com ela. Tinha muito peixe no mar para ficar perdendo tempo com mulher difícil.

Voltaram à festa. A loura do carro apareceu um tempo depois. Evitava cruzar o olhar com Marcos. Brandon conversava animadamente com uma morena clarinha. Sumiram. Marcos voltou para casa. Colocou no *cruise control* e foi embora. A viagem de volta levou menos de quarenta e cinco minutos porque àquela hora não havia tráfego algum.

Dois dias depois, encontrou Paul novamente. Estava se despedindo. Ele e Brandon tinham sido aceitos na Universidade Stephen F. Austin, que ficava em uma cidade com um nome impronunciável: Nacogdoches. Marcos nunca mais os viu. Muitos anos depois, em uma dessas inexplicáveis coincidências, encontrou um brasileiro durante uma feira em São Paulo que havia cursado a Stephen F. Austin em 1988. Ele afirmou que conhecia os dois. Que logo no primeiro ano, Paul caiu estrebuchando durante uma partida oficial de basquete. Espumava. Recebeu o diagnóstico de epilepsia. Não poderia mais jogar. Ele perdeu peso, ficou irreconhecível. Chegou a completar a universidade, formando-se em Administração. Havia se casado com uma negra antes de completar o curso. Brandon continuou no time ainda por dois anos, mas durante as festas do recesso de primavera de 1990, quando voltava de Houston, sofreu um acidente de carro. A direção quebrou, e o carro, que era muito velho, chocou-se de frente a quase 100 km/h com uma das barreiras de proteção da pista. "Ele provavelmente teria saído ileso se o carro fosse mais novo, desses equipados com *air bag*", disse.

ABRIL DE 1988

Desmaio de dar orgulho

O VERÃO VIROU OUTONO e o ar fresco do início de noite de abril revigorou ainda mais Axel, que caminhava a passos largos, subindo a Avenida Cristóvão Colombo, uma das principais artérias da Savassi, onde agora morava.

A Savassi é a região mais nobre de Belo Horizonte, combinando restaurantes e bares, lojas e, cada vez menos, residências. De início, Axel se sentira perdido porque todos se referiam à Savassi como uma praça. Mas ele nunca a encontrava. Depois descobriu que a praça em questão era apenas um cruzamento comum. Antigamente havia até um obelisco lá, mas fora removido para outro lugar no centro da cidade. Mesmo assim, todos ainda se referiam ao cruzamento como praça. "Muito confuso. Mal entendo português e ainda tenho de aprender a história da cidade", ele pensava. Havia aprendido sobre o mistério da praça durante uma das suas aulas de português, estas custeadas pela ABB, todas as segundas, quartas e sextas, às 19 horas, no Berlitz. Agora estava justamente atrasado para ir lá.

Nos dias em que ia estudar, saía do escritório por volta das 17 horas e chegava ao hotel entre 18h e 18h20, dependendo do trânsito. Naquele dia específico, o trânsito estava muito lento devido a um caminhão que se espatifara contra um poste, na altura da Escola de Engenharia do Cefet. Chegou ao hotel às 18h30 e tomou uma rápida ducha. Consultou o armário, agora cheio de roupas de grifes famosas brasileiras ou internacionais. Lembrou que uma das professoras era muito bonita, uma tal de Raquel. Não sabia qual seria o professor do dia. Deu de ombros: esse era o método Berlitz, não ter um professor fixo. Se tivesse, escolheria Raquel. Gostava quando ela olhava fixamente para a sua boca tentando fazer-lhe emitir o "ão". "Ão" de João. Não conseguia pronunciar certo. Ele achava que conseguia, mas ela o fazia repetir. Quase todas as aulas. Gostava do nome João. Talvez se tivesse um filho, colocaria o nome de João. Por via das dúvidas, escolheu uma calça bege e uma camisa azul-escuro. "Uma combinação clássica, não tem como errar." A camisa era nova, nunca havia usado. A ABB devia gastar uma fortuna com lavanderia. Mas ele não gostava. As roupas estragavam fácil. Patrícia só comprava roupas caras para ele, de qualidade. Mesmo assim, com pouco uso, elas perdiam a cor, o caimento. Era a única coisa que não gostava no hotel. De resto, não tinha queixas. Gostava de morar lá. Tinha uma suíte com sala de estar e uma pequena cozinha. Raramente cozinhava. Durante os finais de semana, costumava almoçar no Shopping 5ª Avenida, que ficava a dois quarteirões do hotel. Comia comida a quilo, já achava a comida brasileira mais agradável. Ou pelo menos agora aprendera a identificar melhor aquilo de que gostava. Já entendia bem melhor os programas jornalísticos, ainda mais quando acompanhados de imagens. Rádio ainda achava muito difícil. Entendia melhor as palavras, o ritmo, a entonação. O que antigamente era um "blá blá blá", agora já era um "blá blá blá palavra blá blá palavra". Quando estava sozinho é que realmente notava grandes mudanças. Ser capaz de distinguir palavras, estando dentro de um contexto, já era suficiente para assegurar a comunicação. Por exemplo, quando chegara ao Brasil, sempre ficava perdido ao final de uma refeição. Um garçom lhe perguntava: "O senhor está satisfeito?"; o outro "O senhor deseja o cheque?"; o outro "Quer pedir mais alguma coisa?"; ou então "O senhor aceita café?". Eram muitas variáveis e, inclusive, diferenças de pronúncia, dependendo da pessoa. Nunca entendia nada. Agora, já conseguia distinguir as palavras "cheque", "café", "satisfeito". E sabia responder "Eu satisfeito", "Eu café sem açúcar", "Eu a conta". Era um grande progresso.

   Nos dias de aula, encontrava-se com Patrícia na porta do Berlitz. Eles se viam também durante os finais de semana — quase sempre ela ficava no hotel de sexta à noite até domingo. Os pais dela pareciam gostar muito dele. Ficavam satisfeitíssimos toda vez que ele os visitava, geralmente nos domingos para o almoço. Eles o recebiam na sala, com muita pompa. Axel notou os móveis muito limpos e muito novos. Patrícia contou que a sala era reservada para as visitas. Geralmente a mobília ficava coberta com uma capa. Os móveis já tinham quase vinte anos, mas nem ela nem a irmã, quando crianças, podiam brincar ou sentar nos móveis. As cortinas ficavam sempre fechadas para o sol não estragá-los. No primeiro domingo, a mãe de Patrícia veio com um livro grande de receitas com fotos. Ela mostrava as fotos e perguntava "Ok?", sinalizando o polegar para cima. Axel notou que esse gesto era muito comum. Aprendeu a fazê-lo e agora tinha mania de, para tudo, dar o sinal de que estava bom, ou que ele estava bem, ou que havia gostado. Naquele dia a mãe apontava, Axel fazia sinal que sim, polegar para cima, ou não, polegar para baixo. Era um livro de receitas brasileiras. Mais de 80% do livro recebeu o polegar para baixo. Naquele dia, a mãe havia preparado uma típica refeição. "Comida mineira", polegar para cima e cara de satisfação. Axel voltou para o hotel com fome. No almoço seguinte, alguns domingos depois, a mãe havia feito uma das únicas receitas que recebera o polegar para cima. Fez também uma coisa especial, com um nome muito estranho: pão de queijo. Axel já tinha comido isso antes e não gostara. Mas, agora, esses eram saídos do forno e eles colocavam um queijo cremoso dentro, ou um presunto. Dessa vez, Axel comeu o tal pão e colocou o polegar bem pra cima. Nesse mesmo domingo, a mãe trouxe um outro livro, esse com receitas mais internacionais. A mãe, que na verdade era praticamente uma Patrícia vinte e cinco anos mais velha, parecia muito pragmática. Ralhava com a filha sempre que Axel fazia a menor menção de querer algo:

— Patrícia, não tá vendo que seu namorado quer água? Corre lá, minha filha, serve ele.

Ou:

— Patrícia, homem se pega é pela boca, põe mais batata, que ele gostou.

Patrícia tinha uma irmã. Esta era mais nova, devia ter uns vinte e cinco anos. Chamava-se Petúnia. Apesar de mais nova, Petúnia parecia bem mais velha. Tinha a mesma beleza da irmã, mas era como se fosse uma cópia desbotada. Tinha uma filha de cinco anos. Axel entendeu que ela tinha sido casada. O marido batia nela. Patrícia contou-lhe, fazendo gesto de quem bate em alguém com um chicote. Ela morava em alguma outra cidade e, um dia, cansou de ser maltratada. Fez uma mala para si, outra para a filha e pegou um ônibus para Belo Horizonte. O marido ligou uma vez para saber se ela estava lá. Queria ter certeza. Talvez porque, se ela tivesse morrido, ele teria direito a algum benefício, algum tipo de previdência. Não sendo esse o caso, ele simplesmente desligou sem nem falar com ela. Nunca mais havia visto a filha, ou falado com ela.

O patriarca da família falava pouco. Às vezes, parecia apenas assistir a tudo, calado. Ou então, distante. No seu mundo próprio. Assim que o almoço terminava, ligava a televisão que ficava bem ali na sala de jantar. Axel nunca tinha visto TV em sala de jantar. O pai de Patrícia queria assistir esporte e ficava apertando os botões do controle remoto, que estava embalado em um plástico para não estragar. Sim, ele queria a felicidade das filhas. Mas também se sentia um pouco enojado com a facilidade com que sua esposa havia jogado pela janela todos os princípios assim que a filha apresentou o namorado. Até então, haviam seguido à risca os preceitos da "tradicional família mineira", isto é, fingir não ver e não saber o que estava acontecendo. Cabia às filhas esconder sua vida sexual. Telefonavam, à noite, contando que passariam a noite na casa de colegas. Ou que iriam para um retiro com uma turma da escola. Eles fingiam acreditar. Tudo dentro do figurino, como tem que ser. A filha mais nova casara de branco, véu e grinalda na igreja. O marido nunca passara uma noite com ela antes de casar, pelo menos oficialmente. Mas com esse gringo, a coisa mudou por completo. A filha dormia, descaradamente, na casa dele. E com aprovação da mãe. Uma vez, ele tentou se opor e a mãe falou:

— Tomé, você tá maluco? Não tá vendo que a Patrícia tirou a sorte grande na loteria? Que um homem desses caiu do céu? Ela já está com trinta anos, eu já tinha perdido as esperanças de ela se casar bem. Já tava torcendo para ela pelo menos não pegar um muito pobre. Você lembra do último namorado? Nem carro ele tinha. Ela vinha lá do ponto de ônibus sozinha à noite, você sabe como aqui é perigoso, a gente mora perto de uma favela, pelo amor de Deus! Agora ela arrumou um que, quem sabe, pode até levá-la para conhecer a Europa. Europa! Já imaginou? Quem sabe até leva a gente também. Portanto, você fica quieto no seu canto. Se ela falar que vai dormir na casa dele é porque vai e pronto. Ninguém, na família, no prédio, tem nada a ver com isso.

"Aliás, já até ouvi uns comentários aqui perto. Aquela enxerida do 303, a Anália. Outro dia, veio com uma conversa do tipo 'tenho visto sua filha tão pouco, ela ainda está de namoro com aquele gringo?'. Sabe o que é isso? Inveja. Olho gordo. Porque a filha dela, dia desses, tava de barriga. Depois a barriga sumiu. Ela disse que a filha emagreceu. Emagreceu aqui ó. Abortou. Ela tava sempre lá embaixo com o porteiro. Vai ver ficou grávida dele. Aquele porteiro magrelo, feioso, que não tem nem onde cair morto. Agora ela vem falar alguma coisa da minha filha?"

"Tomé, levanta a mão pro céu e essa bunda da cadeira que hoje eles vêm almoçar aqui. E se eles falarem que querem tirar um cochilo depois do almoço eu vou mandar eles pro nosso quarto e você vai fazer cara boa. E podem fechar a porta! Entendido? E anda logo que estou atrasada para fazer as tais almôndegas que ele disse que gosta. Porque da vez passada ele não comeu nada. Não vai ser por causa da minha comida que a Patrícia vai deixar de pegar esse homem!"

 Axel, na verdade, pouco se importava com a comida de domingo na casa dos sogros. Não gostava muito dessas visitas. Achava-as arrastadas, lentas. Demoradas. Davam sono. Queria poder chegar, comer e ir embora. Não tinha muito a falar. Em sua defesa, podia dizer que faltava vocabulário. Patrícia ficava discutindo, o tempo inteiro, com a mãe e a irmã. Pareciam brigar por qualquer coisa. Depois entendeu que não estavam brigando, era o jeito delas mesmo. Interessava-se, isso sim, em comer Patrícia. Depois de quatro meses ainda sentia o mesmo tesão do início. E ela sempre o surpreendia. Ela já sabia que ele quase nunca gozava mais de duas vezes na mesma noite, então cuidava para extrair o máximo dele. Já tinha usado vela quente, bala Hall's, chá quente, chá gelado. Uma pluma. Talco com sabor, perfumes, incensos, lubrificantes. Ela sempre tinha ideias novas. Ele lhe dava dinheiro, ela voltava do *sex shop* com novidades. Preferia não ir, porque apreciava o elemento surpresa. Ela já o havia vendado. Algemado-o na cama. E o melhor de tudo era que se ele estava cansado, ela se satisfazia sozinha usando um dos três vibradores que tinham comprado.

 Patrícia estava convencida de que o momento era dela. Desde o primeiro encontro notou que Axel era ruim de cama. Não tinha o entusiasmo, a energia dos melhores amantes que tinha tido. Nem mesmo dos piores, para ser sincera. Não conseguia manter a ereção por muito tempo. Mas sabia que ela tinha sido a melhor mulher que ele já tinha conhecido. Então, se era sexo que ele queria, era sexo que ela lhe daria. Comprava revistas masculinas, principalmente *Ele&Ela*. Lia a seção Fórum. Tirava muitas ideias de lá. Já tinha rodado todos os *sex shops* de Belo Horizonte. Sabia que, um dia, seu repertório chegaria ao fim. Quando isso acontecesse, restaria a ela dar uma coisa que tinha certeza que ele nunca tinha tido: "atrás". A preferência nacional. Já tinha feito antes. Não gostava. Aliás, detestava. Mas, se fosse necessário, teria de fazê-lo. "Ninguém consegue nada sem sacrifício", pensou. Em breve, talvez o convencesse a parar de usar camisinha. Isso, além de ser uma novidade em si, poderia abrir caminho para outras possibilidades. Ela teria de tomar pílula. "O problema", disse para si mesma, "é que pílula é tão fácil de a gente esquecer de tomar" e, como se fosse personagem de uma novela, piscou o olho para si mesma e riu.

* * *

O SEMESTRE, QUE COMEÇARA tão promissor, evoluiu rapidamente para uma não-promessa. Muito estudo. Por causa até das dificuldades da língua, viu-se tendo que se esforçar mais do que os colegas. Matérias como "Composição I" tiravam-lhe o sono. Aquele tipo de escrita era algo que nunca havia feito na vida. Eram os tais dos "papéis de pesquisa". Muito diferentes do estilo que aprendera no Brasil. Para os colegas de classe, aquilo era mera extensão do que já conheciam desde o ginásio. Para Marcos, era como se ele tivesse de aprender cálculo antes de saber ao menos multiplicar. Teve de correr atrás.

Engrenou uma boa amizade com Eva. No início, queria comê-la. Depois soube que ela era católica. Algo diferente na Suécia, já que quase ninguém por lá era. Ele também era católico. Mas católico brasileiro. Daquele país em que o pessoal vai à missa de manhã e ao terreiro de candomblé à tarde: "Mal não faz, né?". Ela afirmou que não era virgem, mas que só acreditava no sexo com amor. Nada de transa casual. Morava na universidade. Talvez pelo fato de Marcos ter carro, eles começaram a sair. Fizeram os tradicionais programas de turista em Houston. Visitar a Nasa. Ir ao Astrodome, assistir a um jogo de beisebol dos Astros. Repetiram o passeio ao Astrodome — "o maior estádio coberto com ar-condicionado do mundo" — para assistir a um *show* de rodeio.

Foram ao Shopping Galleria para comprar absolutamente nada. Era um estabelecimento grande, só com lojas de grifes famosas: Prada, Versace, Escada, Fendi. Joias na Tiffany. Neiman Marcus, uma das lojas de departamento mais tradicionais dos Estados Unidos. Na parte de baixo, um enorme rinque de patinação no gelo podia ser avistado de qualquer um dos andares. Foram a uma boate *country*. Ambos tinham menos de vinte e um anos, então não receberam a estampa no punho que daria direito a comprar bebida alcoólica. A noite terminava às 2 da manhã, quando a maioria dos bares fechava. Podia ser pior. Marcos aprendeu que em Dallas alguns distritos são chamados de "secos". Neles, não há venda de bebidas alcoólicas. Visitaram Montrose, a parte *gay* de Houston, com um monte de lojas estilo brechó e casas antigas. Um enorme contraste com o resto da cidade, que era bem moderna e também machista, com seus caubóis urbanos andando nas ruas de chapelão, mexicanos bigodudos com cintos de fivelas redondas imensas segurando a pança e se deslocando nas enormes picapes. A maioria das pessoas não ia nem na esquina se não fosse de carro.

Desprovidos do lubrificante social, o álcool, o relacionamento de Marcos e Eva seguia cândido. Ela, um dia, confidenciou-lhe que estava gostando muito dele, mas que em breve iriam seguir rumos diferentes. Ela retornaria à Suécia e ele, eventualmente, ao Brasil. Não haveria futuro para os dois. Naquela noite, eles foram ao Benningan's, um restaurante barato que servia comida decente. Tinha uma atmosfera jovial, estudantil. Ela conseguira a identidade de uma colega — as duas tinham uma certa semelhança. Talvez pelo álcool, foi a primeira vez que se beijaram. Um beijo terno. Depois ele levou-a de volta para a universidade e voltou para a casa.

A boa notícia no setor alcoólico era que Ruth e Bob mostraram-se bastante liberais em supri-lo com cerveja. Sempre que saíam para algum restaurante, no mínimo uma vez por semana, eles compravam-lhe cerveja ou margarita. Bob mantinha um constante suprimento de cerveja na geladeira. Comprava dez caixas de uma só vez, de uma marca barata chamada Olympia. Imprevisivelmente, durante alguns finais de semana, Bob resolvia fazer uma grande quantidade da sua especialidade: chili de cerveja. O chili serve tanto para denominar uma pimenta praticamente inexistente no Brasil, mas imprescindível para fazer qualquer prato mexicano, como também é o nome de uma iguaria típica do Texas: aquele feijãozinho de caubói típico de filmes de faroeste. Uma mistura de carne moída com feijão.

Nessas ocasiões, o processo de preparação começava por volta das 11 horas, não ficando pronto antes das 4 da tarde. Bob aproveitava para fazer uma quantidade suficiente para satisfazer um pequeno exército. Quando isso acontecia, Marcos comia chili todos os dias: almoço e jantar. Durava quase uma semana. Era a dieta do chili. O que sobrava era congelado para quando estivessem dispostos a comer a iguaria novamente, o que acontecia no próximo mês.

A limpeza da casa era um caso à parte. Bob mostrou-se uma pessoa extremamente desorganizada. Os dois dias que ele passava na casa eram suficientes para que espalhasse uma imensa quantidade de jornais, revistas, sapatos, meias e outras peças de vestuário por todos os lugares. Felizmente, a cada duas semanas uma mexicana com seus cinquenta anos, que tinha a chave da casa, passava o dia limpando e colocando a bagunça em ordem.

O frio, que fora intenso, tinha durado dois meses e já dava lugar a um tremendo calor. A grama do jardim de trás e da frente da casa crescia em ritmo assustador. Uma tropa de mexicanos era responsável por manter a grama em perfeitas condições a cada duas semanas ou até mesmo toda semana, dependendo da quantidade de chuva. Muito raramente, Bob ou Ruth pediam favores. Numa ocasião, Bob pediu que Marcos entregasse um envelope do outro lado da cidade. Ele largou tudo e foi lá levar o tal documento. Marcos adorava quando isso acontecia. Muitas vezes queria demonstrar sua gratidão, seu apreço, porém nenhum dos dois era chegado a beijos ou abraços. Ou de muitas palavras, de jogar muito confete. Restava-lhe retribuir com ações. Tratava de nunca deixar passar uma dessas raras oportunidades.

Assim que começou os estudos, Marcos conseguiu um emprego como monitor do laboratório de informática. Além da receita extra, o emprego lhe conferia maiores oportunidades de encontrar pessoas novas. Por volta de abril, uma garota, Cherie, convidou-o para assistir ao ensaio de uma peça estudantil. Marcos aceitou o convite. A peça era horrível, os atores, péssimos. Não seria desta vez que a Universidade de Houston produziria um novo Marlon Brando. Marcos não sabia se estava atraído por Cherie. O que tinha certeza era que, desde que chegara a Houston, atravessava um período de vacas magras. Eva não passou do beijo. Talvez nunca passasse. À sombra dessa análise, concluiu que estava, sim, atraído por Cherie.

Ela o convidou, terminado o ensaio, para comer uma *pizza*. Descobriram, enquanto comiam e conversavam, que ela morava no mesmo lado de Houston que ele. O ensaio havia terminado cedo, ainda não eram 21 horas quando estavam prontos para ir para casa. Marcos convidou-a para uma esticada na casa dele. Mal entraram e rolou o beijo ali na sala mesmo, em pé. Ela mostrou-se interessada em conhecer o quarto. Marcos não contava com tal reação. Para ele isso era novidade. Com as namoradas de antes, tudo havia levado tempo. Ele contava com Cherie falar "não" em algum ponto. "Pelo visto ela não vai poder falar nada agora, já que está com a boca ocupada", ele pensou. Ela já estava sem sutiã, mas ainda de calça *jeans*, sentada na cama. Ele, de pé, calças arriadas. Ela movia a cabeça ritmadamente e usava também as mãos. Ele deu um passo para trás, não queria gozar ainda. Aproveitou para tirar as calças completamente. Jogou tudo num canto do quarto. Na cama, Cherie também se despiu. Mostrava o sexo. Tinha muitos pelos louros. Os peitos eram pequenos. O rosto dela era redondo. Ela deitou na cama e arrastou-se para o outro lado, abrindo espaço para Marcos. O lado esquerdo da cama ficava encostado na parede. A cama ficava no canto do quarto. Uma cômoda do outro lado. Havia também um pequeno guarda-roupa estilo americano, onde as roupas ficavam penduradas.

Marcos subiu na cama de joelhos, colocando o membro ereto na altura da boca de Cherie. Deitada de barriga para cima, ela fazia sexo oral nele de forma especial, com muita ênfase na parte de baixo. Ele sabia que garotas não gostavam de surpresas nesse momento: quando sentiu o orgasmo chegando ele avisou, dando-lhe tempo para fazer como bem quisesse. Para sua surpresa, ela ergueu a cabeça um pouco, de forma a conseguir abocanhar uma maior parte e aumentou o ritmo. Ele despejou aquilo que parecia ser um rio acumulado de meses de frustração sexual e prazer solitário. Foi a primeira vez que isso lhe acontecia. Aquilo anunciado nos classificados como "oral até o final". Adorou a nova sensação. Como era de praxe naquela idade, o membro nem sequer se alterou. Ela engoliu e voltou à ativa. Ele deitou-se na cama, ela veio por cima. Ajoelhou-se na frente dele e iniciou um novo oral. Desta vez com um ângulo diferente, nova técnica. Ele gostou do visual, aproveitou para tocar-lhe os seios. Sentiu que iria novamente explodir, avisou a moça que passou a tentar abocanhar ainda mais o membro. Gozou de novo. Ela engoliu e recomeçou o oral, ele descera a 80% da potência, mas de novo retornou à carga total quase instantaneamente. Ela parou, olhou para ele e disse:

— É sempre assim?

Rindo, subiu na cama preparando-se para cavalgá-lo. Marcos deu um salto para cima, sentando na cama.

— Não podemos fazer isso sem camisinha — ele falou. — O problema é que eu não tenho nenhuma.

Ela, sem dizer uma palavra, deitou-se ao seu lado. Começaram a se beijar, ele começou a masturbá-la com os dedos e beijar-lhe os diminutos seios. Ela gemia. Gemia muito. Quando sentiu que estava perto, Marcos começou a fazer carícias com a boca.

Ela gozou rápido. Dormiram um pouco. Ela o acordou, mais ou menos uma meia hora depois. Tinha de ir embora. Deu-lhe um rápido beijo, despediram-se. Talvez se encontrassem outro dia. Marcos foi dormir. Havia quebrado o encanto. Inaugurado a casa, a cama. "Agora as coisas vão engrenar", ele pensou.

    No dia seguinte, uma quinta-feira, Marcos chegou bem cedo à escola. Era seu dia de abrir o laboratório de informática. Detestava. Ainda estava sonolento quando encontrou Cherie na porta. Aparentemente, ela tinha que usar um computador. Ele abriu o laboratório, sentou-se na mesa que ficava perto da porta. Aproveitaria o tempo para finalizar um trabalho. Cherie, obviamente, não estava com tanta pressa porque puxou uma cadeira e pôs-se a conversar. Baixinho, perguntou se ele não queria aproveitar a tarde livre. Marcos ouviu, alto e claro, os sinos de alarme tocarem em sua cabeça. Ignorou-os. Combinaram de se encontrar em um Taco Bell que ficava próximo à casa dele.

    Quando chegou ao tal lugar, já havendo previamente parado no Wallgreens e adquirido um enorme suprimento de camisinhas de dar inveja a um marinheiro, Cherie já estava lá. Marcos adorava o Taco Bell, um McDonald's de comida mexicana. Era novidade para ele. Comida mexicana, ao contrário do que seria de se esperar, era muito diferente da comida brasileira. Nunca havia experimentado *tacos*, *fajitas*, *burritos*, *tostadas*. Ele adorava. Tinha a capacidade de comer como um lutador de sumô, mas nunca engordava. Era magro, tinha o metabolismo acelerado. Até magro demais. Queria ter mais músculos, inclusive já tentara musculação. Treinou pesado, seis meses. Resultado zero. Desistiu.

    Naquele dia, alimentou-se bem. Ia precisar da energia. Ao terminar, pediu a Cherie que esperasse um pouco. Tinha de ir ao escritório de advocacia de Bob e Ruth, que ficava do outro lado da rua. Por isso havia escolhido justamente aquele Taco Bell. Ela pediu para ir junto. No caminho, ela pegou na mão dele, que por causa dos sinais que constantemente apitavam na sua cabeça, preferiu soltá-la. Não queria que parecessem um casal. Talvez fosse porque ela, durante o almoço, mencionou que havia sonhado que tinham tido um filho. Naquela hora, arrependeu-se de não ter comprado a camisinha modelo superforte. Pensou em dar uma desculpa, mas os hormônios já estavam à solta na circulação sanguínea. O comando do corpo, já desde a manhã no laboratório, estava entregue à cabeça de baixo.

No escritório, pegou a nova máquina de café que Bob havia comprado. A antiga pifara, dias antes. Esse era um modelo profissional. Ao colocar água na máquina, ela imediatamente já começava a fazer o café, o que se mostrou mais tarde ter sido uma má escolha. A tal cafeteira tinha de ficar ligada, constantemente, à energia. Possuía um recipiente que mantinha a água quente, já na temperatura ideal para fazer café. Era realmente para uso profissional. Não gostou quando Cherie fez questão de entrar no escritório, em vez de ficar na sala de espera. Pegou a máquina e saiu rápido de lá, não sem uma ponta de arrependimento. "Devia ter deixado para pegar outro dia, mas Bob talvez apareça amanhã e queira tomar café. Foda isso. Algo me diz que vou me arrepender."

Voltaram a pé para o Taco Bell, pegaram os respectivos carros e foram para a casa de Marcos. Ela nunca falava não. Gemia muito alto, gritava. Principalmente quando estava de quatro. Um escândalo total — certamente quem passava pela rua ouvia. Fez uma nota mental para evitar a posição cachorrinho no futuro. Passaram a tarde, a noite, a madrugada na cama, com pausa para uns cochilos e sanduíches. De madrugada, ela reclamou que estava muito esfolada. Que doía. Ele, então, tentou penetrá-la atrás. Ela aceitou, mas Marcos não sabia como fazer, e depois de um tempo tentando ela pediu pra parar porque não estava mais aguentando. Ele desistiu. Tomou uma ducha. Voltou para o quarto, ela dormia. Ele a acordou, e como ela nunca dizia não, e lá embaixo estava ardendo, o jeito foi abocanhar. Por duas vezes seguidas.

De manhã, ela já devia estar recuperada, porque antes de ir embora ainda a comeu uma última vez. No finalzinho notou que ela sofria um pouco. Mas não pediu para parar. Ele contou que precisava ir ao escritório, queria que ela fosse embora. Cherie sugeriu ir com ele. Marcos disse que demoraria, ela falou que esperaria. De novo os sinais. O controle agora, com os hormônios em balanço, retornara à cabeça superior. Marcos insistiu e, finalmente, com muito custo, Cherie tomou o rumo de casa ou sabe-se lá para onde. Na verdade, Marcos só teria aula à tarde. Aproveitou para dormir, recuperar o sono perdido.

Chegando à universidade, passou rápido pelos corredores. Não foi aos lugares que costumava, como o laboratório. Após a aula, foi comprar umas roupas na Target. No caminho de casa, já bem à noite, viu a luz do escritório de Bob e Ruth acesa. Resolveu passar por lá. Ruth costumava chegar tarde ao trabalho, geralmente por volta das 11 da manhã. Por causa disso ela sempre trabalhava até tarde, não raro 10 ou 11 da noite. Ruth estava de mau humor. Disse que "aquela mocinha loura que veio com você aqui ontem apareceu na recepção. Perguntou se você estava. Como não estava, ela resolveu te esperar. Deve ter ficado umas três horas lá. Importunou a secretária com perguntas".

Marcos ficou vermelho, azul, amarelo. A última coisa de que precisava era entrar em conflito com Ruth ou Bob. Podia ser com qualquer pessoa no mundo, menos com aqueles dois. Pediu mil desculpas. Ruth estava realmente de mau humor e disse apenas: "Espero que isso não aconteça mais", acrescentando que tinha muito trabalho a fazer, meio que botando ele para fora da sala. Marcos pensou em telefonar para a casa de Cherie dali mesmo do escritório, mas resolveu que faria isso de casa.

Às vezes, Bob aparecia às sextas, talvez convidasse Marcos para uma cerveja. Ele gostava de jogar *shuffleboard*, havia sido campeão do esporte no tempo de estudante. O *shuffleboard* era jogado em uma mesa estreita, comprida e muito lisa, e o objetivo era empurrar um disco para que este ficasse o mais próximo possível da beirada do lado oposto ao lançamento, porém sem cair, já que ao final da mesa havia uma pequena vala. Outro detalhe importante é que, como os jogadores se alternavam, mesmo se um tivesse colocado o disco na área de mais pontos, a contagem somente era feita ao final do jogo. Dessa forma havia também um componente de estratégia, porque um jogador podia também empurrar o disco com muita força com o objetivo de tirar os discos do adversário do tabuleiro. O melhor do jogo era que Bob se encarregava de pedir as cervejas, sem limite de consumo. Geralmente eram bares com mesas de sinuca, frequentados por gente de chapelão de caubói. Aqueles mesmos que se vê em filmes, onde a freguesia é mal-encarada e o ambiente é coberto de fumaça de cigarro. Nos filmes, entretanto, sempre havia uma garota bonita. Nos bares que eles iam, ali nas redondezas, as garotas bonitas talvez tivessem o hábito de sair um pouco mais cedo. Algo como uns vinte e cinco ou trinta anos antes. Aquela parte de Houston, localizada a nordeste do centro da cidade, não era exatamente a mais glamourosa. Mas ainda era melhor opção do que ficar em casa, assistindo TV sem cabo, já que Bob, como não ficava em casa, havia optado por não ser assinante. E Marcos não queria bancar do próprio bolso.

Ao chegar em casa, notou com profundo desprazer que não seria necessário telefonar. O carro dela, de cor vermelha e muito feio, estava parado na porta. Marcos respirou fundo. Hormônios em xeque, sob controle. A cara de Ruth, minutos atrás, havia lhe acendido uma determinação irredutível. Mesmo se ela estivesse na companhia de três colegas lindíssimas, agiria da mesma forma. De rabo de olho, checou se ela tinha companhia. Estava sozinha. "Melhor assim", pensou. Se ela estivesse com as tais colegas lindíssimas, talvez ele acabasse sendo mais educado. Afinal, era sexta-feira, ele provavelmente teria de convidá-las para um drinque. "Graças a Deus, sozinha."

Assim que entraram, ela começou a beijá-lo e desceu a mão ao pênis. Rapidamente, ajoelhou-se, começando a abrir o cinto.

Foi preciso lembrar da cara de Ruth para ter vontade de fazer com que o certo prevalecesse, lembrar que sua firmeza tinha de ser de titânio para fazer frente ao aço que se alojara entre suas pernas. Ele levantou-a. Explicou que as coisas estavam acontecendo muito rápido, que eles não estavam namorando. Que não a queria como namorada, não queria ter nada sério. Que havia sido bom, mas preferia pegar mais leve. Tinha chegado há pouco na cidade, pretendia ficar solteiro e conhecer muitas pessoas novas. Além da questão de Ruth, a sede com que Cherie ia ao pote e o papo de filhos denunciavam que alguma coisa estava errada. Ela começou a chorar. Ele se manteve firme. Ela pediu uma chance, ele disse que não. Colocou-a para fora de casa. Fechou a porta. Nunca havia feito nada semelhante. Sentiu-se terrível, mas tinha de dar um basta na loucura. Ela não podia ser muito certa da cabeça.

Ligou a TV, colocou um *Tupperware* com chili de um mês atrás no micro-ondas. Abriu uma Olympia. Meia hora depois, ouviu alguém batendo na porta da frente. Imaginou o pior. Abriu. Era ela. Estava lívida, chorava. Balbuciou algo como "um acidente de carro". Não parecia machucada, não havia sangue. Murmurou isso e um segundo depois espatifou-se no chão, rígida como um pedaço de madeira. De nariz no chão. Uma pequena poça de sangue se formou no lugar. Marcos se abaixou para levantá-la, ela estava com os pés para fora da porta e o resto do corpo dentro da casa.

Naquele exato momento, Bob apareceu e presenciou a cena insólita. Ele cuidadosamente entrou na casa tomando cuidado de não tropeçar no corpo. Marcos pensou: "É hoje que eles me mandam embora daqui". A essa altura ela começou a acordar e se sentou, o rosto ensanguentado. Bob olhou-a e notando que não estava morta, entrou para seu quarto. Dois minutos depois saiu novamente sem dizer uma palavra. Cherie foi ao banheiro, lavou o rosto. O sangue sumiu, era apenas da pancada no nariz. Tomou uma água. Pediu para dormir lá. Marcos perguntou onde estava o carro, ela disse que perto. Caminharam até o local. O carro caíra em uma vala. Com sorte, não seria difícil tirá-lo. Foi fácil. O carro tinha tração traseira. Saiu sem grandes problemas. Provavelmente Cherie ou estava tão chocada com o acontecido que não havia tentado tirá-lo ou tinha, propositadamente, colocado o carro lá.

O veículo não aparentava nenhum dano, talvez um pequeno amassado no para-choque que vai ver já estava lá fazia anos. Conversaram um pouco. Marcos colocou-a no carro. Estava assustado também, a garota pelo visto era doida. Dessas de jogar pedra. Afinal, ninguém gritava tanto quando ficava de quatro. Notou, pela cara de choro, que mais cedo ou mais tarde ela acabaria lhe procurando. E pior, talvez ele estivesse só e seria difícil resistir à proposta de "dar uma". Assim, mais para evitar que ele próprio caísse em tentação no futuro, pediu, ou melhor, falou claramente que ela "nunca mais o procurasse".

Mesmo chorando, ela propôs dar-lhe uma carona de volta à casa, mas ele disse que preferia ir andando. Imaginou-se no banco do passageiro e ela jogando o carro de um despenhadeiro. Infelizmente, não tirou patente desse pensamento, e assim não recebeu nenhum crédito pela cena do final de *Thelma e Louise*: "um plágio descarado da minha ideia", disse ao seu grande amigo Eduardo quando contou essa história. A parte do plágio era gozação, porém Marcos sempre acreditou que "ideias são vagabundas: quando você dá à luz uma, a dita nasce sua, mas não está presa a você. Ela também sai vagando por aí. Se você não toma conta, outro pega". Vai ver realmente aconteceu isso com a cena que imaginou. Ainda mais que estava nos Estados Unidos, geograficamente próximo do Ridley Scott.

Ideia ou não, sentiu-se renascer quando o carro dela desapareceu depois de três quarteirões. Imaginou que a veria novamente, mas isso nunca aconteceu. Dias depois, ouviu um colega dela de teatro comentar com alguém no laboratório que Cherie havia trancado matrícula e se alistado no Exército.

Não pôde deixar de sentir um certo "orgulho": não é sempre que mulheres desmaiam e se alistam por causa de um homem. "Tudo bem que ela era doida, mas isso não tira totalmente o meu mérito", refletiu.

JUNHO DE 1988

Ultimatos cabeludos

FESTAS JUNINAS, QUENTÃO, pinga, amendoim torrado. Tudo novidade. Pessoas usando umas roupas esquisitas. Axel achava engraçado. "O mais interessante de tudo é que as danças realmente lembram aquelas tradicionais da Europa, mas vistas sob a perspectiva de alguém que não fala a língua e fica tentando adivinhar o que é que está acontecendo, isso dá margem a uma interpretação errada — o de ver e achar que é uma coisa, quando na verdade é outra. Havia concluído isso ao comparar as letras das músicas, já que conhecia a versão original." Já era junho e todos diziam que faria muito frio, mas até então o tão aguardado frio não tinha chegado. Estava bem mais fresco, é verdade, mas ainda quente o suficiente para aproveitar um sábado de sol.

Estavam indo ao Amoricana, um bar da Savassi. Tratava-se de um ambiente relativamente simples, com o diferencial de ter uma parte grande aberta e uma afamada árvore ao centro. Sábado à tarde era concorridíssimo, dia de samba. Axel não dançava, mas sabia apreciar os corpos sarados em trajes curtíssimos rebolando bundas em coreografias sensuais. Pornográficas até, de um ponto de vista europeu. Sempre ia lá com Patrícia, que ficava atenta a todo e qualquer movimento suspeito de mulheres. Protegia-o como uma leoa protege sua presa. Depois da presa morta, claro. Protegia das hienas que ficavam rondando. Estas com roupas cada vez mais curtas, pernas cada vez mais longas, e o pior: jovens.

Patrícia sempre adorou o Amoricana. De fato, foi ela quem o levou lá, logo nos primeiros finais de semana juntos. Mas isso foi antes. Quando ela ainda rodeava a presa. Quando ainda estava à espreita e não tinha certeza se havia feito a captura. Agora, detestava aquele lugar. Pior, Axel começava a ficar conhecido. Pelos garçons, que o chamavam de *"mister"*. Ele deixava gorjetas gordas. Os garçons disputavam, literalmente no braço, quem iria atendê-lo. Tentavam falar em inglês com ele. Queriam agradá-lo. Aparecia na porta e era imediatamente acomodado na melhor mesa. Instantaneamente, uma porção de linguiça "cortesia da casa" se materializava com um chope gelado. O dono, sempre que estava na casa, ia pessoalmente cumprimentá-lo. Sentava-se à mesa com ele, tomava um chope também. O dono arranhava um inglês. Axel dizia que gostava da comida do lugar, mas ela via nos olhos dele que gostava era da mulherada. Iguaizinhas a quem ela era no passado. A fim de arrumar um bom partido. Que não se vexava de flertar com homem, mesmo vendo que estava acompanhado. Ali já tinha visto uns barracos, mulheres saindo no tapa. Não ia fazer isso. Ela tinha outras armas. Em vez de armar barraco, ela dançava. Deixava Axel quieto no canto dele e mostrava seus dotes. Requebrava. Suava a camisa. Defendia seu homem ali, com o samba no pé. Olhando para ele, fazia-o lembrar dos movimentos que fazia quando estava em cima dele, na cama. Era suficiente.

Porém, naquele sábado, Axel estava livre, leve e solto. Simplesmente. Já havia algum tempo via-se meio que preso, diante da marcação cerrada de Patrícia. Gostava dela. Ela era uma delícia. Mas no fundo ele começava a questionar se, talvez, não existissem "outras Patrícias". Ela tinha sido a primeira. Seria a melhor? E se ele estivesse se vendendo por muito pouco? Axel não era idiota. Já tinha notado que, em Belo Horizonte, ele era considerado bonito. Quando chegava, falando inglês, as meninas olhavam. Muitas davam bola. Entendeu também que as roupas caras, o carro bonito, os óculos de sol de grife, chamavam a atenção. Era, no dizer de uma expressão brasileira que aprendera, um homem com um olho em terra de cegos.

Patrícia estava doente. Gripe, febre. Ela queria ir para o hotel dele, ficar lá. Ele pensou bem e concordou. Disse que iria pra casa adiantar seus serviços. Que ficaria em casa. Talvez dormisse à tarde, porque também estava sentindo algo. Mentira. Nunca havia se sentido tão bem na vida. Realmente, ele tirou uma soneca. O alarme o despertou às 14h30. No Amoricana, o agito começava pra valer por volta das 3 da tarde. Foi exatamente às 15h05 que ele entrou no ambiente amplo do bar, parte fechada, parte ao ar livre. O samba já estava a todo vapor.

Axel suspeitava, ou melhor, tinha esperanças de que talvez rolasse algum flerte, mas o que se seguiu foi muito além do que poderia ter imaginado. Justamente ele, que nunca havia sido alvo de muita atenção. Que sempre passara despercebido. Ignorado. Se no Fim de Tarde o *deck* tinha vista para os carros, o asfalto; no Amoricana as mesas privilegiadas tinham vista para o espaço aberto onde as popozudas de plantão mostravam seus dotes. O metro quadrado em frente à mesa dele passou a ser disputado, bunda a bunda. Abelhas no mel, se pisoteando, às vezes por descuido, mas quase sempre propositalmente.

Como sempre acontece nesses casos, as mais afoitas exageravam a mão. Passavam do ponto. Talvez por isso, Axel tenha se focado em uma negra mais atrás. Ela era bem mais escura que Patrícia. Tecnicamente, Patrícia era mulata. A tal negra tinha mais corpo. Era a Patrícia turbinada. E mais nova. Patrícia ao quadrado. Tudo nela era exponencial. Cor, corpo, cabelo. E devia ter pouco mais de vinte anos. As dançarinas mais próximas acompanharam, atenciosamente, Axel chamar o garçom e apontar para a mocinha novinha que corria por fora do páreo. Elas viram, fingindo que não viam, o garçom entregar para a mocinha uma caipirinha, cortesia do louro sentado na mesa privilegiada.

Ela olhou para Axel. Já o tinha visto antes, sabia quem era. Era o *"mister"*. Todas ali sabiam quem ele era. Era um gringo, cheio da grana. Corria o boato de que ele morava na Europa. Que procurava uma mulher para se casar aqui no Brasil e levá-la para morar no exterior. Casaco de pele, neve, mordomos, passeios de carruagem, esquiar na neve no inverno. Que lá na terra dele não tinha mulher de cor não, tudo branquela que não sabia sambar. Quando ele apareceu sozinho, como todas as outras, sentiu que era a sua chance. Imaginava que, para ganhar a jogada, teria de apostar alto. E apostou na posição secundária, um pouco mais atrás e no corpão que sabia ter. Entendia que homem não gostava de mulher muito oferecida, que tinha de deixar um espaço para a "caça" sentir-se no comando. Por causa disso, fez um sinal de positivo com o polegar, agradeceu o drinque e continuou "curtindo o samba".

Ela não sabia jogar xadrez, mas se soubesse, teria sido grande enxadrista. Precisava dar ao lourinho a chance do bote, mas ao mesmo tempo sabia que ele não o faria ali, na frente de todos. De repente, teve uma ideia genial. Havia mais ou menos umas duas semanas, tinha ido à sorveteria São Domingos. Ela ia lá com frequência, principalmente porque ficava perto da padaria Sabor do Forno, onde trabalhava. Lembrou-se que tinha pego o cartão e ainda o tinha na bolsa. Pegou uma caneta, escreveu atrás: "Renata. Hoje às 18 horas". Pegou a bolsa, demorou um tempo como que "avisando" que estava indo ao banheiro. Caminhou, languidamente, passando bem próximo de Axel, enquanto lançava-lhe um olhar sorrateiro e um sorriso intrigante. Novamente, queria deixar-lhe a brecha para que ele tomasse a iniciativa, as rédeas do jogo. Via três alternativas. Na primeira, a melhor delas, ele a encontraria na saída do banheiro. Na segunda, menos pior, ela lhe passaria o cartão ao voltar do banheiro. Na terceira, a pior de todas, ela teria de entregar o cartão a um garçom e contar com a sorte — talvez o garçom não entregasse, por qualquer motivo: esquecimento, ser amigo de alguma das outras garotas, etc.

Esperou um tempo no banheiro. Preparou-se. Ele provavelmente estaria do lado de fora, esperando-a. Abriu a porta, saiu do banheiro. Nada do *mister*. Viu que só restavam duas alternativas. Foi caminhando para passar perto da mesa quando notou que ele já estava acompanhado. "Merda. Fiz bobeira. Devia ter atacado mais rápido, quanto tive a chance. Fui dar uma de difícil...", amaldiçoava a si mesma quando viu que a moça ao lado do louro era a namorada metida. Uma mulata magrinha que se achava dona do mundo. "Dos males o menor", pensou. "Um dia ela baixa a guarda. Nesse dia, estarei lá, de butuca. Ele já me notou. Meu dia ainda vai chegar", pensou, enquanto mudava a rota indo em direção à saída. Já eram 17h30, talvez ainda aproveitasse a noite para sair. "Melhor ir embora." Despediu-se da amiga que desde quando chegaram, às 14 horas, estava conversando com um rapazinho de uns vinte e dois anos. Esse menino já tinha dado em cima dela, mas não iria desperdiçar seu tempo e seu corpo de potranca com um rapazinho daquele naipe. Ela estava ali para arrumar um homem que merecesse seu corpo. Um homem mais velho, que soubesse tomar conta de uma mulher. Que tivesse presença. Que lhe tratasse com respeito e dignidade. Em suma, alguém que tivesse dinheiro. Tomou o rumo da porta e começou a subir a rua Pernambuco em direção à Praça da Savassi quando um garçom chegou por trás, sem fazer alarde e bateu no seu ombro. Ele apenas estendeu para ela um pedaço de papel e disse: "O *mister* mandou para você".

Nele, estava escrito: Axel 435-8000, ramal 437. Se soubesse jogar xadrez, Renata teria pensado: "xeque-mate".

Horas depois de voltar ao hotel, Patrícia sentiu que havia chegada a hora. Tinha parado de tomar a pílula na semana anterior. Naquela noite, preparou-se e entregou para Axel a única coisa que ainda não havia entregado do seu corpo. Ele não sabia como fazer: coube a ela mostrar o que queria, ela mesma fez o trabalho de lubrificar a si mesma e a ele como preparação. Ele perdeu a ereção. Ela não desistiu, persistiu. Quando ele estava novamente pronto, guiou-lhe o membro. Fazia isso por ela, pelos pais, pela irmã. Pelas roupas de marca, pelos perfumes. A dor era suportável. Quem sabe um dia ela aprenderia a gostar. Axel talvez adorasse e iria querer sempre. Pelo menos por enquanto, ela faria se ele pedisse. Depois de casada talvez pudesse recusar, mas por agora, jamais. Axel adorou aquela nova sensação, o prazer diferente, inédito. Mas mesmo durante aquele que era o orgasmo mais exótico da sua vida até então, não teve como deixar de imaginar que, se com a Patrícia era assim, com aquela negra novinha seria muito melhor. Dormiu relaxado de corpo, mas não satisfeito de espírito. Estava curioso.

* * *

O PRIMEIRO SEMESTRE LETIVO chegava ao seu final. Depois do incidente com Cherie "a doida", Marcos aquietou um pouco o facho; temia principalmente alguma consequência com Bob e Ruth. Talvez eles resolvessem arrumar outra pessoa que não se metesse nesse tipo de confusão. Felizmente, os dois eram pessoas bem sensatas e pareciam gostar dele; tudo caiu no esquecimento e as coisas voltaram ao normal. Ao normal também voltou a relação com Eva, que em termos de maior intimidade não passou daquele beijo no restaurante. No dia de ela ir embora, declarou-se "dividida", porque gostaria de ter tido algo mais com ele, porém sabia que isso seria impossível. Ele a levou ao aeroporto e despediram-se com um terno beijo e promessas de um dia se reverem. Promessas que ambos sabiam ser impossíveis de cumprir.

Na volta do aeroporto, Marcos parou o carro no posto para abastecer. Logo depois, um Jetta azul parou atrás, aguardando liberar a bomba de gasolina. Dentro dele, duas garotas pareciam conversar entre si. Faziam cara de que o haviam reconhecido. Uma delas saiu do carro. Era alta, forte. Loura do cabelo bem curto, espetado. Tinha um rosto bonito, mas parecia um pouco masculinizada. Como se fosse uma lutadora de boxe. Olhos claros. Falou, com um sotaque alemão inconfundível:

— Olá, você não estuda na Universidade de Houston? — Enquanto Marcos fazia sinal afirmativo com a cabeça, ela prosseguiu: — Nos conhecemos no coquetel da universidade. Eu e minha colega somos alemãs. Lembra-se de nós?

A colega dela havia permanecido dentro do carro. Era um pouco mais baixa e mais cheia. Os cabelos eram compridos e anelados.

— Eu sou Mick — prosseguiu — e minha colega é Ann.

O nome Mick provocou em Marcos um certo desconforto. Era um nome muito masculino. Aparentemente, na Alemanha, Mick também era feminino. Descobriu, depois, que Mick, na verdade, se chamava Maren. Gostava de Maren, detestava Mick.

— Então, o que você faz aqui por esses lados tão longe da universidade? — Marcos perguntou.

Ela respondeu:

— Nós moramos aqui perto.

Descobriram que eram praticamente vizinhos. Elas moravam a menos de três quarteirões da casa dele. Chamaram-lhe para tomar cerveja à tarde. A outra, Ann, já tinha feito vinte e um anos. O calor em Houston, a essa altura do ano, já estava insuportável. "Houston deve ser uma das cidades mais quentes do mundo. Além de quente, úmida", pensava Marcos, que obviamente havia mudado de opinião radicalmente. Nos últimos tempos percebera que Houston era uma sauna a céu aberto, ao sair das casas e do carro o ar úmido condensava os óculos, as roupas pregavam no corpo. Talvez fosse por isso que os houstonianos não saíam de seus carros para absolutamente nada. Até mesmo os bancos eram adaptados com caixas eletrônicos acessados de dentro dos veículos. Como em uma autoestrada quando se vai pagar o pedágio, os bancos da cidade tinham filas de caixas atendendo aos motoristas. Em uma cidade assim, uma cerveja à tarde, no calor e na companhia de duas alemãs parecia ser uma ótima ideia.

Horas depois, estavam os três sentados em uma varanda do lado de fora da casa delas. Marcos havia contribuído para a pequena festa de reconhecimento mútuo com uma bateria de Olympias geladinhas. Elas moravam em uma espécie de apartamento independente, no segundo andar de uma casa. Na parte de baixo, morava a família que hospedava as duas. Uma escada, por fora da casa, levava ao segundo andar. Tinham um quarto de dormir com duas camas de solteiro, uma sala, cozinha e banheiro. Era simples, porém suficiente. Ambas cursavam fisioterapia e, como Eva, estavam fazendo um intercâmbio. Lembravam-se de Eva, mas não chegaram a ter maior contato com ela. Em teoria, teriam de também retornar para a Europa, porém queriam curtir o verão em Houston.

Enquanto conversavam, um enorme besouro passou zunindo e pousou bem no meio da testa de Ann. Ela sentiu um bicho grande pousar, mas deve ter demorado um segundo para reagir. Durante esse segundo, Marcos viu que não era um besouro. Era uma barata. Voadora. Gigantesca. Nunca tinha visto nada tão horrível, repugnante. Pousada no meio da testa da garota. Passado aquele um segundo de reação, ela naturalmente usou a mão para espantar o que ainda acreditava ser um besouro, apenas para o bicho ficar preso no seu cabelo longo e encaracolado, quando ela, então, constatou tratar-se de uma barata. A essa altura o pânico da garota era total, e ela acabou batendo a cabeça com força em um dos pilares do teto da pequena varanda. Com o baque, perdeu o equilíbrio, tropeçou em um vaso de plantas e esborrachou-se de bunda no chão.

Até aquele momento, os três já haviam praticamente detonado o estoque conjunto de Olympias, Millers e Michelobs, e Marcos tentava decidir em qual das garotas investir, já que ambas pareciam igualmente interessadas. Era uma situação privilegiada, mas também perigosa. Se investisse errado, poderia perder a outra para sempre. Estava na dúvida. Enquanto Maren era mais atraente, Ann parecia ser mais fácil, dava mais mole. A barata, porém, encarregou-se de fazer a escolha para ele pondo Ann a nocaute. Ela entrou no apartamento para se lavar, ao retornar, o casal Maren e Marcos já era um fato. Com cara de quem comeu e não gostou, assim que notou a nova dupla dinâmica, ela se despediu dizendo que iria dormir, embora fosse apenas 9 da noite de sexta-feira.

Àquela altura: 1) a cerveja havia acabado, 2) Maren certamente não ia querer fazer nada em casa, 3) ela topou ir tomar outras cervejas na casa de Marcos sob o pretexto de que "ainda estava cedo". "Eba, é hoje!", gritou o subconsciente de Marcos. Subconsciente da sacanagem, claro. No caminho, embaixo de uma árvore, fizeram uma parada. Ele tocou-lhe os seios por cima da camisa, ela respirou fundo, beijou-o ardentemente. Sinal verde. Próximo à casa, as sirenes tocaram. Perigo! Perigo! O carro de Bob estava parado na garagem. "Justo hoje, que bosta. Bem, não há nada a fazer senão seguir em frente", pensou Marcos enquanto cruzava a rua.

Tanto Bob quando Ruth estavam em casa, assistindo televisão e bebendo cerveja. Marcos chegou com Maren. Ficaram os quatro tomando cerveja na sala. Ruth tomava Miller Light, que trazia especialmente para si, já que preferia uma opção menos calórica. Não tomava Olympia. Papo vai, papo vem, Bob descobriu que conhecia o dono da casa que hospedava Maren. Inclusive, ele havia sido o advogado da compra da casa. Tanto Bob quanto Ruth lidavam com causas relativas à compra de imóveis, divórcios, heranças, testamentos.

O papo acabou e Marcos, a essa altura, já não sabia mais o que fazer, se levava Maren de volta para casa ou se entrava com ela no quarto. Até então, os dois haviam se portado mais como colegas do que como um casal, mantendo uma razoável distância um do outro. De repente, Bob anunciou que iria levar Ruth em casa e que dormiriam lá. Os dois saíram rapidamente. Talvez eles também quisessem trepar e estavam chateados com a presença de Marcos, que estava sempre lá. Ou talvez precisassem de uma mudança de ambiente, da casa de Ruth. Ou mesmo quisessem deixá-los a sós. O fato é que nem bem o carro saiu da garagem e Maren já estava na cama de Marcos sem sutiã.

Ele a beijava com sofreguidão. Ambos, com o efeito do álcool e da espera, já estavam lubrificados mental, psíquica e fisicamente. O quarto estava meio à penumbra, e Maren avisou que precisava ir ao banheiro. Marcos acendeu a luz do quarto, ela se enrolou em uma toalha que estava à mão e foi. O banheiro ficava logo em frente ao quarto. Ele aproveitou para colocar um grande número de camisinhas na mesinha perto da cama. Acendeu o abajur, para aproveitar melhor a visão. Gostava do visual. Ver a garota ou mesmo o membro dele trabalhando. Ou então jorrando. Ele ouviu, não sem um pouco de medo, o barulho dela mijando. Era uma cascata forte. Parecia barulho de mijo de homem. Naquela hora, imaginou que se saíssem no tapa, ele levaria porrada. Ela retornou, deitou-se na cama já nua em pelo, oferecendo-se a ele.

Nunca tinha tido uma visão como aquela. Os pelos do sexo dela eram louros, e o matagal espesso era de fazer inveja à Cláudia Ohana. As pernas eram grossas e cabeludas como as de um jogador de futebol russo. Sem contar as axilas, que provavelmente nunca haviam conhecido uma Gilette afiada ou frequentado um bom salão feminino. Marcos engoliu em seco. Pensou que, naquela hora, não era apenas o Marcos Avilar Reis. Representava toda a masculinidade de um país: 150 milhões de pessoas dependiam dele para defender a honra do Brasil. Não podia fazer feio. Foi ali, naquele instante, que ele entendeu que o *ser macho* estava justamente em não baquear em uma hora crítica como aquela. Comer uma menina linda era tarefa fácil. Maren era, justiça seja feita, uma garota de rosto e formas muito bonitos. Focou-se nisso, apagou a luz do abajur e por quatro horas defendeu as cores verde e amarela. Teve saudades da 'doida'. A Maren era mais contida. Gemia pouco ou nada. Respirava fundo, grave e pausadamente. Logo de primeira, quando ele disse que ia gozar, ela tirou da boca para os seios. Gozou profunda e silenciosamente assim que ele a penetrou. Depois do terceiro gozo dele e segundo dela, declarou estar cansada. Dormiram. "Fiz bonito", ele pensou, segundos antes de cair no sono. Mas ainda teve tempo de ouvir aquela vinheta que anuncia o gol da seleção: "Brasil-sil-sil-sil".

* * *

A NEGRA DO BAR LIGOU na quarta-feira. O nome dela era Renata. Com um pouco de dificuldade linguística, marcaram de se encontrar no dia seguinte. O ponto escolhido foi o bar Stadt Jever, que ficava praticamente em frente ao Fim de Tarde. Axel já dominava a área da Savassi e arredores, mas não muito mais do que isso. Por isso suas escolhas ainda eram relativamente limitadas. Ainda mais que naquela época Belo Horizonte tinha muitos bares, um em cada esquina, porém poucos bares bonitos, bem decorados. Era autoproclamada "Capital Brasileira dos Bares", mas a maioria era simples, na base de mesas de plástico amarelo na calçada. O Stadt Jever era uma das raras exceções. Tinha uma temática alemã. Seria uma das opções preferidas de Axel, se não fosse um bar de arquitetura mais fechada. Achava o lugar abafado. Pensava que iria frequentá-lo no inverno, quando todos diziam que o frio seria terrível. Ele prosseguia esperando o frio chegar e, até lá, continuava preferindo os lugares abertos, ventilados. De preferência, a céu aberto. Por causa disso, somente havia estado no Stadt uma única vez. Mas, agora, não ser aberto seria uma vantagem. Evitaria expor-se a olhares curiosos. Lá, teria a discrição de que necessitava.

Uma vez marcado o encontro, lembrou que em breve deixaria o escritório. Teria aula de português. Se tivesse sorte, com a professora Raquel. Ela, nas últimas aulas, mostrava-se interessada em mudar de ambiente. Em vez da sala de aula tradicional, preferia levá-lo a um bar ou restaurante próximo. Para poderem ter uma aula mais "autêntica". Quando isso acontecia, ela parecia mais solta. Pegava no braço dele, tocava-o, ria mais. A distância entre eles passara a diminuir radicalmente. Axel tinha sido instruído antes do início das aulas, pelo diretor do Berlitz, sobre como era o método. Que as aulas eram frequentemente monitoradas para se manter a qualidade. Microfones podiam ser vistos nas paredes de todas as salas de aula. Portanto, era natural que a professora fosse mais expansiva fora dali. Ela era clara, de cabelos longos e negros. Tinha sardas que lhe conferiam um aspecto jovial. Era professora de inglês e francês. O Berlitz não tinha, por assim dizer, professores de português em específico.

No início, Axel estranhou a falta de professores nativos das línguas ensinadas. Na Suíça, um professor de espanhol seria alguém cuja língua mãe seria o inglês; com certeza alguém oriundo da Inglaterra, dos Estados Unidos ou mesmo da Austrália. Sentia-se como o único estrangeiro residente em Belo Horizonte. Mesmo nos bares e restaurantes *étnicos* não se via um único estrangeiro recente. No máximo era um neto ou bisneto do imigrante. A maioria, nem isso era. Até mesmo nos restaurantes chineses o dono parecia já ser da segunda ou terceira geração. No Berlitz, que não fugia à regra, todos os professores eram brasileiros. Jovens. A maioria tinha aquela atividade como um 'quebra-galho' enquanto cursava a faculdade. A única exceção era uma inglesa velha, rabugenta, que parecia ter mais moral interna do que os professores jovens, pois às vezes podia vê-la ralhando com eles. Logo de início, Axel a vetou. Não podia escolher os professores, mas tinha poder de veto. E, cerca de um mês atrás, havia dito pessoalmente ao diretor da escola que a professora Raquel era a que mais lhe trazia progresso na língua. Desde então, ela passou a dar-lhe aulas no mínimo uma vez por semana. Como na segunda-feira havia sido um baixinho engraçado de óculos que Axel nunca lembrava o nome, era bem possível que nessa quarta seria a Raquel.

Ao retornarem do Pop Pastel, um barzinho a menos de um quarteirão do Berlitz, Axel encontrou Patrícia na porta, de cara amarrada. Ela deu três beijinhos na professora dizendo, alegremente:

— Oi, como vai, foi boa a aula?

Sem esperar resposta, já foi dando um beijo na boca de Axel:

— Oi amor, que saudade!

Ele já a conhecia suficientemente bem para saber que era tudo jogo de cena. Ela estava apenas demarcando o território. Já vira aquela cara antes nas tardes do Amoricana. Despediu-se da professora e caminharam abraçados a passos lentos de volta para o hotel. Resolveram pedir *pizza* pelo telefone. Ela disse que estava cansada e queria dormir lá, não queria voltar para casa. Para não levantar suspeitas, pensando no encontro furtivo do dia seguinte, Axel aceitou, mostrou-se contente. Se ela estava cansada, naquela noite não demonstrou — novamente deu uma aula de prazer, levando-o à exaustão completa. Axel, entretanto, estava entediado de Patrícia. Não queria uma posição nova. Queria um corpo novo.

Foram ao Motel Chalet. Renata só se fez de difícil durante a primeira hora. Aceitou rapidinho o beijo do gringo, lá no Stadt Jever. Não fez menção de tirar a mão dele quando afagou-lhe, discretamente, a parte de baixo do seio por cima da blusa. Lá, ela beijava-lhe com ternura. No carro, com sofreguidão. Ele perguntou:

— Quer que eu leve você para casa?

Ao que ela respondeu languidamente:

— Está cedo, não?

— Outro lugar? — Axel perguntou..

Ela respondeu acenando com a cabeça e beijando-o agora com voracidade. Ele afagava os seios dela por dentro da blusa, ela ofegava. Quando começou a subir a BR 040 em direção ao BH Shopping, ainda temia uma reação da garota. Ela poderia dizer algo do tipo: "Não, motel não, queria apenas outro bar". Mas a essa altura, ela já havia reclinado o banco mais para trás e estava de olhos fechados. Ele acariciava a perna dela. Uma perna grossa. Tudo nela era grosso e firme.

No motel, ele deitou-se. Estava acostumado com o fogo de Patrícia. Mas Renata não estava muito habituada a tomar a iniciativa. Os homens, ao verem seu corpo voluptuoso, sempre corriam para dominá-la, imporem-se. Queriam mostrar-se machos. O gringo era diferente. Ela perdeu um pouco o ímpeto, ficou sem saber o que fazer. Levou os seios enormes à boca dele. Ele chupou-os, mas não ameaçou fazer outra coisa. O pênis dele ainda estava pouco ereto. Ela era acostumada com rapazes viris. Num momento como aquele, a maioria já estaria mais pensando em gozar e começar novamente enquanto o gringo ainda nem tinha engrenado. Abaixou a boca enorme e engoliu todo o membro com facilidade. Quando este finalmente cresceu na sua plenitude, ainda conseguia sorvê-lo todo. Justamente quando pensou que ele iria possuí-la, Axel deu um tranco e ela sentiu na boca umas gotas de leite quente. Continuou chupando-o, esperando o pênis se intumescer novamente. Mas o membro continuava flácido e, depois de cinco minutos, Axel disse para parar.

Levantou-se, apontou para a banheira de hidromassagem. Ela fez sinal que sim com a cabeça. Pediu para ela ligar a televisão. Passava um programa de noticiário. Ela mudou de canal, queria colocar um filme pornográfico. Ele, da banheira, gritou "Não!", a TV voltou ao noticiário.

Ela ficou na cama, esperando a banheira encher. Axel entrou na banheira. Ela foi também. Aquele corpanzil feminino fez com que a banheira transbordasse. Ele ligou a hidromassagem, ela veio por cima. Ele disse "cansado". Ela recuou, foi para o outro lado da banheira. Dez minutos depois, veio para perto dele e pôs-se a acariciar a perna, os braços do gringo. Segurou o pênis dele. Dessa vez ele estava mais receptivo. Ela veio novamente por cima, deixou-lhe chupar os seios. Apoiava-se na borda com uma mão enquanto com a outra massageava-lhe o membro. Fez menção de colocá-lo dentro de si, ele a afastou dizendo "camisinha".

Ela saiu da banheira, enxugou-se rapidamente. Depois, oferecendo a mão, ajudou-lhe a sair e começou a enxugar-lhe o corpo. Ajoelhada, enxugou-lhe também o pênis. Foram para a cama. Ele, dessa vez, mudou o noticiário para um filme pornô. Duas mulheres transavam com um homem. Na cama, Renata fazia-lhe um boquete. Gato escaldado, assim que o membro mostrou-se ereto ela colocou-lhe a camisinha. A interrupção fez com que o pênis ficasse mais flácido. Continuou o sexo oral mesmo por cima da camisinha. O gosto do preservativo com lubrificante espermicida era horrível.

Assim que ele ficou pronto, ela virou-se, ficando de quatro. Ela estava agora de frente para a televisão. Ele pôs-se de joelhos e começou a tentar penetrar-lhe por trás. Ela virou-se para ele, dizendo: "Não, não, aí não" e, apoiando-se na cabeça e numa mão, guiou o membro para o buraco certo. Feita a penetração, ela voltou a olhar para a frente. Na TV, a cena terminava com o típico orgasmo masculino. Pelo espelho do lado, viu que Axel olhava a cena, atento. Pensou em dar-lhe esse tipo de orgasmo, pelo jeito dele seria a sua primeira vez, mas antes que pudesse completar o pensamento, Axel deu um gemido e minutos depois o pênis flácido saía de dentro dela.

Menos de uma hora depois, ele estacionava o carro na garagem do apart-hotel. A noite tinha sido ótima. Talvez um "quê" de desapontamento por a negra ter um corpo tão mais avantajado e isso não ter se traduzido em muito mais prazer. Imaginava um gráfico, em que a proporção do corpo, desde que firme e musculoso, fosse diretamente proporcional a sensações prazerosas. Mas não estava de todo desapontado, afinal havia tido dois orgasmos maravilhosos com ela. Tinha pegado seu telefone. Seria fácil tê--la novamente, se quisesse. Talvez conseguisse, da segunda vez, penetrar-lhe atrás. Seria bom para fins de comparação. Se desejasse, conseguiria.

Seus pensamentos se voltavam agora para a cena da televisão. Duas mulheres. Um homem. Duas mulheres e ele. Seria fácil também. Bastava querer. Estava absorto em seus devaneios quando subia o elevador indo da garagem para o seu apartamento. O elevador parou na recepção, a porta se abriu e um mensageiro entregou-lhe um pequeno pacote: "A srta. Patrícia deixou isso aqui, pediu para entregar ao senhor". "Raios. Ela agora está me perseguindo. Ela nunca vem aqui na quinta."

Entrou no apartamento, deixou as chaves na pequena parede à meia-altura que dividia a sala de estar da diminuta cozinha. Sentou-se, ligou a televisão. Estava cansado. Desligou a TV. Pensou em dormir. "Ah, o pacote." Abriu-o. Dentro dele havia coisas que pareciam ser dois termômetros. Ambos os "termômetros" eram parecidos, mas não exatamente iguais. Eram feitos de um plástico branco e tinham dois visores. No visor menor, havia uma faixa rosa em um, no outro, vermelha. No visor maior, em ambos havia duas faixas respectivamente rosa e vermelha. Junto dele, estava um pequeno cartão: "Amor, parabéns. Não consegui esperar para te dar essa boa notícia. Você vai ser pai".

Axel olhava o cartão, os pequenos termômetros. Já não pensava mais na negra grandona. Já tinha esquecido dela. Agora ele pensava nas duas mulheres do filme do motel. Os tais "termômetros" não iriam impedi-lo de continuar sua trajetória de descobrimento do Brasil.

No dia seguinte, Patrícia chorava. Soluçava. Dizia "Não, não, não, como pode ser possível?". Sua maquiagem estava toda borrada. Axel tinha consultado, durante o dia, um grande dicionário que achara. Para se assegurar da notícia. Para não fazer confusão. Como não tinha certeza do que se tratava, resolveu pedir o auxílio do Pachecão. Ele tinha os contatos.

— Axel, meu amigo, fica tranquilo. Isso já aconteceu antes com um outro colega, é coisa fácil. Não se preocupe.

Bastava seguir as instruções que Pachecão escreveu em um pedaço de papel. Se precisasse, ele poderia telefonar e marcar tudo. Jogado ao lado dele, estava outro pedaço de papel em que Axel havia escrito a lápis: "vasectomia, novembro 1987". Ao lado, o recibo do médico e o exame de contagem de espermatozoides. Axel explicou que havia feito a cirurgia antes de vir para o Brasil.

Que não queria crianças: detestava crianças. Falava e tinha uma pequena tesoura que usava para reforçar a mensagem de que tinha feito um corte na área dos testículos. Mostrou o exame, "Não mais *espermatozos*", dizia. O exame comprovava isso. Ele não era capaz de produzir filhos.

A cabeça de Patrícia girava a mil por hora. "Como isso pode ser?" Vieram-lhe à mente os três encontros que tivera, no mês passado, com o vizinho de porta. O marido da Anália, do 303. Era um coroa gostoso. Alto e louro. Sempre deu bola pra ela. Quando viu que Axel começava a lhe escorregar pelos dedos, começou a notar o quanto o marido da vizinha era parecido com o gringo. Não fisicamente idênticos, mas tinham os mesmos traços. A cor dos olhos era parecida, a cor da pele. O cabelo do vizinho era mais espetado, mas a cor era semelhante.

Patrícia era muito morena, bem mais escura que Axel. Impossível prever como o bebê sairia. Um dia, ficou de olho esperando o coroa sair para o trabalho. Encontraram-se no elevador. Ela perguntou se ele podia lhe dar uma carona. Ele foi pego de surpresa, retrucou:

— Bem, eu tenho tanta coisa pra fazer hoje, depende de onde você está indo.

Ela disse que iria para os lados da Pampulha. "Coincidência total", uma vez que ele trabalhava na Usiminas.

Não haviam chegado ao centro da cidade e ela já havia lhe dito que sempre o achara muito *sexy*, enquanto colocava a mão na perna dele. Ele entrou com o carro no *campus* da UFMG. No estacionamento, ela se deixou beijar e sentiu as mãos do homem percorrendo todo o seu corpo. Ele sabia tocar. Não era como Axel. Ele tomava a iniciativa. Estava farta de ter de fazer tudo sozinha. Quase se entregou ali, no estacionamento mesmo. Mas um guarda chegou e bateu no vidro. Compuseram-se, deram um risinho sem graça. Ele tinha de ir trabalhar, mas saiu do trabalho logo depois do almoço e fez com que ela se sentisse de novo mulher. Dominada. Possuída. Ele não pedia, fazia. Tomou-a como bem quis. Como um verdadeiro macho. Só não o deixou gozar em sua boca. Disse para ele: "Não se preocupe, tomo pílula. Quero sentir você bem fundo, gozando dentro de mim. Outro dia, prometo. Mas hoje quero você dentro. Faz muito tempo que um homem macho igual a você não goza dentro de mim. Me preencha, meu homem. Me encha". O que era para ser uma vez só se repetiu três vezes. Ela dava-lhe tudo, mas sempre cuidava para o gozo ser dentro. O outro orgasmo ficava na promessa da "próxima vez". Ela raciocinava que assim melhorava suas chances de engravidar. O que realmente aconteceu. Ela engravidou. De quem, não sabia. Quer dizer, agora sabia.

"Como eu poderia prever que Axel tivesse feito uma vasectomia? O jeito agora é chorar, chorar. Talvez ele fique em dúvida." E chorava, copiosamente.

Mas Axel não tinha qualquer dúvida. De fato, era o semblante da certeza, da determinação. Na segunda-feira ele a acompanhou ao hospital para fazer o ultrassom que confirmou a gravidez. A enfermeira os parabenizou efusivamente pelo bebê, ficando um pouco sem jeito com a reação fria dos dois. Decerto era devido ao pai, que não entendia direito o português. O choro contínuo da moça talvez fosse de felicidade.

No dia seguinte, às 14 horas, Axel deixou-a na porta de uma casa no bairro Barroca. Nas mãos ela levava um envelope contendo R$ 5 mil em dinheiro vivo. O muro era alto, não era possível ver dentro da casa. Ele ficou ali, do lado de fora, esperando dentro do carro. Uma hora depois, Patrícia saiu da casa. Estava cambaleante. Lívida. Usava um absorvente íntimo do tipo usado depois de um parto. Na mão, uma lista de remédios, sem assinatura de médico. Não era problema comprar remédios sem receita médica. No caminho, Axel parou na Drogaria Araújo e comprou tudo da lista. Foram para o hotel dele. Ela ficou lá duas noites. Na terça, ele a auxiliou o resto do dia. Não trabalhou. Na quarta, saiu às 7 horas e voltou às 18. Na manhã de quinta, ela já estava bem mais forte. Ele a levou para casa. Despediu-se. Disse que ligaria à noite. Não ligou.

Não atendeu às inúmeras ligações dela no telefone do hotel. Deu ordem na portaria para que não a deixassem subir, caso ela aparecesse. Ligou para o Berlitz e disse que iria parar as aulas por um mês. Quando voltasse, queria estudar nas terças, quintas e sábados. Patrícia ligou para o trabalho dele, a secretária sempre dizia que estava ocupado. Tentou o ramal direto, mas também só dava ocupado. Ele tivera o cuidado de trocar o número, dando a desculpa de que devia haver algum problema com a extensão 437. Exigiu uma extensão nova, e foi trocado para o ramal 532.

Depois desse susto, passou a ser mais cuidadoso com seus encontros sexuais. Andava com pacotes de camisinha no porta-luvas do carro, tinha vários outros no hotel. Nunca havia feito vasectomia. Antes de viajar para o Brasil, como é de praxe nesses casos, tinha se submetido a um exame físico completo. O recibo, escrito em alemão, com data de novembro de 1987, era referente a um eletrocardiograma que fizera e tinha guardado o recibo para reembolso. O segurara também para futura referência, resultados de exames como, por exemplo, de urina para detecção de diabetes que mostrava a contagem de vários itens. O mais visível deles era o percentual de 0% de açúcar no sangue. Como todos os outros, estava escrito em alemão.

Já era julho quando, subindo a pé a Avenida Cristóvão Colombo em direção à Praça da Liberdade, Axel descobriu que a praticamente dois quarteirões da sua casa havia um inferninho chamado Skorpius — uma dessas boates de *strip-tease* e garotas de programa. Em Belo Horizonte, havia casas mais conceituadas. Logo depois que largou Patrícia ele foi a uma delas, a New Sagitarius. Ficou lá algumas horas, gastou uma fortuna. Pegou uma garota. Linda. Loura. Poderia ser sueca. Achou fraco o programa. Ela era nova e bonita, mas Axel achava que lhe faltava o gingado. Colocou na ponta do lápis e resolveu que não valia a pena gastar tanto dinheiro.

Descobriu as boates finas de Belo Horizonte. L'Apogée era a mais famosa. Passou a ir lá nas quintas e sábados. Gastava o dinheiro bebendo, oferecendo bebidas às garotas. Sempre aparecia uma que ele levava para o hotel sem precisar pagar. Apenas usando seu charme de gringo. Afinal, era o único. Quase um ET. Na maior parte, achava as garotas do L'Apogée insossas. Não se esforçavam para agradá-lo. Pareciam querer que ele fizesse força para satisfazê-las na cama. Foi quando resolveu ir à Skorpius. Era barato. A consumação, as bebidas. As mulheres. Tudo barato. O sonho de ter duas fêmeas foi realizado logo na primeira vez em que foi à boate. Um dia, chegou a levar quatro garotas para a suíte do hotel. No dia seguinte, o gerente, com muito tato e discernimento, pediu-lhe para ser um pouco mais discreto. Pegava mal para o hotel. Ele concordou plenamente, sem revelar ao gerente que naquela noite elas haviam roubado dois relógios e duzentos e cinquenta dólares dele.

Desde então, toda vez que ia à Skorpius e saía com mais de uma garota ele as levava para os motéis da BR-040. Foi em uma dessas saídas, no motel *Playboy* com três garotas, que uma delas lhe ofereceu cocaína. Ele topou. Nessa noite, pela primeira vez, dominou. Foi macho. Gostou.

SETEMBRO DE 1988

Radicalmente sóbrio

O SEGUNDO SEMESTRE DAQUELE ano foi mais árido que a caatinga nordestina. Muito trabalho. Pouco tempo livre. As saídas com Bob e Ruth passaram a ser a sua diversão mais regular. Iam a bons restaurantes, tomavam muita cerveja mexicana Sol com direito a limão e sal no gargalo. "Para viver bem no Texas, o cara tem que gostar de comida mexicana. Se não, passa apertado. É mais ou menos igual o sujeito que no Brasil não gosta de arroz e feijão. Vive-se, mas gostando é melhor."

Pelo menos no que dizia respeito à comida estava tudo bem, já que Marcos se tornara fã do Tex-Mex. Pensava até em abrir um restaurante quando retornasse a Belo Horizonte. Faltava muito tempo ainda, mas nos momentos mais solitários ele se via pensando no retorno. No meio de julho as alemãs foram embora, então era um período de seca. De tempos em tempos aparecia algum passatempo. Como, por exemplo, a enfermeira.

Com dezenove anos ele ainda não podia beber legalmente. Nem comprar em supermercado. Sempre lhe pediam a identidade na entrada dos clubes e não ganhava o carimbo no pulso que o permitiria comprar bebidas alcoólicas. "Incrível como tudo fica mais devagar e menos engraçado quando se é 'o único' sóbrio numa festa com 200, 300 outras pessoas." Já ela devia ter uns trinta e cinco. Conheceram-se nos tais bares de caubóis daquela área de Houston. Um que havia aberto recentemente, maior, mais arejado e com uma clientela de faixa etária mais nova e poder aquisitivo mais alto. O traje típico era *jeans*, camisa de flanela, chapelão, gravatinha de cordão de couro, botas e cinto de fivelona prateada enorme. Dançavam o típico um-dois, um-dois estilo "velho oeste", exceto quando tudo parava e faziam o tal do *line dance*. No *line dance* era cada um por si. Todos se enfileiravam e seguiam a coreografia de um único líder. Algo como uma aula de ginástica aeróbica.

— Quem tá na chuva é para se molhar — disse Marcos.

Comprou uma gravata de cordão de couro trançado preto, com o prendedor metálico enfeitado por uma pedra azul. Mas parou por aí. Não aderiu ao resto. Também nunca logrou aprender a dançar. Porém, aparentemente, o detalhe da gravata foi suficiente ou deu sorte, porque depois de uma longa abstinência, ele saiu do bar com a tal enfermeira. Ela tinha os cabelos pretos, mas obviamente eram tingidos conforme ele constatou menos de uma hora mais tarde. Na realidade, ela era loura. Tinha as pernas grossas, dois troncos plantando-a firmemente no chão. Tinha filhos ou filhas, era divorciada. Quer dizer, ele *achava* que ela era divorciada. *Imaginava* que tinha filhos. Passaram a se encontrar com frequência, mas raramente fora de quatro paredes. Ela, obviamente, não queria que outros a vissem com aquele garoto. Ele também não estava muito interessado em levar a coisa além. Ficaram nessa uns dois meses.

Às vezes, a enfermeira sumia por um tempo. Depois voltava com força total. Até que ela anunciou:

— Tá ficando tudo muito perigoso. Dia desses você saiu lá de casa e meu marido quase te pegou. Ele trabalha num rancho e voltou sem avisar. Foi a conta de você dobrar a esquina e ele chegou. Pior que ele é do tipo violento.

Marcos sentiu um grande alívio. Se a sorte havia lhe sorrido uma vez, era melhor não abusar. Sabia que, no Texas, todo mundo tinha arma em casa. E se o cara era violento, significava, em outras palavras, que provavelmente possuía mais de uma. Ou que talvez matasse à faca, para doer mais.

Saiu da casa para nunca mais voltar. Não ia morrer por causa de uma enfermeira. Nunca mais voltou mesmo. Ela ainda ligou algumas vezes quando estava certa de que não haveria problemas. E, como a carne era fraca — e ele prometera a si mesmo que não voltaria — o recurso foi encontrá-la na casa de Bob. Fazer o quê? Ela não tinha frescuras, gostava de todo jeito e sempre estava pronta para uma.

"Vai ver o marido dela é um caubói másculo, mas brocha. Isso acontece." Mas a ideia de estar dividindo-a com um caubói provavelmente bigodudo começou a trazer-lhe certa repugnância. Ao final, não queria chupá-la, nem beijá-la na boca. Pensava no caubói bigodudo. Quando isso acontecia, fazia questão de gozar na boca dela. "Essa é pra você, caubói filho da puta."

E ainda teve a Carmen. Carmen era uma mexicana que, como ele, também trabalhava na universidade. Também morava pros lados dele. O México era o Brasil cafona. Brega. O brega brasileiro, turbinado. Santo na parede, lâmpada vermelha e verde piscando, pinguim na geladeira, bandeirola de festa junina o ano todo, *mariachi* de chapelão imenso cantando aquelas chatérrimas músicas tradicionais.

No desespero, começou a investir em Carmen. Ela podia ser brasileira. Era alta, magra. Cabelos pretos. Olhos enormes. Tristes. Ela tinha os olhos mais tristes que já vira. Exalavam uma nostalgia daquelas... Talvez fosse triste por ser mexicana. Os mexicanos eram, até aquela época, discriminados no Texas. Eram chamados de "costas-molhadas" pelos "americanos legítimos". Uma referência a eles terem chegado ao Texas a nado. Hoje em dia, a situação é muito diferente. O Texas atual é um estado bilíngue. Os cidadãos de origem mexicana são atualmente um dos grupos com maior poder político no Texas. Por causa disso, é inconcebível um governador do Texas que não fale fluentemente espanhol. Mas, na época, eles ainda desconheciam seu poder político. Eram cidadãos de segunda categoria.

Marcos e Carmen. Um dia ele a beijou. Dentro do carro dela. Um carro velho, quatro portas. Como um senhor velho, já havia sido bonito um dia, mas agora estava nas últimas. Foram para um parque. Pararam no estacionamento que estava deserto, pois já passava das 20 horas. Ele a beijou calorosamente. Sentiu ela se esquentar. Mas ele não pôde ir além. Qualquer tentativa de mão que não tivesse como destino um lugar muito neutro, como o cotovelo ou o cabelo, era severamente reprimida. Ela o chamou para uma *quinceañera*. Ele não fazia a menor ideia do que era, mas aceitou. Entendeu que era uma festinha de família. Próximo sábado. Mais beijo. Menos mão. Foram embora.

No sábado, Marcos chegou na tal festa. Calça *jeans*, camisa branca, sapato. O famoso "esporte fino". Descobriu não estar vestido à altura do evento. Radicalmente malvestido. Os mais humildes trajavam ternos. As mulheres usavam vestidos com uma flor enorme, quase um buquê de flores na altura do seio. Alguns desses arranjos continham luzes. Luzes de cores diversas. Aquilo era a encarnação física da baranguice. O local em si era pobre. Uma casa e na parte de trás, no chão batido, ficava o palco. Um grupo de *mariachi* estava a pleno vapor. O pó do chão devia sujar os vestidos e os sapatos, mas não dava para ver muito porque a iluminação era fraca.

Carmen olhou Marcos de alto a baixo com um tangível ar de desaprovação.

— Você não entendeu que era uma *quinceañera*?

— Entender eu entendi, mas não sabia que era algo tão… formal.

O *incidente* atrapalhava os planos de Carmen, que provavelmente contava com Marcos estar bem-vestido e elegante para ser apresentado à família: todos os vinte e três tios e tias, trinta e sete sobrinhas e oitenta e dois primos. Só contando os parentes mais próximos, claro.

Ela passou o resto da noite desculpando a Marcos e a si mesma: "Ele não sabia o que era uma *quinceañera*. Ele é brasileiro". Marcos descobriu tratar-se de uma festa de quinze anos. Teoricamente, a homenageada, que era vítima da tal festa, estava sendo apresentada à sociedade. A Marcos ficou mais a impressão de um casamento do que uma festa de debutante. A pobre menina estava vestida de noiva. Ou algo muito semelhante. Também entendeu que seria a primeira vez que a garota estaria usando maquiagem. Bem como a primeira vez que dançaria em público. Viu-se casando com Carmen e tendo muitos pequenos mexicanos. Carmen iria engordar uns cinquenta quilos em cada perna e ele não ficaria atrás. Comendo tortilhas no café da manhã, almoço e jantar.

Momento solene. O pai da tal moça chega com uma caixa. É um par de sapatos, de salto alto. Ela troca os sapatos, colocando os de salto. "Se é a primeira vez na vida que a garota usa salto alto, ela vai tomar o maior tombo." Não cai. Em Houston, nunca tinha visto uma garota em idade ginasial que não tivesse o rosto muito maquiado e uma imensa quantidade de *spray* no cabelo. "Provavelmente ela já usa maquiagem, já dança e já usa salto alto faz um tempão. Mas deve ser virgem. Carmen é virgem. Ela me contou. Nem precisava, eu já tinha entendido isso. Aproveitou para contar também que não pretende perder a virgindade a não ser para o marido." Uns vinte anos depois, Marcos assistiu ao filme "Babel" e praticamente voltou no tempo. A *quinceañera* que havia presenciado e o casamento do filme eram mesmo muito parecidos.

O ano chegava ao fim, Carmen continuava virgem, Marcos sem prognósticos a não ser a saída habitual com Bob e Ruth. Às vezes, dava a louca em Bob. Um dia ele chamou Marcos para conhecerem uma boate nova. Era aquela onde Marcos tinha rebocado a enfermeira. Marcos fingiu ser a primeira vez que ia lá. Eles se sentaram no bar, a dona do lugar era cliente de Bob. Ela veio, papeou e avisou para um dos dois atendentes: "Esses dois aqui podem beber à vontade, o que quiserem, por conta da casa", falou apontando para Bob e Marcos. Mesmo ele não tendo a bendita estampa no pulso. "Maravilha, é hoje." Depois de dois uísques, Bob disse:

— É hoje que nós vamos pegar duas bocetas novas.

Marcos nunca o tinha visto falar daquele jeito. Talvez algo tivesse acontecido, porque Bob parecia melancólico. Chegara um pouco diferente em casa. Algo estranho no ar. Talvez já tivesse bebido antes mesmo de eles irem à tal boate.

Bob virava um uísque atrás do outro. "Essa vida é muito ingrata mesmo, né", pensou Marcos consigo mesmo enquanto pedia uma água com gás. Não bebeu mais nada o resto da noite e autonomeou-se motorista. Bob pensou em reclamar, mas aquiesceu, ao mesmo tempo em que pedia outra dose de uísque, agora duplo. Chegaram em casa três horas depois com Bob mal parando em pé e nenhuma boceta à vista.

Carmen e Marcos. Provas finais. Resolvem estudar juntos. E na casa de Marcos. Justamente na cova do leão. Marcos vê isso como a oportunidade que esperava. Ela também está mais solta. Deixa-se beijar, Marcos sobe em cima dela na poltrona. Ela tenta escorregar, ele a coloca embaixo dele, pressiona o sexo. Mais beijo, mais pressão, ela começa a chorar. Abre a boca: "Você só quer saber de uma coisa", e por aí vai. Resolvem estudar, de verdade. Ela, de vez em quando, dá um beijo, ele prefere ficar quieto: "Melhor ficar no meu canto porque esse tesão que não leva a nada só dá desgosto". Resolveram ir comer no Taco Bell, que fica perto. Aquele mesmo fatídico, do outro lado da rua do escritório de Bob e Ruth. Fica a cerca de oito minutos da casa de Bob. Marcos é praticamente um cliente VIP do estabelecimento. Já o conhecem pelo nome, já começam a querer adivinhar o que ele vai pedir.

— Hoje serão três tacos, duas tostadas, uma *pizza* mexicana, né?

O casal-que-não-é-casal fica lá um tempão. Batendo papo furado. Ela vai embora, ele volta pra casa. Chega, e vê a secretária eletrônica piscando. Ouve a gravação. Uma mulher fala em espanhol: "Carmen, aqui é a sua mãe, ligue para mim". Bip. Outra mensagem. A mesma mulher fala de novo em espanhol: "Carmen, por favor, estamos preocupados, ligue para mim". Bip. Outra mensagem. A mesma mulher agora já chorando e outras vozes ao fundo: "Carmen, Carmencita, cadê você, querida, estamos tão preocupados, por favor, nos telefone". Bip. Outra mensagem. Agora é um homem. Marcos não entende o que ele fala. Fala em espanhol rápido. O tom é ríspido. Não entende nada. É a última mensagem.

Apagou todas, deixou apenas a última. Marcos pondera. Ouve a mensagem de novo. "Será que ele falou: 'vou te matar seu filho da puta?'" Lembrou-se do desenho do Frajola e Piu-piu quando Piu-piu dizia: "Eu acho que eu vi um gatinho". Voltou a fita. "É, tem alguém falando que vai matar alguém mesmo."

Por via das dúvidas, ficou em casa o resto do dia. E do domingo também. Manteve as portas trancadas. Era a segunda vez em menos de três meses que alguém, de alguma forma, pensava ou tinha motivos para matá-lo. Como se montar em cima de uma mulher virgem fosse motivo para acabar com a vida de alguém. Talvez fosse. Na segunda-feira, na universidade, perguntou para Carmen:

— Que raios foi aquilo?

Ela respondeu calmamente, rindo:

— É, como eu demorei a telefonar ou chegar em casa o pessoal ficou preocupado. Eu cheguei justamente na hora em que meus primos estavam entrando na caminhonete para irem conversar com você. Eles estavam muito preocupados, você sabe como é.

— Não, não sei como é. Então seus primos viriam conversar comigo?

— É. Ainda mais que eles não foram com a sua cara na *quinceañera*. Te acharam muito desrespeitoso, ainda mais que nem tava usando um paletó. Se te pegassem, iam te arrebentar.

Marcos até aceitava tomar um tiro de um caubói bigodudo ultrajado, agora levar pau de uma turma de mexicanos por causa da prima virgem com a qual ele não tinha feito nada era demais. Choque cultural total. Recusou polidamente qualquer outro convite de Carmen. Ela chamou-o para passar o Natal com a família dela. Marcos perguntou-se: "vou ser o peru?".

Passou o Natal com Bob, Ruth e as respectivas filhas. Bob e Ruth, cada um deles, tinha duas filhas dos respectivos casamentos anteriores. Foram os sete a um restaurante mexicano muito fino. Logo após, Missa do Galo à meia-noite. Porém, no restaurante, Marcos havia tomado quatro margaritas, duas cervejas e um pouco de vinho e, no meio da missa, o crucifixo começou a rodar e ele se perguntou se Deus estava descendo à terra ou se ele, Marcos, estava subindo aos céus. Subindo também estava o peixe ao molho chipote. Por muito pouco não "chamou o juca" ali mesmo na frente do altar. Ponderou usar uma daquelas jarras logo ali na frente em caso de emergência. Preferiu tentar uma saída estratégica.

O "juca" aconteceu logo quando entrava no banheiro, deu tempo de correr e mandar ver no vaso. Lavou a boca, o rosto. Fez novamente a humilhante caminhada de volta ao seu lugar, proeminentemente perto do altar e bem no centro da igreja. A missa era longa. Ainda devia faltar pelo menos meia hora. Pediu a Bob a chave do carro. De novo, a caminhada entre os bancos, ao longo do imenso tapete vermelho. Andava em linha reta, mas a essa altura quem podia garantir? Também, ele com dezenove anos e sem poder beber, a resistência devia ser pouca. "O sistema é que está me fodendo, se fosse no Brasil, com certeza, eu não tava dando esse vexame. A solução vai ser eu beber mais com Bob e Ruth no ano que vem", pensava, antes de adormecer dentro do carro. "1989 será melhor."

* * *

A BRUTAL DEPENDÊNCIA DA cocaína que se seguiu àquela primeira experiência foi, paradoxalmente, o que salvou Axel. Em menos de uma semana havia se tornado um dependente. Viciado com V maiúsculo. Começou a organizar orgias com as prostitutas da

Skorpius, a maioria delas também usuárias, e nem as tocava. Passava a noite cheirando pó. Chegava no trabalho *ligado*. Olhos vermelhos, roupa de três dias sem trocar. O dinheiro acabou rapidamente. Ficou desesperado. Não tinha o que vender. O carro não estava em seu nome. A conta suíça se encontrava recheada, porém havia desde o início tratado para que o salário fosse automaticamente investido em papéis de médio e longo prazo. Não tinha como resgatar os papéis, senão em um prazo mínimo de três meses.

Passou a frequentar inferninhos de quinta categoria e a procurar a droga pessoalmente nas favelas. Vendeu tudo o que podia. A rapidez da decadência foi sua salvação. Tivesse a dependência sido menos brutal, talvez ela não fosse notada tão rapidamente. Ele teria tempo de vender os papéis na Suíça, perder todo o dinheiro que tinha lá, até chegar ao fundo do poço gradualmente. Em menos de um mês, estava irreconhecível. Sorte dele.

Nessa época, a ABB era organizada no estilo matriz. Axel tinha um responsável local, Lucas Souto, que era um potencial "recebedor" do seu trabalho e também responsável pelo pagamento do seu salário e benefícios. Na verdade, a pessoa a quem Axel respondia, aquele que era o cabeça da unidade a que ele pertencia, atualmente estava alocado na Suécia.

Seu nome era Bernt Kone. Bernt nunca havia encontrado Axel pessoalmente, apenas falado com ele por telefone. Bernt era um jovem chefe da "nova" ABB e estava no lugar certo na hora certa. Formado em Administração de Empresas na Universidade de Harvard, nos Estados Unidos, sua carreira até então havia sido meteórica, catapultado ainda mais ao alto devido às constantes reorganizações. Em menos de três anos chegara à presidência da Unidade de Negócios de Produtos de Alta Potência. Uma das estrelas do seu time era justamente Gustav Axel Cotto. Bernt tinha "herdado" Gustav em uma das muitas reorganizações. A princípio, desconfiou da validade de um suíço estar na chefia de um departamento obscuro cuja finalidade era, até então, discutível. Talvez tivesse sido uma ideia maluca de um antigo chefe que agora fora realocado para a Malásia, aposentado ou perdido o emprego. Ou, quem sabe, Axel podia ser apenas um "protegido" desfrutando de "férias" no Brasil. Mas Bernt não precisou de muito tempo para entender que Axel, considerando os resultados, era um achado valioso para a ABB. O engenheiro era um verdadeiro gênio na área de transformadores: tinha ideias revolucionárias na utilização de novos materiais que reduziam as perdas, tamanho e peso dos transformadores, consequentemente aumentando a eficiência e diminuindo os custos de fabricação. Por estar sediado na cidade de Betim, contava com uma enorme equipe que lhe dava o suporte para suas experiências, literalmente "pegando no pesado".

Uma turma de engenheiros recém-formados trabalhando a preço de banana e operários praticamente a custo zero se encarregavam de "dar vida" aos protótipos imaginados por Axel. Se fossem realizar esse trabalho na Suécia, o custo e a logística necessária se encarregariam de inviabilizar a operação. Uma das invenções de Axel, inicialmente específica para o mercado brasileiro, se encontrava, inclusive, em vias de ser implementada em nível mundial. Ainda estava em fase de estudos preliminares, mas no Brasil, a substituição do ferrite puro por uma liga de ferrite-magnésio-silício havia aumentado os lucros da divisão de potência em 6%.

Axel trabalhava a pleno vapor simulando frequências e voltagens usadas em outros países quando, um belo dia, tudo mudou. Os relatórios semanais pararam de chegar. Quando chegavam, eram confusos, cópias de relatórios anteriores. Talvez Axel estivesse doente. Bernt lhe telefonou. Somente o encontrou no escritório depois da terceira tentativa, mesmo depois de haver deixado recados com a secretária que queria ser contatado urgentemente. No dia seguinte, um tal de Lucas Souto, um chefe desconhecido da unidade em Betim, mas que era o "hospedeiro" de

Axel, lhe telefonou. Foi direto em lhe colocar a par da situação de Axel. Normalmente, em caso de dependência de drogas a empresa mantinha uma política de amparar o funcionário. Dar-lhe uma licença remunerada para tratamento, mas não ia muito além disso. Bernt era um homem de negócios. Aquilo era, mais do que um drama pessoal do empregado, uma perda econômica para a empresa. E também uma perda pessoal para ele, Bernt, já que os 6% de aumento na margem de lucro no Brasil, se replicado no mundo todo, representava o potencial de milhões de dólares e talvez seu passaporte para a vice-presidência da ABB.

Não havia tempo a perder. No mesmo dia, os pais de Axel assinaram um documento dando seu consentimento à repatriação forçada, se necessário fosse, do filho. Não foi necessário usar força. Na tarde do dia seguinte, o Learjet fretado da Líder Táxi Aéreo, com uma completa unidade médica, partia do Aeroporto da Pampulha com destino a Genebra. Axel havia sido encontrado inconsciente no seu quarto de hotel e levado de ambulância para o Hospital Felício Roxo. Aparentemente se envenenara ao aspirar aquilo que supunha ser cocaína, mas que, na verdade, era apenas uma mistura tóxica. Comprara de um fornecedor desconhecido, que lhe ofereceu a coca baratinho. Os médicos conseguiram estabilizá-lo o suficiente para a viagem. Os empregados do hotel se encarregaram de, posteriormente, enviar-lhe todos os pertences.

A clínica na qual foi internado ficava em meio às montanhas dos alpes suíços. Um lugar realmente paradisíaco. No inverno tinha a Chamonix, a badalada estação de esqui, que ficava a poucos quilômetros. Mas, em meados de setembro, não havia neve a não ser no alto dos picos. O que possibilitava longas caminhadas.

Era uma clínica exclusiva. Uma das mais caras do mundo. Se fosse um hotel convencional, provavelmente teriam fotos das personalidades já tratadas por lá. Nesse caso, mais da metade da elite do *jet set* internacional teria seu retrato exibido nas paredes. Era o local ideal para aqueles famosos que, de repente, sumiam do mapa para reaparecerem, um ou dois meses depois, contando que estavam em um *spa* para relaxarem longe dos holofotes e das câmeras de TV. Uma das cláusulas mais importantes do termo de internação assinado tanto por Axel quanto pelos pais e também pela ABB referia-se à discrição. Era terminantemente proibido relatar e dar entrevistas sobre o tratamento, e ainda mais sobre os colegas pacientes, como sua vizinha do quarto ao lado, na época a maior personalidade da TV no Brasil ou a cantora americana famosa mundialmente, ou o japonês quietinho, na verdade um dos titãs da indústria do entretenimento.

Axel não lutou contra o tratamento. Queria ser ajudado. Sabia que chegara ao fundo do poço. Tinha aulas de ioga, conversas diárias individuais com um psiquiatra, terapia de grupo. Tentava se conhecer melhor como pessoa. Meditava. Avaliou os erros e acertos da sua existência até então. Fez a trilha sonora da sua vida, um exercício terapêutico. Homem da matemática e das ciências exatas, por conta própria desenhou um grande diagrama esquemático resumindo seu tempo no Brasil. Tinha plena consciência de que havia sido o melhor período que já vivera. Não tinha nem sombra de dúvida de que queria voltar. Voltaria, mesmo que fosse por conta própria. Mas o ideal seria continuar curtindo a vida boa de expatriado, as regalias, o dinheiro farto. Gostava do trabalho, achava desafiante. Tinha carta branca dentro das suas pesquisas, gostava de chefiar o departamento, ser o maioral. Na ABB como um todo, era apenas mais um dos chamados *experts*. Fazia parte de uma casta, uma elite, mas era um entre, talvez, trinta. Um número, uma cifra. No Brasil era o único. Não só na empresa, mas sentia o mesmo em Belo Horizonte. O gringo. Nunca havia sido especial na vida. Sentia-se como um *superstar*. Ao mesmo tempo, tinha consciência dos perigos. Entendeu que a ABB estava investindo uma fortuna no tratamento dele porque queria ter um retorno. Não lhe dariam uma nova chance. Se voltasse ao Brasil, corria o risco de a história se repetir, dessa vez em ritmo acelerado. Talvez conseguisse controlar o apelo das drogas, mas sentia que dificilmente se conteria diante das mulheres fáceis, das mulatas com promessa de sexo extasiante. Deitado, à noite, frequentemente dedicava-se ao prazer solitário com lembranças dele deitado e um sem-número de garotas suando os corpos para fazer-lhe gozar a última gota da noite. Adormecia enquanto procurava decifrar a equação matemática que lhe possibilitaria conciliar tudo. As mulheres, o trabalho, o apelo das drogas: enfim, a vida no Brasil. "Está mais fácil encontrar a nova composição para o núcleo dos transformadores do que essa solução", pensava.

O mês que passou na clínica acabou. Estava livre de todas as suas dependências físicas e psicológicas, pelo menos em teoria. Visitou os pais por uma semana em Genebra. Britt, a mãe, e Justin, o pai, ficaram quase boquiabertos ao verem o filho. Imaginavam que ele estivesse gordo, mais velho, acabado. Ainda mais depois que ouviram que tinha ficado dependente. Qual não foi a surpresa deles quando encontraram um Axel em sua melhor forma física, bem disposto, falante. Parecia até mais jovem. Contando histórias sobre um país tropical.

Pela primeira vez, depois que Axel entrou na vida adulta, ouviram o filho contar uma piada. Contava como adorava o Brasil, como sua vida lá era boa. Que deveriam visitá-lo, apesar de saber que os pais nunca iriam. Sentiam-se velhos demais para uma viagem tão longa. Axel era, sem dúvida, uma outra pessoa, feliz, sorridente. Alegre. Ele nunca havia sido assim antes. Agora poderia ser definido como uma pessoa *pra cima*.

Discretamente, os pais não tiveram como não lamentar a ausência do tão sonhado herdeiro. Sentiram também uma ponta de preocupação porque entenderam que a vida que o filho levava talvez fosse boa demais. Desregrada. Perguntaram-lhe quanto tempo ele pretendia continuar a morar em um hotel. Não conheciam ninguém, nunca nem haviam ouvido falar de alguém que morasse em um hotel.

— A pessoa tem de ter uma casa, constituir uma família, Axel. A vida não é só festa. Você não está construindo nada, trabalha para a empresa, mas em breve estará como nós. O que fará quando estiver velho e não tiver nem família nem amigos de verdade por perto?

Axel entendia a crítica.

— Mãe, não amo ninguém, não é minha culpa. Se encontrasse a mulher certa, eu toparia isso tudo aí. Mas ainda não encontrei, fazer o quê? Colocar um anúncio no jornal? — Assim que falou isso, imediatamente pensou que até não seria uma má ideia.

Em meados de outubro de 1988, Axel passou a trabalhar no quartel-general da empresa em Västerås, Suécia. Västerås lembra a cidade de Ipatinga, no Brasil. A sede da Usiminas. Como Ipatinga, a vida gira em torno da ABB. As festas, os eventos, a economia. Se a empresa vai bem, a cidade floresce. Fica bonita, bem tratada. Se a empresa tem um ano ruim, o bônus é pequeno, a cidade decai. A vida noturna de Västerås é fraca. É uma das cidades com o menor percentual de pessoas adultas solteiras da Suécia. Para os novos padrões de Axel, a vida noturna estava abaixo de zero. Concentrava-se no trabalho. Sentia que o chefe dele, o tal Bernt, mantinha-o sob observação. Na prática, dava-lhe projetos curtos apenas para mantê-lo ocupado.

O tal Bernt era um cara novo, trinta e cinco anos, no máximo. Andava sempre alinhado, bonito, terno impecável, sapatos caros reluzentes. Axel via-o tarde da noite, de pé no seu escritório, recitando apresentações. Por causa de um desses pequenos projetos, uma vez Axel participou de uma reunião da mais alta cúpula da ABB. Geralmente, só os presidentes das unidades de negócios marcavam presença, mas Bernt queria aproveitar a oportunidade para falar dos progressos que estavam fazendo na unidade de alta potência, esta chefiada por Axel. Na verdade, queria se promover, mas oficialmente tratava-se de disseminar o conhecimento. Axel treinou exaustivamente para essa apresentação. Não decepcionou. Fez bonito.

Os pequenos projetos que recebia eram esforços pontuais. Conferências internas. Bernt usava-o para, com sua experiência, acelerar projetos. Projetos estes que começavam a emperrar, cuja produtividade havia caído, que não progrediam. Em paralelo, solicitara um plano, detalhado, para a Unidade de Betim. As ideias que Axel queria investigar nos próximos três anos. O potencial econômico de cada uma. Axel entendia que, se quisesse voltar ao Brasil, teria de suar a camisa. E assim o fez. Trabalhava noite e dia. À noite, preparava o tal plano, a sua visão para a unidade no Brasil. Aquele que seria o seu passaporte de volta. Durante o dia, mostrava sua competência.

Geralmente, as conferências duravam uma semana. Uma empresa organizava o evento que sempre se dava em locais fora do escritório. Hotéis, teatros, barcos de cruzeiro navegando entre a Suécia e a Finlândia, ou a Estônia. Essa empresa tomava conta dos detalhes. Organizava o almoço, a pausa do café, o lanche. Eram sempre mulheres. Mulheres suecas. Eficientes. Mantinham a ordem, cuidavam para que a sala tivesse o número adequado de cadeiras, checavam se o projetor funcionava, se havia balas de menta para serem servidas após o almoço. Enfim, todos os detalhes práticos. Estavam lá para isso: agir com eficiência para que os participantes pudessem se concentrar em sua reunião. Já Axel estava ali para ser o "advogado do diabo". E, também, um grande gerador de ideias. Como ele não fazia parte do projeto, quase sempre via coisas que as pessoas envolvidas não conseguiam enxergar: entraves técnicos ou organizacionais.

Por exemplo, notava que um chefe não conversava com o outro. Ou então que a organização carecia de competência em uma dada área. Durante os seminários, apresentava seus pontos de vista com relação aos problemas observados. Na sexta à tarde, entregava um pequeno resumo de suas recomendações a Bernt. Ao fim, os líderes do grupo o agradeciam efusivamente por ele ter funcionado como um óleo na engrenagem. Agradeciam suas ideias, a maior parte delas óbvias, ou as perguntas cujas respostas faziam-nos pensar de uma forma diferente. O que Axel não sabia era que, na maioria das vezes, Bernt recebia *e-mails* com elogios por ter tido a criatividade de acrescentar um participante tão valioso. Bernt até começava a considerar manter o arranjo de forma permanente, já que os resultados de produtividade nos grupos que Axel mediara eram tão positivos.

Tudo isso mudou no final de novembro.

No dia marcado, Axel se encontrou com Bernt para discutirem o futuro. Bernt pensava em oferecer-lhe uma posição fixa como seu "assessor técnico". No fundo, porém, sabia que isso era um desperdício. Mas algo lhe dizia que o Brasil e Axel não combinavam. Ou melhor, que combinavam demais. Ele já tinha estado no Brasil. Já tinha visitado Betim, conhecia Belo Horizonte, a Savassi.

Gostava de ver Axel ali na Suécia, trabalhando à noite no escritório, dedicado, em uma cidade praticamente livre de tentações. Bernt entendeu que talvez fosse melhor deixar de lado o sonho do acréscimo de 6% no lucro em escala mundial e se contentar com o aumento de produtividade. Não se surpreendeu quando Axel entregou-lhe uma pasta com um material de altíssima qualidade. Planilhas, gráficos, tendências mundiais, projeções. Pelo menos dez projetos, priorizados com base nas necessidades atuais. Suficiente para mantê-lo ocupado pelos próximos não três, mas dez anos. Não lhe escapou que todos os planos exigiam uma grande equipe de apoio, do nível que existia em Betim. Era óbvio que os projetos haviam sido filtrados baseados nesse quesito.

Estudava o material, pensativo. Axel quebrou o silêncio:

— Bernt, você sabe que tive problemas em Belo Horizonte. Não é segredo. Mas estou pronto para voltar. Sei que o que faço aqui tem um grande valor, mas convenhamos que não é nem uma fração do que posso atingir em Betim. Por exemplo, o projeto número um da pasta é o da nova liga. Quando retornei, faltavam, no máximo, três meses para ter as conclusões definitivas. Os resultados preliminares estão na página oito. São extremamente promissores.

"Não posso garantir, você sabe, mas se tudo correr conforme penso, a partir do meio do ano que vem já poderemos ter toda a linha dos transformadores E47 na nova liga. O resultado sairá ainda no ano fiscal de 1989. Te dou minha palavra que, se você mantiver minhas prerrogativas de trabalho da forma como eram antigamente para eu tocar isso, no máximo em fevereiro do ano que vem já te dou o sim ou não da coisa, a tempo ainda de você colocar isso no seu orçamento do ano. No mínimo, você irá surpreender nosso presidente."

Tanto Axel quanto Bernt sabiam o que estava acontecendo. Axel tentava argumentar sua expatriação usando a lógica da performance econômica, mas também apelando para o ego de Bernt. Bernt sabia disso. Axel sabia que Bernt não era idiota, que ele entendia isso. "Mesmo assim, nunca é uma má ideia assegurar ao seu chefe que se ele tomar uma decisão qualquer, ela será positiva para a carreira dele", pensava Axel.

Não havendo muito mais para falar ali naquele momento, mutuamente consideraram a reunião por encerrada. Bernt disse que precisaria de um tempo para digerir todas as informações e marcou uma nova reunião para a próxima semana. Enquanto eles juntavam os papéis, Axel comentou:

— Bem, um detalhe diferente é que não estou planejando ir sozinho. Provavelmente vou precisar morar em uma casa, e não mais no hotel. Vou com a minha namorada, Ingrid. Ela está muito curiosa para conhecer o Brasil. Mas isso é um pormenor a ser comentado com o departamento de pessoal. Porém, acho importante você saber.

Bernt estava surpreso.

— Que coisa boa, hein? Só espero que isso não vá afetar sua produtividade, né? — riu: — Quando isso aconteceu? Como você achou uma mulher solteira aqui em Västerås?

— Eu a conheci durante o seminário do projeto "Lente Azul". Faz um mês. Ela não é de Västerås, é de Estocolmo.

— Lembro bem do projeto. Aliás, estão quase conseguindo retomar o cronograma. Mas e aí, com um mês de namoro ela já topa ir para o Brasil?

— Bem, ela vai pedir licença do trabalho. Já discutimos isso. Ela quer tentar, estamos indo bem e seria uma aventura também. Ela não tem nada a perder, não é? Se não der certo, ela volta e continua no emprego.

— Meus parabéns para você. E a ela também. Nos falamos, então, na semana que vem.

Ao apagar a luz da sala, Bernt já havia decidido pela viagem de Axel. Sabia que o que ele precisava era de uma companheira. Alguém que fosse eficiente, que colocasse ele nos eixos. Chegou ao seu escritório, fechou a porta cuidadosamente, e ligou para Karen.

— BMG Eventos e Produções, boa tarde — respondeu a telefonista.

— Aqui é Bernt Kone, da ABB, gostaria de falar com Karen Stern.

— Um momento.

Uma voz feminina atendeu do outro lado. Falava baixo. Perguntou:

— Bernt?

— Olá!

Assegurada a identidade, ela disse:

— Oi, tesão. Espero que esteja me ligando para confirmar hoje à noite. Não aguento mais de saudade... deste seu pau.

— Mmmm. É bom quando você me atende desse jeito. Sim, hoje à noite. 19 horas no seu apartamento. Estarei lá sem falta e levarei aquele vinho que você gosta.

— Nossa, quero tomá-lo de uma forma diferente hoje — disse, com a voz lânguida.

Ele gemeu: "Mmmmm".

Ela mudou o tom de voz para falsamente agressivo:

— Agora eu quero saber o que é que o senhor vai me dar para compensar o problema que vou ter para substituir a Ingrid. Ela me disse hoje cedo que provavelmente irá pedir licença em breve. Que está namorando o seu menino aí que você anda vigiando. Você acredita que já tinha praticamente acabado o meu estoque de garotas solteiras? Já não conseguia mais achar nenhuma pra esse teu *arranjo*. Cada semana uma, tem dó!

"Pior que eles já tinham se engatado faz um tempo, deviam estar trepando igual a dois coelhos e você aí, me enchendo o saco todo dia para arrumar secretárias solteiras. E ele ainda pegou a mais eficiente. A Ingrid é minha melhor funcionária, passo os pepinos todos pra ela. E, sem dúvida, a mais bonita, neguinho ia em conferência só pra vê-la. Você me fodeu nessa, vai fazer o que para compensar isso?

— Bem, posso começar te dando mais um pepino hoje à noite. Um bem grande e grosso, que vou colocar bem fundo.

— Ai, não fala assim que já fico toda molhada. É promessa ou é propaganda enganosa?

— Muito fundo. Muito. É promessa! — diz ele, passando a mão no membro que começava a ficar duro por baixo da mesa.

— Vou cobrar, mas primeiro quero ele na minha boca. Opa, tenho de ir, chegou gente aqui. Tchau, até a noite e vou cobrar! — E desligou sem dar tempo de Bernt responder.

Bernt reclinou-se na cadeira. Sorriu. Axel podia ser brilhante em eletromagnetismo, mas ele era mais esperto. Bem mais esperto.

AGOSTO DE 1989

A verdade nem sempre liberta

Para Marcos, a vida prosseguia no seu usual ritmo de muito estudo e poucas garotas de curta duração. A maior mudança do ano aconteceu logo após as férias de julho. Um tal de Rick Stone anunciou sua intenção de candidatar-se pelo mesmo partido democrata à vaga de Bob como representante do estado. Fez isso publicando um artigo no *Houston Chronicle*, no qual fez também alusão ao fato de Bob ser apoiado pelo que ele chamou de "organizações de cunho duvidoso baseadas em Montrose". Como Montrose era o epicentro homossexual de Houston, Bob entendeu aquilo como um aviso. Uma vez que a partir do meio do ano Bob passaria a maior parte do tempo em Houston organizando a campanha para a reeleição, a função de "caseiro" de Marcos perderia o sentido.

Com vistas ao artigo e às articulações do tal Rick, Bob achou por bem prevenir um possível golpe baixo. Marcos foi, então, gentilmente "convidado a se mudar" para a casa de Ruth. Obviamente, não tinha escolha. A princípio, Marcos achou a mudança negativa, pois que perderia sua liberdade. Também achou que Ruth não gostaria muito, já que de um ponto de vista externo a situação era estranha: uma mulher de cinquenta anos morando com um rapaz de vinte cujo grau de parentesco era zero.

Mas até aquele momento Marcos ainda não havia "captado o espírito" de Ruth. Ela era uma pessoa especial. Tinha o porte e a aparência da Hillary Clinton. Era muito loura e os cabelos agora começavam a ficar mais brancos do que louros. Dirigia um Mustang 5.0 conversível, geralmente usando óculos escuros e um lenço na cabeça que lhe conferia uma aparência de "estrela de cinema que gostaria de ficar incógnita". Era extremamente direta, falava de modo pausado e claro. Uma vez, um cliente com seus noventa anos perguntara:

— Eu estou fedendo?

Ela não entendeu a pergunta. Ele voltou à carga:

— Diga-me a verdade, estou cheirando mal?

Ela disse que não.

— Na minha idade, forte e lúcido como estou, estatisticamente a maior causa de mortes é escorregar na banheira. Por isso eu economizo nos banhos.

Ruth entendeu aquilo como uma das coisas mais inteligentes que já tinha ouvido. Provavelmente ela, se chegasse àquela idade, seguiria a mesma linha.

Ao contrário do que Marcos imaginara, a vida com Ruth se mostrava até mais interessante. Ruth acordava tarde, depois das 10. Sempre voltava bem tarde do escritório. Geralmente passava o dia em reuniões com os clientes e ao telefone, e era a partir das 18 horas que ela trabalhava ininterruptamente. Tirando uma média, chegava em casa por volta de 22 horas. Trazia sempre consigo algum sanduíche para ela e para Marcos. Nos finais de semana, o levava para o *brunch*. Passou a dar-lhe 500 dólares todo início de mês: "Aqui, divirta-se, você estuda muito. Chame alguma garota para sair". Moravam em uma casa espaçosa de quatro quartos.

A mãe dela, Peggy, veio a Houston passar uma temporada. Trouxe um cachorro consigo, chamado Boots. Era um desses pequineses pretos, peludos. Ela nunca lembrava o nome Marcos, e somente o chamava de Apolo. Marcos sentia-se lisonjeado. "Deus grego. Nada mau ser lembrado assim." Ruth se mostrava não como uma "mãe" no sentido da palavra, mas "protetora" por assim dizer. Queria saber dos planos dele para o futuro, etc. Marcos não sabia muito bem o que faria. Tudo dependia de emprego ou de arrumar uma namorada séria. Ou ambos. No momento, não tinha perspectivas sobre nenhum dos dois. Ruth sugeriu que talvez ela devesse adotá-lo. Oficialmente. Preto no branco. Marcos achou um pensamento, digamos, heterodoxo. Por um lado, isso talvez lhe proporcionasse algumas vantagens, por outro não se sentiria bem "traindo" os pais. Escrevia, religiosamente, cartas para a mãe uma vez por semana. Geralmente aos domingos. As cartas demoravam, em média, três semanas para chegar a seu destino. Conversavam por telefone, no máximo, uma vez por mês. Coisa rápida. Era caríssimo. Ruth dizia que ele podia telefonar sem problemas, mas Marcos achava que seria muito abuso. Comprava cartões telefônicos internacionais que acabavam depressa. Pelo sim, pelo não, Ruth marcou uma hora com um advogado especialista em imigração. A adoção poderia até ocorrer, mas não daria direito automático à residência. Teriam ainda de esperar vários anos. Abandonaram a ideia.

Ruth disse que a mãe dela, ao ouvir a história, dissera:

— Talvez Apolo e eu devêssemos nos casar, com a condição que ele nunca chegue perto de mim.

Marcos soube que a mãe de Ruth andava mal de saúde. Há cerca de cinco anos ela estava magra, subnutrida, desidratada. Insistia em morar sozinha, mas não se alimentava direito. Foi então que Ruth presenteou-a com Boots. O danado do cachorro não comia ração. Só se alimentava de comida preparada: arroz, carne, vegetais. Peggy passou a cozinhar para alimentar o cachorro. Aproveitava para comer da mesma comida. Ganhou peso, ficou ótima. Saía de casa três vezes por dia para caminhar com o cachorro, deixá-lo fazer as necessidades fisiológicas — sem contar que além de *gourmet*, o cachorro "exigia" o passeio. Com isso, Boots literalmente deu sentido à vida de Peggy. "Salva pelo cachorro", Ruth afirmou.

Ruth era uma democrata ferrenha, dessas mais à esquerda. Tinha horror aos republicanos. Havia queimado seu sutiã, participado de passeatas contra a guerra do Vietnã, tinha sido *hippie*, fumado maconha. Agora era relativamente bem de vida. Possuía muitos imóveis, os quais alugava. Contribuía ativamente para as causas feministas. Era uma das principais colaboradoras no Women's Club, seção Woodforest, que sempre arrecadava fundos para causas sociais. Fazia doações substanciais ao movimento *Pró-Choice*, isto é, a favor do aborto. Estava no conselho da igreja presbiteriana do bairro. Mas como ninguém é de ferro, tinha também seu lado capitalista e fazia parte do conselho de administração do Woodforest National Bank.

A vida dela nem sempre fora fácil. Pelo contrário. Tinha sido uma professora de educação física casada com um médico respeitável. Tão respeitável, que um belo dia a deixou, sem muitas explicações. Ela ficou só na vida e com duas filhas. O sujeito, médico, obviamente ganhava bem, mas não pagava pensão. Nunca visitou as filhas. Era louro, de origem nórdica. Ruth decidiu fazer pós-graduação em advocacia. Contou que, para não dormir, lia os livros em pé, depois de as meninas estarem na cama. Muitos anos depois, ela moveu uma ação contra o ex-marido, recebendo a bolada relativa à pensão acumulada de todos os anos, com juros e correção monetária. Disse ela que foi um ato de vingança, mas também uma forma de fechar as contas com o passado. Ela agora não tinha mais nada a ver com o tal sujeito. Não tinha antes, mas sempre soube que ainda faltava esse detalhe. Tendo vencido o processo, não faltava mais. Era uma grana boa, mas ao mesmo tempo um dinheiro que vinha quando já não fazia mais diferença. Na época, comprou seu primeiro Mustang 5.0 conversível (ao qual se seguiram vários outros, todos na cor branca. A sequência somente foi interrompida em 2009 por um Toyota Solara conversível, porém manteve o padrão do branco), abriu um fundo para cada filha — que elas teriam acesso após completarem vinte e um anos — colocando lá uma parcela considerável, e o resto doou para causas libertárias diversas. Com um perfil desses, Ruth nunca mostrou um pingo de embaraço de ter aquele garoto morando com ela. Se ela, com cinquenta anos, quisesse ter um amante de vinte, ninguém teria nada a ver com isso. Em ocasiões sociais, ela apresentava Marcos como "meu filho brasileiro". Tinham uma vida sossegada.

Devido ao seu tipo físico, Marcos era sempre tido por mexicano. Aquilo não o agradava muito. Excetuando-se a comida, não gostava de nenhuma das tradições daquele povo. O próprio espanhol era uma língua que não curtia. Frequentemente, os mexicanos insistiam em conversar com ele em espanhol. Dava certo nos primeiros dois minutos, depois desandava. Era um fracasso no portunhol, o que então lhe conferia um ar de esnobe. Não fazia parte da turma mexicana, muito menos da turma americana. Era um independente. Com frequência, as garotas mexicanas eram as únicas que se mostravam interessadas. Mas elas eram como a Carmen, casamenteiras. De praxe, após a primeira saída, já queriam que ele fosse à casa delas participar do almoço de domingo.

Finalmente, por meio do trabalho de monitor de laboratório, conheceu uma garota interessante: Bianca. Tinha olhos claros e cabelo castanho. Ela contou-lhe que tinha oito irmãs. Eram quatro pares de gêmeas. Ao todo, o pai tinha dez filhas. Depois da décima, desistiu de continuar tentando ter um filho homem, largou a mãe e encontrou uma outra mulher. Nove meses depois ele teve seu tão almejado filho.

Marcos e Bianca saíram para jantar no famoso Red Lobster. Restaurante de frutos do mar. Caríssimo. Ela havia dito meia hora antes que não estava com fome, que só queria um aperitivo, algo leve. Marcos decidiu, então, impressionar e não ir ao restaurante mexicano barato que tinha em mente. Decerto o ambiente abriu o apetite dela porque pediu entrada, prato principal e sobremesa, tudo do mais caro. Em choque, Marcos pediu apenas algo pequeno, barato. A comida desceu-lhe intragável. Ainda mais quando logo depois de terminada a entrada Bianca mencionou:

— Pois é, precisava mesmo dar uma saída.

— Claro, muito estudo, né? Às vezes também me sinto assim.

— Sim. E também o Peter. Ele nunca quer sair. É um saco.

— Que Peter?

— Meu namorado.

— Aaaaah, você não tinha mencionado namorado.

— Bem, a gente mal tinha se conhecido, então não tinha por que falar.

— Mas às vezes não é nada sério. Ou é?

— Bem, é sério, ainda mais que a gente mora junto.

— Junto? Pensei que você havia dito que morava com sua mãe.

— Sim. Moro com minha mãe e meu namorado mora conosco.

— Quantas pessoas tem na sua casa?

— É meio confuso mesmo, porque quatro das minhas irmãs ainda não se casaram e moram lá em casa. Uma delas também mora com o namorado.

— Ah, sei.

— Nossa, essa entrada de camarão estava divina. Mal posso esperar pela lagosta que vem. Pra te dizer a verdade, nunca comi lagosta. Vai ser a primeira vez. Que ótimo que você me convidou. Mas logo que acabar tenho de ir embora, porque meu namorado está me esperando. Você é mesmo muito legal, Marcos.

Muitos anos depois, Marcos comprou a coleção completa de Seinfeld. Era o seriado de humor favorito dele e de Vanessa. Um dia assistiram ao episódio chamado "The Soup". Nele, George sai para um encontro romântico com uma garçonete da lanchonete que sempre frequentara. Durante o encontro, ela casualmente fala sobre seu namorado. Porém, logo depois, George descobre que não existia nenhum namorado. Fora apenas um jeito que a tal garçonete encontrara de se livrar dele. O episódio plantou a semente da dúvida em Marcos. Passou a duvidar se Bianca, naquela época, realmente tinha um namorado. Talvez um dia a encontrasse no Facebook. Queria saber a verdade. Precisava saber a verdade. "Mais dia, menos dia, vou encontrá-la. É apenas uma questão de tempo."

* * *

No aeroporto internacional do Galeão, no Rio de Janeiro, a voz aveludada anunciava: "Senhora Ingrid Stella Lindemann, senhora Ingrid Stella Lindemann, favor comparecer ao balcão da SAS imediatamente".

No *free shop*, uma loura alta e elegante pede licença. Tem sotaque estrangeiro, a voz é fina, feminina. Os modos são delicados. A saída é pelo caixa, forçando-a a passar rente à fila predominantemente masculina. Esses, mal disfarçam o prazer de encostarem-se àquela figura monumental, que bem poderia ser uma das mulheres que adornam as paredes da loja nas propagandas de perfumes e cosméticos. Ela, de salto sete centímetros, é mais alta que todos os homens e consegue, com uma firmeza e elegância adquiridas após trinta anos de vida na Terra, mantê-los a uma distância segura de seu corpo esguio. Se a tocassem, muito provavelmente receberiam inicialmente um sorriso desconcertante seguido de "o senhor poderia fazer o favor de manter suas mãos longe de mim?", em um tom alto e firme o suficiente para que todos que estivessem à volta ouvissem. Desta vez não foi necessário, e após os segundos de atraso na fila, ela rumou para o balcão da SAS.

— Meu nome é Ingrid Lindemann, fui chamada no alto-falante.

— Ah, sim, telefone para a senhora. É urgente.

Pega o telefone: "Ingrid Lindemann".

Do outro lado da linha, uma voz responde em sueco:

— Senhora Ingrid, aqui é o promotor Jonas Falk. Telefonei para avisar que a sua vinda a Estocolmo não mais será necessária.

Fizemos um acordo com o advogado do senhor Karl Fredrik Berglöv. Assim que ficou sabendo que a senhora serviria como testemunha de acusação ele mudou de ideia e aceitou servir três anos na prisão bem como pagar o montante de 300 mil reais à vítima. É uma boa proposta, provavelmente não conseguiríamos muito mais que isso em um julgamento. Portanto, sua vinda é desnecessária.

Ingrid ouvia em silêncio. Era uma mulher prática. Desde criança. Sempre mantinha o quarto arrumado porque desgostava ter de procurar pelos seus brinquedos. As bonecas ficavam na prateleira, enfileiradas. Em uma caixa, todos os utensílios domésticos para a brincadeira do chá. Em outra, vestidos. E assim por diante. Ao ouvir a explicação do promotor, concorda que é o mais prático a ser feito.

— Sr. Falk, ele terá direito à liberdade condicional?

— Sim, após cumprimento de, no mínimo, 2/3 da pena.

— E o senhor sabe que provavelmente ele quer escapar do julgamento a fim de evitar que outras vítimas apareçam?

— Sim. Porém, é possível que, como no seu caso, esses prováveis outros crimes já tenham prescrito. Nessa hipótese, o único auxílio dessas outras testemunhas seria demonstrar o caráter do acusado. Porém, a senhora está certa, não podemos descartar a possibilidade de que existam outras jovens. De qualquer maneira, o acordo já foi feito.

— Entendo. Independentemente disso, desejo manter nosso encontro.

— Perfeitamente. Nos encontraremos, então, na quinta-feira às 10 horas conforme o combinado.

— Muito obrigada.

— Obrigado à senhora e tenha um bom voo.

Karl Fredrik Berglöv, também conhecido por Kalle Klick, era uma lenda no mundo da moda sueca. Talvez o mais celebrado fotógrafo de moda europeu, já havia trabalhado para todos os grandes nomes internacionais. Agora contava sessenta e um anos. Era quase exatos vinte e um anos mais velho que Ingrid. Em

1973, Ingrid tinha catorze anos e Karl, trinta e quatro, este já tendo se firmado como fotógrafo das celebridades. Ela tinha se mudado há pouco de Bollnäs para Estocolmo. Bollnäs se tornara pequena para ela, mas não foi por causa disso que a família se mudou. O pai conseguira um emprego melhor em Estocolmo. Ingrid não hesitou por um segundo em deixar para trás a cidade, que havia recentemente recebido o não honorífico título de "a cidade mais feia da Suécia". Anos depois, quando os oficiais da cidade tomaram medidas para embelezá-la, livrando-a do título, ela foi novamente condecorada como "a cidade mais entediante da Suécia". Nesse ambiente, Ingrid sentia-se claustrofóbica. Com doze anos já tinha um magnífico corpo de mulher. Os meninos da escola dedicavam horas ao banheiro em sua homenagem. Os mais velhos, na faixa dos dezessete, que há meros dois anos nunca nem conversariam com ela, mudaram de atitude na mesma rapidez que seu corpo evoluiu.

Surgiu o primeiro trabalho para o catálogo de uma empresa local. Depois outro. E mais outro. O pai desgostava-se ao saber que ela estava entrando em uma profissão tão malvista. Mas não falava nada. A mãe sempre a acompanhava nas sessões de fotos. Com a mudança para Estocolmo, os trabalhos passaram a ser mais profissionais. Equipamento melhor, maquiagem melhor. A carreira estava em ascensão. Ingrid gostava do que fazia. Tinha o talento nato, o corpo e a expressividade. Gostava também da companhia feminina. As fotos eram sempre bem comportadas, mas nos bastidores não havia muito espaço para privacidade. Gostava de ver outras modelos, a maioria mais velhas que ela. Experientes. Exuberantes no seu *sex appeal*. Com catorze anos, já tinha tido pequenas experiências com meninos. Eles, independentemente da idade, eram afoitos. Em algumas ocasiões havia chegado a segurar o pênis de alguns deles por debaixo da calça. Não mais que isso. Não sentia aquela atração louca de que tanto ouvira falar nas revistas, no cinema, na televisão. Aquele tesão irresistível. Talvez porque não tivesse encontrado o homem certo. Precisava de alguém experiente. Sabia se masturbar, mas nas suas fantasias se pegava pensando sempre nas colegas modelos e quase nunca nos homens.

Um dia Kalle Klick convidou-a para um teste em seu estúdio. Era sua grande chance.

A família havia se mudado para Täby, um dos mais afluentes subúrbios de Estocolmo. Moravam em uma casa espaçosa, de dois andares. A mãe era secretária e o pai, técnico em geologia. A Suécia ia bem. Apesar da relativa pouca educação, os pais tiveram condições de comprar aquela casa. A mão de obra era escassa, na época importava-se trabalhadores da Grécia e da Turquia. O governo abriu também as comportas para refugiados do Oriente Médio, como o Irã e o Iraque. A Suécia iniciava sua transformação de uma sociedade homogênea, de louros de olhos azuis, em um país multirracial. Ou pelo menos nas grandes cidades, como Estocolmo, Gotemburgo, Malmo e Luleå. Bastava ser sueco e ter um emprego qualquer para automaticamente se qualificar para o "sonho sueco": uma casa de madeira pintada na cor vermelha, um carro Volvo na garagem, um cachorro, duas crianças. A diferença de salários entre a faxineira e o presidente da empresa era a menor do mundo. Ingrid adorava a nova vida na capital. E foi com a esperança de escapar do destino certeiro da casa/Volvo/cachorro e conhecer o mundo que ela se encontrou com Kalle. Desta vez não avisou a mãe, porque não queria parecer infantil. Saiu direto da escola e pegou o ônibus para o shopping de Mörby, onde encontrou com o tão fantástico fotógrafo que lhe abriria as portas para o sucesso. Era tudo alegria.

Kalle Klick a esperava, vestido a rigor como mandava o figurino. Calça boca de sino em cor azul, camisa listrada aberta no peito, um medalhão de ouro, cabelo comprido à la Mick Jagger. Cumprimentou-a com um sorriso, escorado no seu Porsche 911 vermelho, novinho em folha. Ele notou com felicidade, ao vê-la aproximar-se, que o teto do carro não chegava à altura dos seios da modelo. Teve de colocar o banco do passageiro o mais para trás possível para acomodar as imensas pernas da menina. Ele, por outro lado, se acomodava sem problemas. Para os padrões suecos, ele era considerado baixo com seu 1,68 cm, sempre medidos com ele usando os sapatos de salto alto que praticamente nunca tirava dos pés.

Ele a levou para o seu estúdio, na parte oposta da cidade. Na verdade, sua casa. O nome do bairro era Nacka. Naquela época, ainda pouco habitado. As casas que existiam ficavam distantes umas das outras. Nas proximidades havia uma "praia" sueca. As praias em Estocolmo nada mais eram do que gramados com uma faixa mínima de areia de três a quatro metros de largura. As águas, geladíssimas, somente se tornavam apropriadas ao banho no período de junho a agosto. Independentemente de verão ou inverno, Kalle frequentemente usava a praia de Nacka para fotos ao ar livre. Mas nesse dia seriam apenas fotos de estúdio. "Um teste. Para entender o nível de expressividade e profissionalismo da jovem." Mantinha um catálogo de modelos, assim as empresas podiam contatá-lo diretamente para trabalhos sem necessidade de utilizar uma agência. Era o seu diferencial e lucrava muito com isso também.

Logo na chegada, Kalle ofereceu um vinho. "Para desinibir, relaxar." Ela nunca havia tomado nenhuma bebida alcoólica, um golinho aqui e outro ali, mas nunca um copo tão grande. Achou melhor não recusar para não dar impressão de ser infantil. Ele sempre a assegurava "É isso que as modelos sempre fazem, é tudo procedimento padrão". Foi isso que disse quando pediu para fotografá-la sem sutiã. Ela colocaria as mãos nos seios, escondendo-os. "Testar a sua sensualidade." Mais bebida. Ingrid sentia a cabeça rodar. O vinho adquiria um gosto diferente. As palavras não lhe saíam.

Kalle foi ao banheiro. Voltou nu, os olhos vidrados, vermelhos. Ela tentou reagir quando ele lhe tirou as roupas, mas tudo acontecia em câmera lenta. Sentia aquilo acontecendo com outra pessoa, não com ela. A dor da penetração durou apenas alguns minutos. Depois não sentia mais nada. Quando acordou, estava no chão do estúdio. Kalle Klick, vestido. Ofereceu-lhe um copo de água. Ela foi ao banheiro. Sentia-se tonta e fraca. Ele ofereceu-lhe sanduíches. Ela comeu. Precisava recuperar as forças. Ele disse que o teste havia sido muito bom.

— Isso é praxe aqui no nosso ramo de negócios. Você sabe, a gente tem de relaxar, as fotos saem melhores. Vou fazer de você uma estrela.

Ele a levou somente até o metrô mais próximo, estação Hammarbyhöjden.

— Por favor, me leve para casa, não estou me sentindo bem.

— Meu anjo, não dá, tenho compromisso. Desculpa. Você fica aqui. Chega em casa rapidinho. Tchau. — E arrancou com o carro.

Ela vomitou ali mesmo, na entrada do metrô. O percurso era longo, teve de trocar de linha, depois pegar o ônibus e ainda andar vinte minutos. No frio. Devia estar próximo de zero grau, e ela tinha apenas um casaco leve. Tremia. Chorava. Só dias depois lhe ocorreu que poderia ter pegado um táxi. Mas naquela hora, não conseguia coordenar os pensamentos direito.

Na porta de casa, se recompôs o máximo que pôde. Não queria que soubessem do acontecido. Foi direto para o banheiro. Tirou a calcinha com manchas do sangue que lhe escorria pelas pernas. O sangue havia coagulado. Deitou-se na cama debaixo de muitos cobertores. Tremia de frio. A mãe veio ao quarto, perguntar se estava tudo bem. Ela disse que tinha muita dor de cabeça e que provavelmente se resfriara. Que não iria na aula no dia seguinte. Meia hora depois a mãe lhe trouxe um termômetro e uma sopa de batatas. Mediram a temperatura. Tinha mesmo um pouco de febre. Tomou um pouco da sopa. Ela assegurou que era apenas um resfriado. Desses bem fortes, que dão dor no corpo todo. Durante a noite, enquanto não cochilava, chorava. O dia seguinte também, choro e cochilo. À noite, novamente fez teatro para os pais. Prosseguiu na farsa durante três dias. No fim de semana sentiu-se melhor. Na segunda-feira foi à escola. Os pais ficaram aliviados. Estava tudo bem. "Não está tudo bem, mas vai ficar", pensava Ingrid para si toda noite antes de dormir.

Ela entendeu que aquilo que parecia casual, não era. Rebobinava o filme mental do encontro no estacionamento do Mörby Centrum. Como ele havia indicado um lugar ermo. O carro tinha os vidros escuros. Como ele saiu do carro justamente quando ela apareceu, e entrou rápido. Na volta, levou-a apenas até o metrô. Ninguém os vira juntos. Ela, por sua vez, não havia contado que iria fazer o teste para ninguém. Ele dissera:

— É apenas um teste, pode ser que dê certo, pode ser que dê errado, então melhor você não contar. A gente não gosta muito de divulgar nossos fracassos, não é mesmo? Nesse ramo, às vezes a gente tem de fazer muitos testes até acertar. Mas vai dar certo sim, prometo.

Seria a palavra dela contra a dele. Não tinha provas. A reputação dela, dos pais, seria jogada na sarjeta. O próprio pai já afirmara que modelo fotográfica não era ocupação para uma mulher decente. Que ela estudasse e fosse secretária ou enfermeira. Ou professora. "Médica não, porque não é inteligente o suficiente." Já proferira o pai em uma ocasião.

Era um linha-dura. Adorava contar piadas de "loura burra", apesar do fato de a mulher e a filha serem louríssimas. Sentia-se diminuído, traído no seu contrato matrimonial por não ter tido um filho homem: a esposa acabou tendo de tirar o útero após complicações no parto. Apesar de não se sentir tão amada quanto gostaria, Ingrid estava decidida a não dar esse desgosto extra para o pai. Ou ouvi-lo dizer: "Te avisei que isso não era profissão para gente decente!".

Porém, Kalle havia tirado dela algo precioso. Tinha de ser prática e arranjar um jeito de retornar-lhe na mesma moeda. Como ele era fotógrafo, o primeiro passo foi comprar uma câmera Polaroid instantânea SR-70.

Não precisou mais do que dois finais de semana para entender que Kalle era um homem previsível. Figurinha fácil nas colunas sociais, nunca ficava em casa um final de semana completo. Sempre em um agito noturno, principalmente nas sextas e sábados. A *première* de um filme, abertura de uma galeria de arte, *open house* de um novo bar ou discoteca eram pontos certos. Passou a ler assiduamente o jornal *Aftonbladet* na parte de eventos sociais.

Sábado seria a reinauguração, após uma longa reforma, do Café Ópera. A casa, misto de restaurante chiquérrimo e boate, ficava na praça Kungsträdgården, que significa "Jardim do Rei". Isso porque o Palácio Real de Estocolmo ficava bem próximo. O lugar era uma das mais tradicionais casas noturnas de Estocolmo, cara e frequentada pela elite. A "nata da nata" da sociedade sueca estaria lá para marcar presença, prestigiar o que talvez seria o evento do ano. Boca livre total e completa, claro. Ingrid também iria. Ficou sentada no banco da praça, observando as celebridades chegando. A maioria vinha à maneira sueca, isto é, a pé ou de táxi. Os realmente *vips*, de limusine com chofer.

Foi quase impossível não se notar a personalidade extravagante e barulhenta de Kalle Klick, mesmo em meio ao burburinho que se formou na porta do Café Ópera. Assim que o reconheceu, tomou o metrô na direção de Nacka. Levava uma sacola e uma pasta, ambas de plástico. O trajeto de metrô mais a parte seguinte de ônibus levou quase uma hora.

O muro da casa era baixo, praticamente só decorativo. O portão não tinha fechadura: com um muro tão baixo, não fazia sentido ter tranca. Somente a luz da rua, fraca, iluminava um pouco a entrada. O carro ficava parado ao lado da casa, exposto ao tempo. Não tinha garagem. Ali, a escuridão era total. Tirou de dentro da bolsa um pequeno martelo. Quebrou o vidro do motorista, protegendo o rosto com o cachecol contra os cacos. Levantou o pino da porta. Procurou a trava do capô da frente. Com um clique, o capô da parte de trás se abriu. Tentou a outra maçaneta.

Agora sim, abriu o capô da frente. Constatou, surpresa, que ali era o porta-malas. "Melhor ainda."

Tirou de dentro da pasta fotos tiradas com uma Polaroid. Colocou algumas fotos dentro do porta-malas. Essas eram por garantia. Fechou o capô. Sem se sentar por causa dos cacos de vidro no banco, abriu a porta do passageiro. Colocou três fotos no porta-luvas, outras jogou no chão do carro. Arrependeu-se e tirou uma do porta-luvas. Deu novamente a volta no carro e colocou no bolsinho do para-sol do lado do motorista. Pressionou o dedo polegar contra o cabo do martelo, como que marcando sua impressão digital em vários lugares, depois colocou o martelo no banco do motorista. Por fim, abriu a sacola de plástico. Um forte cheiro de álcool penetrou-lhe as narinas. Tirou de dentro uma camisola, bem longa. Procurou pelo tanque de gasolina. Cuidadosamente, enfiou a camisola dentro do tanque, deixando um bom pedaço para fora. Conferiu, mentalmente, se estava tudo correto. Tirou da bolsa um isqueiro, acendendo o pano. Correu.

Já estava longe quando ouviu a explosão. O ônibus chegou logo e pela janela ela viu passar o caminhão dos bombeiros indo na direção contrária com a sirene ligada.

Era madrugada quando Kalle Klick chegou de táxi em casa. Um amigo reconhecera a casa e o carro pelo noticiário noturno e, finalmente, havia conseguido se comunicar com ele no Café Ópera. Os bombeiros tinham trabalhado rápido a fim de evitar que o fogo atingisse a casa. O terreno estava molhado como um pântano e o carro, parcialmente destruído. A parte traseira, do motor, havia sido a mais danificada pela explosão. A parte dianteira estava mais ou menos intacta, já que os bombeiros chegaram rápido. Intacta mas encharcada, obviamente. Kalle deu de ombros. Tinha seguro total e completo. Não havia nenhum dano permanente. Quem quer que houvesse feito aquilo com o intuito de prejudicá-lo tinha, no fim das contas, lhe dado um outro Porsche novinho.

O investigador da polícia chamou-lhe para fazer as perguntas de praxe. Onde havia estado. Quem poderia querer fazer isso contra ele. Coisas do gênero. Kalle estava ligadão, excitado pela noite, apesar de tudo. Cheirara coca como sempre fazia em ocasiões festivas. Abriu uma cerveja para si. Pediu que lhe dessem logo a ocorrência para que ele pudesse, o mais rápido possível, dar entrada nos papéis do seguro. O investigador disse que só tinha mais uma pergunta. Se por acaso ele reconhecia umas fotos Polaroid. Algumas estavam bem queimadas, outras quase intactas. Todas mostravam a mesma mulher, nua, em ângulos diferentes. O rosto estava cortado. Tinha longas pernas. Poucos pelos pubianos. Seios médios. Em algumas fotos, estava o nome Ingrid escrito a caneta. Em uma outra, uma data, 1959. Kalle Klick sentiu o sangue congelar nas veias, ao mesmo tempo em que enrubesceu. O detetive sabia quem Kalle Klick era. Fotógrafo famoso. Com um nariz para mulheres e encrencas. Já havia sido pego antes por consumo de drogas. Frequentava o *jet set* sueco. Repetiu a pergunta:

— Você reconhece essas fotos?

— Não, nunca as vi.

— E a modelo? É alguém com quem já trabalhou?

— Não saberia dizer.

Kalle, de animado falador, passou a responder laconicamente.

— Com certeza o senhor mantém arquivos de modelos com as quais já fez trabalhos. Poderíamos tentar estabelecer a identidade dessa pessoa por meio dos seus arquivos.

— Não mantenho esse tipo de arquivos.

— O senhor tem certeza de que não possui materiais que poderíamos utilizar para investigação? Parece-me óbvio que essa pessoa foi quem causou a explosão do seu carro. Não nos será difícil chegar à autora, mas precisamos da sua colaboração.

— Raios! Estou colaborando, não está vendo? Meu carro acabou de ser destruído, estou cansado, estava em uma festa, bebi muito lá. Afinal, não é ilegal. Voltei de táxi. Estou sendo acusado de alguma coisa?

— Senhor, precisamos apenas que colabore. Teremos de investigar esse caso para chegar ao criminoso.

— Certo. Desculpe. Poderíamos fazer isso mais tarde, outro dia?

— Com certeza. Porém, no momento temos de nos assegurar de que coletamos todas as evidências do crime, bem como o seu testemunho. O senhor realmente não se lembra de alguém chamada Ingrid?

Tanto o policial quanto Kalle Klick entendiam que a data de 1959, caso significasse a data de nascimento da tal Ingrid, implicaria em ela ter apenas catorze anos. O simples fato de Kalle possuir material pornográfico de uma menina com aquela idade era suficiente para fazer dele um criminoso. Em sua defesa, Kalle poderia alegar que a *mulher* da foto aparentava ter muito mais do que catorze anos. Talvez a data significasse outra coisa completamente diferente. Somente a investigação iria responder a essas perguntas.

— Pensando bem, deixe-me ver essas fotos em maior detalhe — disse Kalle.

Sua mente trabalhava rápido.

— Estou muito cansado. Como te falei, bebi durante uma festa. Sim, estou reconhecendo. Essas fotos são minhas mesmo. Sou fotógrafo, meu carro vive cheio de fotos. Me parece ser uma modelo inglesa. Sim, é ela. Deve ser ela. Se chama Ingrid. Nos conhecemos em 1959. Eu tinha apenas vinte anos. Escrevi isso nas fotos para me lembrar. Acabaram jogadas dentro do carro porque estava justamente pensando em contatá-la para um trabalho que apareceu.

— Certo. Não vou mais incomodar o senhor. No momento, tenho de levar esse material para análise e cópias. Depois marcamos uma hora para o senhor prestar seu depoimento e recolher seus originais.

Kalle se deu conta de que, ao reconhecer que os originais eram seus, ao mesmo tempo também se incriminava se descobrissem que a modelo tinha catorze anos. E pior, se chegassem nela, saberiam o motivo pelo qual ela havia feito isso. Estava encurralado. "Maldita piranha."

— O senhor quer saber de uma coisa? Tudo isso me parece muito complicado. Meu carro explodiu, o seguro paga isso. Deixemos isso para lá, não? Vai ver foi um acidente.

— Acidente? O vidro está quebrado, deixaram um martelo no banco do motorista e foi encontrado um pedaço de pano dentro do tanque de combustível, senhor Karl. Não foi acidente. Como é de praxe nesses casos, a empresa de seguros somente lhe pagará qualquer coisa após terminada a investigação. O senhor sabe, para que seja eliminada a hipótese de fraude. Coisa de seguradora. Ainda mais que o valor em questão será alto, um carro caro desses...

"De qualquer forma, quer o senhor queira quer não, sou obrigado a levar todo esse material para análise e documentação. Talvez encontremos impressões digitais no martelo. Quer dizer, isso no caso de o senhor resolver prestar queixa. O que, presumo, o senhor fará. Como não houve nenhum outro dano que não a sua própria propriedade, bem como nenhum ferido, o senhor tem o poder de escolher se presta queixa ou não. É claro, caso não o faça, não receberá nada do seguro."

— Estou muito cansado. Prefiro deixar isso para amanhã.

— Normalmente, o senhor tem vinte e quatro horas para registrar a queixa a partir do momento que ficou sabendo do ocorrido. Porém, nesse caso temos provas materiais que devem ser cadastradas. Por motivos óbvios eu não posso entregar-lhe essas fotos que são aparentemente comprometedoras e parecem ser a solução do caso, e simplesmente aceitar que o senhor apareça amanhã e registre a queixa. Se fizer isso estarei comprometendo a investigação. Teoricamente, o senhor poderia trocar as fotos, por exemplo. Assim, ou o senhor registra a queixa agora nesse instante e levamos as fotos e o resto do material ao laboratório para análise ou o senhor decide que não irá registrar o ocorrido.

— Prefiro, então, não registrar o ocorrido.

O detetive olhou-o nos olhos. Alguma coisa estava muito errada. O sujeito acabara de ter seu carro explodido. E não iria acionar a polícia. 1959 talvez não fosse a data em que se encontraram. Olhou novamente para as fotos. A modelo era, sem dúvida, nova. Lindíssima. Uma pele que parecia seda. Nenhuma mostra de celulite, de uma ruga, de algo caído. Teria dezoito, no máximo. Mas talvez tivesse catorze. Já vira meninas muito desenvolvidas com aquela idade. Poderia ali, por conta própria, abrir uma investigação por suspeita de corrupção de menores. Mas já estava tarde. Se fosse fazer isso, teria de retornar à estação, preencher um relatório. Abrir um processo daquela natureza era complicado. A alternativa era deixar quieto, ir direto para casa. Depois preencher um relatório simples dizendo que houve uma explosão, mas a vítima preferiu não registrar a queixa. Isso acontecia muito. Uma esposa ciumenta, uma namorada. Já tinha visto de tudo um pouco. "Eu vou é cuidar do meu. Ficar quieto na minha porque isso não vai me render nada. Se eu tivesse certeza que era caso de pedofilia, vá lá. Mas mexer nisso apenas na base da suspeita vai me complicar a vida. Vou ter de arranjar um juiz para intimar o cara a abrir os arquivos dele, nossa, vai dar um trabalho enorme. E talvez não dê em nada. Está tarde. Quero ir pra casa, se chegar cedo ainda acordo a esposa para dar uma. Chego fazendo bastante barulho, ela acorda e dependendo da reação eu mando bala. Se ela acordar falando 'Puta que pariu, que barulhada é essa?' eu fico quieto na minha. Se ela acordar com 'Amor, que bom que você chegou', é partir pro abraço."

— Senhor Karl Fredrik Berglöv, correto?

— Sim.

— Preciso de uma prova de identidade do senhor e depois simplesmente que assine onde está marcado com X. É o documento mostrando que a polícia esteve aqui, mas que o senhor nos desautoriza a iniciar uma investigação, já que obviamente se trata de um incidente particular.

Em menos de meia hora os policiais e bombeiros já haviam deixado a propriedade. Kalle ficou sozinho, um cheiro de fumaça e uma sensação de umidade impregnavam o ambiente. Quatorze dias depois ainda recebeu a conta dos bombeiros, já que se tratava de um incidente particular: R$ 6 mil.

A bordo do Boeing 777, Ingrid voava com destino à Suécia. A aeromoça serviu-lhe champanhe. Viajava na classe executiva. "Coisas de marido rico", ela riu para si. Ficou novamente séria ao pensar que tinha de confirmar, com toda certeza, que o promotor era realmente quem dizia ser. Porque, naquela noite de dezesseis anos atrás, ela se sentira vingada, à sua maneira: prática e efetiva. O único "erro" na sua vingança foi que o sacana continuou em liberdade, pronto para atacar outra vítima inocente. Por isso ela passou os dezesseis anos seguintes lendo cuidadosamente os jornais. Mesmo agora que havia mudado para o Brasil fazia apenas oito meses. Sempre tinha o cuidado de receber as revistas e os jornais.

Quando, finalmente, viu a manchete no *Aftonbladet*: "Fotógrafo famoso é acusado de estupro por adolescente" e os detalhes da matéria lhe eram dolorosamente familiares, ela não hesitou um minuto em contatar o promotor. De qualquer forma, seria bom visitar a família e ficar um pouco longe da loucura, do barulho, do calor do Brasil. Uma trégua depois dos mais intensos oito meses da sua vida.

Lembrava do filho da puta Kalle, do vômito na porta da estação do metrô, da virgindade que lhe foi roubada quando sentiu, fisicamente, a mesma sensação do dia fatídico. Mal teve tempo de pegar o saquinho para vomitar. Chamou a aeromoça e entregou-lhe o recipiente pesado de líquido. Devolveu-lhe também a taça de champanhe ainda pela metade. O vômito afastou-lhe todo e qualquer pensamento triste.

Agora, estava feliz. Muito feliz.

FEVEREIRO DE 1990

É a menina. É um menino.

MARCOS HESITAVA ENTRE tentar se formar no final do ano, caso em que teria novamente de fazer curso de férias e ainda pegar pesadíssimo no segundo semestre, ou relaxar, ir de leve e se formar na metade de 91. Ambas as alternativas tinham seus prós e contras. Decidiria isso mais tarde. Agora precisava se aprontar porque era noite de sábado e iria levar Vanessa a um lugar especial, o Fuddruckers. Bob uma vez o havia levado lá, então queria repetir a experiência para tentar impressionar Vanessa.

O restaurante dizia ter o melhor hambúrguer do mundo, e para isso o próprio cliente escolhia uma das muitas variedades de carne para preparo (mais finas, mais grossas, mais pesadas), que então eram grelhadas de acordo com uma escala de 0 a 10, com 0 sendo apenas muito malpassada ("carne crua quente", pensou) e 10, sendo extremamente bem passada. Depois, o próprio cliente se servia à vontade em um bufê de saladas. "Certamente ela vai ficar empolgada."

Anos depois, Vanessa, que tinha uma memória de elefante para qualquer coisa — nomes, rostos, receitas, datas, roupas, lugares — destruiu em parte sua memória rósea do encontro. Marcos se lembrava que havia ido buscá-la, todo bonito e perfumado, na casa dos anfitriões americanos dela. Era fim de fevereiro e o frio estava no finalzinho. Ela já lembrava diferente:

— Você estava usando um mocassim marrom com meias brancas, uma calça cáqui, risca de giz, e uma camisa branca, com uma estampa rosa-choque e verde limão. Tudo combinava! — dizia, rindo alto.

Era injusto, porque ele não se lembrava da roupa dela.

"Vai ver estava com um cabelão armadíssimo e bota da Xuxa com minissaia", ele pensava. "Como saber? Ela pode falar o que quiser que nunca irei me lembrar, a menos que faça uma terapia de regressão na base da hipnose." O que ele lembrava vivamente era da paixão que sentia naqueles dias.

Foi Ruth que, logo nos primeiros dias do ano, chamou-o para visitarem um casal amigo. Eles tinham acabado de receber uma garota brasileira intercambista e tinham comentado com Ruth que talvez fosse interessante o brasileiro dela encontrar com a brasileira deles. Inclusive, parecia que a garota era até da mesma cidade. Marcos não acreditava muito, porque até então todos os brasileiros que havia conhecido em Houston eram de São Paulo ou do Rio de Janeiro.

Para Marcos, se não foi amor à primeira vista, foi pelo menos enorme simpatia à primeira *encarada*. A menina se chamava Vanessa e era, como ele, jovem: tinha acabado de completar dezoito anos, e ele faria vinte e um em junho. "Talvez eu seja muito velho para ela", pensou. Coisas da juventude, quando três anos significam um tempo enorme. Vanessa era a alegria e a simpatia em pessoa. Os pais moravam no bairro da Floresta, ela havia estudado no Loyola. Iria fazer vestibular para ingressar na faculdade de Comunicação da UFMG. Em vez de ficar em Belo Horizonte o ano inteiro, arrumou um intercâmbio para aperfeiçoar o inglês. Após as férias do verão europeu faria cursinho pré-vestibular, começando em setembro.

Com menos de duas semanas os dois tornaram-se inseparáveis. Sempre falavam sem parar. Nunca faltava assunto. Principalmente, riam. Tinham crises de bobeira. Dessas que o sujeito ri até dar uma dor de estômago. Cantavam juntos. No caminho para o Fuddruckers o rádio começou a tocar Erasure: *"Oh baby pleeeeeeease, give a little respect to meeeee"*, e os dois imediatamente cantaram juntos. Na hora do *"I am so in love with you"*, Marcos olhou-a nos olhos. E ele estava, sim, *"In love with her"*. Terrivelmente. Perdidamente. Incorrigivelmente. Ela sabia, mas hesitava. Ele já tinha mostrado e demonstrado.

Nesse dia do Fuddruckers, já se passara quase dois meses desde o primeiro encontro.

Ele parou o carro, ela abriu a porta para sair, ele disse:

— Volta aqui que vou te dar um agarro.

Ela riu, bateu a porta, pelo vidro, mostrou-lhe o dedo médio.

Ele continuava tentando. "Um dia iria dar certo." Cuidava para fazer investidas sem muito efeito colateral: evitava chegar a um impasse, ou criar uma situação que causaria mal-estar ou constrangimento.

No final de semana seguinte, foram ao planetário de Houston assistir a um *show* de *laser* com músicas do U2. Nenhum dos dois já vira algo semelhante. Foi uma experiência única. Ele segurou a mão dela. Engraçado como apenas segurar a mão podia significar tanto. Ela deixou. A resistência parecia estar fraquejando. Quando o teto do planetário se abriu, mostrando as estrelas, e o ar fresco penetrou-lhe os pulmões, Marcos tentou beijá-la. Era uma investida que não tinha volta. De alto grau de efeito colateral. Ela empurrou-o, e o resto do *show* foi sem graça. Ele olhava no relógio esperando dar o tempo de irem embora. No caminho de volta, pela primeira vez não tinham assunto. Parte do encanto havia se quebrado.

Ficaram sem se falar duas semanas. Ele perdera a melhor e mais interessante companhia que já havia encontrado nos Estados Unidos, na vida. Por outro lado, não conseguia levar apenas "na base da amizade". Tinha de decidir se aceitava ser "amigo" ou se preferia não ser nada. Muitas vezes, em uma situação assim, para quem está apaixonado, ser o "amigo" é quase um suplício. Decidiu que não conseguiria. Era contrário a todos os seus instintos. Talvez fosse melhor continuar sozinho, procurar outra garota. "Pode ser também que ela queira conhecer um americano." "Conhecer", no caso, não era no sentido bíblico. Ela já havia dito que era virgem. Talvez ela quisesse "ficar" com um americano.

Traçou um plano perfeito de como não mais a encontraria e que durou exatamente até o dia em que Vanessa ligou. Combinaram de conversar. Ele a pegaria, iriam ao Taco Bell, o mesmo de sempre. Para surpresa de ambos, o papo veio rápido como de costume. Até meio atropelado, já que vinha se acumulando havia três semanas. Riram. Divertiram-se. Sem tocarem no assunto do planetário que estava ali, delicado como elefante em loja de louças. Até que Marcos disse:

— Vanessa, eu preciso te dizer uma coisa.

Ela já sabia que aquilo iria acontecer. Era inevitável. Sentia-se atraída pelo rapaz, mas ao mesmo tempo não. Era tudo muito complicado, estava sozinha naquele país, ele era uma pessoa importante naquela hora. Não queria perder a amizade dele. Ela voltaria para o Brasil em breve, ele talvez nem voltasse. Se fosse para ter uma aventura, dar uns beijos, preferia um americano. Na sala do curso de inglês tinha um holandês lindo, um alemão gato. Beijo por beijo, seria mais simples dar um em algum deles do que em Marcos, se fosse com este complicava tudo. Sem falar que ele morava sozinho e talvez tentasse algo sexual. "Ah, muito complicado. Se for para ficarmos juntos que seja em Belo Horizonte quando, e se, ele aparecer por lá", pensava.

— Que foi? — disse, aparentando tranquilidade. Mas já imaginava o que viria.

— Bem, antes de dizer quero te adiantar que é algo pessoal.

"É, não vai ter jeito mesmo", pensou Vanessa.

— Pode falar.

— Vanessa, o que vou te dizer não tem volta. Nosso relacionamento nunca mais vai ser o mesmo. Vai ser um divisor de águas. Se eu falar, nunca mais...

— Fala logo! — ela o cortou.

"Não adianta fazer tanta hora, você vai mesmo dizer que está apaixonado por mim." Era o que passava em sua cabeça.

— É que você tá com um baita feijãozão encravado no meio dos dentes da frente.

O restaurante inteiro ouviu as gargalhadas dos dois. Foi uma explosão de riso e tensão. Riram até chorar. Vanessa, claro, tapando a boca para não fazer feio. Depois, de sacanagem, ainda deu uma risada enorme para ele. Aí foi a vez de ela soltar:

— Quer um beijo?

Riram. Marcos decidiu ali que seria melhor manter a amizade. Preferia morrer aos poucos. Pelo menos por enquanto, a vida era mais agradável com ela do que sem.

Continuaram saindo. Ele resolveu pegar leve. Adotar uma outra tática. Era meados de abril quando foram assistir ao filme "Digam o que quiserem" em um *drive-in* à moda antiga. Desses com alto-falante pendurado no vidro do carro, telão enorme, e os carros todos com os vidros embaçados por causa do que acontecia lá dentro. A escolha do filme foi obra do acaso. Nenhum dos dois havia estado em um *drive-in* de verdade antes. O filme foi perfeito para os dois, para aquela época, para o que viviam.

Um filme romântico, visto sob a óptica de dois jovens adultos. Na idade deles. De fato, Marcos achava-se parecido com o ator John Cusack, que fazia o papel principal do mocinho. No filme, Cusack estava interessado em uma garota, que também estava interessada nele, mas ao mesmo tempo não. Quando, na cena clássica do filme, Cusack acordou a mocinha segurando o aparelho de som acima da cabeça, Vanessa finalmente cedeu. Foi o beijo. O beijo da vida de Marcos. Tudo o que ele mais queria. Quando Cusack perguntou: "Você precisa de alguém, ou você precisa de mim? Esqueça, não me importo", Marcos sentiu que Cusack não era apenas parecido com ele, na verdade Marcos incorporara o jovem do filme. Porque havia passado por sua cabeça que Vanessa estava "encurralada". Quando a beijou ele pensou como Cusack. "Não me importo."

O beijo mudou tudo. Marcos matriculou-se no curso de verão. Em setembro, Vanessa retornou para Belo Horizonte. Continuaram namorando a distância. Trocavam cartas. Uma vez ele lhe mandou uma fita cassete com músicas e também contava algumas novidades. Marcos recebeu seu diploma no final de 1990. Antes da virada do ano já estava em Belo Horizonte. Ela passou no vestibular na UFMG; ele iniciou engenharia na PUC no segundo semestre à noite. Continuava apaixonado por ela como no dia do planetário. Descobriram o sexo. Isso os trouxe mais para perto um do outro, pelo menos no início. Depois, distanciaram-se. Marcos sempre fora declaradamente apaixonado por ela, do primeiro até o último dia, quando retornaram de Ouro Preto. E, apesar de tudo, também nos dias que se seguiram após Ouro Preto. Vanessa era o padrão pelo qual julgava todas as outras.

Talvez se viajasse para longe conseguisse esquecê-la. Para bem longe.

* * *

O DOUTOR JOÃO VALADARES PINHEIRO foi quem salvou a vida do bebê. Quando Axel chegou ao hospital, Ingrid já estava no quarto. E tanto ela quanto o garoto de 3,3 kg passavam bem. Ela ainda estava muito fraca e tomava sangue para repor a grande quantidade perdida. Mas, em vista das circunstâncias, estava ótima.

Tudo aconteceu muito rápido. Ingrid havia perdido o equilíbrio e caído da escada. Em um primeiro momento, ela sentia-se bem e deitou na cama para repousar. Adormeceu, acordando com uma forte dor abdominal. Não havia sangramento. Ela telefonou de pronto para a sua médica, a doutora Fernanda Moraes. A médica mostrou-se preocupada. Ordenou que ela ficasse em casa, pois iria mandar uma ambulância. O quadro era sério. A doutora estava no consultório, mas iria para a maternidade encontrá-la. Quando chegaram para buscá-la, menos de quinze minutos depois, encontraram Ingrid em estado de choque.

O recém-formado João, que fazia sua residência no Hospital Mater Dei e nesse dia estava na ambulância, reconheceu imediatamente o quadro quase desesperador. Suspeitava de um descolamento prematuro da placenta de terceira classe. Nesses casos, ele sabia, tanto a mãe quanto o bebê corriam risco de vida. Já dentro da ambulância, conversou pelo rádio com a médica que havia chegado ao hospital. Doutora Fernanda ordenou-o que levassem a paciente o mais rápido possível, mas João desobedeceu-a. Sabia que o bebê não resistiria aos quinze ou vinte minutos do trajeto. O bebê teria de nascer ali, na ambulância, ou morreria.

Colocou Ingrid no soro, adicionando a dosagem máxima de Oxytocin de 2 mU por minuto a fim de acelerar as contrações, mais 120mg de Demerol diretamente via injeção intramuscular para alívio da dor. Aplicou-lhe um anestésico local de xilocaína e enfiou-lhe a mão pela vagina, sentindo as paredes do útero e tocando no feto que estava posicionado lateralmente. O jovem tentava desesperadamente reposicionar o feto para facilitar o trabalho de parto, quando um enorme jato de sangue jorrou, tingindo de vermelho o seu avental e formando uma grande poça no piso da ambulância. A saída do sangue alojado atrás da placenta confirmava o quadro de descolamento e ajudou o reposicionamento correto do feto.

Ingrid sentiu-se imediatamente melhor, mas o bebê ainda não estava fora de perigo. João abriu ao máximo o fluxo intravenoso. Ela gritava, apesar do Demerol, e minutos depois a cabeça do neném aparecia. O bebê tinha coloração bem diferente do que seria normal, estava completamente azul. João rapidamente cortou o cordão umbilical e logo deu início ao procedimento de reanimação. Massageava-lhe o coração enquanto colocava perto do nariz a máscara de oxigênio. Olhava o relógio. Um minuto já havia se passado: a frequência cardíaca e a respiração permaneciam muito débeis e o bebê ainda estava predominantemente azulado. Passados exatos um minuto e meio, foi como se ligassem o motor do bebê: ele abriu os pequenos olhos claros, flexionou braços e pernas, inspirou ainda em silêncio, pegando um ar e de súbito explodiu em um choro inequívoco: estava vivo!

Logo após sua breve viagem à Suécia, Ingrid oficializou sua união com Axel, passando a assinar Ingrid Stella Cotto. Ou pelo menos esse era o nome que constava na sua nova cédula de identidade para estrangeiros expedida pela Polícia Federal. No seu passaporte sueco ainda constava o nome de solteira. Somente depois de oficializarem o casamento também na Suécia é que seria possível que ela voltasse a ter um único nome reconhecido nos dois países. Axel não parecia muito interessado nessas questões burocráticas. Tinha outras prioridades. Antes de o garoto nascer, quando já sabiam o sexo, Axel sugeriu que o menino tivesse um nome estranho: Dario. Ingrid nunca havia ouvido tal nome, e se recusou, terminantemente, a aceitar que seu filho tivesse um nome tão exótico. Daniel foi um nome que agradou a ambos, apesar de Ingrid passar a suspeitar que desde o início Axel nunca tivera a intenção de pronunciar por completo o nome Dario e muito menos Daniel: desde o primeiro momento, somente o chamava de Dadá. Estranhamente, nenhum dos dois pensara no segundo nome, tão comum nas tradições europeias. Nem mesmo Axel, que, na verdade, usava o segundo nome e jamais o primeiro, Gustav, atentou para esse detalhe. O jovem médico, que salvou a vida tanto de Ingrid quanto de Daniel, foi quem inspirou o casal a adotar o tradicional nome brasileiro de João. O pequeno Daniel João Cotto, nascido em 6 de fevereiro de 1990, foi registrado no cartório do registro civil de Belo Horizonte, 1º subdistrito, no bairro Floresta.

Era praticamente o início do segundo ano de Ingrid no Brasil e agora ela tinha um pequeno bebê. Os últimos dois anos haviam sido os mais velozes da sua vida. Quando conheceu Axel, durante um evento interno da ABB para o qual sua empresa fora contratada para organizar, imaginava que aquilo não fosse passar de aventura. Sentiu-se instantaneamente atraída por aquele homem. Mas não da maneira tradicional. Não era atração sexual ou por aparência. Não gostava de sexo. Pelo menos não com homens. Talvez tivesse sido culpa de Kalle. Se quisesse um homem, bastava olhar e sorrir para algum. Talvez fosse por isso. Por serem tão fáceis. Casados, novos, solteiros ou velhos, eram sempre fáceis. As garotas eram mais interessantes. Aos homens interessava apenas enfiar a varinha em qualquer buraco, bastando que fosse apertado. Ela tinha tido muitos namorados. Todos previsíveis, queriam a mesma coisa. Boquete, sexo. O que lhe atraiu em Axel foi a inteligência. Isso era algo diferente. Nunca se impressionara tanto.

Ela estava apenas organizando o evento. Não sabia quem era quem ali. No início, Axel sentou-se mais atrás, apenas observando. Ninguém prestava muita atenção nele, que parecia apenas estar tomando notas ou agindo como um observador. Ele se comportou assim quase que o primeiro dia inteiro. Calado, quieto. Em algumas poucas vezes, fez uma pergunta. Ela não entendeu do que se tratava, era algo muito técnico. Mesmo assim, sentiu que a pergunta, o que quer que tenha sido, havia impressionado os outros participantes. Já a partir da metade do segundo dia, enquanto normalmente os participantes discutiam por cima das vozes um dos outros, quando Axel falava algo, a postura dos demais era de atenção completa. Ele falava baixo e manso. Talvez fosse até de propósito. Tinham de se calar para poderem ouvi-lo. Aquilo sim, para Ingrid, era *sex appeal*.

Ela, claro, não precisou se esforçar muito para que ele a convidasse para sair. Bastou sentar-se junto a ele durante o almoço e mostrar-se aberta e disponível. Obviamente ele não a convidaria na frente de todos, portanto ela deu um jeito de, em pelo menos três ocasiões, durante a pausa do café, estar estrategicamente posicionada um pouco mais distante do grupo. Na terceira vez, ele fingiu que estava indo ao banheiro e eles conversaram. Ele se dispôs a viajar para Estocolmo para encontrá-la durante o final de semana.

Hospedou-se em um hotel. Contou que era suíço, conversavam em inglês. Que havia passado um ano no Brasil. Que estava em vias de retornar. Ela disse que tinha sido modelo bem jovem. Porém, com catorze anos havia se desentendido com um fotógrafo famoso. Que depois desse desentendimento, as ofertas de trabalho cessaram. Provavelmente ele usara sua influência para desacreditá-la de alguma forma. Quando terminou o ginásio, ela pensou em fazer curso superior mas, honestamente falando, não sentia a vocação para nada em especial. Tinha talento para organizar coisas e para tal não necessitava de quatro anos de universidade. Trabalhou como secretária por muito tempo, até que nos últimos três anos passara a trabalhar na BMG Eventos. Era um trabalho variado, interessante. Gostava muito. O melhor que já teve.

Beijaram-se. Ele foi suave, calmo. Não tentou levá-la para a cama. Foram ao *brunch* do domingo no famoso Mosebacken, que tinha uma das melhores vistas de Estocolmo. Ele foi embora para Västerås no domingo à tarde. Ela queria mais. Era o homem mais interessante que já havia conhecido, e divertido também. Contava histórias hilariantes do Brasil, da cultura, das aventuras e desventuras dos primeiros meses quando não entendia nada do que o povo falava. De quando foi na farmácia e, cinco minutos depois, estava no centro da loja, cercado por quatro atendentes, o dono, dois clientes e um policial enquanto tentava explicar que queria algo para pôr fim à sua diarreia. Isso aconteceu porque ele tentara ser discreto, por fim teve de mostrar por gestos do que se tratava seu problema. Todos explodiram na risada ao vê-lo simulando ter de ir ao banheiro.

Falaram-se durante toda a semana seguinte. Ela disse que, se ele quisesse ir a Estocolmo, poderia ficar hospedado no seu apartamento. Na sexta-feira à noite, ele a viu nua pela primeira vez. Era, sem sombra de dúvida, a mulher mais linda que já havia visto ao vivo. Fizeram amor. Ela não gozou, nem fingiu. Ele gozou rápido, e não quis mais. Ficaram deitados, abraçados. Aquilo sim, para ela, era sexo. Era intimidade. A maioria dos homens gozava e queria de novo, ou simplesmente iam embora. Ela já estava com vinte e nove anos. Faria trinta no ano seguinte. Não tivera uma carreira de sucesso como modelo. Não a reconheciam na rua. Não amava ninguém. Não era amada. Era desejada. Queriam possuí-la. Como quem possui um Porsche 911. Algo a ser mostrado. Algo para entrar dentro. Se pudessem, entrariam dentro dela e a mostrariam para todo mundo que quisesse ver. Sexo era ali, deitados de conchinha. Ela sentiu a respiração dele na nuca. O membro flácido repousado na coxa dela. Ele não tentou se mostrar, ou ser melhor que todos os outros. Ser o amante mais vibrante, o mais resistente, o que gozava mais forte, o que tinha a varinha maior. Ele teve seu corpo e isso o bastou. Pela primeira vez na vida, Ingrid sentiu que poderia se apaixonar por um homem. "E, por que não, viajar com ele para o Brasil? O pior que poderia me acontecer era voltar, caso desse errado." E agora tinha uma razão inédita: sentia que, havia sim, a esperança de até mesmo amá-lo. Era possível. Tinha noção de que nunca o amaria sexualmente, mas poderia amá-lo como se ama uma alma gêmea, um amor mais puro, mais profundo, livre das imperfeições da carne. Talvez aquele homem realizasse seu sonho de conhecer paisagens novas, países exóticos. "Pode ser que tudo seja imaginação minha, sonho meu. Logo, logo ele mostrará as verdadeiras cores e colocará tudo a perder."

 Tiveram um sábado maravilhoso. Levantaram tarde, Ingrid preparou um lauto café da manhã. À tarde, foram numa casa de banho onde fizeram sauna e nadaram na piscina. Ficava na praça Medborgardsplatsen. Caminharam dali para um bar tcheco, o Soldaten Svejk, onde tomaram cerveja Pilsner Urquell. De lá, foram jantar em um restaurante chamado Bröderna Olsson, cuja especialidade era alho. Cerveja com alho, sorvete de alho, bife com alho. Tudo no restaurante continha alho. Ambos adoraram a experiência. Ambos já tinham ouvido falar desse restaurante e conheciam a fama. Antes só faltava a coragem de experimentar. Provavelmente, nunca haviam tido a companhia certa para ousarem ir a um restaurante assim. Alguém com quem se ousasse feder junto. Ter um hálito ruim.

Saíram os dois com um hálito péssimo. Naquela noite, o Conde Drácula passou longe do quarteirão da casa dela; de fato, evitou o bairro todo. Mas estavam felizes. Sentiam-se confortáveis um com o outro. "Talvez não possa pedir mais que isso na vida", pensou Ingrid antes de dormir abraçada com Axel. Ambos estavam nus, mas não fizeram amor naquela noite. Sentia que havia encontrado o homem da sua vida. Pela primeira vez estava apaixonada.

1996

Um amor de Europa

No dia 10 de julho de 1996, Marcos pisou no Velho Continente pela primeira vez. Era mais quente, mais velho, mais sujo e mais caro do que imaginava. Carregava apenas uma mochila enorme e um passe de trem Eurail Pass de primeira classe que comprara de uma agência de viagens na Savassi. A princípio, desconfiou do anúncio no jornal que oferecia um único passe de primeira classe a preço de segunda. Porém, quando viu no tal bilhete, impresso em letras garrafais NOT FOR SALE (não vendável), captou o espírito da coisa. A agência havia ganhado o tal bilhete e agora revendia o brinde. Fazia sentido. Um bom desconto para ele e uma ótima pedida para a agência.

Viajou nos vagões da frente, nas poltronas largas que reclinavam bastante. Levava também o guia Frommer's *Europa 50 dólares ao dia*, em que uma das dicas dizia: "durma e tome banho no trem para evitar o custo de hotel". Descobriu que essas dicas eram perfeitas na teoria mas, na prática, eram impossíveis de seguir. Uma vez ou outra, tudo bem. Mas havia sempre o problema de chegar às cidades muito cedo: 5, 6 horas da manhã. Nada para fazer, tudo fechado. Independentemente das dicas impossíveis, Marcos seguia quase à risca os trajetos e visitas sugeridos: "se tiver somente um dia disponível, faça isso, vá a tal lugar, confira tal museu". Decidiu que iria seguir o conselho de sempre conhecer uma cidade grande e também uma cidade pequena nos arredores.

Não queria fazer a rota convencional de brasileiros na Europa. Nada de Portugal, Espanha ou Itália. Nada também de visitar trinta cidades em trinta dias. Queria ir a relativamente poucos lugares, absorver a cultura local, conversar com o povo. Saborear as comidas, bebidas e as mulheres locais. Talvez evitasse a Alemanha. Precisaria saber primeiro se a moda da não depilação havia acabado antes de se embicar para aqueles lados.

A aventura começou em Bruxelas, na Bélgica. Participou de uma excursão a pé pelo centro da cidade. Experimentou algumas das famosas cervejas trapistas. Tirou foto na estátua do menino fazendo xixi. Encontrou um indiano, duas americanas e um chinês em um albergue. Combinaram de ir juntos a Bruges no dia seguinte. O albergue em que ele estava tinha acabado de ser inaugurado. O novíssimo sistema de abertura de portas com cartão não funcionava direito. Toda vez que queria entrar no quarto precisava recodificar o cartão, o que, aparentemente, invalidava as outras cinco chaves do quarto dos outros cinco hóspedes. O mesmo acontecia com estes, o que tornava o processo um ciclo sem fim. Mas era um albergue muito confortável. Dormia em um beliche. No quarto havia três beliches. O albergue tinha quartos para casais também. Era óbvio que o quarto ao lado, a julgar pelo tuc-tuc-tuc ritmado da madeira batendo contra a parede, era um desses. Pelo visto estavam dando a matutina.

Parecia que todos dormiam, mas quando o sujeito ao lado deu um gemido muito estranho com uma voz de taquara rachada ainda mais esquisita, todos no quarto de Marcos dispararam a rir. Estavam, obviamente, acordados acompanhando o tut-tuc-tuc.

Hora do café da manhã. Juntou-se à turma que conhecera no dia anterior e foram conhecer Bruges. Visitaram uma dessas fábricas de cerveja que aparentemente entrara em funcionamento logo depois do Big Bang que criou o Universo. Senão antes mesmo até, porque Deus também precisava de uma bebida para se refrescar. "Nada de muito especial. O chope da Brahma é bem melhor e muito mais gelado", foi o seu veredito.

Naquele verão, o calor na Europa estava, literalmente, de matar. Viu na TV do albergue que muitos idosos já tinham morrido. Era quase impossível conseguir comprar uma água gelada. As bebidas saíam da geladeira mais rápido do que eram colocadas.

Próxima parada: Amsterdã. O albergue ficava dentro de um grande parque, todo gramado. Era por volta das 3 da tarde. O parque estava lotado. As mulheres, todas de biquíni, muitas praticavam o saudável esporte do *topless*. Uma vista maravilhosa. Pessoas jogavam *frisbee*, liam, conversavam. A maioria fumava. Dentro do albergue, pagou e recebeu um papel com o número da cama. Não viu ninguém, o lugar estava completamente vazio. A cama ficava no terceiro e último andar. Esse era mais velho. Não tinha elevador, apenas escadas. Localizou o quarto, era imenso. Devia ter uns dez beliches, no mínimo. Estava completamente escuro. Não encontrou interruptor de luz. Esperou os olhos se acostumarem com a escuridão. Lentamente, começou a perceber que, estranhamente, todas as camas estavam ocupadas. Eram 3 horas da tarde e todos dormiam. Ficou sem entender. Saiu do quarto e foi conhecer a cidade.

Passeou pela zona da luz vermelha. Passava pelos becos, olhando as garotas de todos os tipos, cores, formas e tamanhos. Atrás dele, uma grande fila de turistas fazia o mesmo. Viam aquela loucura toda. Quando tinham um cliente, as putas fechavam a persiana da janela. O programa deveria ser algo chatíssimo. Ainda mais com o burburinho das pessoas passando em frente. O quarto era minúsculo, pelo que se podia entrever. "Tudo turismo", pensava. Homens entregavam panfletos de *shows*. *Show* da bolinha de pingue-pongue, *show* do cigarro, *show* de duas mulheres, sexo ao vivo, sexo em grupo, homem que levantava pesos, sem usar as mãos, claro. Olhou novamente para trás e se viu só. As luzes apagadas, as mulheres fora de vista. Pelo visto não era apenas turismo. "Caraca, o pessoal tá trepando, que loucura! A coisa é pra valer mesmo."

Continuou andando, um sujeito saltou-lhe à frente: "Aqui, se você quiser algo mais forte, eu consigo para você". Assustou-se. Provavelmente a figura do "homem solitário" era algo suspeito. Passou a ficar mais de sobreaviso. À frente, um grande grupo de turistas chineses. Ou japoneses. Como saber? Passou pelos famosos *coffee-shops*, onde tinha maconha no cardápio, classificada como: a mais forte, a mais saborosa, a mais encorpada e assim por diante. Ouviu dizer que somente os turistas pegavam as mais fortes. O consumidor local ia sempre na mais fraquinha. Pensou em experimentar, mas não teve coragem. Estava sozinho. Se tivesse um treco, estava só e fodido. Além do mais, sempre teve o pensamento que "drogas e *gays* não é bom experimentar, vai que eu goste. Melhor ficar na ignorância". Voltou ao albergue depois da meia-noite. Estava movimentadíssimo. O sujeito da cama ao lado discutia com o outro vizinho:

— Pois é, depois do café da manhã nós fomos no *tour* da Heineken e de lá no *coffee-shop*. Experimentei um muito maneiro. Voltei pra cá flutuando, nas nuvens. Dormi até as 7 da noite, saí para comer um rango, fui lá de novo. Outra viagem, tô legal até agora. Bom demais. E você?

— Pois é, eu fui na Heineken ontem, então hoje eu me dediquei à degustação. Fumei quatro tipos diferentes pela manhã, dei aquela cochilada básica à tarde e hoje à noite degustei mais três. Adoro esta cidade. Amanhã vou na dica de um colega. Ele disse que melhor que maconha, é um lugar onde vende um quiche feito com cogumelos alucinógenos. Topa ir lá?

Após a obrigatória excursão à fábrica da Heineken no dia seguinte, Marcos embarcou para Zaanse Schans, uma pequena vila com os famosos moinhos de vento. Legal, interessante, mas também meio que enganação para turista ver. A única opção era comprar os suvenires deles. Não comprou.

Sem nada para fazer, passou perto de um telefone público. Lembrou-se de ligar para Eva. Havia achado o nome completo, telefone e endereço dela no meio dos papéis antigos. Anotou apenas para constar, porque já havia se passado oito anos. Tempo demais. De qualquer forma, Estocolmo era um dos locais que mais queria conhecer. Lembrava dela contando sobre a cidade. Uma vez lá, talvez procurando na lista telefônica, a encontrasse. Certamente ela estava casada, com filhos. Mas podia ter uma amiga que lhe arrumaria uma acomodação qualquer de graça. Valia a pena tentar.

No primeiro toque, ela atendeu. Ele reconheceu a voz do outro lado:

— Marcos. Da Universidade de Houston, 1988.

— Não acredito! Não acredito! Não acredito!!! É você? Tudo bem? Onde está? Que surpresa!

O tom dela era de felicidade, surpresa, alegria. Não podia querer mais. Superou todas e quaisquer expectativas que ele podia ter.

— Estou na Holanda. Vou passar um mês na Europa. Quero ir a Estocolmo. O que você acha? Poderia me encontrar um dia?

— Claro. Estou de férias também. Estava justamente pensando para onde viajar. Venha, fique aqui na minha casa. Seria ótimo revê-lo.

Não acreditou. Poderia ter tanta sorte assim? Levantou as mãos para o céu em agradecimento. Quer dizer, a mão esquerda. A direita continuou segurando o telefone, mas Deus certamente entendeu o significado. O que valia era a intenção.

Depois de uma recepção telefônica calorosa desse naipe, em menos de 48 horas Marcos descia do vagão que havia acabado de chegar na estação central de Estocolmo. Pela janela, viu Eva. Estava mais bonita ainda do que lembrava. Era grande, alta, forte. Tinha um físico de nadadora. Cabelos longos, rosto redondo, olhos azulados. Peitos firmes, de médios para grandes.

Ela lhe contou que dois dias antes da ligação tinha rezado para Deus. Andara deprimida, havia tido uns relacionamentos que não levavam a nada. Estava dentro de um trem, a caminho de casa. Metrô de superfície. Quando acabou de rezar e olhou pela janela, viu pichado em um muro: Marcos 1988. Lembrou-se do rapaz de Houston. Que a essa altura estava no Brasil, casado. No dia seguinte recebeu a ligação. Eva entendeu aquilo como uma bênção dos céus, um sinal divino. Provavelmente foi por esse motivo que, na mesma noite, Marcos fez umas quatro visitas de cinco a dez segundos ao paraíso. Aquilo que havia tentado durante seis meses, conseguiu, sem fazer força, em poucas horas. Ao final, ela pediu um descanso porque estava doída. Fazia muito tempo que não praticava aeróbica horizontal. Mas como Marcos ainda estava excitado, ela lhe ajudou com um oral. Feito no estilo completo, até o final. Ele dormiu satisfeito. Mas estava na dúvida se ela tinha gozado. Descobriria isso depois.

Estocolmo, situada em uma localização privilegiada no mar Báltico, sempre foi rota de intenso comércio desde os tempos medievais. Essa tradição continua até hoje, seja no comércio, seja no turismo. Grandes navios de cruzeiro fazem a rota Estocolmo / Helsinki (Finlândia); Estocolmo / Tallinn (Estônia); Estocolmo / Riga (Letônia). Pode-se comprar a viagem simples, somente de ida, mas o mais comum é comprar-se o cruzeiro. O navio parte de Estocolmo no final da tarde, entre 17 e 18 horas, dependendo da empresa, chegando ao seu destino entre 10 e 11 da manhã do dia seguinte. Então, parte novamente no mesmo horário de fim de tarde com destino a Estocolmo atracando entre 10 e 11 horas. Geralmente as empresas têm dois navios fazendo a mesma rota, assim, quando um barco está saindo de Estocolmo, outro ao mesmo tempo sai da cidade de destino, proporcionando saídas diárias. Nessa modalidade de cruzeiro, a pessoa vai e volta na mesma cabine. Várias empresas competem nesse filão: Viking Line, Stena Line, Tallink, Silja Line. Ainda existem outros barcos que fazem o cruzeiro de uma noite só. Em vez de irem para essas cidades, esses barcos se dirigem a uma ilha chamada Mariehamn. O interessante dessa ilha é que é um enclave sueco em termos culturais, étnicos e até mesmo governamentais, mas legalmente trata-se de uma província autônoma reconhecida como não pertencendo à comunidade europeia. Todos os barcos saindo de Estocolmo passam por essa ilha. Trata-se de um ponto importantíssimo, porque uma vez que os navios estão fazendo uma viagem fora da comunidade europeia, ficam elegíveis a funcionarem no sistema de *freeshop*. Os navios possuem enormes lojas de produtos importados, perfumes, eletrônicos e bebidas. Isso também contribui para que a comida e a bebida servidas a bordo sejam, em média, de 30 a 40% mais baratas que em terra.

Eva ganhara um tíquete da mãe para uma viagem à Finlândia. Suíte chique, grande, com cama de casal e vista para o mar. O barco mais parecia um hotel cinco estrelas flutuante. Marcos colocou a melhor roupa que levara, ela também foi muito elegante, de vestido. Jantaram no Maxim's. Ele comeu coelho, ela peixe. Era o melhor restaurante. Havia outros. Um no estilo bufê enorme, extremamente popular. Uma lanchonete. Vários bares.

Ela foi ao banheiro. Marcos ficou em pé vendo o *show* de um cantor. Um cara sentado, com microfone e guitarra. Cantava bem. Estava apinhado. No empurra-empurra, sentiu uma mão apalpando-lhe a bunda. Virou e viu quatro mulheres, bem vestidas e elegantes, atrás dele. "Devo estar enganado." Continuou assistindo ao *show*. De novo, mão na bunda. "Não é possível." Virou-se. As quatro riram. Riu de volta. Eva apareceu e levou-o para a boate. Dançaram. Gente de todo tipo. Gente como eles, bem vestidos. Mulheres coroas de sainha curta, tomando todas e divertindo-se a valer. Jovens de dezoito, dezenove anos de *jeans*, camiseta. Homens de trinta em uma despedida de solteiro, mulheres de trinta em despedida de solteira. Homens de cinquenta, sessenta anos, pés de valsa, dançando a noite toda com quem quer que fosse. E todos tinham uma cabine para si. "Isso aqui é o bicho", pensou. "É uma discoteca com motel acoplado. Quer melhor?"

Naquela noite, para não fazer feio, certificou-se de que Eva gozara. Teve de trabalhar para isso. Ela demorou. Mas ele chegou lá, afinal, precisava pelo menos retribuir a viagem gratuita.

Dias depois, saíram de Estocolmo e rumaram para Frankfurt. Dormiram em um hotel barato. Passaram a maior parte do tempo no quarto. Eva gostava de dormir até tarde. Não topava uma matinal de jeito nenhum. Somente depois de tomado o café. Com isso, e tendo de sair do hotel antes do meio-dia, eles acabavam perdendo a primeira metade do dia. Acordavam às 10, tomavam café, satisfaziam seus anseios sexuais, saíam do hotel e já estava na hora do almoço.

Frankfurt era uma cidade chata; rumaram para Praga. Na fronteira, Marcos pegou o visto. Pagou algo como R$ 100,00. Recebeu um carimbo no passaporte e um papelzinho. Quase jogou fora o tal recibo, mas resolveu deixá-lo, sabe-se lá por que, na bolsinha da mochila. Pararam na cidade de Pilsen. Lá mesmo onde inventaram a cerveja do tipo Pilsen. Fizeram um lauto jantar. Era barato. Barato demais se comparado com os outros lugares onde havia estado. Jantar para dois, com vinho, água, comida farta, sobremesa, tudo incluso no total de R$ 50,00. O hotel tinha um quarto grande, espaçoso. Cama macia. Daquelas que davam um retorno quando ele estava em cima, bombando.

A essa altura, Eva tinha dito que não transava havia dois anos, que fizera exames e tudo mais. Marcos passou a economizar nas camisinhas. Gozava fora. Jorrava nela. Ela gostava. Ele também sempre adorara uma sacanagem. "O gozo fora é algo sacana. Quer dizer, se feito certo." Mas nada de exageros. Ela era convencional, tudo certinho. Curtiam a companhia mútua. Em Praga, ficaram quatro dias aproveitando a comida barata, a cerveja barata, o hotel barato. Passaram dois dias acordando tarde, fazendo amor por várias horas e indo para a cidade velha, onde comiam e bebiam ao ar livre olhando o famoso relógio astronômico. Só não conheceram a mais famosa atração do lugar: o Castelo de Praga. A entrada era muito cara, e era necessário esperar um tempão até poder ter acesso. As poucas horas fora do hotel eram gastas passeando pelas ruas de paralelepípedo, caminhando pela famosa Ponte de Charles. Gastaram também as preciosas horas de um dia fazendo um percurso a pé seguindo as instruções do guia Frommer's.

Tomaram um trem noturno para Viena. A "maravilhosa" ideia de dormir no trem. O trem era velho, lento. Estavam em uma cabine de dois bancos grandes inteiriços, um de frente para o outro. Os bancos comportavam três pessoas cada. Desconfortável ao extremo. A cabine era fechada com uma porta de vidro e madeira que rangia o tempo todo. Por volta de 2 ou 3 da manhã, o trem parou na fronteira. Todos dormiam ou tentavam dormir, meio grogues de sono, quando um oficial, batendo na porta com um cassetete, acordou a todos dizendo em tom rude: "Documentos, documentos". Outro, mais atrás, trazia um cachorro pastor alemão na coleira. Tinham um tom muito diferente dos outros guardas de fronteira. Aliás, tudo na República Tcheca lembrava os tempos duros do comunismo. As portas do metrô se fechavam bruscamente, tudo era velho, enferrujado. Até a mensagem no alto-falante do metrô indicando a próxima estação parecia ser dita por um antigo militar. Marcos não entendia o que eles diziam, mas devia ser algo assim: "Próxima estação, Morumbi, sentido!". Estendeu o passaporte para o guarda mal-encarado.

— Onde está o recibo do visto? — perguntou o guarda.

"Caralho. Mais essa. O cara quer o recibo do visto. Se o visto está no passaporte é porque eu paguei. Vai ver é burocracia igual no Brasil", pensou. Marcos virou-se e, por sorte, achou o papel de pronto. O guarda não estava mais lá. "Filho da puta, pede o papel e some." Ajeitou-se para tentar voltar a cochilar. Eva parecia já ter voltado a pegar no sono. Ouviu o tradicional apito, indicando que o trem estava para sair. "Caralho, ele está com meu passaporte!" Levantou-se. Da porta da cabine viu, no fim do vagão, o tal sujeito já prestes a descer do trem. Alcançou-o correndo, quando o guarda já se encontrava com um pé no cimento da estação e outro ainda dentro do trem. Cutucou-lhe por trás. Sem se virar, o guarda levantou o braço e, por cima do próprio ombro, estendeu-lhe o documento.

Muito tempo depois, Marcos leu que o passaporte brasileiro em 1996 era valioso no câmbio negro. Facílimo de falsificar e dava entrada a quase todos os países da Europa sem necessidade de visto. Valia ouro.

Em Viena, Eva adoeceu. Era gripe, mas como ela tinha asma, a coisa podia se complicar. Queria voltar para a Suécia. A viagem de volta foi terrível. Cruzaram a Alemanha em um trem-bala cujas portas e janelas eram hermeticamente lacradas. O detalhe era que o ar-condicionado estava quebrado e devia estar 40 graus lá fora. O trem-bala se transformou em um forno-bala em que hordas de alemães de 200 quilos suavam em bicas, a bebida havia acabado e muita gente passava mal. Por fim, retornaram ao pequeno apartamento dela de uma sala e quarto conjugados.

A cozinha era uma *brincadeira*. Um fogão de duas bocas, micro-ondas suspenso no teto. Parecia a cozinha de um avião. Era, literalmente, do tamanho de um guarda-roupas. Durante a ausência deles, alienígenas haviam se apossado da pequena geladeira, dessas de quarto de hotel. Eva deixara leite, queijos e outras culturas mais e partido para uma viagem de quinze dias. O fedor era torturante, de provocar vômito. Marcos carregou a geladeira até o banheiro e lhe deu um banho completo, por dentro e por fora. Eva ficou tão contente, que nessa noite fez dois boquetes seguidos.

Tudo corria bem, mas se aproximava a hora de Marcos partir. Eva, então, sugeriu que ele ficasse. Ele disse que não tinha dinheiro para continuar lá por muito mais tempo sem trabalhar. "Vamos na imigração, pegamos um visto para você."

Recebeu uma autorização temporária de estada. Para todos os efeitos legais, estava "casado" com Eva. Para passar o tempo, matriculou-se em um curso de sueco para estrangeiros. Era gratuito, mantido pelo governo. Fazia também academia de ginástica. Descobriu que existia um tal de Bar Brasil. Um clube, sem lugar fixo, que organizava festas brasileiras. A coisa era tão mal-arrumada, que para começar, o dono era um boliviano. Uma figura cômica. O sujeito parecia que havia ido ao Brasil nos anos

70, visitado uma favela, conhecido um "malandro". Adotou o estilo, que se mantinha fiel até aqueles dias. "Maneiro", "Qualé", "Massa", "Tô contigo e não abro" eram algumas das suas expressões favoritas. Vivia de organizar festas brasileiras tipo carnaval, mantinha um grupo de mulatas e por aí vai.

Com muito tempo livre, Marcos frequentemente ia a um lugar chamado "a casa da cultura", bem no centro da cidade, onde tinha acesso à internet e também a jornais e revistas brasileiros. Em um mural ficou sabendo sobre um MBA (um curso de formação administrativa, geralmente enquadrado na área de especializações) mantido pela prestigiosa Universidade de Estocolmo. Melhor ainda: o tal MBA fornecia bolsas exclusivamente para brasileiros. Gastou dias lapidando seu currículo, suas credenciais, escrevendo uma carta de apresentação. Foi chamado para a entrevista pessoal.

Em outubro de 1996 recebeu a carta oficial comunicando que tinha sido aceito. Àquela altura, o relacionamento com Eva já tinha virado água. Ela queria alguém para ir junto à igreja todas as quintas e aos domingos à noite, e que participasse dos eventos da comunidade. Ela era muito ativa no meio religioso. Queria noivar, casar no ano seguinte. Não ficou alegre ao saber que Marcos desejava concorrer à vaga de MBA. Queria, definitivamente, casa, Volvo e cachorro. Marcos ainda morou com ela até o final do ano, mas quando recebeu o visto de imigrante no passaporte (antes, só tinha a tal autorização em um papelzinho solto), mudou-se para o alojamento universitário.

1997

O guia

No início de 1997, tudo era festa. A universidade se chamava Stockholms School of Economics, mas era também chamada de Handelshögskola, ou mesmo Handels, para os mais chegados. O MBA era puxado, mas ainda assim sobrava lugar para um relax. As aulas eram em inglês e apenas uma pequena minoria étnica era nativa. De trinta alunos, cinco eram suecos e os demais, de todos os cantos do mundo. Com foco nas regiões, talvez os asiáticos fossem maioria. Eram três chineses, dois coreanos, um tailandês, um indonésio. A classe era quase meio a meio em relação à distribuição entre sexos. Certamente isso devia ser um ponto de honra da escola, mantendo a tradição sueca de igualdade entre os sexos e, de certa forma, até mesmo forçando a barra para se garantir que a representação fosse sempre igualitária.

Enquanto nos Estados Unidos existe o programa *affirmative action* com o intuito de, prioritariamente, ajudar os negros a obter mais chances de estudo e trabalho, na Suécia existe a política de incentivar as mulheres a melhorar sua situação não só no estudo e trabalho, mas também fomentando suas participações como líderes empresariais e do meio político. Há muito debate-se, por exemplo, a criação de uma lei exigindo que grandes empresas, públicas e privadas, tenham de possuir certo percentual mínimo de mulheres no conselho de diretores.

Marcos, é claro, era obviamente a favor de tal distribuição igualitária, ainda mais que a chinesinha — cujo nome adotado em inglês era Camille Tan — era muito deliciosa. Pequena em todos os aspectos. Estudavam frequentemente juntos e tiravam uma pausa para a transa. Cochilavam, estudavam de novo. Para facilitar ainda mais o *arranjo*, eles moravam no mesmo complexo estudantil. Cada estudante tinha seu próprio quarto, com cama, estante, escrivaninha, TV a cabo (somente o básico, sem filmes), guarda-roupas, espelho e banheiro. Fora do quarto, havia a cozinha coletiva, uma sala de estar grande com televisão e uma mesa enorme para refeições em grupo, tinha também outra sala de jogos com sinuca, pingue-pongue e totó. Na cozinha, muitos papéis pregados com os dizeres "sua mãe não mora aqui, lave o que você utilizar". Apesar dos lembretes e da cozinha ser equipada com máquina de lavar louças, a bagunça era um constante fator de atrito entre os moradores. Uma lavanderia, com grandes máquinas de lavar e secar, cuidava de prover os estudantes do resto da infraestrutura necessária. A lavanderia funcionava com um sistema de reserva. Um grande quadro, do lado de fora, mostrava os dias da semana e abaixo os horários: 7h-9h; 9h-11h, e assim por diante até as 22 horas. Para usar, bastava usar um cadeado especial "fechando" um determinado horário e dia da semana. Um funcionário cuidava de na segunda de manhã cedo retirar todos os cadeados a fim de evitar que alguém travasse um horário constantemente. Como os cadeados tinham os nomes das pessoas, a lavanderia também era lugar de intensa atividade entre os sexos. Bastava conferir o quadro para saber que a gostosíssima finlandesa Olga havia marcado de lavar roupas na terça, entre 11 e 13 horas. Encontrá-la, "por acaso", nesse dia e horário, não seria difícil. Proliferavam as histórias desses encontros que resultavam numa trepada entre toalhas, calcinhas e calças *jeans*. Era quase que um fetiche comer alguém na lavanderia. Era nesse ambiente alegre e sem muitas preocupações, exceto com provas e trabalhos, que, a partir das 11 horas da noite, a movimentação de entra e sai nos quartos era intensa.

Marcos e Camille, por exemplo, não estavam namorando. Pode-se dizer que mais da metade dos relacionamentos era mantida em segredo. A maioria sabia que era tudo uma aventura, fazia parte da vida universitária. Claro que, muitas vezes, saía casamento. Mas com frequência o casal tinha noção de que não tinham futuro juntos. Marcos e Camille eram o perfeito exemplo: ela voltaria para a China, Marcos para o Brasil. O amor dos dois não tinha a força, o desespero necessário para que um dos dois largasse o país de origem. Marcos não tinha a menor vontade de morar na China, aprender chinês. "Uma das línguas mais difíceis do mundo. Já me basta tentar aprender o sueco." Caso ele resolvesse tentar algo sério com Camille, uma vez que terminasse seu MBA, teria de ir para a China. Porém, um diploma de MBA era como uma mercadoria fresca. Como uma lagosta. Cara e altamente perecível. Valiosa apenas enquanto viva no aquário. Ao se formar, o sujeito está bem cotado no mercado. É a lagosta, recém-saída do aquário, do ambiente confinado. É nessa hora que ele tem de aproveitar, arrumar uma boa colocação.

O título de recém-formado, ainda mais na Handels, abria portas. Contudo, depois de um ano, perdia-se o rótulo de *recém*. Ficava complicado chegar a um empregador com a conversa: "É, eu me formei faz um ano, mas na verdade não tenho experiência. Não participei de nenhum programa de *trainee*, não fiz nenhum projeto. Sabe, eu me mudei para a China, passei um ano lá, aprendendo chinês, coçando o saco. É que eu tinha uma namorada chinesa." Não colava. Não ia rolar. Por isso, quando Camille começou a forçar a barra para "oficializarem" a situação, transformar o encontro de sábado em algo obrigatório, o relacionamento começou a definhar. Ele enrolou, ainda deu para levar um pouco. Mas quando ela implicou com os passeios de barco, Marcos chegou ao seu limite. Esses passeios eram intocáveis, "imexíveis". Terminaram no mesmo dia.

Pradinho passou a ser uma figura constante no apartamento de Marcos. Até parecia ser estudante, de tanto que aparecia por lá. Tornaram-se grandes amigos, com o divisor de águas tendo sido a viagem a Kos. Antes dela eram conhecidos, depois, viraram "chegados". Pradinho curtia o ambiente estudantil. Ainda mais que ele obtinha somente os benefícios, sem precisar pegar no pesado, ou seja, estudar. Às vezes, levava seu violão para impressionar as garotas. Participava das festas no corredor. Quase toda sexta tinha festinha em algum corredor do prédio. Este tinha cinco andares, cada andar com sua própria sala, cozinha, etc. Se não houvesse um programa legal para sexta, ou se a grana estivesse curta, era só ficar quieto por lá e se guiar pela música para chegar a uma farrinha dentro do próprio prédio. A grana se mostrava um capítulo à parte. Sair em Estocolmo era, e ainda é, caríssimo. Por isso, sempre haviam os *esquentas*. Uma pré-festa. Cerveja e vinho, que só podiam ser comprados nas lojas próprias — as famosas "Systembolaget", mantidas pelo governo — e relativamente baratos. Uma garrafa de vinho de boa qualidade custava o equivalente a R$ 30,00. Nos restaurantes, esse era o preço cobrado pela taça do mesmo vinho. Por isso, os barcos eram uma ótima opção de balada. Marcos já experimentara os barcos com Eva. Uma experiência interessante, mas nada excepcional. Foi introduzido por Pradinho no "lado negro" das embarcações.

Pradinho era frequentemente contratado para cantar nos barcos. Trabalhava no regime de duas semanas a bordo e duas semanas de férias. Perfeito para ele, já que lhe possibilitava também trabalhar, durante o dia, com a empresa de turismo. Somente quando o barco estava em alto-mar, algo entre 9 da noite e 4 da manhã, é que os telefones não funcionavam. Como tinha a parte do dia livre, ficava na sua cabine, conectado à internet e atendendo o celular. Naquela época, a maior parte das reservas já era feita pelo telefone. O parceiro na loja cuidava de atender os clientes que entravam na agência, bem como às ligações. Caso o sócio, por estar ocupado com outro cliente, não atendesse ao telefone, a chamada era automaticamente redirecionada para o número de Pradinho, que também ficava a cargo de responder aos *e-mails*.

Como funcionário da embarcação, Pradinho tinha direito a uma cabine com duas camas. Todas as cabines tinham duas ou quatro camas. Ou então uma de casal, mas essas eram mais caras. A cabine dele era a mais barata, ficava na parte mais inferior do barco, sem janela para fora. Marcos aprendeu que podia comprar apenas um lugar em uma cabine coletiva. Era assim que os estudantes viajavam. Dividiam o espaço com outras três pessoas. Se comprasse um lugar no último minuto, isto é, na manhã do mesmo dia da viagem à tarde, geralmente pagava o equivalente a menos de R$ 20,00. Aí, em vez de ir para a cabine designada, ele ia para a do Pradinho. Assim, eles viajavam juntos. Além da companhia, garantia também a possibilidade de levar uma garota para a cama em caso de sucesso à noite.

Combinava com Pradinho de antemão, na sexta-feira. Voltava para o apartamento no domingo de manhã. As sextas eram o dia mais movimentado. Barco superlotado. Estudantes dividindo cabines baratas, sem janelas, nos andares inferiores. Tinha de tudo: grupos de mulheres e de homens fazendo despedida de solteiro, empresas festejando com os funcionários alguma meta de vendas alcançada. Ou então fazendo um programa de treinamento, uma dinâmica de grupo. Afinal, no barco, ninguém tinha a desculpa de "ter de voltar para casa mais cedo". Trabalhavam de dia nas salas de reunião e à noite se confraternizavam nos restaurantes. Alguns, de madrugada, nas cabines. Na boate tinha música ao vivo até as 2 da manhã. Já a discoteca permanecia em pleno vapor até as 5.

Pradinho cantava num cantinho de um dos bares. Trabalhava das 5 às 10 horas, com descanso a cada uma hora. Antes mesmo de o navio partir, ele começava a cantar. Audiência zero, mas conferia um certo ar de animação. Naquela hora, todos ainda estavam entrando, procurando suas cabines, rodando o barco para se familiarizar onde ficavam os bares, os restaurantes, a boate, as lojas. Famílias com crianças. No verão ele cantava no *deck* onde as pessoas tomavam sol, assistiam ao "levantar âncora" e se deslumbravam com a paisagem magnífica. Estocolmo tinha um grande arquipélago, com ilhas de todos os tamanhos, desde grandes até minúsculas. Muitas habitadas.

Por volta de 19 horas, o povo já estava acomodado e a audiência já se fazia considerável. Entre 21 e 22 horas todas as cadeiras estavam ocupadas. A partir das 22, começava o *karaokê*. Uma outra funcionária (coincidência ou não, era sempre uma mulher) tomava o comando e animava a turma. Nos dias mais calmos, ela mesma cantava umas músicas para esquentar o pessoal; nos dias movimentados, antes mesmo de o *karaokê* iniciar, já havia se formado uma carreira de nomes no papel designado para reservas. Pradinho e Marcos ficavam por ali mesmo, aproveitando a fama. Muitas mulheres se aproximavam. As russas eram as mais assanhadinhas. Como geralmente o inglês delas não era muito bom, partiam para a língua universal rapidamente. Umas selvagens na cama. Sedentas. As suecas eram retraídas, mas depois de beber se soltavam. Falavam bem o inglês, queriam conversa. Davam mais trabalho. As estonianas eram, em geral, as mais lindas. Seu queixo caía com aquelas louras estonteantes, traços finos, pele macia.

Os barcos eram o equivalente brasileiro dos motéis, porém aprimorados. Algo como uma enorme discoteca, com vários ambientes, com um motel acoplado gratuito, já que quem estava ali tinha cabine. Com fartura de garotas monumentais. E, ainda, tudo regado a muito álcool barato. Era o paraíso, porém "do jeito que o diabo gosta!".

Mais de dez anos depois, com a invenção do Facebook, Marcos atentou para o fato de ter encontrado mulheres naquela ocasião que, com toda certeza, estariam hoje no Face. Porém, sem saber nomes, seria impossível achá-las, apesar de tanto ele quanto elas estarem na mesma rede social. Eram vizinhos virtuais, morando no mesmo prédio, porém sem nunca se encontrar.

O único jeito seria se alguém criasse uma base de dados em que as pessoas registrassem as datas que haviam viajado nos navios, assim ele poderia fazer contato com as antigas colegas de viagem. Seria mais fácil encontrá-las dessa forma do que pesquisar entre milhões de usuários.

Lembrou-se dos tempos idos: as conversas no bar, o primeiro encontro. O típico perguntar nome, qual país de origem, qual signo, blá, blá, blá. Digamos que fosse possível que as pessoas, dentro do Facebook, anunciassem na tal base de dados os dias em que estariam viajando. Dessa forma, um cara como ele — nos bons tempos, não agora que estava casado e tudo mais, lógico — poderia procurar as garotas que fossem viajar na mesma data e, já ali mesmo, no Facebook, fazer amizade e conversar com as vítimas, quer dizer, com as garotas interessantes. Com isso, o sujeito já chegaria no navio conhecendo algumas delas, já tendo feito as iniciais apresentações. Ou, quem sabe, na melhor das hipóteses, já indo direto com ela para a cabine.

Nascia a ideia do CruiseKontrol.

* * *

1997. No RÁDIO, o *hit* internacional do momento era "I believe I can fly". Vanessa estava ocupada. Tinha uma festa para organizar. Desde outubro do ano passado dedicava-se a organizar festas. Descobria, a cada dia, que tinha talento para a coisa. Como tinha facilidade de se relacionar com as pessoas, ela conseguia alavancar isso para o lado profissional. Tanto no sentido de arrumar trabalhos quanto na organização do evento propriamente dito. Havia sempre a possibilidade de algo dar errado e "nessas horas, um sorriso e um jeitinho costumam funcionar melhor do que um bater de pé", costumava dizer.

Ainda tinha problemas em conseguir executar o serviço profissionalmente, de ser levada a sério. As pessoas gostavam muito do trabalho dela até o momento em que tinham de desembolsar a grana. Era o preço que se pagava por trabalhar com amigas e colegas. Mas o momento era bom, as coisas estavam caminhando, já havia, inclusive, impresso cartões. "Vanessa Festas e Eventos." Tentou manter o nome bem genérico, capitalizar na pessoa dela. Começava a pensar em alugar um local. "I believe I can fly", tradução: "Acredito que posso voar". Vanessa acreditava também. Visualizava a si mesma, dentro do bufê, organizando uma festa. Acreditava muito na mentalização, no poder do pensamento positivo. Só não estava tão positiva no tocante a relacionamentos. "Deixa eu ser franca comigo mesma. Meus relacionamentos são ótimos, maravilhosos. Meu problema é sexo."

Depois do Juliano, havia tido o Rui e o Marlon. Todos foram um *replay* do Juliano. Começava quente, mas logo a coisa esfriava. Eles queriam mais, ir além. Ela travava. Não que não gostasse. Tinha comprado um novo vídeo pornô, havia enjoado do antigo. Nesse tinha de tudo. Garota com garota, duas garotas com um homem, uma garota com dois homens. Além do tradicional homem com mulher. Um dos homens era fortão. Nunca havia tido um namorado desses, estilo halterofilista. Faziam de tudo que se pudesse imaginar. "Talvez eu só goste no vídeo. Tem gente que fantasia até ser estuprada, não? Claro que se acontecesse na vida real não seria bom. Sei lá, vai ver eu prefiro deixar a fantasia como fantasia", consolava-se. "Talvez isso não seja de todo mau. Aliás, sexo no geral é meio que exageradamente valorizado. Tem vez que uma *mousse* de chocolate bem feita dá de 10, ainda mais com esses que tenho arrumado. Tudo boiola. Saudade do Marcos."

Eis que por meio de uma indicação do tipo amiga-da-prima-da-tia-da-sobrinha apareceu um trabalho. Um aniversário de setenta e cinco anos de uma senhora. Como, na prática, a tal senhora era uma completa desconhecida, foi a primeira vez que realmente poderia ser uma profissional. O único detalhe é que a festa seria em Ouro Preto, no dia 5 de março. Quase que exatamente um ano, justamente no lugar que havia sido o cenário do término do namoro. Mas essa seria, sem comparação, a maior festa que já teria organizado e, finalmente, ganharia um bom dinheiro cobrando um preço justo. Sem contar que seria um marco no currículo da empresa. "Passado é passado", e resolveu que era melhor encarar o desafio.

 No dia da festa, sentia-se mais nervosa do que uma noiva no dia do casamento. Trabalhara no evento por quase um mês. Era uma festa surpresa, então a aniversariante, na verdade, nunca fora consultada. Para piorar, a celebração havia sido encomendada pelos filhos, três homens. Nenhum deles queria se envolver com nada, exceto o absolutamente essencial. No final, a festa saiu puramente da imaginação de Vanessa, que foi responsável por, literalmente, tudo. Da decoração, passando pelos comes e bebes, convites, música, docinhos, café, licor até a lembrancinha da festa na saída. Quando tudo acabou, sentiu-se como um balão que se esvazia. A energia sumiu, os pés doíam, os olhos ardiam. Pegou um táxi para o hotel, que não ficava longe, mas não tinha forças nem para a caminhada de cinco minutos. Ainda mais naquelas ruas de paralelepípedo usando salto alto.

 Não lembrava quando ou como chegou ao quarto. Quando deu por si, eram 10 horas da noite e estava deitada na cama toda vestida. Devia ter dormido umas quatro horas, já que a festa, que fora durante o dia, tinha começado às 11 horas e terminara às 5 da tarde. Sentia-se faminta. Tomou uma ducha. A temperatura estava fria como no ano passado.

 Sentia-se acordada, na verdade o sono tinha funcionado como uma "súbita liberação de tensão". Estava feliz, tudo tinha corrido bem. Maravilhosamente bem. Todo mundo tinha adorado, foi superelogiada. Colocou uma roupa quente. Desceu ao *lobby* do hotel. A cozinha estava fechada, mas poderiam fazer um sanduíche. Pediu uma taça de vinho para celebrar sua vitória pessoal. Terminava de comer, quando um alguém sentou-se ao seu lado.

 Reconheceu-o imediatamente. Era um homem que havia visto na festa. Pelo que entendeu, ele não falava português. Não conversaram durante a festa, ela nem imaginava que ele a houvesse visto. Era americano. Do alto dos seus vinte e cinco aninhos, na época achou-o um quarentão. Não curtia o estilo pai-namorado. Não gostava de homens muito mais velhos. Ainda mais esse que tinha barba e bigode. Apesar de tudo, era bem apessoado. Possuía certa semelhança com o Robert Redford. Tinha os olhos claros. Lembrou-se que, da primeira vez que foi aos Estados Unidos, acabou conhecendo Marcos. Brincava: "Poxa, vim de tão longe para achar um cara de Belo Horizonte?". Nunca experimentara um estrangeiro.

O homem pediu outra taça de vinho para ela, que recusou, mas ele insistiu. Contou que tinha uma empresa nos Estados Unidos, na verdade, estava no Brasil a negócios. Era a primeira vez na terrinha. Um dos clientes o convidou para que fosse ao aniversário da mãe dele e de quebra conhecer a famosa cidade histórica de Ouro Preto. Ele nunca havia ouvido falar de Belo Horizonte, muito menos de Ouro Preto. Era de Nova Iorque. "Puxa, como os olhos dele são bonitos, e tem umas mãos fortes. Ou será efeito do álcool?" Sentia o rosto quente. Ele dava em cima dela descaradamente. Tentava segurar-lhe as mãos. Dizia:

— Seu inglês é muito bom, é tão difícil achar alguém que fale inglês nesse país.

Ela sentia-se tentada a resistir, quando uma onda de calor a invadiu. Entendeu que aquele homem não a conhecia. Nunca a tinha visto e nunca a veria de novo. No dia seguinte, ele retornaria para os Estados Unidos. "Foda-se, por que não?"

Beijaram-se, deixou-o discretamente afagar-lhe os seios, puxá-la para si enquanto estava de pé, de modo a fazê-la sentir o ferro entre as pernas. Preferiu ir para o quarto dele, não queria que ele visse nada dela, a mala que carregava, o nome, nadinha. Ele a fez sentar na cama, entre beijos, tirou-lhe as roupas, deixando-a nua. Ela enfiou-se debaixo das cobertas, mas ele as arrancou de um puxão só. Tirou as próprias roupas, revelando um corpo peludo e um membro grande e grosso, que devia ter uns vinte centímetros. A cabeça era enorme, brilhava.

Ele veio por cima dela, beijaram-se. Ficaram nisso por um tempo, ela se sentia molhada. Nunca esteve tão molhada: "me come logo", pensou. Ele se levantou, puxou-a da cama. Imaginou que ele quisesse penetrá-la em pé, apoiada na janela. Ficaram de pé e continuaram a se beijar. Depois, empurrando-a pelos ombros para baixo, fez com que ela se ajoelhasse aos seus pés. Queria oral. Vanessa iniciou um pouco a contragosto. Ele forçava muito aquele mastro dentro de sua boca. Segurava-lhe a nuca, a cabeça. Ela começou a não gostar. Quando fez menção de se levantar, ele deu-lhe um enorme bofetão na cara. "Chupa, porra", ele grunhiu. Vanessa estava atordoada. Ele bufava, estava prestes a gozar. Ela conseguiu tirar o pau e falou:

— Não goza na minha boca...

Antes de completar a frase ele lhe deu outro bofetão, ainda maior.

— Calada, chupa meu pau, claro que vou gozar na sua boca, sua puta, deliciosa, vadia.

Ele segurou-a pela cabeça com força enquanto gozava. Vanessa sentiu três grandes jatos atingir-lhe o fundo da garganta. No final ele tirou e começou a passar a cabeçorra do pênis nos lábios e na bochecha dela, enquanto outros pequenos jatos ainda saíam, molhando-lhe todo o rosto. Vanessa ainda estava sem ação quando ele, com um só movimento, jogou-a na cama e pôs-se a chupá-la. Profundamente, ardorosamente. Ela ainda estava toda lambuzada do sêmen daquele homem, tentava colocar os pensamentos em ordem. Ele mexia a língua, enfiava bem dentro, o bigode dava uma sensação diferente.

Usando as mãos, ele a fez dobrar os joelhos. Nessa posição, pôs-se a lamber também o ânus, ela nunca havia admitido nada ali. De repente ele colocou a ponta do dedo lá enquanto passou a chupar-lhe novamente a frente. Ela pensava em gritar, em fugir quando, de repente, passou a não pensar em mais nada, o tempo parou por dez, quinze segundos, como num filme que vai tocando em câmera lenta para depois se apressar para compensar o tempo perdido. O tempo se apressou e o corpo dela todo explodiu num orgasmo de dimensões para ela até então desconhecidas. Quando deu por si, ele estava dentro de seu corpo. Todos os vinte centímetros ocupavam cada milímetro dela. Ainda não tinha se recuperado do gozo, quando lhe veio uma segunda onda. Beijou-o com força, com ardor, com um tesão saído de onde nem ela sabia explicar. Ele continuava bombando ferozmente.

Quando o orgasmo dela finalmente passou, ele a virou, deixando-a de quatro. Sentia-se completamente dominada. Ele começou a bater em sua bunda com força, tapas fortes, sentia a bunda quente. A dor começou a ser tanta, que pediu a ele que parasse, quer dizer, não sabia ao certo se pedira. Sentiu quando ele despejou um óleo qualquer no outro buraco. Ela disse:

— Não, não quero aí.

Mas naquela altura, a mistura de dores passou a ceder e a se transformar em algo diferente. Sentiu novamente o corpo todo se contrair para depois se dilatar num orgasmo que envolvia todos os seus membros. Tremia toda dos pés à cabeça, sentiu-se fraquejar e caiu de bruços na cama. Quando voltou a si, percebeu que ele a penetrava atrás. Doía, mas era bom, e ele usava uma das mãos no clitóris. Uma sensação estranha. Era uma outra coisa, um outro tipo de sexo, não se importava com nada, naquela hora sentia-se livre, livre de tudo e de todos, de qualquer pensamento. Como um monge budista que limpa completamente a mente ao meditar, ela somente sentia os movimentos do membro e das mãos no corpo dela.

Era muito bom, delicioso, sentia os dedos dele tocando-a justamente onde queria ser tocada, o membro atrás pressionava de uma forma diferente, sentiu que gozava mais uma vez, o gozo vinha de um outro lugar do corpo que ela desconhecia. O Robert Redford gritou, rugiu bem alto como um leão, gozava, sentiu jatos invadindo aquele lugar estranho, uma sensação quente, única, estarrecedora.

Ao fim, ele se levantou, fez sinal que ia ao banheiro. Ouviu-o ligar a ducha. Ela levantou-se também, e sem se lavar nem nada, colocou a roupa da melhor forma possível. Quando a porta do elevador se fechou, ela ainda o ouviu abrir a porta do quarto — provavelmente ele não sabia como chamá-la porque, na confusão, acabaram não se apresentando direito. Ou talvez tivessem falado os nomes, mas pelo menos ela não se lembrava do dele.

Chegou no apartamento, tomou uma longa ducha. Lambuzou-se toda de creme, já que sentia-se ardendo, inclusive em partes que nunca havia imaginado. Pensou que fosse chorar. Mas não. Para seu espanto, sentia-se bem. O corpo estava leve. Pensou em levantar cedo para sair do hotel antes do americano, mas lembrou-se que, provavelmente, ele faria o mesmo. Decidiu tirar o dia seguinte de folga, ligou a TV, mas foi para a janela. Ficou olhando as luzes de Ouro Preto piscando. Não se sentia culpada. Não se sentia inocente. A palavra era *diferente*. "Mais mulher? Realizada? Será que me tornei uma depravada?" Pouco importava. Era um segredo seu. Ousara. Se quisesse, poderia ter gritado, corrido. Resistido. Batido de volta. Mordido. Uma mordida lá e ele com certeza estaria nocauteado. Ou será que tinha sido medo de apanhar? Dele bater nela? Não sabia. Talvez nunca viesse a saber. Mas, verdade seja dita, nunca havia gozado tanto quanto naquela noite.

O corpo dela ainda tremia, espasmos involuntários de vez em quando. Mudou o canal para a TV paga, colocou um filme pornô. Via as cenas do filme, lembrava-se de poucas horas atrás, masturbava-se lentamente. Bem devagar. Gozou duas vezes. Acordou depois das 10. Pediu o café no quarto pela primeira vez na vida, aproveitou as duas horas seguintes para cuidar de si. Passou novamente creme no corpo, e dessa vez também nos cabelos. Quando saiu do apartamento, cinco minutos para o meio-dia, sentia-se como se tivesse passado o final de semana em um spa.

* * *

Marina morava no mesmo prédio, porém no último andar. Era tímida. De fato, Marcos resolveu conversar com ela porque tinha certeza que era brasileira. Tão certo, que resolveu surpreendê-la dizendo:

— E aí, tudo bem? — com um sorriso.

Se deu mal. Ela não entendeu nada. Mas acabaram engatando uma conversa. "Pra falar a verdade, ela tinha cara de mineira até." Pele branca. Olhos e cabelos negros, lisos mas com um toque de crespos. Relativamente magra, mas as ancas denunciavam que quase certamente ao ter filhos ela engordaria desesperadamente e nunca mais retornaria ao mesmo corpo. Era da Bulgária. Bulgariana. Sim, o certo é búlgara, mas bulgariana combinava mais com ela. Era como que um adjetivo. Assim como balzaquiana. Existia uma certa "bulgaridade" nela. Tinha cara de brasileira, corpo de brasileira, mas olhando de perto ela era uma outra coisa. A "bulgaridade" era isso, um quê de inexplicável "porque ninguém sabe como uma búlgara é, certo? Alguém por acaso já foi à Bulgária?".

Conversaram uns minutos na porta do edifício e ele disse que estava pensando em pegar uma *pizza* na pizzaria da esquina. Conversa fiada. Ele estava com fome, mas se ela não topasse ele ia comer um resto de comida que tinha guardado na geladeira do andar dele, na cozinha coletiva. Ele tinha até um *Tupperware* com o nome escrito na fita durex pregada na vasilha. Era o lado ruim de morar coletivamente. "Coisas desapareciam da geladeira. Tudo tinha de colocar nome, um saco." Se ela queria ir junto? Queria. "Foda-se o resto, se não tiver estragado eu como amanhã."

A caminhada à pizzaria durou dez minutos. Em mais quinze, duas *pizzas* saindo fumaça estavam na mesa. Mas eles só se despediram, com um longo beijo na boca, umas quatro horas depois. Cada um para o seu quarto, bonitinho. Nesse meio-tempo, falaram de tudo um pouco, como é de praxe. Ela estava fazendo um semestre na Universidade de Estocolmo, dentro do programa Erasmus de troca de estudantes, muito comum na Europa. Tinha vinte e três anos, cursava o último ano de Administração na universidade dela na Bulgária. Gostaram um do outro.

O segundo encontro não demorou. Dois dias depois, marcaram de jantar juntos no andar dela. Ele fez uma especialidade que havia aprendido, um frango com molho de gengibre, limão e leite de coco. Como sobremesa, ela topou tomar um vinho no quarto dele. Àquela altura, o papo já estava nas experiências sexuais. Ela explicou, às vezes tímida sem olhar nos olhos dele, que, na verdade, só tinha tido um namorado. Na Bulgária. A viagem para a Suécia matara o que ainda havia no relacionamento. Tinham sido namorados de ginásio, ela deu a entender que ele foi seu primeiro homem. Que ele era meio atrasado em todos os sentidos. Não quis estudar mais, e ela queria fazer universidade. Usava meias-palavras, mas deu a entender que a falta de experiência era total. De vida, de conhecer novas pessoas, de sair da Bulgária... de tudo, com ênfase no tudo. Marcos ouvia e entendia tudo. Captou a mensagem. Só não sabia se ela queria experimentar ou não. Se o tudo a amedrontava ou a fascinava. De certa forma, ele sentia que ela era uma nova Vanessa. Inexperiente. Beijaram-se, ela se deixou tocar nos seios, mas logo disse que tinham de parar. O tesão dele era enorme naquela hora, mas acabou quando ela tirou-lhe a mão. Despediram-se. Marcaram de se ver em breve.

Ao fechar a porta, Marcos falou para si: "tô fora". A última coisa que precisava era de uma garota búlgara que fosse uma nova Vanessa. Alguém que o deixasse de pau duro, mas sem muito retorno. Tinha muita mulher por aí, ele tinha de estudar, preocupava-se com o futuro. Trazia a ideia fixa de que, ao se formar, tinha de aproveitar ao máximo os primeiros seis meses, quando deteria o cobiçado título de "recém-formado".

Marcos, além dos estudos, fazia estágio na Ericsson. Trabalhava em um estudo de viabilidade financeira para o projeto de um CD que viria juntamente com os novos telefones celulares da marca. Esse CD possibilitaria sincronizar o telefone com a agenda do Outlook. Dessa forma, o usuário não precisaria digitar, um por um, os números de telefone na agenda. Além disso, podia-se utilizar o CD para configurar o telefone. Estes estavam ficando tão complicados, com possibilidades de escolha de músicas para o toque de campainha, por exemplo, que a maioria dos usuários não sabia como usá-los direito. A interface gráfica do aparelho, com sua telinha de duas ou três linhas, dificultava demais a interação com o usuário. Já no PC era imensamente mais fácil de entender e configurar o telefone de acordo com o gosto do freguês.

Muita coisa na sua cabeça, já era outubro de 1997, menos de três meses de aula pela frente. Tinha de decidir o que fazer da vida. O futuro chegava rapidamente. Ainda excitado pelos beijos e toques, colocou um filme pornô, dedicou-se ao prazer solitário e dormiu.

Marina não foi nem um pouco discreta. Foi direto ao ponto:

— Você está me evitando?

Ele negou, claro. Mas lógico que estava. Ela insistiu para que jantassem de novo. Ela faria o prato principal. E acrescentou:

— Também levo o vinho.

Já no quarto, quando se beijavam, ela cochichou no ouvido dele: "A última vez que transei tem mais de um ano, vai devagar tá?". Para a surpresa dele, na hora H, as coisas saíram diferente. Ela tirou a própria roupa depressa. Tinha os seios bem maiores do que ele imaginara. Eram muito firmes. Tinha os pelos lá embaixo milimetricamente aparados. Um fino bigodinho. Por tudo o que ela havia dito, resolveu dispensar a camisinha. Ela consentiu, puxando-o para dentro de si.

Como era "quase" uma virgem, pensou que seria difícil penetrá-la. Mas deslizou suave para dentro. Era apertada, mas estava muito lubrificada, ensopada. Ela falava:

— Ai, amor, tá doendo, mas tá bom... dói... faz tanto tempo.

Pediu para cavalgá-lo: "Deixa eu ficar por cima agora, tá?".

Marcos estava cada vez mais surpreso. Ela era muito mais gostosa do que ele poderia ter imaginado. Marina continuou falando, misturava uma língua desconhecida (provavelmente o búlgaro) com o inglês. Não falava palavrões, tinha a voz lânguida, "Ai, tá muito bom, agora já não dói mais nada, tá só gostoso, nossa, tá muito gostoso... tá... muito... gostoso". Calou-se, Marcos sentiu o corpo dela tremendo e um pequeno rio começou a descer de dentro dela. Ela colou o peito junto ao dele, ficaram um tempo assim. Ela, sem mexer o corpo, passou a apertar o membro dele, utilizando somente os músculos. Ele adorou. Ela disse:

— Não pode gozar dentro, tá?

Ele virou-a, ficando por cima no papai e mamãe. Ela agora estava mais seca, ele colocava bem fundo, devagar. Sugava-lhe os peitos. Foi acelerando e ela sentiu que ele ia gozar. Marcos tirou o membro e ela se encarregou de ajudá-lo com a mão. O leite voou nela, fazendo um caminho branco entre os seios até o umbigo. Ele ficou ali, olhando, curtindo os momentos finais do orgasmo e a visão privilegiada. Mas não estava satisfeito. Levantou-se, foi ao banheiro, pegou um pedaço grande de papel higiênico, ofereceu-a para se limpar. Voltou ao banheiro, abriu a ducha, fez xixi e limpou bem o membro. Voltou enrolado em uma toalha, ela estava sentada na cama, debaixo da coberta. Continuava nua. Ela sentiu que ele ainda estava excitado. Com ele sentado, ela simplesmente abaixou a cabeça e iniciou-lhe o sexo oral. Ele disse que ia gozar, ela tirou a boca e terminou com a mão. Marcos sentiu o leite quente jorrando no próprio peito. Ameaçou retribuir, ela disse que não. Que estava sentindo um pouco de dor. Que ficava para um outro dia. Tímida, disse que tinha gostado muito. Não olhava para ele quando falava de sexo. Que tinha sido "maravilhoso, muito melhor que com o ex-namorado". Que estava com "medo, mas que tinha sido muito bom".

Antes de ir embora, perguntou sem olhar para ele:

— Uma outra vez, você gostaria de gozar nos meus seios?

A outra vez já foi na noite seguinte. A ideia havia feito Marcos ficar muito excitado desde a noite anterior. Pensara nisso o dia inteiro. A primeira gozada era sempre a mais forte, a mais abundante. Ele havia ensaiado um início de masturbação de manhã, mas não terminou. Guardou o gozo.

Segurou o máximo que pôde, esperou ela gozar. Quando o dele veio, no meio dos seios, foi imenso, forte, cinco jatos. Marina disse, languidamente, que aquilo era um desejo dela. Sentir isso. Passou a seiva nos seios. Eles se lavaram, depois ela o chupou. Tirou a boca, mas colocou os seios na frente, numa *miniespanhola*. No terceiro assalto, deu para ele de quatro. Na saída, disse-lhe sem olhar nos olhos:

— Você, por acaso, tem um filme pornô? Sabe que nunca vi um?

Ele escolheu um de cenas não muito longas. Imaginava que só veriam uma cena. Eles se sentaram lado a lado, o *laptop* entre eles. Estavam nus. Já tinham gozado uma vez, ela cavalgando por cima e ele finalizando com uma espanhola, entre os seios. Ela passou o sêmen nos seios, formando uma trilha branca, e deixou secar. Ele já tinha se lavado. Tinha de se policiar para sempre urinar, lavar, tudo com cuidado. Apesar de que ela lhe disse que tinha começado a tomar pílula. Mas pelo menos naquele primeiro mês todo cuidado era pouco.

Lado a lado, viram a atriz fazer um boquete, enquanto isso a mão de Marcos passeava nos seios dela e a mão de Marina acariciava-lhe toda a região do pênis, principalmente as bolas. Após meia cena, ele já colocava o dedo dentro dela e ela o masturbava. A cena do filme terminou com a atriz deitada de barriga para cima, o ator se agachando na cama, ela o chupando e, no clímax, usando a mão e com a boca aberta recebendo todo o leite que se esparramava por todo o rosto dela. Tanto Marcos quanto Marina estavam próximos do orgasmo. Ele colocou o *laptop* de lado e continuou a fazer o estímulo com os dedos. Ela gozou rápido. Deitada, escorregou um pouco para baixo na cama e ficou na posição igual a do filme. Começou a chupá-lo. Ele também não iria demorar muito. Ela perguntou:

— Você quer gozar igual ao filme?

Ele concordou com à cabeça e quinze segundos depois ela estava toda encharcada. Continuou a chupá-lo por um bom tempo. Depois se levantou, foi ao banheiro e voltou limpa. Marcos estava deitado, pasmo. A menina quase-virgem de poucos dias atrás não parava de surpreender. Ele se lavou também. Assistiram mais uma cena. Dois homens, uma mulher. Notou ela ficar com o rosto vermelho. Dessa vez, a penetrou e menos de cinco minutos depois ela gozava. Ele tirou para gozar nos seios, mas em vez disso ela o abocanhou deixando-o gozar fundo. Engoliu. Na saída ela comentou:

— Sabe que tenho o maior medo de sexo anal, mas curiosidade também?

Lembrou-se de Vanessa. Marina o fazia lembrar muito Vanessa. Na verdade, não eram parecidas em absolutamente nada. Dia e noite. Exceto aquela primeira vez com Marina, no quarto. Ela reagira como Vanessa. Tanto que ele até pensou em nunca mais vê-la. "Obviamente, teria sido um dos maiores erros da minha vida." Eram parecidas no sentido de serem inexperientes, mas enquanto Marina era uma ávida aluna, curiosa, desejosa de experimentar tudo, Vanessa era aquela inexperiente que tinha medo de tudo.

Foi na farmácia, comprou o melhor lubrificante que encontrou. Achou um filme com uma cena legal de sexo anal. Preparou tudo. Naquela noite, encontrou um bilhete de Marina: o pai dela havia tido um infarto e ela estava indo para a Bulgária.

Recebeu também um *e-mail* de Eva. Eles tinham de ir até o departamento de imigração no prazo de duas semanas para uma entrevista. Já era a terceira. Pensou em ignorar tudo, deixar essa questão de visto para lá, mas seria um desperdício. Telefonou para ela e marcaram de ir juntos no dia seguinte. Eva não estava feliz com a ideia, mas concordou. A entrevista durou menos de dez minutos. A funcionária do departamento de imigração limitou-se a ler um formulário:

— Vocês estão morando juntos?
— Sim.
— O endereço continua sendo Bråvallagatan 18?
— Sim.
— Qual a sua ocupação?
— Secretária — disse Eva.
— Estudante — respondeu Marcos.

Conferiu o passaporte em detalhe. Voltou com uma estampa.

— Este aqui é o seu visto permanente. Ele vence daqui a dois anos.

Marcos riu.

— Mas se é permanente, como pode ter validade?

A atendente, que tinha mais de cinquenta anos, cara bem enrugada, jeito de quem estava de saco cheio por fazer o mesmo trabalho há trocentos anos, olhou-o de alto a baixo. Devia estar pensando "mais um filho da puta do terceiro mundo que vem aqui roubar nosso dinheiro de contribuinte, poluir nosso país e foder tudo. Devia ter ficado quieto lá de onde saiu". Como também podia estar refletindo: "No meu tempo, esses caras queriam me comer direto. Esse aí, ia ficar doidinho. Hoje, nem pagando acho um para me foder". Mas respondeu:

— Bem, ele é permanente no sentido de que você não precisa mais fazer entrevista, dar explicações. Você agora recebeu, do Reino da Suécia, o direito de morar aqui permanentemente. Esse direito, no entanto, será revogado se você se ausentar do país em definitivo. Antigamente, as pessoas vinham aqui para a Suécia, recebiam o direito de moradia, depois iam para a França, recebiam o direito de moradia e assim por diante. Depois, no futuro, elas entravam com o pedido de aposentadoria em todos esses países. Entendeu?

— Ah, entendi. Mas e a cidadania, então?

— Cidadania é diferente. No seu caso, você primeiro terá de morar aqui na Suécia por cinco anos ininterruptos. Quer dizer, uma viagenzinha de férias não conta. Você pode ir visitar os parentes no Brasil, se quiser. Mas terá de provar que, efetivamente, morou aqui cinco anos. Se você se ausentar por, digamos, mais de três meses, a conta é zerada. Tem de começar tudo de novo. Por outro lado, uma vez que você recebe a cidadania, o passaporte sueco, esse nunca mais pode ser revogado.

"Hoje a gente nem mais requer que para ser cidadão sueco a pessoa renuncie à cidadania no outro país. Há até bem pouco tempo isso era exigido, é verdade. Porém, na prática, nunca funcionou, porque não existe uma maneira de assegurar que o sujeito não é mais cidadão no Brasil. Os países não têm esse tipo de intercâmbio de informações. Por causa disso, mudaram a lei, já que era uma exigência impossível de ser verificada na prática."

Na semana seguinte, à noite, ouviu uma batida na porta do quarto. Reconheceu o toque. Era Marina. Pela cara dela, viu imediatamente que nada de muito trágico havia acontecido. Ela estava de boa. E tomou a iniciativa de beijá-lo, de tirar-lhe a blusa. Ela se deitou na cama, puxou-o para cima dela. Guiou o membro para sua vagina, puxava-lhe pela bunda para que ele entrasse todo. Ela gozou rápido, dizendo que estava com muita saudade. "Oh, que delícia, pensei tanto em você esses dias."

Depois que terminou, Marina trocou de posição, oferecendo a boca. Ele ainda estava meio longe de gozar, ela chupou e, no final, usou a mão para finalizar, permitindo-o gozar parte dentro da boca dela e a outra parte fora. Ele mandou o filme às favas, levantou-se, trouxe o óleo. Ela se assustou: "Não sei se consigo". Mas ficou quieta, virada de bruços. Apenas o fez prometer que iria com calma. Ele lambuzou-a ao máximo. Ela continuou deitada de bruços, ele se lubrificou bem e veio por cima. Apoiou-se no cotovelo de forma a obter equilíbrio sem precisar repousar o peso todo nela. Conseguiu colocar a pontinha, com muito custo. Ela gritou, disse que doía. Ele ficou imóvel, alcançou com a mão esquerda o clitóris dela. Ficou parado, só mexendo a mão. Ela gemia, repetindo que doía. Ele sentiu quando ela, lentamente, começou a mexer a bunda. Bem devagar. O tesão que sentiu naquele instante era de outro mundo. Ela, para a surpresa de

Marcos, começou a bombar, bem devagarinho. Ele sentia que não iria aguentar por muito tempo. Tentou segurar, mas foi impossível. Gozou. Um gozo animal, profundo. O sêmen lubrificou-a ainda mais, ele não perdeu a ereção, mas o membro pareceu ter diminuído um pouco a grossura, porque assim que o gozo terminou ele estava todo dentro dela. Marina já estava cansada de saber que ele tinha essa capacidade e ficou quieta esperando o que ia acontecer. Marcos colocou todo seu peso em cima dela, e virou-a na cama, ficando os dois de lado.

Posição de colherzinha. Tinha, assim, maior mobilidade na mão esquerda. Concentrou-se em masturbá-la. Sentiu a respiração de Marina ficar mais e mais pesada, quando ela começou novamente a bombar. Foram, lentamente, aumentando o ritmo até que, minutos depois, ele a penetrava com força, colocava todo o membro e tirava, ela pedia mais, dizia que estava maravilhoso. Ele massageando-a lá na frente, ouvia ela falar "bulgariano". Parou de estimular o clitóris e, em vez disso, enfiou o dedo na vagina. Buscou o ponto G ali na parte de cima, sentiu o carocinho intumescido, colocou o dedo e ficou mexendo, enquanto seu membro entrava e saía rapidamente. Ela, pela primeira vez, deu um grito e todos os músculos do corpo entraram em espasmo; o dedo dele foi catapultado para fora juntamente com um jorro de líquido que veio de dentro dela. Os espasmos também se refletiram atrás, em contrações frenéticas. Marcos colocou o máximo que conseguiu. Sentia apertar-lhe a base do pênis, o tecido envolvia todo seu comprimento e tentava expulsar aquele invasor. Ele gozou com muita força, as pernas tremiam, os espasmos principais duraram talvez uns dez segundos, mas o gozo ainda se prorrogou, em pequenas contrações que duraram por quase dois minutos.

Foi o gozo mais longo da sua vida. Naquele momento, quando ainda estava dentro de Marina, curtindo os espasmos que ainda vinham a cada dez ou quinze segundos, pensou em Vanessa. Tinha saudades dela.

1998

O côncavo das laranjas

O REENCONTRO DE MARCOS e Vanessa deu-se no finalzinho de 97. Do ponto de vista romântico, foi até um anticlímax. O encontro não foi na praia, vindos da distância, correndo um para o outro, ele a pegando nos braços, os dois girando e caindo na areia em um beijo cinematográfico. Não teve praia. O encontro foi às 7 horas da noite no Café com Letras, um lugar transado de Belo Horizonte que criara uma proposta nova misturando os conceitos de livraria e bar.

Marcos havia chegado da Suécia no dia anterior. Dois dias antes se despedira de Marina. Passaram todo o dia na cama, transando. Antes disso, nos meses anteriores, ela havia continuado sua trajetória de (auto)descobrimento. "Sabe, sempre fui curiosa por sexo a três. Se eu topar transar com você e mais uma garota, você aceita depois nós dois e outro cara?"; "Você já pensou em vender alguém, deve ser gostoso, né?"; "Nunca experimentei um vibrador, acho que seria legal."

Quando ela disse adeus, na porta do quarto, Marcos novamente reparou que a menina tímida havia, na realidade, se desabrochado como mulher. Estava mais segura de si, até mesmo caminhava de uma forma diferente. O lado sensual dela estava mais à tona, mais visível. Entendeu que Marina, assim como ele, sempre tivera a sexualidade bem forte, só estava encoberta. E agora estava lá, estampada na cara. Não que ela tivesse se tornado uma puta, uma mulher sem classe. De certa forma, ela agora tinha até mais classe. A classe das pessoas que possuíam o domínio sobre si mesmas. "Caralho, agora que eu entendi. Nesse trajeto de evolução de Marina, eu fui apenas o guia!" Pensava nisso no caminho da casa dos pais até o Café com Letras. Estava um pouco apreensivo. Não sabia quem seria a Vanessa que iria encontrar. De fato, havia mais de um ano e meio não falava com ela. No telefone, foi conciso. Não queria saber notícias, boas ou não, por telefone. O que quer que fosse, preferia ouvir pessoalmente.

De repente, ela estava ali, na frente dele. O mesmo sorriso, os grandes olhos verdes, faiscantes. Duas esmeraldas. Não sabiam muito bem por onde começar. Depois das perguntinhas básicas, ficou aquela pausa no ar. Justamente eles que nunca pausavam as conversas. Quase que ao mesmo tempo os dois perguntaram:

— Você está...

Riram da coincidência. Marcos tomou a frente:

— Você está namorando alguém, noivou, casou?

— Não, nada disso. E você?

— Também não.

Riram, olharam-se nos olhos. Sem dúvida, sentiam enorme afeição um pelo outro. Ele gostava de olhar para ela. Ela continuava fazendo ele ficar mais bonito. Somente ela lhe dava essa sensação. Vanessa gostava de se sentir compreendida por Marcos. Os dois ainda tinham a capacidade de terminar as frases um do outro. Riam das mesmas piadas bobas. Eram leves. O *ser leve* era uma característica única, própria deles. Ele era ele, autêntico. Ela era ela mesma, na lata. Pelo menos no que tocava à personalidade, presença, modo de ser. Com menos de dez minutos, ali no Café com Letras, ambos sabiam que a magia ainda existia.

Marcos resumiu o um ano e meio. Contou de Eva, a qual Vanessa havia ouvido falar na primeira vez que se conheceram nos Estados Unidos. Que rolou, mas acabou. Que por intermédio dela conseguira o visto permanente na Suécia. Não sabia muito bem o que faria com isso, mas era um recurso a mais. "Nunca se sabe quando no Brasil as coisas ficam complicadas e a melhor saída passa a ser o aeroporto." Contou que tinha aproveitado para fazer um MBA na Suécia e que agora ele tinha de usar o início do ano para conseguir um emprego legal. Talvez *trainee* em uma grande empresa. Que tinha se divertido naquele país com um tal de Pradinho. Namorara umas garotas, mas nada sério. Por fim, disse:

— É difícil a pessoa se apaixonar por alguém quando já está apaixonado.

Olhava Vanessa. Queria saber se ela havia mudado. Se talvez agora, depois da ausência, ela o veria sob uma nova luz. Imaginava que ela tivesse tido outros relacionamentos. Talvez estivesse diferente, talvez uma diferença sutil que fosse algo difícil de se perceber, até mesmo para ele.

Foi a vez de Vanessa resumir seu ano e meio. Tinha um *site* na internet: Bufê Vanessa. Desde que ela fizera uma festa enorme em Ouro Preto, o movimento havia disparado. Sentia-se mais profissional, levava-se mais a sério. Não fazia mais festinhas para amigas, na base do "depois a gente vê quanto vai custar". Pensava seriamente em alugar um local, inclusive já tinha alguns em vista. Hesitava um pouco, mas já se via dona de um bufê com local e tudo. Tivera uns relacionamentos também, mas nada sério. Riu para ele e disse:

— Você tem razão. Na nossa situação é mesmo muito complicado se apaixonar por outra pessoa.

Ele puxou-a para si, dizendo:

— Vem cá, minha nega.

E, naquele momento, viravam um casal novamente. Partiu dela a ideia de irem para um motel. Foram ao Green Park.

No caminho, dentro do carro, ele ainda ponderou:

— Vanessa, não quero iniciar nada com você se for para ficarmos presos ao passado. Eu estou começando do zero. O que aconteceu antes para mim são águas passadas. Aliás, o que aconteceu até o dia de hoje não importa mais, concorda? Você deve ter tido seus namorados e tá mais do que certa. A menos que você ainda tenha algo com alguém, sei lá, coisas mal-acabadas. Em relação a mim, estou deixando tudo para trás. Você entende o que estou dizendo?

— Sim. Não se preocupe. Também não quero saber de passado, tenho até medo de pensar — respondeu rindo. — Já ouvi dizer que as mulheres suecas são terríveis, então é melhor ficar na minha ignorância. Mas de minha parte também não estou com nenhum rabo preso.

No motel, os dois estavam nervosos, mas à medida que se beijavam e o tesão aumentava, o nervosismo foi passando. Ele gostava do corpo dela. Do beijo. Do cheiro dela. "Chinelo velho é que é bom", pensou. Arrependeu-se do pensamento imediatamente. "Vanessa é tudo, menos um chinelo velho. Ela compete de igual para igual com qualquer russa, sueca, chinesa, búlgara, americana, estoniana e qualquer outro '…ana' que vier pela frente."

Ela começou a fazer-lhe um oral. "Talvez não ganhasse de todas, mas competiria bonito." Ela tinha algo a mais: ela era dele. Ela o completava. Eles formavam um casal.

Sentia a boca dela engolir a cabeça, lamber, chupar. "Ela é o côncavo, e eu sou o convexo (ou seria o contrário?). Que coisa mais brega de se pensar agora." Ela era a metade da laranja dele, somente havia sentido isso com ela. Onde quer que fosse no mundo. Ela continuava o oral, ele sentia que estava começando a ficar bom, queria que ela enfiasse a boca mais fundo, mais molhado. Sentia-se bem, relaxado, apenas estar com ela já era agradável. Ninguém mais proporcionava aquela sensação. Ninguém mais conseguia acalmar seu espírito. Ou esquentar tanto seu coração.

Sentiu que ia gozar, Vanessa tirou a boca e ele sentiu os jatos de leite quente atingirem-lhe o próprio peito. Ele se recompôs rapidamente, manteve-se duro:

— Você pelo visto continua o mesmo, hein? — disse Vanessa.

Ele gostou do comentário, ela nunca havia falado isso antes, talvez ela agora soubesse que sua *postura* não era, exatamente, o normal. Também se arrependeu do pensamento anterior porque não gostava de imaginar a ideia dela com outro homem. Fez menção de ir ao banheiro, mas ela segurou-lhe pela mão.

— Amor, não se preocupa não, eu estou tomando pílula. Só enxuga o peito e vem cá que estou com muita saudade. Você já matou parte da sua, mas eu ainda nem comecei.

Ele novamente pegou-se pensando: "tomando pílula por quê?". "Mas para que pensar nisso agora?" Pegou a toalha de rosto que estava na cadeira, enxugou o peito e deitou-se por cima dela, penetrando-a.

O ano de 1998 seguiu rápido. Antes de fevereiro Marcos já estava novamente trabalhando a todo vapor na Concretek. Trocou a ideia de *trainee* ou de uma experiência em uma empresa grande pela segurança do emprego em uma empresa conhecida. A proposta fora muito boa e ele queria tocar a vida. Em abril, eles alugaram um pequeno apartamento de um quarto na rua Aimorés. Foi o melhor que conseguiram, tinham pressa. Contrato de um ano. Queriam fazer uma experiência. Morarem juntos.

Em meados de junho, Vanessa abriu, oficialmente, o Bufê Vanessa. O sucesso foi tão grande, que antes mesmo de o ano terminar ela teve de se mudar para um local mais amplo. Ficaram oficialmente noivos em 1998, na festa de *réveillon*. Os dois sempre pensaram que "esse negócio de ficar noivo é bobagem". O noivado foi, na verdade, uma desculpa para uma festa de pré-casamento, o que aconteceu oficialmente no dia 15 de fevereiro de 1999.

No mês seguinte mudavam-se para um apartamento melhor, de dois quartos. Exatos nove meses depois, 15 de novembro, Vanessa anunciou oficialmente para a família que estava grávida, o que a grande maioria já desconfiava. A primeira filha, Valéria, nasceu em 17 de maio de 2000, seguida de Verônica em 17 de abril de 2002.

2003

Derrapada moral

AXEL ESTAVA INQUIETO, nervoso. Era um domingo, 7 de julho de 2003. Acabou não podendo ir ao Mineirão com Daniel por causa do "voo". Sentia-se impotente em resolver os problemas do filho. A mulher, no banheiro, falava sem parar. "Uma matraca." Na verdade, nunca soube o que era uma *matraca*. Melhor, seria "uma papagaia". Mas talvez essa palavra não existisse. "A língua portuguesa ainda tinha os seus mistérios."

Queria ir logo. Voltar para dormir. No dia seguinte tinha de acordar bem cedinho. O Dadá era um menino sensível, inteligente. Axel notou como ele ficara amuado quando cancelou o Mineirão, mesmo tendo ele dito:

— Tudo bem, pai, eu entendo.

E agora ainda tinha de ficar aguentando o falatório na cabeça. "Errar é humano, insistir no erro aí é baiano", um funcionário, por sinal baiano de Salvador, havia lhe ensinado. "Eu sou um fraco. Tenho tudo na vida e fico arriscando por merda. Devia ter levado Dadá ao Mineirão. Ele já está ficando um homem. Em breve, nem vai querer mais sair comigo." Preocupava-se com o garoto. Sabia que algo estava errado na escola. Para Dadá, o final do semestre no colégio Santo Antônio fora o pior possível. O garoto não sabia bem o que fazer. Pensou em falar com o coordenador. Ou conversar com os pais. No final, Dadá resolveu que melhor seria não fazer nada. A coisa havia começado como uma gozação boba, mas agora estava tomando proporções mais sérias. Ele sempre se considerou brasileiríssimo. "Da gema." Mas, certamente, por dentro, ele sabia ser diferente, especial. Conversava em sueco somente quando estava na presença da mãe, em alemão quando estava com o pai e em inglês se a família estivesse toda reunida. Ninguém era capaz de notar qualquer diferença de sotaque no português de Daniel. Mesmo assim, a partir do final da 6ª série, no ano anterior, um grupinho começara a zoar dele. Ficaram sabendo que sua mãe era sueca e então passaram a fazer brincadeiras. Perguntavam para ele:

— Sua mãe é o quê? Amiga da Seka?

A tal Seka, coitada, nem filmes pornôs fazia mais, já devia estar velha. Mas qualquer motivo era válido para atormentar aquele que havia sido escolhido para interpretar *o crucificado*.

— Você tem um desses chapeuzinhos verdes alemães em casa?

— É verdade que todo sueco é veado?

A coisa piorou ainda mais no início da 7ª série. Um dos colegas de sala, Geraldo, avisou para todo mundo que ele e Daniel iriam sair na porrada no final da aula. Daniel não entendeu o motivo do alvoroço. Um amigo dele, Ricardo, perguntou:

— Dadá, o pessoal aqui tá falando que você vai sair no braço com o Geraldo. É verdade?

Daniel não entendeu nada. Não tinha tido nenhum desentendimento com Geraldo. Não havia motivo. Na saída, o tal Geraldo o esperava. Queria brigar. Não precisava de motivo. Queria brigar por brigar mesmo. Daniel não compreendia o propósito de bater ou de apanhar sem uma razão.

— Amarelou — disse Geraldo, todo contente. — Veadinho!

Depois desse dia, aí sim pegou fama de maricas. Na semana anterior, Dadá, não aguentando a pressão, contara ao pai toda a história. Axel sentiu-se de mãos atadas, porque se ele interviesse, o que iria fazer? Podia falar com o coordenador, mas isso talvez piorasse ainda mais a situação. Adolescentes eram imprevisíveis.

O raio da mulher não parava de falar. Martelando, martelando a mesma coisa. Ele realmente devia ter ignorado o MSN. Sido forte. Mas ele fora durante os primeiros três anos. Aguentou firme o tranco. O tranco das potrancas. Ingrid era a mulher da vida dele. Aliás, ele nunca entendeu como havia conseguido fisgar uma mulher daquelas. Uma mulher que, com um olhar, podia ter praticamente qualquer homem. Ela tinha agora quarenta e quatro anos, e continuava uma máquina de parar o trânsito. Onde quer que eles fossem, ela, na maioria das vezes, era a mulher mais linda do lugar. Ainda competia de igual para igual com as meninas de vinte. Se perdesse em algum quesito, ganhava no charme, na elegância, na personalidade. Ela tinha um "quê" até de realeza, meio princesa Diana. O sexo, no entender de Axel, era bom. Porém monótono.

Lembrava-se das várias morenas, da negra exponencial. Das meninas da Skorpius. Das orgias. Ingrid era linda, mas não tinha aquele apelo sexual dentro de si. De querer. Era sempre ele que tinha de tomar a iniciativa. Logo *ele*, que gostava mesmo quando as mulheres faziam todo o trabalho. Com Ingrid, tinha de suar, bombar. Às vezes, suspeitava que ela nem gostava. Curtia a intimidade, disso ele tinha certeza, mas o ato em si não era o forte dela. Ele lembrava das mulatas que faziam de tudo para, depois da gozada, levantar-lhe o membro novamente. Gastavam horas, saíam do motel com cãibras na boca. Mas esse era o seu lado negro. O seu lado mau. O lado que queria as sacanagens dos filmes pornôs. Ingrid era o lado bom. Ela era a companheira fiel.

Uma vez ele pegou uma pneumonia que o botou de cama por quase duas semanas. Ingrid, apesar do exército de ajudantes que eles agora empregavam, não saiu do lado dele e fez questão de preparar todas as comidas. Foi sua enfermeira particular. Quando ela chegara ao Brasil irritou-se com a ideia de ter uma empregada. Alguém que lavasse suas roupas e o banheiro. Mas a casa, no alto das Mangabeiras com vista para a praça do Papa, era muito grande. Três andares. Jardim na frente e atrás. Piscina. No início ela até insistiu em fazer tudo sozinha, mas logo viu que precisava de um jardineiro que também cuidasse da piscina. E de uma faxineira. Depois, quando veio Dadá e ela teve de ficar de repouso por causa do parto complicado, tiveram de contratar uma empregada e uma babá. Agora ela já havia assumido por completo o papel de dona de casa rica brasileira: um caseiro que às vezes era segurança, uma empregada que dormia no serviço, uma faxineira que vinha duas vezes por semana para uma limpeza geral, uma passadeira três vezes por semana porque as camisas do sr. Axel tinham de estar "nos trinques", manicure uma vez por semana em casa, massagista e *personal trainer* para malhar na pequena academia montada em casa.

Ao listar mentalmente a equipe de apoio, Axel notou novamente que Ingrid sempre escolhia mulheres de boa aparência. "Umas gostosas. A *personal trainer*, então, uma delícia. Será que ela não tem medo de que eu pegue alguma? Afinal, ela deve ter ouvido casos de patrão e empregadas, tão comum no Brasil desde a escravidão. Diacho, ela confia demais em mim." A despeito de toda a equipe de apoio, no caso da pneumonia a enfermeira foi Ingrid e mais ninguém . Outra vez ele teve pedra nos rins e foi parar no hospital. Ela entrou com ele no hospital e saíram juntos. Era a melhor companheira que um homem podia pedir a Deus.

Lembrava-se de que, quando recobrou a consciência da anestesia, provavelmente ainda grogue, apesar de tê-la reconhecido, pensou: "estou vendo um anjo". Mas a matraca, essa era o diabo.

Havia sido forte naqueles três anos. Depois, cedeu e começou a transar por fora. Mas tudo dentro de um padrão, sem exageros. Nada de orgias. Fazia tudo com muita calma e planejamento. A desculpa usual era que tinha uma reunião em São Paulo na segunda e que, por isso, saía no domingo à tarde, depois do almoço, para ficar relaxado. Senão ele teria de levantar muito cedo, pegar o avião e descer em Guarulhos. Só chegaria ao escritório depois das 10 horas da manhã. O que, efetivamente, acontecia. As reuniões na segunda eram sempre marcadas para depois do meio-dia. Na segunda à noite às vezes se encontrava também com alguma garota lá de São Paulo. Chegava em casa na terça à tarde, revigorado. Com peso na consciência por causa de Ingrid, mas rejuvenescido no amor por ela e com o lado negro abrandado. Isso durava de dois, três, às vezes, até seis meses.

Era difícil resistir. A mulherada no Brasil transava muito fácil. "Se tem tanta mulher assim, por que fui pegar essa aqui?", pensava, enquanto uma mulher saía do banheiro. Ela falou para Axel:

— Nossa, estou precisando comprar umas roupas novas, as minhas já estão um caco; agora o BH Shopping está bem melhor, inclusive agora é época de promoção.

Talvez ela fosse da mesma idade que Ingrid mas estava, comparando-se com esta, caída. Compensava no sexo. Não tinha limites. Limite de vezes, limite de imaginação, limite de pudores. E o melhor era que ele não precisava fazer nada, era só se concentrar. Ela saíra do banheiro e cuidava de esvaziar o minibar, já tinha tomado três garrafinhas de uísque e duas de vodca.

— Amor, você não se importa, né? A trepada foi tão gostosa, tenho de dar uma relaxada. Queria mesmo dormir aqui com você, não entendo por que eu tenho de ir embora. Deixa eu ficar, que eu ainda te chupo de novo, bebo esse uísque no seu corpo, no seu pau, deixa, vai.

Com os demônios saciados, a opção de ela permanecer era uma não opção para ele.

— Não, não, não, eu tenho de trabalhar um pouco ainda hoje e depois acordo às 4 da manhã e não quero te levar para casa, é fora de mão. Acaba de tomar isso e vamos embora logo.

— Muito chato isso, e está chovendo tanto. Eu fico quieta aqui, só quero dormir abraçadinha com você. E está muito cedo ainda. Nem escureceu direito ainda. Por que você não cochila uma horinha e eu te acordo do jeito que você gosta?

A ideia de outra pessoa dormindo abraçada com ele, alguém que não era Ingrid, revirou-lhe o estômago. O lado negro estava extinto por completo, dominado. Ou melhor, saciado. Igual ao estômago, depois de um grande churrasco. Um estômago sabe que *amanhã* é um novo dia e que a fome sempre voltará, independentemente de quão cheio esteja no momento...

— Vamos embora logo.

— Tá bom, mas então deixa eu tomar a minha saideira — e abriu outra garrafinha de uísque Passport.

Axel notou a voz dela já alterada. Ela cambaleava um pouco, mas não fazia diferença. Deixaria ela em casa e voltaria para o motel. Desta vez, para dormir mesmo.

Pensava no futuro. Estava com cinquenta e cinco anos. Talvez fosse hora de encerrar a fase brasileira. O que mais conseguiria ali? Estava escondido do mundo, enfurnado em Belo Horizonte, em Betim. Sentia-se como Luca Brasi, o assassino mais temido do livro *O poderoso chefão*. Luca respondia apenas e tão somente a dom Corleone. A família mafiosa funcionava exatamente como uma grande corporação. Dom Corleone era o presidente, os gerentes de unidades de negócios eram os "capos". Alguns capos controlavam o jogo; outros, a prostituição; outros, uma área geográfica como o leste de Chicago. Ele era o Luca Brasi de Bernt Kone. Sim, tinha acesso direto e exclusivo ao chefão. Mas nunca, jamais, chegaria a "capo". Bernt queria Axel ali, quieto, desconhecido, trabalhando para ele com exclusividade e dedicação. Bernt passava-lhe os pepinos.

Depois de treze anos de Brasil, muita coisa mudou. Logo depois que retornou, o tal Lucas Souto, que era o responsável por ele aqui no Brasil, resolveu botar as manguinhas de fora. O orçamento da unidade de Souto havia sido reduzido em 25%, então ele resolveu fazer um corte linear que afetaria também o departamento de Axel. Axel ponderou, explicou-lhe a questão do compromisso que tinha com Bernt Kone, a nova liga, os transformadores E47. Mostrou-lhe que isso seria, mais para frente, uma grande conquista da unidade de Betim, um modelo para o mundo. Preto no branco. Gráficos e números. Lucas Souto ouviu, fez que entendeu e, se não falou "foda-se" com a boca, falou com o corpo, dando de ombros.

No dia seguinte, Lucas Souto recebeu um curto *e-mail*: o orçamento da unidade dele agora estava reduzido em 53%, mas em compensação, todo o grupo chefiado por Gustav Axel estava agora ligado diretamente a Bernt Kone sob o título de Grupo de Programas Estratégicos. Como o departamento de Bernt, na verdade, era responsável por apenas 18% do custo, Lucas Souto havia perdido uma excelente oportunidade de ficar calado. Bernt, agora presidente mundial da ABB, só fazia o que era bom para ele mesmo. Talvez fosse a hora de Axel, novamente, fazer uma proposta que Bernt não pudesse recusar. Algum novo projeto que levasse a família de volta para a Europa. A ideia havia nascido débil, mas ganhava corpo a cada dia que passava. Axel se convencia que seria ótimo para Daniel viver outras culturas *in loco*, que Ingrid se preocuparia menos com a violência, que teriam uma existência mais calma sem o estresse da vida brasileira.

Mas a bem da verdade, o motivo maior seria tentar domar o lado negro. Uma mudança de localização talvez fosse a resposta. O simples fato de ser Europa poderia dificultar as coisas para ele. Porque, apesar das mudanças políticas e econômicas no Brasil nos últimos dez anos, Axel ainda era "o gringo", o estrangeiro. Algumas queriam transar com ele só porque tinham curiosidade de transar com um alemão. Mesmo ele explicando que era suíço. No Brasil, um louro com sotaque era logo visto como alemão ou americano. Na Europa, seria mais um na multidão, voltaria a ser anônimo. Talvez andasse na linha. Valia a pena tentar.

Pensava em Ingrid, em Dadá e seus problemas na escola, nos quatro programas dentro da sua área que já havia previamente selecionado por entender serem pedras fundamentais na estratégia de Bernt e que talvez os tirasse do Brasil. Pensava no dia em que viu Ingrid pela primeira vez. Não se lembrava da primeira noite em que tinham feito amor, o ato em si, mas se lembrava do abraço, do dormir de conchinha. De como ele havia sentido que poderia amar aquela mulher.

Enquanto isso, ao lado, no banco do passageiro, a morena tagarelava. Estava bêbada. Chovia torrencialmente. Axel já passara o BH Shopping, estava chegando à altura de uma pronunciada curva à direita quando a morena perguntou, pela terceira ou quarta vez, agora gritando:

— Quando é que você vai deixar a sua mulher, hein? Me fale isso agora.

Axel estava absorto em seus pensamentos, respondeu-lhe secamente:

— Patrícia, do que você está falando? Nunca lhe falei nada disso. Tá louca?

A mulher explodiu:

— Seu canalha, filho da puta, você quer me usar de novo, não bastou aquela vez que você me fez abortar, seu nojento, veado... — Gritava, enquanto puxava o braço dele e lhe dava tapas no rosto.

A campainha do telefone, no domingo à noite, por volta das 10 horas, não provocou grande surpresa em ninguém. Não era muito tarde e Axel tinha muitos colegas nos Estados Unidos que telefonavam em horários impróprios. Daniel estava sentado na sala, assistindo televisão com a mãe. Ingrid atendeu:

— Ingrid Cotto.

Silêncio. Um longo silêncio.

— Não, o senhor está enganado. Meu marido está em São Paulo. Viajou hoje no início da tarde.

O tom de voz da mãe fez com que Daniel desligasse a televisão.

Nova pausa. Longa. Os olhos dela se encheram de lágrimas.

— Entendo. Obrigada, boa noite.

Ingrid desligou o telefone. Abraçou o filho. Não sabia o que falar. Pensou, mas a única coisa que lhe veio à mente foi contar a verdade.

— Daniel, seu pai sofreu um acidente. Por algum motivo, ele não foi viajar. Perdeu o controle do carro, voltando do BH Shopping. Talvez estivesse vindo aqui para casa, não sei. Ele está morto.

Daniel chorava, em choque:

— Talvez seja um engano. Talvez seja outra pessoa!

Ingrid também chorava.

— É, filho, mas telefonaram já do IML. O corpo dele foi encaminhado para lá e já foi reconhecido. O carro capotou, ele teve muitos ferimentos internos, bateu com a cabeça, morte instantânea. Com ele encontraram toda a documentação, carteira de motorista, identidade de estrangeiro, nosso telefone — disse isso, enquanto amparava o filho.

Ficaram ali, abraçados e imóveis, chorando.

A casa era alugada pela ABB. Pensou em fazer a mudança dos móveis para a Suécia, mas a praticidade falou mais alto. Era mais fácil vender tudo e comprar novo. Uma amiga de Ingrid se encarregou da venda. Algumas coisas de valor sentimental foram encaixotadas e enviadas pelo correio. Resolveram que seria melhor doar todas as roupas de Axel e até mesmo alguns lençóis, colchas, toalhas dele. Além do mais, Ingrid imaginava que talvez demorasse um mês ou até dois para comprarem uma casa em Estocolmo. Não tinha como saber se os móveis seriam adequados a essa nova casa. "Melhor sermos práticos. Mudar logo para que Daniel possa iniciar o semestre letivo em setembro já na nova moradia."

Durante os quinze anos que passara no Brasil, Axel tinha juntado uma razoável fortuna. Ele dissera uma vez que, caso morresse, sua família nunca iria precisar se preocupar financeiramente. Só o seguro de vida em caso de acidente, coberto pela Credit Suisse, já seria suficiente para reiniciarem uma nova vida onde quer que fosse.

No dia 10 de agosto de 2003, mãe e filho desembarcaram no aeroporto de Estocolmo com duas malas cada um e o atestado de óbito de Gustav Axel Cotto.

2007

Lance de gênio

PRADINHO ESTAVA SUPERCONTENTE, exultante até. Isso era raro, porque nos últimos três meses ele era quase que só depressão. Fazia um ano que não se encontravam pessoalmente. Quando isso acontecia, sempre se lembravam da viagem que tinham feito a Kos. Aqueles eram os bons tempos. "Que tinham achado o hotel horrível quando chegaram, mas com o tempo o lugar foi melhorando. Ao contrário do que geralmente acontecia: uma pessoa chegava a um hotel e gostava, só depois passava a ver os defeitos." "Meio igual mulher", disse Marcos.

Eles tomavam chope no Pop Pastel, na Cristóvão Colombo, quase esquina com Contorno. Ficava perto do Berlitz, onde Marcos deu aulas de inglês por um curto período de tempo, assim que retornara dos Estados Unidos. Era uma sexta e o local estava lotado.

— Os caras do hotel eram gente boa, não eram? — perguntou Pradinho.

— Eram sim — Marcos confirmou. — Eles estavam certos. Se eu tivesse um hotel tipo o deles, faria o mesmo.

Ainda referiam-se ao hotel que haviam ficado hospedados em Kos. Era pequeno, simples. Zero estrelas. O dono, um grego lá pelos seus sessenta anos, parecia não ser de brincadeira. Continha uma placa em inglês com os dizeres: "Somente os hóspedes podem subir para os quartos". O velho, ao fazer o *check-in*, vendo dois rapazes na faixa dos trinta anos, solteiros, avisou logo com um inglês capenga, mas com um vozeirão grosso de impor respeito:

— Não podem levar ninguém para o quarto, entenderam?

O quarto era bem modesto. Duas camas de solteiro, bem estreitas, modelo barato. O colchão era duro. A varanda dava para os fundos de uma casa. Lá, se podia ver uma mulher lavando roupa, um cachorro fazendo cocô. Era isso. Nada de vista para a praia. Nada de garotas gostosas de biquíni. "Aquela mulher, se colocasse biquíni, a gente ia pedir para, por favor, colocar uma roupa decente." Riram.

Já estavam meio tontos. A cartela de chopes estava lotada de xis, haviam comido duas porções mistas de pastel. Resolveram pedir duas batatas recheadas com estrogonofe.

Marcos perguntou pela segunda vez o que Pradinho iria fazer no final de semana.

— Você tem que parar de beber, cara.

Marcos riu. Devia estar passando do seu limite, porque quando isso acontecia, ele começava a perguntar coisas e esquecer das respostas. Uma vez, perguntou para uma garota que estava tentando paquerar o nome dela umas sete, oito vezes. Por fim, a menina mandou ele se foder e foi embora. Era época do ginásio quando isso aconteceu: segundo ou terceiro ano.

Mas como agora ele estava perto do apartamento dos pais, sabia que seria fácil chegar em casa. O garçom apareceu com as batatas.

— Você lembra das peladinhas?

Riram. Voltavam do centro do agito de Kos e já passava das 5 horas da manhã. Já era dia, com sol e tudo mais. Os dois, arrasados. Destruídos depois de tantas doses que tomaram de graça, um bar ofereceu uísque, o outro Metaxa (um uísque grego), depois tomaram Ouzo (licor de aniz), Cointreau, Bailey's, grapa, de resto nem sabiam o que tomavam. Destruídos de tanto papear no ouvido das mulheres. Suecas. Norueguesas. Alemãs. Gregas. Mulheres dessas que têm uma vagina no meio das pernas. Voltavam para o hotel naquela manhã quando viram duas deusas — pelo tipo, escandinavas ou bálticas — saindo correndo da praia.. Estavam nuas em pelo. Nuazinhas. Atravessaram a rua correndo e começaram a andar com o passo rápido. Ao atravessarem, vindas da praia, acabaram por se posicionarem bem à frente dos dois brasileiros. Eles podiam ouvi-las rir e conversarem algo em sueco. Os dois apertaram o passo tentando alcançá-las. Elas notaram isso e correram. Marcos fez sinal para Pradinho deixá-las ir. Sentiu que as meninas tinham ficado com medo. "Pradinho, deixe elas irem. São novinhas, estão com medo." Continuaram andando para o hotel. Naquela noite, não comeram ninguém, mas tinham tido uma visão do paraíso.

Ou do inferno. Depende da concepção de cada um. Os dois, invariavelmente, chegavam juntos ao agito por volta das 22 horas. Nos primeiros dias, haviam jantado em restaurantes bem simples. Depois, cansaram de comer hambúrguer engordurado e passaram a frequentar lugares melhorzinhos. "Mas nada de jantar à luz de velas", disse Pradinho. Geralmente, assim que apareciam no primeiro bar eram recebidos aos gritos de "aaaah, os brasileiros, meus amigos". Pradinho ia mais à frente, Marcos ficava mais retraído. Entravam no estabelecimento, que ainda estava vazio e tomavam cada um uma dose de uísque gratuita. Marcos puxava papo com uma garçonete. Davam um tempo, e seguiam para o próximo. Quando o agito começava mesmo, lá pela meia-noite, já estavam calibradíssimos. Sem terem botado a mão no bolso. Depois das duas da manhã, era de praxe: se perdiam um do outro. Na maior parte das vezes, só iriam se encontrar de novo no hotel, já depois das seis da manhã. Marcos desenvolvera uma teoria que, se ele antes de dormir comesse uma bela macarronada, não passaria mal no dia seguinte. De fato, nenhum dia ele passou mal. Todo dia comia uma pratada lá pelas 5 da manhã.

Acordavam por volta das 11 horas. Tomavam banho, e, com aquele sono todo, uma ressaca brava, iam para a praia. Tomavam café, comiam sanduíches, tudo lá na praia. Dormiam na sombra. Discutiam sobre a noite anterior.

— E aí, eu te vi com aquela loura mais alta que você. Comeu ela?

— Ahh! Ela era doida. Começou a pegar no meu pau no meio da pista de dança. Você não vai acreditar, mas ela me chupou na rua. Queria que eu a comesse, mas enfiei o dedo nela e tava um cheiro horrível. Fiquei com medo de perder o dedo. Era perigoso minha unha cair! Caí fora. Falei que ia ao banheiro e saí pela outra porta da boate, você sabe, aquelas estilo *country*. Depois, encontrei a do cabelão com quem você ficou na segunda-feira. Ela perguntou por você. Tava com uma amiga muito gostosa. Combinamos de nos encontrar hoje à noite. E você? Da última vez que te vi tava de papo com uma veterana. Ela era gostosa, não?

— Nossa, ela ficou no meu pé. Andou atrás de mim a noite toda. Mas era muito caída. Uns peitos muito pra baixo. Ela também fumava. Não curto mulher que fuma. Só se for pra chupar, o resto tô fora. Mas tanto ela fez, que acabei comendo. Ela tava na secura. Só podia estar. Era uma pervertida!

Não entravam muito nos detalhes. Tinham um certo "código de honra". Falavam de tudo, mas excluíam os detalhes sórdidos.

Pradinho ainda morava na Suécia. Volta e meia, conversavam pelo Skype e ele dizia, sério:

— Não aguento mais. Quero largar isso daqui. Nada aqui dá certo.

Ele ficava frustrado. Pelo que Marcos sabia, Pradinho tivera um filho, Robert, com a mulher com quem morou quase três anos. Devia ter tido outros, que desconhecia. Já estava na Suécia há doze anos. Nunca havia morado sozinho. Sempre que arrumava uma nova namorada, se mudava para a casa dela. Para pegar o visto permanente, ficou com essa do filho por três anos. Os caras da imigração custaram a lhe dar o tal visto. Ele tinha o passaporte cheio de vistos temporários. Cada vez reiniciava o processo com uma garota diferente. Por fim, resolveu aturar a mulher até que saísse o documento.

Ele visitava o filho a cada dois domingos, levava presentes. A sueca ainda gostava dele, fazia café, bolo.

— Para com isso, Pradinho. Você tem o Betinho, ele está com que, três anos agora? Vai largar o menino sem pai? Corta essa.

Era só da boca pra fora. Pradinho continuava com sua música. Mas estava doze anos mais velho. Provavelmente, o poder de conquista começava a diminuir. Não havia se tornado um artista de projeção internacional. Continuava fazendo seus *shows* nos barcos. Tinha montado uma nova empresa de turismo com outro colega, um cubano. Tentavam dar à empresa um perfil latino: "Latin Fever" era o nome da agência. Faziam uma publicidade voltada para a América Latina. Vendiam pacotes de dança: uma semana de curso de salsa em Cuba. Ou uma semana de forró em Natal. Dividiam o trabalho no mesmo esquema de sempre: o cubano tomava conta da loja e Pradinho, da internet. Porém, a clientela estava mudando de hábitos, a maioria dos pedidos e dos contatos era feita por telefone, por internet, por *e-mail*. A presença física era praticamente dispensável. Pradinho cogitava até fechar a loja e atender somente *on-line*. Mas o filão mesmo seria adicionar o serviço de *"money transfer"*, transferência de dinheiro, ao leque de produtos. Porém, ao mesmo tempo em que confiava no sócio, desconfiava. Às vezes suspeitava que ele vendesse passagens por baixo do pano, levando para si parte dos proventos.

Uma vez Pradinho teve uma inflamação no dedo e por causa disso ficou quinze dias sem tocar. O montante de vendas *on-line* permaneceu o mesmo, mas as vendas físicas na loja subiram consideravelmente.

— Marcos, você sabia que meu irmão é detetive? Talvez ele me dê uma dica para ter certeza se o cubano não está me sacaneando.

Marcos já estava tonto, pensava em como iria chegar em casa. Era só seguir a rua direto. O problema seria cruzar a Getúlio Vargas.

— Detetive? Que legal. Parece emocionante, né? — disse, pensando no Magnum. Aquele do bigodão. Do Havaí. Da Ferrari, da mansão, do helicóptero.

— Que nada, meu, se liga. É um trabalho chato demais. A especialidade dele é arrumar provas para mulheres de que os maridos estão traindo. Mas vou te dizer uma coisa, fica aqui entre nós. Ele está ficando rico. Descobriu uma manha incrível. Uma mina de ouro. O negócio do século.

Marcos, apesar da tontura, notou que Pradinho mudou o tom de voz, como se fosse falar um segredo.

— É o seguinte. A mulher, quando chega nesse estado de dúvida, é porque 99% das vezes o marido está traindo. É batata. Não dá outra. A mulher contrata o meu irmão, Zezinho, por dois mil reais. Mil adiantado, mil no final. No geral com uma, duas semanas, Zezinho já tem o filme do cara trepando com a amante. O foda é que, depois de um tempo, ele descobriu que ao entregar o filme, as mulheres ficavam putas. Com o marido. Com ele, Zezinho. Xingavam todo mundo. Custavam a pagar os mil restantes.

"Uma vez, Zezinho mudou de tática. Com a fita na mão, ele foi no escritório do marido. Se apresentou, contou pro sujeito que achava mais ético preparar-lhe porque ele iria chegar em casa e a mulher já teria jogado as coisas dele na calçada. E contou toda a história, o que tinha filmado, tudo. Logicamente, a certa altura, o sujeito perguntou quanto a mulher tava pagando. Resposta na lata: R$ 4 mil. O cara cobriu, oferecendo R$ 5 mil. Zezinho, lógico, se mostrou chocado. Revoltado com a ideia. Enojado. Disse que tinha ética profissional, um nome a zelar. Seis anos de experiência no mercado. Seis era a dica. Fechou por 6 mil reais. Recebeu o dinheiro, foi direto na mulher e contou que o marido era limpíssimo. Recebeu os mil reais restantes na hora. Ela toda alegre. O marido alegre. Zezinho alegríssimo. Ele, antes de sair do escritório, ainda tinha avisado ao maridão pra ficar esperto.

"Depois de uma bola na trave dessas, o marido provavelmente começou a andar na linha. Deve ter mandado flores. O sujeito viu o perigo, a vida dele se desfazendo. Zezinho, claro, adotou a ideia como procedimento padrão da empresa. Com isso ele tá ficando rico e, de quebra, contribuindo para que o mundo se torne um lugar melhor. E ainda ajuda na venda de rosas vermelhas."

Marcos ouvia, era uma boa história. Pradinho prosseguiu:

— Mas o lance de gênio vem agora. Como te falei, se a mulher está nesse estado de desconfiança, é porque ali tem coisa. O processo de investigação normalmente era rápido, mas nem sempre. Zezinho, às vezes, tinha de esperar um, dois meses para conseguir as provas. Sabia que o cara andava aprontando. Mas a amante tinha viajado. Ou o marido dela, da amante, estava desconfiado. Ou, vai ver, na pior das hipóteses, o *investigado* tava limpo mesmo. Era complicado, tinha de investigar demais. Demorava. Noites em claro, um saco.

"Foi aí que Zezinho teve a ideia de gênio. Ele contratou uma puta. Já havia seguido o suspeito, sabia onde ele frequentava. Mostrou a foto do sujeito, mandou a puta lá. Pagou antecipado pelos serviços dela. Ela foi, transou com o cara no apartamento dela, onde Zezinho já tinha de antemão colocado uma câmera escondida. Pronto. Economizou sabe-se lá quantas semanas de investigação. Gênio, entende? Lance de gênio."

Nessa hora, o garçom se aproximou com mais dois chopes. Marcos notou que não conseguia mais focar muito a vista e que falava embolado. Pradinho levantou o copo e propôs um brinde:

— Um dia, ainda vamos ter a nossa empresa. Saúde!

2009

Os empreendedores

INGRID JÁ NÃO ESTRANHAVA MUITO as "loucuras" do filho. Era um tipo peculiar, "mas também pudera, primeiro formamos aquela família 'exótica', diferente de todas as outras no Brasil; depois a tragédia da perda do pai que ele adorava quando tinha somente treze anos. A mudança súbita. Perder todos os brinquedos, os amigos, refazer a vida em um país completamente diferente. Não deve ter sido fácil para ele". Suas lembranças foram interrompidas com o barulho de uma britadeira vindo do porão. "Raios, vão colocar a casa abaixo." Raramente entrava no quarto do filho, que ocupava todo o porão na parte de baixo. Ainda mais agora que ele havia começado a trabalhar nesse tal Facebook e a empresa exigia que ele tivesse precauções dignas de Fort Knox. Lera sobre o Facebook num jornal, era uma coisa nova de computador. Diziam que era a coisa quente do momento, uma empresa americana fundada havia pouco tempo e que agora, em 2009, já estava ganhando milhões de dólares. Leu, mas não entendeu direito o que eles faziam. De qualquer forma, Dadá era agora responsável por um dos locais de *backup* do *software* da empresa. Esses locais precisavam ser distribuídos pelo mundo no caso de um terremoto, incêndio, guerra nuclear, peste negra.

Primeiro foi a troca da porta do quarto por uma dessas de incêndio, pesada e com fechadura digital. "Agora isso", pensou e desceu as escadas em meio a uma espessa nuvem de pó. Dentro do quarto, um enorme cofre repousava sobre rodas. "Esse é digno de um banco", pensou. No resto do quarto, os móveis estavam todos empilhados num canto. Dadá estava com um protetor de ouvido, trabalhando dentro de um enorme buraco aberto na parede embaixo da escada. O buraco já estava grande o suficiente para receber o cofre, que deveria ficar uns centímetros mais baixo quando entrasse. "Mas como ele vai retirar o carrinho de rodas que fica embaixo do cofre?" Sozinho ele não conseguiria, já que foi preciso um miniguindaste e quatro homens para trazer o cofre, que causou um rombo na porta de entrada, bem como um buraco enorme no chão da sala por meio do qual o dispositivo foi levado ao quarto.

Alheio aos olhos da mãe, Daniel continuava seu trabalho. Usando uns óculos de proteção, luvas grossas, protetor de ouvidos, ele se achava um verdadeiro *"macho man"*. Para ele, era interessante fazer um trabalho braçal, vez ou outra. Uma distração do seu trabalho mental. Somente assim conseguia tirar os pensamentos da empresa que estava tomando forma. Isso lhe custava todo o tempo, lhe consumia toda a energia. Ou então os pequenos trabalhos que fazia de programação, via *site* vWorker. Seu portfólio de trabalhos lá começava a ficar bem impressionante, e o *feedback* dos clientes já o tornava um dos mais cotados trabalhadores do *site*. Foi com o capital oriundo desses trabalhos que conseguiu comprar o cofre, as baterias, o aluguel da britadeira, etc. Os servidores teriam de ser, por enquanto, aqueles que já possuía. Mas seria bom fazer um *upgrade* em breve.

De volta ao trabalho. Precisava fazer o buraco bem profundo para deixar um espaço de ventilação atrás. As baterias, os servidores, tudo ficaria dentro do cofre. "Podem cortar a eletricidade da casa. A Swat, polícia federal, Interpol, Bope, os marines. Que venha a Tropa de Elite. Podem me prender, fazer o que for.

Demorariam dias, talvez semanas até que conseguissem tirar o cofre do lugar." Provavelmente o jeito mais fácil seria com uma escavadeira, dessas de construção pesada. Um detalhe é que o buraco, a essa altura, já estava embaixo da casa do vizinho. Dadá morava em uma casa geminada, a parede onde a casa dele terminava já era a parede de onde começava a casa do outro. Teriam de derrubar a casa do infeliz. Empurraria o cofre pra dentro do buraco, com rodinha embaixo e tudo.

 E dá-lhe concreto, um concreto bem resistente, receita que pegou na internet. Com varões de metal e tudo mais. Não teriam como forçá-lo a dar a senha para abrir o cofre. As baterias eram suficientes para manter os servidores no ar por dois dias e conectados à internet. A internet foi outro desafio. Talvez cortassem a conexão, caso fossem espertos. Tinha duas conexões fixas que, obviamente, pertenciam à sua casa. Não adiantava ter nome falso, CPF falso. Era fácil acharem os dois provedores e ordenarem que desconectassem aquela casa. Porém, antes de escolher a localização do buraco, consultou diversas plantas da construção. Decidiu-se por um lugar próximo a uma tubulação metálica que passava acima do buraco. Era arriscado, mas com a ajuda de um amplificador de sinais para a antena externa, os servidores tinham também uma conexão sólida via celular. Um cartão pré-pago, registrado na telefônica Bharti Airtel da Índia que comprou via internet de um indiano chamado Sunil Kumar. Por ser pré-pago, a única comunicação com a Bharti era feita pela internet. Não havia como saberem da existência dessa assinatura. Não o deixariam incomunicável por mais de dois dias. Teria acesso a um advogado, direito a dar um telefonema. Após isso, tudo iria pelos ares.

 Uma explosão gigante. Filosófica, mas não literalmente falando. Quando finalmente abrissem o cofre, iriam encontrar o *hardware* intacto. Os dados, esses estariam todos deletados. Seria apenas uma pilha de servidores cujos discos estariam todos preenchidos com 0 de cabo a rabo, e inclusive com a trilha de *boot* apagada. Nem ligar as máquinas os *experts* iriam conseguir. Sim, havia ainda a possibilidade de a Swat explodir a porta do cofre. Pior para eles porque o dispositivo, próprio para computadores, era "inteligente". Tinha uma interface USB. Se aberto à força, daria o sinal para os servidores fazendo-os automaticamente entrar no mesmo modo camicase como se tivessem recebido o alarme via telefone. E para garantir que após a explosão da porta o policial não apertasse o botão de liga/desliga, Daniel tinha dotado o botão com um retardo de vinte minutos. E os cabos da eletricidade, ligando as baterias aos servidores, estavam bem protegidos. Os servidores ficavam em *racks* próprios, tudo parafusado. O processo todo de detonação lógica levaria, no máximo, dez minutos. Era impossível que alguém conseguisse desligar os servidores em menos tempo, por mais que tentasse. O único jeito seria cortar a eletricidade dentro do cofre, mas isso levaria, no mínimo, vinte minutos via botão liga/desliga ou até mais tempo caso tentassem desmontar os *racks* para retirarem (ou cortarem) os cabos de força. Mas a verdade é que, como ninguém além dele conhecia o *design* do cofre (as baterias, o retardo, etc.), era altamente improvável que fizessem um ataque que lograsse desligar os servidores em vinte minutos. Ainda mais que o retardo do botão liga/desliga zerava se o sujeito apertasse novamente antes dos vinte minutos. "Improvável não. Impossível."

Sentiu um toque nas costas. Era sua mãe. Ela estava toda empoeirada, e dizia algo que ele não entendia. "Ah, o protetor de ouvido." Tirou-o, e sua mãe falou:

— Dadá, o almoço tá na mesa, meu filho. Venha comer, mas troque de roupa e se lave antes.

* * *

Foi em 2009 que finalmente Pradinho tornou realidade a tão repetida promessa. Estava cansado do parceiro. Há mais de um ano haviam expandido o negócio de agência de turismo para incluir também remessa de dinheiro. Era já tarde da noite no Brasil quando Pradinho ligou:

— Marcos, meu amigo. Tudo bem?

— Pradinho, que sumiço, hein? A última vez que nos falamos deve ter uns três meses. Como andam as coisas por aí?

— Está tudo na mesma. Tudo joia. E você, alguma novidade?

— Não, o de sempre.

— Quando é que você vem aqui?

— Sabe que até preciso ir? Está na hora de revalidar o visto. Tenho de dar um pulo aí até o meio do ano.

— Marcos, eu estou querendo sair da sociedade. Não está dando certo. Você lembra que te falei do negócio do *money transfer*?

Marcos lembrava. Pradinho comentara que iria ganhar muito dinheiro. Marcos sabia apenas que o amigo demorara um tempão para conseguir implantar um sistema qualquer. Aparentemente, era um jeito de transferir dinheiro paralelo aos bancos, mas ainda assim era legalizado. Marcos não entendia direito como o negócio funcionava. A mecânica da coisa, por assim dizer. Como o dinheiro saía da Suécia e ia parar no Brasil? Um mistério.

— Pois é, meu amigo. O negócio é muito bom. Dinheiro fácil. Só que meu sócio é muito devagar. Ele quer ter loja física. Nosso lucro vai todo embora dessa forma. Não tem jeito. Sozinho eu também não consigo trabalhar, preciso de alguém me ajudando na retaguarda quando estou viajando, ou ocupado com algum *show*. Por isso, pensei em você.

Marcos estava surpreso. Finalmente Pradinho aparecia com uma proposta concreta! Era algo interessante. Ao mesmo tempo, parecia uma coisa arriscada. Mas, "melhor deixar rolar a ideia para ver no que dá".

— Uai, Pradinho, você sabe como é a minha disponibilidade. É limitada, mas tenho algumas horas por dia. Tenho também como ler *e-mail* na Concretek no caso de emergências. Se você acha que isso é suficiente, seria interessante a gente conversar.

Pradinho estava interessado. Enviaria documentos detalhados explicando a transação. Teriam de montar uma empresa. Como o potencial de dinheiro em circulação seria relativamente alto, para se protegerem a empresa teria de ser do tipo sociedade anônima. O capital inicial requerido era de R$ 12 mil de cada um dos dois.

Pradinho não mandou os documentos da forma como Marcos havia imaginado. Simplesmente enviou um *e-mail* contendo *links* variados. Um *link* direcionava à "FI" — Finansinspektionen, a autoridade financeira sueca que supervisiona entidades financeiras. Na Suécia, todos os bancos, casas de câmbio, instituições de crédito, seguradoras e fundos de pensão são regulamentados e supervisionados pela FI. Também estão sob sua supervisão as empresas de remessa de dinheiro. No caso, a empresa que queriam montar teria de ser licenciada por essa autoridade. Somente a licença custava R$ 5 mil, tendo de ser revalidada a cada ano ao custo de R$ 2,5 mil. Outro *link* remetia ao *site* da Financial Action Task Force, um grupo intergovernamental mantido por trinta e seis membros representando quase cem países (um único membro é a União Europeia com seus vinte e sete países). Esse grupo, criado em 1989 e especialmente ativo depois dos ataques terroristas de 2001, cria leis e diretivas que são então adaptadas e adotadas pelos países membros nos anos vindouros. Marcos notou que o *site* da FI dava grande destaque à chamada "Nova lei dos serviços de pagamento", que aparentemente traria grandes mudanças na regulamentação dos pagamentos via internet, bancos virtuais, cartões de crédito pré-pagos, etc.

Recebeu também um *e-mail* contendo arquivos de texto em Word, bem como fotos tiradas com câmera digital dos documentos enviados à FI relativos ao pedido de licença da empresa "Brazil Travel AB".

Foi durante as férias de julho de 2009 que Marcos retornou à Suécia. Ficou na casa de Pradinho, que havia recentemente se mudado com uma nova namorada. Patrícia. Patty. Uma ruiva. Cabelos longos, rosto bem redondo. Tinha sardas. Era sueca, mas tinha cara de irlandesa. Não tinha peitos, mas uma bunda relativamente grande. Mais para gordinha. Porém, ainda tinha tudo no devido lugar. A essa altura Pradinho já tinha mais de quarenta e cinco. Devia estar beirando os cinquenta. Ela tinha, com certeza, menos de quarenta. Pradinho ainda estava em forma. Fazia ginástica, corrida, musculação. Estava com a cabeça raspada. Tinha agora uma nova tatuagem no punho esquerdo. Um coração atravessado por um punhal. Moravam no Gärdet, um bairro muito bom, perto do centro.

Era um apartamento de um quarto, uma sala bem grande, cozinha e banheiro. Colocaram uma cama de armar para Marcos. Ele dormia mal. À noite, quando não saía com Pradinho, ficava ouvindo os gritos altos vindos por detrás da porta fechada. A Patty, pelo visto, não se acanhava. Ou vai ver não aguentava segurar. Estranhamente, parecia se calar na hora do gozo. Gritava muito antes, mas na hora H devia revirar os olhos e entrar em transe.

Num sábado, Patty trouxe uma amiga, Madeleine, para um churrasco. Era óbvio que a amiga já tinha todas as coordenadas. Já devia ter visto fotos de Marcos. Ela parecia saber tudo dele, ele não sabia nada dela. Estava calor. Eles colocaram a churrasqueira na grama entre o prédio deles e o prédio vizinho. Dava para ver a rua, mas ao mesmo tempo ficavam relativamente protegidos pelas árvores e arbustos que, no verão, formavam uma barreira natural. Se fosse no inverno, os carros e pedestres teriam uma visão direta deles. As árvores estariam nuas, sem as folhas. Mas agora gozavam da privacidade de um jardim particular. Exceto, claro, os demais moradores dos prédios que sempre apareciam nas sacadas. Eram dois prédios, de três andares pintados de amarelo.

Churrasco, cerveja e doses de vodca Absolut. Um dos grandes orgulhos da Suécia. Orgulho do conteúdo translúcido. Orgulho da garrafa que se tornou um dos ícones do *marketing* moderno. O churrasco começou por volta do meio-dia; duas horas depois Marcos beijava Madeleine na cozinha, onde tinham ido "pegar mais cerveja". O gozo no banheiro, dentro da boca de Madeleine, veio em algum momento entre a sobremesa e o início do fim da festa. Madeleine, uma norueguesa magra e alta, de cabelos pretos curtos, saia preta ainda mais curta, peitos desproporcionalmente grandes para o corpo tão fino, não parecia saciada em suas ânsias. Ainda fazia sol, mas o relógio já marcava 21 horas. Nessa época, não escurece em Estocolmo antes das 22 horas.

Patty e Pradinho se fecharam no quarto, mas o silêncio vindo de lá era total, o que levou Marcos a imaginar que estavam mesmo dormindo. Só se ouvia o barulho vindo da boca de Madeleine, que tentava, a todo custo, dar vida ao membro de Marcos, que a essa altura não parecia ter a menor intenção de se enrijecer. Estavam os dois no chão, onde haviam estendido um lençol. Por fim ela desistiu, com cara de chateada. Pediu para ser chupada. Marcos hesitou. Preferia que ela tivesse tomado um banho, dado uma geral lá embaixo. Ela mantinha um corte baixo, mantendo um triângulo invertido de grandes dimensões e relativamente espesso. Lembrou-se de Maren: "É, podia ser bem pior", e da sua disposição, na época, de defender as cores do Brasil. Talvez não tivesse mais tanta coragem. Madeleine decidiu dar fim ela própria a essa hesitação empurrando o baixo ventre contra o rosto dele, enquanto segurava a cabeça de Marcos decididamente com as duas mãos. Marcos iniciou o oral, mas adormeceu. Acordou com um susto, ela deu-lhe um tranco com o corpo. Ele tratou de colocar mãos à obra, quer dizer, língua à obra por alguns minutos, mas de novo dormiu. Acordou com Madeleine amaldiçoando-o em inglês, sueco, norueguês e uma outra língua que não conseguiu discernir. Enquanto ela batia a porta do apartamento com força, ele se ajeitava na cama de armar.

Acordou já vomitando ainda deitado na cama em uma pseudo reencenação de "O Exorcista". "Nem sabia que era possível acordar vomitando desse jeito." Enrolou o lençol sujo e molhado. Colocou-o dentro da banheira no banheiro. Pegou sua toalha de banho, pendurada atrás da porta, e usou-a para limpar o chão da sala. Abriu a janela para entrar um pouco de ar fresco. Era verão, mas o vento na Suécia é sempre congelante. Deixou apenas uma pequena fresta. Eram 4h15, o dia estava claro. Deitou-se de novo. Já era quase meio-dia quando Pradinho o acordou com uma xícara de café.

— Anda, hoje vamos no contador.

Os dias eram divertidos, mas também cheios de compromissos. No contador, assinaram os documentos de compra de uma empresa chamada "B172 AB", vendida por um tal de Lars Hamrén. O sujeito tinha uma proposta de negócio interessante. Para se abrir uma empresa na Suécia, o candidato a empresário tem de enviar papéis para o governo, registrar a empresa, etc. No caso de uma sociedade anônima, o capital mínimo exigido é de R$ 24 mil. Tudo feito basicamente pela internet, ainda mais que a Suécia tem a chamada identidade eletrônica, que funciona para assinar eletronicamente documentos oficiais, como, por exemplo, imposto de renda, registro de pessoa jurídica, registro de pensão, salário-família, etc. Mesmo sendo tudo basicamente eletrônico e simplificado, de qualquer forma ainda tem também o tempo de processamento. Pagas todas as taxas, o custo total sai por R$ 1 mil, mais um tempo de processamento total de dois meses.

Alternativamente, pode-se comprar uma empresa "já pronta" pagando-se R$ 2 mil. Era o negócio do tal Lars. Abria empresas de fachada, legalmente, ao custo de R$ 1 mil. Depois as vendia, por R$ 2 mil. Para Pradinho e Marcos, gastavam R$ 1 mil a mais, mas economizavam dois meses de espera. Bom negócio para ambas as partes. A transação foi feita no escritório do contador, conhecido de Pradinho. Ali mesmo eles compraram a tal empresa e já entraram com o pedido de mudança de nome para Protheus AB (AB equivale ao sociedade anônima do Brasil). O nome da empresa, ideia de Marcos, fazia alusão ao deus grego Proteu, que, de acordo com a lenda, tinha a capacidade de assumir várias formas. Em inglês, o adjetivo *protean* significa flexível, mutante, adaptável. Marcos achava que eram qualidades que iriam precisar na nova firma. O contador explicou-lhes sobre a constituição da empresa, que oficialmente Pradinho seria o presidente e Marcos o chefe do conselho de administração; independentemente dos títulos ambos eram donos em igualdade e igualmente responsáveis. O contador era versado em empresas que trabalham na área financeira; ele explicou com veemência que, nesses tipos de empresas, o capital da firma era muito inferior aos montantes transferidos. Em um mês, a Protheus poderia transferir 100, 200, 300 mil reais, por exemplo. Se o FI encontrasse alguma irregularidade na operação da empresa, a multa seria então baseada em um percentual desse valor. Uma pequena multa e a empresa corria o risco de falir.

Por fim, ele explicou que a Protheus AB herdava da agora extinta B172 AB a chamada cláusula da espingarda. Essa cláusula funcionava como uma válvula de escape em empresas com dois ou três sócios em que todos os envolvidos eram interessados e participavam ativamente do negócio, bem como tinham relativamente a mesma situação financeira. Algumas vezes, de forma similar a um divórcio, a situação entre os sócios se deteriora de tal forma que não é mais possível levar a empresa para frente. Talvez porque os sócios nunca entram em acordo sobre o que deve ser feito, ou um deles não tenha mais o capital para continuar investindo na empresa, mas não aceitam entrar em consenso sobre como proceder para quebrar o impasse. Nesse caso, a cláusula da espingarda reza que um dos sócios tem o direito de tomar a iniciativa de fazer, por escrito, uma oferta de compra das ações do outro sócio. O recebedor da oferta teria, então, dentro de um prazo preestabelecido, o direito de aceitar a oferta e vender suas ações, como também poderia, em contrapartida, comprar as ações daquele que fez a oferta por exatamente o mesmo preço. Dessa forma, se quem fez a oferta oferecesse um preço muito baixo, ele corria o risco de o tiro sair pela culatra e se ver obrigado a vender pelo preço que propôs. Na Protheus, o prazo de aceitação ou contraoferta foi estabelecido em dez dias corridos.

Depois da ida ao contador, estabeleceram que Pradinho agiria como o homem de frente, principalmente em vendas, captação de clientes e dia a dia operacional. Marcos trabalharia estruturando a empresa, seria também o tesoureiro no pagamento de contas e administração geral, e agiria como suporte no caso de Pradinho estar viajando. Abriram contas da empresa no banco Nordea e cada um recebeu um cartão de crédito. Decidiram que não usariam o cartão para retiradas direto em conta, a fim de manter uma contabilidade adequada. A movimentação somente seria possível por meio de cartão de crédito ou o pagamento e transferência de fundos via internet. Dessa forma, evitariam entrar em discussões do tipo "eu tirei dinheiro no caixa eletrônico para comprar isso ou aquilo".

Sentiam-se motivados. Pradinho tinha acabado de fechar oficialmente a sua Latin Fever e, ao liquidar tudo, recebera um bom dinheiro. Logo depois que Marcos retornasse ao Brasil, Pradinho viajaria para a Inglaterra e firmaria um acordo com a empresa EasyTransfer. Na Latin Fever ele utilizava os serviços de uma empresa portuguesa que havia se mostrado muito lenta. Por causa dessa insatisfação, Pradinho já tinha investigado o mercado e descoberto que a EasyTransfer era muito melhor. Na prática, a Protheus simplesmente seria um agente da EasyTransfer.

O procedimento era simples: o cliente que quisesse enviar dinheiro para o Brasil depositaria o montante na conta da Protheus na Suécia e enviaria um *e-mail* com os dados do recebedor no Brasil. O montante no Brasil dependeria da taxa de conversão do dia, que o cliente saberia, previamente, por telefone. Teria de ligar para a Protheus para saber a cotação. Por isso, o telefone de Pradinho na Latin Fever estava sempre quente. A cada cinco, dez, quinze minutos alguém ligava perguntando "Quero que meu irmão receba R$ 2.500 no Brasil, quanto devo depositar?".

Pradinho explicava as rotinas de trabalho e Marcos achava tudo muito arcaico. Coisas escritas à mão. Contas na calculadora. Telefone que não parava de tocar. Muito trabalho para pouca receita. Nos bastidores, descobriu que o dinheiro depositado na Protheus era então transferido, por meio de banco convencional, para a conta da EasyTransfer na Inglaterra.

A transferência de depósitos entre países da União Europeia era rápida e barata. O detalhe é que o dinheiro saía da Suécia e chegava na EasyTransfer, mas por lá ficava. Essa era a parte misteriosa de tudo. Ao receber o dinheiro, a EasyTransfer simplesmente aparentava comunicar-se com o contato no Brasil, que tirava o dinheiro correspondente do próprio bolso e fazia o depósito, geralmente por meio de caixas eletrônicos, na conta do favorecido. A operação toda levava menos de 24 horas. O dinheiro depositado na conta da Protheus na Suécia pela manhã aparecia, como por milagre, na conta do favorecido no Brasil no dia seguinte. O lucro da Protheus na operação variava de 2 a 4%. A EasyTransfer levava 2%. E ainda os cálculos eram todos feitos com o dólar no paralelo, isto é, bem mais vantajoso para o recebedor.

Comparando-se com a alternativa bancária oficial que cobrava no mínimo 8%, levava em média dez dias úteis e era calculada no dólar oficial, era fácil entender por que a movimentação por esses canais alternativos era intensa. Na verdade, o trabalho da Protheus era apenas fazer a captação dos clientes. Qualquer pessoa poderia depositar o dinheiro diretamente na conta da EasyTransfer e receber o montante no Brasil, economizando a comissão da Protheus. Mas quem confiaria em colocar suas suadas coroas suecas em uma conta na Inglaterra pertencente a uma empresa que nunca tinha ouvido falar? A Protheus conferia um aspecto de segurança à transação uma vez que era um agente recomendado pela Embaixada do Brasil, tinha a licença da FI para operar e o Pradinho já era conhecido do público de longa data. Realmente, era dinheiro fácil.

De volta ao Brasil, Marcos passou os dois meses seguintes preparando a documentação a ser entregue à FI referente à licença da empresa. Os papéis que Pradinho havia enviado para a licença da antiga Latin Fever eram um lixo: cópias de textos retirados da internet que não faziam sentido ou haviam sido colados no lugar errado; em vários lugares aparecia o nome InterTransfer em vez de Latin Fever (obviamente a empresa da qual ele havia copiado o modelo); a planilha de custos e previsão de receitas era datada de 2005; e o pior é que para o ano de 2009 previa-se 50 mil transferências por ano, o que Marcos instintivamente achou um número imensamente absurdo.

Findos os dois meses e feitas todas as modificações, Marcos passou a considerar-se um *expert* nas leis de envio de dinheiro, inclusive o chamado *compliance*, isto é, seguir as regras de requerimento, análise e retenção dos documentos necessários para a remessa de valores segundo as leis suecas. Melhorou significantemente o manual de operações da empresa Protheus. Por fim deu-se por satisfeito e enviou toda a documentação para as autoridades da FI.

Nos meses seguintes, Marcos criou o *website* da Protheus Money Transfer. Discutiu longamente com Pradinho por noites a fio. Ao final, criou um sistema de cotação *on-line*. Durante a manhã Pradinho entrava com as cotações do dia. Os clientes poderiam ver, pelo computador, quantos "x" de coroas suecas renderiam de depósito em reais no Brasil. Ou o cálculo inverso: se quisessem R$ 2 mil no Brasil, quanto teriam de depositar em coroas suecas. Pradinho criou os formulários de cadastramento. Bolaram um método para evitar falar ao telefone. Marcos criou o sistema de atendimento automático, no qual o sujeito usava o telefone para teclar a quantia e a voz automática dizia quanto seria depositado no Brasil.

Vista de fora, na visão do cliente, a Protheus parecia ser grande, quando na verdade consistia apenas dos dois sócios, cada um com seu computador. A licença para operar saiu em outubro. Juntamente com o diploma veio uma nota, avisando em letras garrafais que "a nova lei dos serviços de pagamento entrará em vigor em agosto de 2010". Referia-se a pagamentos por meio eletrônico, cartão de crédito, até mesmo regras para as operadoras de telefone celular que já pensavam em habilitar o uso do telefone para pagamento em lojas ou mesmo envio de dinheiro entre usuários. Nada a ver com eles.

No final de janeiro de 2010 começaram a operar. Pradinho tinha uma boa carteira de clientes que mandavam dinheiro quase todo mês. Ele também parecia fazer uma propaganda efetiva do *site*, pois a cada mês dobravam o movimento. Marcos só não entendia como a EasyTransfer fazia para realmente "zerar" com o pagador no Brasil, pois ali tinha alguém colocando a mão no bolso e efetuando pagamentos. Como é que esse sujeito recebia o dinheiro dele? Algo dizia que esse pagador era doleiro, já que os pagamentos eram feitos com a cotação do paralelo. Outra coisa era a insistência desse pagador em fazer pagamentos pequenos. Às vezes um depósito de R$ 600,00 era quebrado em dois depósitos de R$ 300. Marcos suspeitava que isso tivesse a ver com o limite de cinquenta notas por envelope. Talvez o pagador recebesse muitas notas de valores pequenos ou muito usadas. Com vinte notas o envelope já estaria todo estufado. Pelo menos, era a única explicação lógica que Marcos encontrava.

Os negócios iam extremamente bem quando, no início de maio de 2010, Marcos recebeu uma correspondência do Finansinspektionen:

Prezado Marcos Avilar Reis, diretor da Protheus AB:

Consultando nossos arquivos, notamos que a sua empresa não enviou o pedido de recadastramento de acordo com os termos previstos na nova lei dos serviços de pagamento, FI 2010:751.

Lembramos que pelos termos da lei, para que sua empresa possa continuar os serviços sem interrupção, ela deve obrigatoriamente enviar os papéis de recadastramento até o dia 31 de maio de 2010.

Atenciosamente,
Leonard B. Shawn ,Tf Regional Manager
Görgen Lund, FI Departamento de Relações Jurídicas.

Susto. Branco total. A tal lei tinha a ver com eles? "Não é possível." Mas era. Havia-lhe escapado, mas estava lá: "empresas de envio de divisas estão também sujeitas às novas regras". Marcos passou o resto do mês melhorando, nos termos previstos na nova lei, os materiais e formulários para envio ao FI. Em uma analogia, se aquela primeira versão que Pradinho lhe enviou na metade de 2009, quando toda a história começou, fosse vista como um trabalho de primeiro ano primário, a versão que Marcos enviara para o primeiro registro da Protheus tinha sido como um trabalho de 6ª série. E foi aprovada. Ele preparou uma documentação de nível universitário. Passou noites em claro, perdeu finais de semana. Ajeitou tudo, enviou por *e-mail*, assinou eletronicamente. Quase um mês de trabalho toda noite, mas valera a pena. A Protheus não precisaria interromper as operações e continuaria cada dia gerando mais dinheiro.

Menos de dois dias depois, recebeu um *e-mail* da FI. Uma carta, pedindo a complementação das informações. A carta tinha quase dez páginas. Não podia estar correto. Em cima disso, tinham apenas dez dias para corrigir os problemas ou a solicitação seria arquivada e perderiam também a taxa de inscrição que agora era de R$ 10 mil. Telefonou imediatamente para o tal de Görgen Lund.

— Senhor Lund, meu nome é Marcos Avilar Reis, estou ligando a respeito de uma correspondência que recebi do senhor, de número 10-10595. Minha empresa chama-se Protheus AB.

— Ah sim, um momento.

Marcos ouviu o ruído de teclas do outro lado do telefone.

— Sim, Protheus AB. Em que posso ajudá-lo?

— Bem, deve haver um engano porque enviei um calhamaço de informações e recebi uma carta do senhor dizendo que falta informar praticamente tudo.

— Sim, está correto. Está faltando muito mesmo.

— Mas como, isso é três vezes mais do que mandei da vez passada.

— Senhor Marcos, a lei antiga era muito diferente. Na verdade, ela era apenas um conjunto de regras e práticas. Hoje, com a lei nova, foi criado um departamento para lidar especificamente com esses tipos de empresas e transações. Eu estou agindo apenas como um filtro. Meu objetivo foi dar-lhe uma resposta rápida. Na verdade, ninguém ainda nem analisou em detalhes seus documentos. Eu sou a primeira barreira. E posso lhe garantir que sou a mais fácil de transpor. Apenas vejo, por alto, o que está faltando. Até hoje, já devemos ter recebido 300 pedidos iguais ao seu. Desses 300, eu já rejeitei de imediato, como fiz com o seu, uns 100. Dos outros 200 que passaram pela minha peneira inicial, somente dois foram aprovados. A lei agora é muito diferente e nossa organização tem agora o mandato para colocá-la em prática. Mudou tudo.

Foi nesse momento que Marcos entendeu que o verdadeiro propósito da lei era acabar com os pequenos *money transfers* na Suécia. Consolidar a área. Que somente grandes bancos e grandes organizações teriam a capacidade de responder perguntas do tipo "explique em detalhes como funciona o programa de integração e capacitação de novos funcionários, bem como os programas de aprendizado contínuo dos funcionários antigos" ou "explique em detalhes as rotinas de proteção de funcionários contra ameaças ou hostilidades". Os dias de pequenos *money transfers* na Suécia estavam contados. A empresa Protheus teria de criar uma nova fonte de renda se quisesse sobreviver.

Foi justamente em agosto de 2010, quando recebeu a carta da FI revogando a licença de *money transfer* que Marcos teve a ideia do CruiseKontrol. A proposta era simples. Fazer o aplicativo dentro do Facebook devia ser uma tarefa relativamente fácil para quem soubesse as tecnologias php, *javascript*, SQL e programação no Facebook. Marcos conhecia bem *javascript*. Mas estava com muito trabalho na Concretek. Conseguiria fazer o aplicativo, mas com certeza não ficaria pronto até antes do final do ano, talvez início do próximo. Não com duas ou três horas por noite, tendo que primeiramente aprender PHP e SQL. Seria perda de tempo. Marcos ainda acreditava na sua teoria das ideias vagabundas. Para ele, a teoria explicava por que, na história da humanidade, grandes invenções apareceram simultaneamente, em diversas partes do globo, sem que as pessoas tenham tido nenhum contato com as outras. Na prática, significava que "se eu tive a ideia do CruiseKontrol, não vai demorar para que uns três ou quatro também a tenham. Aliás, quem disse que a ideia é minha, de repente eu "roubei" de alguém, já que muitas estão vagando por aí. A questão agora é saber quem vai conseguir operacionalizar a coisa mais rápido".

Foi tentando resolver esse dilema que Marcos descobriu as páginas de trabalhos virtuais vWorker, Freelancer, Guru, Odesk e muitos outros. Precisava de rapidez na implementação. Marcos conversou com Pradinho, estabeleceu um orçamento. Gastou duas semanas escrevendo o material de especificação em detalhes. No final, escolheu um sujeito em Bangladesh que tinha uma boa reputação, aceitou fazer o trabalho por 500 dólares e prometeu entregar em um mês. Iniciaram os trabalhos no dia 15 de setembro de 2010. O aplicativo somente foi entregue e os 500 dólares pagos no dia 15 de dezembro de 2010. Tanto Marcos quanto o bangladeshiano haviam subestimado as complexidades do projeto. Por outro lado, se houvesse tentado fazer ele mesmo, talvez o aplicativo só ficasse pronto no final de 2011. "Até lá, vai ver o próprio Facebook nem existisse mais."

FEVEREIRO DE 2011

Na dúvida, proteja a sua portinha de trás

São 8h17 da manhã. Wagner da Costa, 38 anos, gerente-geral do Cheverny Apart-Hotel, finalmente entra na sua sala de trabalho, um lugar fechado e sem janelas, localizado imediatamente atrás do balcão da recepção do hotel. O gerente de vendas e reservas, um sujeito baixinho, gordo e de óculos, de nome Tadeu, ou Tatu, como todos o chamavam, estava de pé, mas ao mesmo tempo meio sentado utilizando o tampo da mesa como encosto. Pelo visto estava esperando por ele. Notou que Tatu, para acomodar o traseiro, havia movido certos papéis, grampos e o porta-canetas um pouco para o centro da mesa. Aquilo irritou Wagner profundamente, irritação número 1. Irritação número 2: ser aborrecido antes mesmo de pegar seu café. Só gostava de aborrecimentos após o café. "Tenha a santa paciência, me deixa tomar meu café, depois me enche o saco", pensou. Irritação número 3: "esse Tatu é um filho da puta, em vez de trabalhar, em plena terça-feira como essa, tá aqui na minha sala. Ele sabe que eu sempre passo na sala dele lá pelas 10 horas para discutirmos as provisões para o dia seguinte, saber como está a lotação. Com certeza o que tem pra falar não é tão urgente, mas ficando aqui na minha sala ele fica mais à toa, em vez de trabalhar. Se é mesmo um Tatu, deveria então lamber a bunda e comer as formigas que parece ter lá, porque vai ser mexedor de bunda assim lá na puta que pariu. O cara não para quieto na cadeira".

Tatu sorri e diz "bom dia", depois faz cara séria e lhe estende um papel:

— Chegou às 7 da matina. É referente ao quarto das putas.

Wagner pegou o papel, deu a volta na mesa e deixou-se cair na cadeira, que então deslizou para trás e bateu na parede. Como a cadeira tinha um encosto de cabeça alto, Wagner não recebeu o baque na nuca. Não fosse isso seria doído. Antes mesmo de olhar o papel ele arrastou a cadeira para mais perto da mesa. Um descascado na parede, na altura do encosto de cabeça denunciava que essa não era a primeira vez que isso acontecia. Wagner leu o documento:

Ref.: Contrato de aluguel de quarto número 703, Cheverny Apart--Hotel, rua Timbiras, 1492, Belo Horizonte (MG)
São Paulo, 15 de fevereiro de 2011

Prezados senhores,

Estamos entrevistando candidatas para a seleção de representantes de uma marca de cosméticos internacional, ainda não lançada no Brasil. No momento do lançamento, o que ocorrerá agora em abril, de acordo com o nosso contrato com a marca, devemos ter o mínimo de 200 representantes qualificadas em todo o território nacional.

Este mês, conforme comunicado quando fizemos o contrato de aluguel do apartamento acima referido, estamos procedendo a seleção das candidatas da região de Belo Horizonte e interior de Minas Gerais. Todas as catorze candidatas para os dias ainda remanescentes deste mês já estão confirmadas e de posse da passagem de avião.

É do nosso conhecimento que muitas das candidatas vêm para Belo Horizonte trazendo os respectivos maridos e namorados. É possível e natural que outras, estando fora da sua cidade de residência, sintam-se à vontade para um encontro casual, já que todas as nossas candidatas são adultas com mais de dezoito anos. Não fazemos nenhuma objeção quanto a isso, pelo contrário, depois de um dia extenuante de entrevistas, dinâmicas de grupo e palestras, nossa política é que se a presença de companheiros ou parceiros ajudam a candidata a relaxar para o dia seguinte, somos completamente a favor. Inclusive, para evitar desentendimentos, o quarto foi pago antecipadamente não como individual, mas duplo.

Talvez em luz dessa explicação, os senhores vejam a ocorrência do que erroneamente acreditam ser uma atividade criminosa, a qual nossa empresa certamente não tolera ou incita, como o que realmente é: uma mulher adulta com seu parceiro relaxando na capital mineira. Caso os senhores tenham qualquer tipo de prova de que realmente esteja ocorrendo uma atividade ilegal, temos todo o interesse de ouvi-los, já que isso seria decisivo para a não contratação de uma pessoa de tal índole.

Esperamos que esta carta tenha sido suficiente para esclarecer esse aparente mal-entendido. Mesmo assim, caso os senhores insistam em quebrar o contrato, não teremos outra opção senão entrarmos em contato com nossos advogados. Adiantamos que iremos solicitar, por meio dos instrumentos legais, não somente a restituição dos valores referentes aos dias restantes como também a restituição dos valores referente a passagens aéreas que deverão ser canceladas. Por fim, caso essa decisão dos senhores venha a provocar um atraso no nosso cronograma, solicitaremos também um montante referente ao repasse da perda de receita que nossa empresa irá incorrer conforme previsto no contrato entre nós e nossa cliente. Entraremos em contato também com o site www.hoteis.com para a imediata remoção de vosso hotel da listagem dos fornecedores, já que essa quebra de contrato está prevista como um dos itens suficientes para provocar a desqualificação do estabelecimento na Hotels.com

Atenciosamente,
CLB Representações
Tel.: (11) 3231-5459

Wagner pensa. Relê o documento. Hoje ele acordou às 6 da manhã. Deixou o filho de treze anos e o outro de onze no colégio Marconi, antes da 7. Do Marconi ao hotel é um trajeto de quinze a vinte minutos. Hoje levou quase uma hora. Em dias como este, pensa em comprar uma moto. Mas pensa só por pensar, sabe que nunca faria isso. Tem medo de moto. A mãe morria de medo de moto. Fez ele prometer nunca ter uma moto. Nunca andar de moto. Mas ele andou. Andou uma vez só, com um colega. Uma carona. O colega sentiu que Wagner estava com medo assim que ele subiu na garupa da CG-125. Era um desses caras da turminha do fundão, que gostava de fazer bagunça e fumar dentro da sala. Wagner era da turma que sentava na frente. Não teve dúvidas, saiu cantando pneu, a 200 km/h. Na verdade, uns 50, mas suficiente. Saiu cortando carros na Av. Amazonas afora. Iam do Cefet, onde estudavam, direto até a Raul Soares. Nas proximidades do antigo cine Amazonas, menos da metade do caminho, Wagner bateu no capacete do colega e gritou para parar. Inventou uma história que tinha esquecido o guarda-chuva e que iria voltar ao Cefet para pegar. O colega viu um Wagner lívido, branco igual a um fantasma. Riu. "Guarda-chuva. Tô sabendo." Bateu no ombro dele e falou: "Até amanhã então, tchau". E arrancou com a moto.

Enquanto o colega — ouviu dizer anos depois — morreu quando reagiu a um assalto, Wagner progrediu. No Cefet tinha feito curso técnico em Edificações. Trabalhou no ramo um ano. Detestou. Passou no vestibular para administração. Casou-se com uma gostosa que fazia o mesmo curso na UNA. Casou faltando um período para se formar porque a gostosa era tão gostosa mas tão gostosa, que tinha engravidado. Ela tomava Microvlar, aquele anticoncepcional da farinha. A gostosa, juntamente com outras quatro, entraram com pedido de ressarcimento. Porém o advogado da época não seguiu os passos necessários da maneira que deveriam ser feitos, o que possibilitou ao laboratório solicitar o arquivamento do processo por "tecnicalidades". Nessa lenga-lenga, perderam cinco anos. Depois entraram com novo processo, mas a coisa estava lá, rolando, sem previsão de resolver. Talvez entrasse numa grana legal. Leu no jornal que uma pessoa tinha recebido R$ 70 mil.

"Foda-se." Gostava das crianças. No frigir dos ovos foi bom porque "adiantou a coisa pro meu lado". Hoje ele tinha dois filhos, um bom emprego. Era novo. Estava subindo na empresa. Já era gerente-geral do hotel. Os diretores confiavam nele. Conhecia todo o esquema do hotel. Se precisasse, faltando alguém, ele podia fazer qualquer serviço, desde reservas a camareiro. A parte de reservas *on-line* foi ele que implantou, junto com a empresa de informática Minas-Brasil Automação Hoteleira. Ele mudou todos os processos, documentou tudo. "E agora essa meeeeeeerda."

Uma empresa de São Paulo havia alugado um quarto por um mês. Pagou tudo adiantado, com depósito em conta. Geralmente as empresas pagavam com fatura. No máximo cartão de crédito, era muito raro fazerem depósito em conta. Mas acontecia. Eles avisaram que o quarto seria utilizado por diversos funcionários. Mas que os nomes seriam avisados com antecedência, tudo correto. Coisa normal, corriqueira. Mas não nesse caso. Com uma semana, os funcionários da recepção começaram a suspeitar que a história não era bem essa. Toda noite, chegava uma com um homem. Ambos, no jargão da polícia militar, "em atitude suspeita", sem mala, sem bagagem. No máximo ela trazia uma sacola maior. Os homens se mostravam meio arredios. Alguns faziam cara amarrada quando o funcionário pedia que assinasse o papel de *check-*

-in. Outras vezes, a garota fazia o *check-in* à tarde, por volta das 18 horas. Sempre sozinhas, mas voltavam acompanhadas. Pior, o homem geralmente saía de madrugada e não voltava. Muitas também iam embora de madrugada. A maioria ficava, tomava um café da manhã, depois ia para a piscina. "Uma mais gostosa que a outra", Wagner pensava. Nenhuma exageradamente jovem, todas tinham mais de vinte e três anos. Mas todas gostosas. "E davam bola, descaradamente." Nas últimas duas semanas, ele sempre achava algo pra fazer na piscina em dias de sol.

    Trabalhar em hotel tinha suas vantagens. A principal delas, quartos. Com cama. E muitas camareiras. Novas. Gostosas. A mulher dele já tinha passado da data de validade. A gostosa agora tinha trinta e cinco anos, mas os peitos já haviam caído. Estava mais gorda agora do que quando grávida. Ele não conseguia confessar isso para si mesmo, mas tinha um pouco de nojo da mulher. Da gordura dela. De vê-la comer. Os traseiros caindo pra fora da cadeira. Do litro de Coca-Cola que ela tomava, sozinha, durante uma refeição. Ou até mesmo no café da manhã! Trabalhar no hotel significava poder dormir fora com frequência. "Deu um problema aqui." Trabalhar sábados, domingos, feriados. Os filhos já estavam relativamente grandes, queriam só sair com os amigos, praticamente não paravam em casa. Durante os primeiros anos, em que era chefe da limpeza, comeu todas as camareiras. As baixas, as altas, as casadas, as solteiras, umas duas viúvas, até uma chinesa. Comia mulatas também. Negras dessas do cabelo duro, bem duro, somente se fossem magras. Ou se fossem muito saidinhas, com cara de atrevida. Ou se dessem muito mole. Na época era muito fácil, porque ele era o único homem num contingente de dez ou doze mulheres. Durante a pausa do café, rolava muito papo sobre sexo, elas zoavam dele, ele ria. Todas sabiam que era casado. A rotatividade entre camareiras era grande. O emprego pagava pouco, talvez valesse mais a pena ser empregada doméstica. Poucas trabalhavam ali por muito tempo. Sempre estava chegando uma nova, saindo uma antiga.

Quando sentia que tinha um clima, Wagner marcava a "vítima" num quarto bem isolado, coincidindo com a saída de almoço dele. Colocava as outras camareiras para limparem outra área do hotel. Depois, ia ao encontro dela, com uma desculpa qualquer: "Recebi um telefonema e o hóspede falou que havia deixado um casaco aqui", e partia para o ataque. Podia também, se a vítima era bem sacaninha, liberar o canal pornô e começar, "por acaso", a ver televisão. Uma vez, estava comendo uma ruivinha (do cabelo pintado de hena, não uma ruiva original, mesmo porque os pelinhos dela lá embaixo eram pretinhos) de quatro, quando a porta do quarto se abriu.

— Sabia que vocês estavam aqui — falou a camareira.

Ela era casada, tinha dois filhos. Era uma das antigas, fazia tempo que, esporadicamente, dava para ele. "Meu marido não tem um pau tão bom quanto o seu. Seu pau é doce!", ela dizia. Ele gelou. Tava fodido. "Vou perder o emprego, ela vai me denunciar." Ela, no entanto, fechou a porta atrás de si e travou. Começou a tirar a blusa, veio andando pro lado deles. Ele parado, com o pinto dentro da ruiva que olhava tudo, sem entender. A ruiva fez menção de levantar, mas a casada segurou-a pelos quadris, posicionada atrás de Wagner.

— Que isso, meu bem? Calma... estamos aqui, por que não aproveitar?

Com as duas mãos, começou a fazer o vai e vem puxando e empurrando a ruiva. Depois, soltou a mão esquerda e iniciou uma massagem nas bolas de Wagner. Parou. Fazia algo atrás dele. Sentiu ela se enfiando por baixo. A cabeça dela agora estava entre as pernas dele. Ela chupava as bolas e com os dedos, acariciava o clitóris da ruiva, esta que, se de início estava assustada, agora não estava nem aí pra nada. Começou a gemer e a dar trancos com o quadril. Wagner sentiu a casada parar de chupar as bolas e, um segundo depois, a ruiva começou a gemer. Gemia alto. Tão alto, que Wagner ficou com medo de alguém ouvir. Sentiu a vagina da ruiva apertando-lhe o membro tão fortemente, que pensou que fosse cortar o fluxo de sangue. Ela deu um grito, um tranco, e ficou parada, respirando forte. A casada subiu mais na cama, estando agora totalmente embaixo da ruiva. Começou a beijá-la. Depois, esticou a cabeça meio pro lado e falou para Wagner:

— Que que cê tá esperando, ela já gozou, não vai me comer não?

Agora ele estava ali, com o Tatu sentado na mesa dele. Não comia mais camareiras, pelo menos não exageradamente. Só aquelas que eram casadas, para não dar muita confusão. Ou as solteiras muito assanhadas. As hóspedes era outra história. Já havia comido algumas. Geralmente eram mais velhas, que estavam no *lobby* do hotel tarde da noite, em dias do plantão dele. Sozinhas, todas empresárias em viagens de negócio. Ele puxava papo com a desculpa de "fazer um controle de qualidade". "Mas teve uma muito gostosa também", lembrou. O hotel era seu refúgio espiritual e sexual. "E agora esse *e-mail* de merda. Ia feder." Teria de ir falar na diretoria. Eles iriam questionar quem havia aprovado a reserva. Se checaram a empresa, antes de aprovar. Antes de receber o pagamento. E que prova ele tinha? Teria de chamar a polícia, fazer uma ocorrência, talvez. Ou simplesmente negar *check-in*, devolver o dinheiro deles. Mas havia o risco de pedirem a tal indenização. "Na verdade o golpe está aí. Vai que o contrato fajuto deles lá especifica 300 milhões de dólares por dia de atraso?! Como vou provar que isso não é verdade? Vai ver, o golpe está é aí!"

"Qual o nome que tá na mala lá no apartamento? Pode deixar, lembrei, tinha escrito num papel. Tá aqui. *Make Up Store*." Virou-se para o lado e digitou *"Make Up Store"* no Google. Esperou um tempinho. "A internet tá lenta hoje." O Google respondeu com muitos *links*. Clicou no terceiro, www.makeupstore.se. Apareceu uma tela preta, com um mapa-múndi. Nele, muitos países marcados em vermelho: Indonésia. Vietnã. EUA, Lituânia. "Onde raios fica a Lituânia?" Obviamente, se tratava dos países em que a empresa atuava. O Brasil estava em branco. Clicou no *mouse* em cima dos EUA. De repente, a tela mudou e uma modelo de cabelos castanhos apareceu. Gata. Apareceram três fotos de rosto da mesma gostosa, cada uma com uma cor de sombra diferente nos olhos, "ou será lápis?". Uma das cores é verde passando para o amarelo. "Parece a bandeira nacional!" Na outra foto, a sombra/lápis é verde e, na terceira, vermelha. Tirou os olhos da modelo e viu abaixo *"Make Up Store 15 years!"* em letras grandes. Não sabia falar inglês, mas entendeu que isso significava que era uma empresa multinacional, que já tinha quinze anos de mercado... e que não existia no Brasil... "Vai tomar no cu", pensou. "E se essa porra for tudo verdade???"

— Tatu, o negócio é o seguinte. Arquiva esse *e-mail* aí na pasta desse cliente. Coloca essa empresa na nossa lista negra. Nunca mais esse pessoal se hospeda aqui. E de hoje em diante, a gente vai fazer uma malha fina em empresas que reservem mais de catorze dias. Vamos dar um *check* completo nelas. Inclusive, eu vou colocar isso no manual de operação. E olha, avisa pros recepcionistas que é pra pegar a identidade direitinho de todo mundo que entra nesse quarto. Conferir bem. Também faz um papel e prega lá no quadro de avisos da sala do café. E manda um *e-mail* de volta dizendo pro carinha aí que vamos honrar o resto do dias. Não. Diz que, POR ENQUANTO, decidimos continuar com a hospedagem. Aliás, faz o seguinte. Encaminha o *e-mail* pra mim que eu mesmo vou responder. Te mando uma cópia, quero que você imprima e bote na pasta pra ficar documentado. Não vai esquecer, viu? Se essa bosta explodir, quero estar bem coberto. Proteger o meu rabo. Data e hora de envio, tudo certinho. Se os diretores quiserem uma explicação, vai estar tudo bem documentado. Entendeu? Agora anda, vai embora, vai trabalhar — disse, e com um gesto mandou Tatu embora, o qual entendeu que era hora de se escafeder antes que o chefe encontrasse alguma outra coisa para ele fazer.

"Caralho, agora que tô quase numa boa. Foda-se se tão trepando lá. Afinal, 90% do pessoal que se hospeda aqui quer é trepar. Se tão fazendo a coisa escondido, por que eu vou me meter? De repente, posso até, depois que a poeira baixar, mostrar serviço pra diretoria de como a gente lidou bem com esse problema. Isso é que é o tal do 'transformar o limão numa limonada'. Usar esse problema, daqui a um ano, como um 'estudo de caso' numa palestra. 'Dá o maior *status*.' Talvez isso me alavanque para um hotel melhor. De três para quatro estrelas. O Ouro Minas, por que não? O que a diretoria não quer é que o hotel fique com fama de puteiro, de zona. Isso também não vou deixar. Mas os caras tão quietos, ninguém faz algazarra. Vou caçar briga? Isso é que nem bosta, quanto mais eu mexer, mais vai feder. Vou ficar quieto no meu canto e, como diz o outro: cuidar do meu."

Levantou. Era um dia de sol. Colocou a mão por dentro da cueca, posicionou melhor o membro. "Sou um gênio, continuo bonito na foto de qualquer jeito", pensou. "E outra: vai ver que talvez hoje seja o dia de sorte do garotão." Cogitou, enquanto reposicionava novamente o pênis. Olhou o relógio, quase 8h40. "Tá cedo ainda, mas por volta de 10 vou ter de ir verificar se a geladeira da piscina precisa de suprimentos", pensou sorrindo para si mesmo.

* * *

Mesmo passados quase oito anos, Daniel ainda se lembrava diariamente do pai querido, quase idolatrado. Todas as crianças têm o pai como ídolo durante a infância. Porém, entre os onze e quinze anos os jovens descobrem que o pai é uma pessoa normal. Falível. Não no caso de Daniel. A morte de Axel tornou-o uma figura congelada no tempo. Um James Dean ou uma Marilyn Monroe particular. Uma figura quase mística, lendária. Infalível. Nunca o vira falhar na vida. Decerto ele falhou pelo menos uma vez, no volante do carro. Isso ele sabia, mas nunca havia visto com os próprios olhos. "Meu pai era o bicho", pensou, lembrando-se de uma das expressões favoritas do seu pai Axel.

Herdara dele o antigo gosto pelo futebol. Eles sempre iam ao Mineirão. Qual criança não gosta de ir ao Mineirão, comer pipoca, ouvir o estampido assustador da torcida, os cânticos, a charanga? Era um dos programas favoritos tanto de Axel quanto de Daniel. Programa de pai e filho. Iam pelo menos um domingo por mês, religiosamente, desde que Daniel tinha cinco anos de idade. Lembra-se, ou pensa que lembra, de ouvir a voz do pai: "Dadá, você vai parar no ar igual a helicóptero e beija-flor". Até hoje ainda ri quando recorda do pai falando aquela que sempre foi sua frase favorita em português. Com a morte do pai, desgostou de futebol. Como homenagem póstuma, assistia somente à Copa do Mundo. Durante a Copa, o pai dizia, sorridente, que tinha grandes chances de o país dele ganhar. Com isso ele queria dizer que, ganhando o Brasil, a Suíça, a Suécia ou até mesmo a Alemanha, o "país dele" havia ganhado. Até mesmo a França, já que a avó dele por parte de mãe era francesa. Depois de anos indeciso, somente quando Daniel já tinha oito anos foi que o pai se decidiu a torcer pelo América: "Já que é pra sofrer, então vamos sofrer pra valer". Comprou uma camisa para ele e outra igual, com o mesmo número treze atrás, para Daniel.

Também era culpa do pai o gosto pelos computadores. Axel começou a ensinar programação quando Daniel tinha sete anos. Daniel não sabia se gostava mesmo de programar ou se era a atenção do pai, ensinando-o, que tornava a coisa interessante. Na época, 1997, a internet no Brasil era uma coisa rara ainda. Acesso rápido, então, algo restrito às grandes empresas. Axel tinha um acesso rápido na ABB, mas em casa a conexão era discada e lenta. Axel acabou conseguindo instalar um ramal de telefone na sua casa, e usava o programa pcAnywhere para conectar o PC de casa com o do escritório. Como resultado, apesar do acesso discado ser de apenas 9600bps, a performance total era extremamente rápida para a época. Desde que havia assistido ao filme *War Games*, Axel interessava-se pela ideia de entrar em redes de computadores. Lia muito sobre o assunto, frequentava fóruns de discussão. Frequentemente, treinava utilizando os próprios computadores da ABB. Assim que descobria um novo procedimento, uma nova técnica, experimentava nos computadores da empresa. Passou a enviar *e-mails* para o departamento de informática, notificando-os das vulnerabilidades. Mas como as grandes redes brasileiras eram poucas, o universo de redes interessantes de serem invadidas ficava mais concentrado nos Estados Unidos. No Brasil, era brincadeira de criança penetrar em BBS de conteúdo adulto. Axel fazia com frequência. Geralmente antes de dormir. Seu motor ao sul do equador, com cinquenta e poucos anos de uso, já estava rateando. Por isso, ele fazia um aquecimento em frente à tela do computador, vendo as fotos explícitas. Ajudava quando chegava na hora da partida começar de verdade, lá no quarto no andar de cima.

Talvez um dos dias mais determinantes da sua vida tenha sido quando, próximo de completar dez anos, Daniel resolveu pedir dinheiro ao pai. Queria fazer a assinatura de uma revista de eletrônica americana. Começava a se interessar pelo assunto. Perguntava para o pai como funcionava um motor, uma lâmpada, um rádio. O pai lhe explicou que, com a internet, talvez fosse possível conseguir uma assinatura de graça. Aquilo passou a ser um projeto dos dois. Acharam uns *sites* americanos interessantes. Axel explicou as técnicas. Daniel aprendia rápido. Novamente, "trabalhava" com o pai. Era o auge! Sentia-se maduro. O pai o ouvia. Ensinava. Juntos, conseguiram penetrar no *site*, ler revistas de graça. Daniel lembra daquele dia como um dos mais felizes da sua vida. Ele e o pai, lendo uma revista "roubada". Por fim, Daniel perguntou: "Se posso ler as revistas, será que não consigo me colocar como assinante? Entrar no computador deles e me adicionar na base de dados?". Os dois debruçaram-se no trabalho. Era um desafio. Resolveram "apostar corrida". Dois meses depois, Daniel recebia a revista *Everyday Practical Electronics* entregue na sua casa. O pai, Axel, somente recebeu a "*PC Magazine*" um mês depois. Foi a maior glória da sua vida. Se fosse possível uma pessoa explodir de satisfação, Daniel teria feito quando mostrou a revista para o pai. Esse, tentou ocultar, dissimular. Mas, se satisfação realmente explodisse alguém, Axel na realidade teria ido para os ares muito antes de Daniel.

Foi na internet, a 9600 bps turbinados via computador da ABB (algo como a espantosa velocidade de 2 Mb/s de hoje) que se deu grande parte da educação sexual de Daniel. Primeiro, logo quando o pai começou a lhe ensinar programação e um dia esqueceu o computador ligado em uma BBS de conteúdo adulto. Foi a primeira vez que Daniel viu aquilo que todos os colegas comentavam, mas que a maioria nunca havia visto nada. O tal sexo. Também conhecido por transa, trepa, dar uma. A partir daí, utilizava os usuários e senhas que o pai "hackeava" nas BBS adultas e gravava em um arquivo de nome "pass.txt". Com o passar dos anos, passou a "hackear" ele mesmo diferentes *sites*, principalmente os que tinham filmes. Foi no computador, e não na fita de videocassete que Daniel viu o ato sexual pela primeira vez. As fitas de vídeo vieram logo depois, quando Daniel descobriu uma grande quantidade de filmes escondidos atrás das prateleiras mais altas da biblioteca.

À medida que a internet se desenvolvia no Brasil, cresciam também as possibilidades de fazer-se algo realmente prático com os conhecimentos sobre computação. Daniel sonhava com o momento em que, por exemplo, o Colégio Santo Antônio estaria *on-line* — a partir daí poderia, por exemplo, trocar suas notas. Ou registrar sua presença nas aulas de educação física. Foi por um acaso que leu no jornalzinho do Minas Tênis que o clube estava fechando contrato com uma empresa, a Intertec Dados, para processamento de folha de pessoal e base de dados de associados. Daniel gostava de ir ao clube, mas o problema era que tinha doze anos e o seu amigo do Santo Antônio, Ricardo, não era sócio. No Minas, cada associado só podia pegar um convite por trimestre. Da última vez que pegou o convite, Daniel notou que o funcionário, antes de entregá-lo, marcou o nome em uma lista de papel impressa em um formulário contínuo, 132 colunas, verde e branco. Ficou obcecado com a ideia de conseguir alterar a base de dados.

Conversou com o pai, que achou o desafio interessante. Trabalharam no projeto durante três meses. Ao fim, o teste: Daniel pediu o convite para Ricardo. Na semana seguinte, solicitou novo convite. Recusado. Mas como, se ele havia deletado a data no campo "Convite liberado em DD/MM/YY"? Não conseguia entender. Tentou novamente, mas esperou mudar o mês antes de pedir o convite. Dessa vez foi liberado, tranquilo. Entenderam que a lista era impressa uma vez ao mês. Durante o mês, o funcionário escrevia diretamente na lista a data da entrega do convite. No fim do mês, a lista era enviada para a Intertec, que então fazia o processamento de todas as alterações e emitia uma nova listagem. Novamente, Daniel mal podia esperar o dia em que o funcionário conferisse essas informações diretamente na tela. Nada de processamento em bateladas. Quando esse dia chegasse, ele poderia pedir um convite por dia, ou até mais. Mas sendo um processo metade eletrônico e metade manual, no máximo ele conseguiria um convite por mês, o que já era um ganho, três vezes melhor que um por trimestre. Por curiosidade, um dia se matriculou na escolinha de natação. Por meio de um *hack*, não por matrícula oficial. Foi somente uma vez para conferir se sua artimanha tinha funcionado. Funcionou, porque seu nome constava na chamada. Só não contava com o *hack* ter funcionado tão bem, que o pai recebeu uma conta estranha em casa. Como sabia que o filho não havia sido matriculado em nenhuma escolinha, Axel telefonou para o Minas para entender o porquê da conta inusitada. Assegurou-os de que não havia matriculado o filho. Somente quando chegou em casa foi que imaginou a possibilidade de que talvez não fosse um total engano do Minas:

— Dadá, você sabe por que eu recebi uma conta de uma escolinha de natação do Minas? — perguntou, em alemão.

Só não conversavam nesse idioma quando estavam em um lugar muito público. Axel achava que chamava menos a atenção falando português. Na verdade, chamava até mais porque o português dele era bom, mas o sotaque alemão era tão *grosso*, que praticamente podia-se cortar com uma faca.

Antes de o pai completar a pergunta, Daniel entendeu que houve uma falha em seu plano. Tinha se esquecido desse detalhe. Da conta.

Daniel explicou ao pai o acontecido. Ele lhe disse apenas:

— Dadá, não quero que isso aconteça de novo.

E saiu rapidamente. Estava morrendo de orgulho pelo feito do filho. Não queria que ele o visse chorar.

O incidente, aparentemente inocente, deve ter chamado a atenção da empresa Intertec, porque iria demorar mais de três meses até que Daniel conseguisse entrar novamente na base de dados do Minas Tênis Clube. Fizeram um total *upgrade* na segurança, trocaram servidores. Para evitar esse tipo de problema, Daniel logrou criar um próprio nome de usuário e senha. O chamado *backdoor*, isto é, "porta de trás": Usuário Manut33 senha X1X25yy. Demoraria literalmente anos até que esse usuário fosse removido. Aliás, na prática o usuário nunca foi removido. Era prática normal que programadores criassem usuários de teste, e acabavam que nunca os deletavam com medo de atrapalhar o teste de um outro programador. Somente quando o Minas trocou completamente de provedor de serviços foi que Daniel teve de começar tudo de novo. Naquela época, era apenas um *hobby*. Sempre suspeitou, entretanto, que um dia isso teria uma aplicação prática.

"E estava completamente certo", pensou, enquanto seus computadores processavam a atualização das bases de dados sincronizando-as com as novas informações proveniente dos cinco mais exclusivos clubes esportivos de Belo Horizonte.

# PARTE III

SEGUNDA-FEIRA, 4 DE ABRIL DE 2011

Terapia de segunda

É SEGUNDA-FEIRA, MARCOS DIRIGE seu Honda Civic 2009 impacientemente. O trânsito está congestionado, como sempre depois da "genial" ideia do ex-presidente Lula de diminuir radicalmente os impostos para carros de baixa potência. A explosão na compra de carros que se seguiu praticamente inviabilizou o tráfego em todas as grandes cidades brasileiras. O trajeto de casa até a escola de inglês das meninas, a Cultura Inglesa, que há poucos anos levava meia hora, agora demandava, no mínimo o dobro.

Na segunda-feira, ele as levava para a Cultura. As garotas almoçavam na casa da avó e à tarde iam para a aula no tradicional Colégio Santo Antônio, onde Marcos também havia estudado. Ele está exaltado. Nervoso. Cansado. Amedrontado. Tudo ao mesmo tempo. Vanessa logo ao acordar havia lhe perguntando se estava tudo bem, porque ele parecia distante. Ele, certamente, não estava bem. Mas respondeu que estava tudo ótimo: "Sabe como é, segunda-feira brava é assim mesmo, além do mais essa noite eu acordei e demorei a pegar de novo no sono". O que não era de todo mentira, já que ele não havia pregado o olho durante a noite, nem um minuto. Ficou deitado, olhando para o teto, enquanto na sua cabeça passava, pela milésima vez, o filme da sua história com Sandra.

"Quem foi mesmo que iniciou o contato no Facebook? Fui eu ou ela? Acho que foi ela. Sim, foi ela. Talvez eu devesse ter me tocado que estava muito fácil. Não, pior que não. Porque com a Nívea e a Cecília foi do mesmo jeito e nem por isso deu problema. A Sandra chegou a complicar com essa história de ter de esperar e tal. Com as outras foi até mais rápido. Não, não vai ser por aí que eu vou achar alguma pista. Me fodi dessa vez." Já está farto de pensar. Precisa afastar o pensamento nem que seja por um minuto. Desanuviar a mente. Nessa hora, nota a perna descoberta de Valéria. E ela está distraída. Com um rápido movimento, dá um grande tapa na perna esquerda da filha. Um desses tapas bem estalados. Ela dá um salto e grita tanto de dor quanto de susto. A bem da verdade, o tapa não foi com violência. Marcos deu de um jeito a fazer mais barulho do que provocar dor. Ele olha para Valéria e ri. Ela olha aquele vermelhão na perna, faz cara de choro, mas ri também. Ela sabe por que ele havia batido nela. Marcos dizia que isso era para "manter a tradição". Que o pai sempre lhe dava esses tapas, sem quê nem por quê. Dizia gostar de tradições, e essa era uma delas. Achava por bem passar o hábito adiante: "Quando você for grande e tiver filhos, passe adiante. É uma tradição de dor e sofrimento. Assim, você estará lembrando dos antepassados". E ria. Todos riam.

Geralmente ele acorda as meninas com beijos, gentilmente. Coloca uma música, acende a luz. Retorna cinco minutos depois, beija-as. Mas uma vez a cada dois, três meses, faz diferente. Puxa as cobertas de uma vez só. Puxa os dedos dos pés, estalando-os. As meninas sempre protestam, gritam. "Gente, eu não posso fazer nada. É uma tradição. Meu pai me acordava todo santo dia dessa forma. Vocês têm sorte que só faço de vez em quando. Não posso deixar essas tradições morrerem."

No carro, o alvoroço do tapa já passou, e as coisas se assentaram. Ele volta aos seus pensamentos: "R$ 15 mil. Por que não 30, 40? Talvez ele... Peraí, quem garante que é um homem por trás disso? Por que não uma mulher? Talvez alguma dessas do Facebook que, apesar de parecerem estar contentes, querem mesmo é se vingar. Talvez a pessoa saiba que esse dinheiro é o tipo de quantia 'fácil' para eu levantar no prazo de 24 horas. R$ 30 mil. Mesmo se quisesse eu não teria agora, na lata. Por R$ 30 mil talvez fosse mais fácil contar tudo para Vanessa. E quem me garante que assim que eu pagar a pessoa não vai pedir mais dinheiro? Que garantia eu tenho? Nenhuma".

Para o carro na esquina da Getúlio Vargas com a Cristóvão Colombo. "Tchau, filhas. Tenham um bom dia." E se despede delas com um beijo. Arranca com o carro. Sobe a Av. Nossa Senhora do Carmo. A empresa fica depois dos motéis da BR 040. Pensa nas filhas. Na mulher. Na sua vida. "O filho da puta quer me foder. Talvez mesmo se eu pagar ele ainda mande o vídeo para todo mundo. Vai estragar toda a minha vida. Jogá-la pelo ralo abaixo. Mas não tem jeito. Vou ter de pagar. Pelo menos por enquanto. Pode ser que seja alguém querendo me dar uma lição. Talvez ele não esteja interessado em me arruinar. Uma colega da Vanessa. Alguém com inveja de mim? Não, se fosse inveja talvez ele quisesse mesmo me arruinar." Novamente a ideia de alguma amante antiga retorna à mente. "É, faria sentido. Alguém que eu tenha comido e depois caído fora. Ela ficou com ódio. Quer me dar uma lição. Provar que eu sou mesmo um sacana, um salafrário, um sem-vergonha."

Os pensamentos vêm em ondas, desorganizados. "Tenho de pagar isso rapidamente. Quem sabe esse pesadelo acaba? Provavelmente não, mas meu casamento, minha vida, valem muito mais que R$ 15 mil. Não há dúvidas de que vou pagar. Acho que dá para tirar esse dinheiro sem levantar suspeitas com Vanessa. Ela não vai nem desconfiar. Pego o dinheiro da Suécia." Nessa hora, se lembra: "Puta merda, mas se eu tiro o dinheiro da Suécia não vou ter como pagar a injeção de capital da Protheus. E justo eu, que venho há tanto tempo batalhando para o Pradinho colocar a grana. Justamente ago...". Um pensamento bloqueia sua mente: "E se for o Pradinho? Teria como ele fazer isso lá da Suécia? Não, impossível. Será mesmo impossível? E o irmão dele detetive? Vai ver ele contratou o irmão. Este, inclusive, tinha aquela jogada com putas!"

Sente seu rosto se esfoguear, a ideia faz com que fique ainda mais nervoso. O rosto fica vermelho. O carro da frente, um Monza antigo vermelho caindo aos pedaços, resolve parar no sinal, depois de dar a entender que ia acelerar para pegar o sinal aberto. Por questão de milímetros Marcos não se embica na traseira. Os pneus cantam, o carro ainda continua por coisa de meio segundo. Por fim, se imobiliza com um tranco, a um milímetro do para-choque do Monza. Marcos respira aliviado, não sabe se contente por ter evitado a batida ou morto de raiva pelo motorista da frente ter parado. Certamente um pouco dos dois. Pelo retrovisor, o motorista da frente mostra-lhe o dedo, fazendo uma pica, mandando-lhe tomar no cu. Marcos não reage. Não vai brigar com o sujeito do carro da frente. Tem medo de brigas de trânsito. Nunca se sabe quem é o cara do outro carro envolvido. "Melhor deixar para lá, foda-se. Não vale a pena morrer por causa de uma freada. É preferível morrer por algo mais útil. Salvando-se a vida de uma criança. Ou até mesmo em um atentado terrorista. Pelo menos se morre por alguma causa. Mas não por causa de um sinal de trânsito e de um Monza velho."

O sinal abre e, por conta da freada, Marcos esquece, mesmo que por apenas um minuto, o seu drama particular. "O Pradinho não seria tão idiota. Ficaria muito na cara. Eu pago o chantagista e, no dia seguinte, ele finalmente põe o dinheiro na firma. Seria muito óbvio. E pior, se eu não tenho dinheiro para pôr, ele fica com a firma toda, sozinho. Usa a cláusula da espingarda. Talvez, na verdade, seja essa a intenção: ficar com a empresa toda. Mas por quê? Ele não consegue levar a empresa sozinho. A não ser que tenha realmente conseguido um contrato *violento*. Alguma coisa grande. Vai ver a empresa agora vale, por causa desse contrato, uma grana boa: R$ 150 mil, 200 mil. Ele me tira da sociedade ao me pagar 15 mil pela minha parte usando o MEU dinheiro, logo depois vende a empresa e embolsa tudo. Simples."

Sente que vai ter uma convulsão, um infarto, um ataque qualquer. Os pensamentos são tantos e vêm tão rápidos, que não consegue processá-los com lógica e organização. Pula de um para o outro. Parece estar em um *videogame*, em que os personagens, em vez de atirar balas de revólver, atiram-lhe pensamentos. Assim que é acertado por um, dez outros aparecem de lugares distintos e se arrebentam contra ele. Cada pensamento é diferente. Teorias. Teorias sobre os motivos. Teorias sobre os suspeitos. Teorias sobre o que deveria fazer. Cada um dos pensamentos necessitando de tempo para ser devidamente processado, analisado. Marcos tem de tentar se organizar. Talvez ao chegar na empresa consiga escrever algo em um pedaço de papel.

"Prioridade 1: dinheiro. Tenho de pagar o maldito filho da puta. Diante dessa nova situação, tentar negociar com Pradinho. Fazê-lo esperar para o aumento de capital ou tentar um valor menor. Ou conto para o Pradinho, para ver a reação dele? Peraí, não vamos misturar", pensa e nota que está conversando consigo mesmo. "Isso é o primeiro sinal de loucura", pondera. "Tenho de me manter são e calmo agora. É nessas horas críticas que a gente separa o pessoal fraco de cabeça dos fortes. Tenho de ser um dos fortes. Prioridade 2: descobrir quem está por trás disso. Tem alguma outra prioridade? Bem, acho que não. Só dessa forma consigo um jeito de trabalhar com o problema."

Estaciona o carro na garagem da empresa. "Vai ser o jeito, trabalhar dessa forma, separar os dois problemas. Um é o imediato, o dinheiro. O outro eu ataco depois." Sai do carro, entra na empresa. Concretek Empreendimentos S/A. Ele tem um cargo de nível lá. Tem a confiança dos diretores que são os donos da empresa. É uma empresa relativamente grande, mas ainda predominantemente familiar. A confiança dos donos é algo fundamental. Trabalhar num lugar assim tinha suas vantagens. Desvantagens também, claro. Mas ele tinha um bônus anual, entregue em um envelope pardo. Somente os mais graduados recebiam tal gratificação. Era o "por fora". *Por foríssimo*. Mais por fora, impossível. Imaginava que esse dinheiro talvez não fosse muito limpo, mas há muito não pensava mais nessa questão moral. Podia ser fruto de algum tipo de corrupção, mas também resultar de algum truque contábil. Preferia que fosse o segundo caso, mas não tinha como saber. Se fosse o primeiro caso ele se sentiria pior.

Na época do bônus, o chefe geral da empresa e outros dois diretores se fechavam numa sala, com uma máquina de contar cédulas. Depois tudo ficava quieto. Deviam colocar tudo em envelopes com os respectivos nomes e lacrar. O passo seguinte seria ficarem à espreita de uma oportunidade quando poderiam entregar o envelope sem outras testemunhas por perto. Marcos especulava se isso era para se assegurarem de que ninguém ficasse sabendo quem recebia, quem não recebia. Era uma operação complicada, cercada de mistérios. Se fosse assim, como ele imaginava, quem garantia que um dos diretores não ia lá, abria o envelope destinado a ele e tirava metade do dinheiro para si? Afinal, nunca sabia quanto ia receber. Uns anos recebia mais, outros, menos. Ele nunca teria como reclamar.

"O bônus talvez seja a minha salvação. Se recebesse ele hoje, resolvia a minha vida. Era só falar para a Vanessa que a gratificação foi modesta e pronto. Tava tudo resolvido."

Antes de sentar à sua mesa, dá de cara com o Juvenal. Era o que menos queria naquela manhã. "Caralho, só me faltava essa. Dar de cara com o Juvenal. A cara dele me dá nojo. Cara feia demais. Parece a de um porco. Redonda. O nariz de tomada. Sempre suadão. Nojento." Juvenal, de fato, tinha um aspecto esquisito. Era o inverso do anão. Geralmente, anão é pequeno com as extremidades grandes. Cabeça, pés e mãos de tamanho relativamente normal, desproporcionais para o corpo pequeno. Juvenal tinha um corpo grandão, alto e gordo com ampla caixa torácica, mas uma cabeça desproporcionalmente pequena. Para piorar, o sujeito ainda tinha um irmão gêmeo. "Uma aberração dessas já é muito, duas é o cúmulo." Marcos imaginava que, se todas as extremidades fossem desproporcionalmente pequenas, Juvenal devia ser um sujeito muito infeliz.

Cumprimentam-se secamente, com um aceno de cabeça. Ambos sabem que o desprezo é mútuo. "Taí um cara que me odeia", pensa. "Esse aí se tivesse um jeito de me foder o faria com gosto. Mas é um pobre coitado, não teria capacidade mental para bolar uma coisa dessas. Ele não é. Tenho certeza. Quer dizer, acho que não. Mais fácil ser o Pradinho."

Marcos trabalhou na Concretek de 91, quando chegou dos Estados Unidos, até 96, quando foi para a Europa. Fundada em 1990, era resultado da fusão de duas empresas de mineração que resolveram diversificar os negócios criando uma empresa independente para aluguel de máquinas e equipamentos. Para complicar, a recém-criada Concretek ainda adquiriu duas outras empresas menores que já atuavam no ramo. Assim, na prática, consistia de um ajuntamento de quatro empresas, por muito tempo cada uma funcionando independentemente. Aos poucos, foram fazendo a integração. Mas até 95 ainda existiam quatro chefes de informática: Marcos, em Belo Horizonte; Juvenal, em São Paulo; Ari, no Rio; e Patrus, em Goiás. Para sorte de Marcos, a integração acabou trazendo "o poder" da empresa para Belo Horizonte. Em 95, o escritório do Rio e o de Goiás foram fechados. Alguns diretores se transferiram para Belo Horizonte. O Ari se aposentou, e o Patrus foi para outra empresa. Quando Marcos retornou, em 98, descobriu que Juvenal havia se mudado para Belo Horizonte no início de 97, mas o cargo de gerente de informática estava vago. Na prática, Juvenal o exerce operacionalmente e o diretor financeiro atuava como gerente. Provavelmente, Juvenal tinha esperança de um dia ser efetivado no cargo. Com a volta de Marcos essa possibilidade foi sepultada. Este, na época, sabia que a chance do quebra-galho ascender ao cargo era zero. Mas também imaginava que provavelmente na cabeça de Juvenal ele tivesse sido o único motivo pelo qual ele perdera a suposta promoção. Juvenal tinha trezentos mil anos de empresa, mas em seu currículo só constava curso técnico de eletrônica. Marcos, por outro lado, tinha três cursos na bagagem: computação nos Estados Unidos, engenharia elétrica na PUC e o MBA na Suécia. Um currículo invejável. Na verdade, Marcos fez engenharia porque em 91, quando retornou dos Estados Unidos e tentara revalidar o curso no Brasil, a carga horária e o conteúdo do curso de computação dos Estados Unidos e da UFMG não batiam. Não conseguiu a revalidação. A lista de cursos que teria de fazer novamente era gigantesca. Praticamente, necessitaria estudar tudo de novo. Marcos não poderia se ver *sem* um diploma. Precisava do *status*, do reconhecimento. Sempre fora um ótimo aluno. Achava desonra não ter um curso superior. Na família, todos tinham curso superior. A única exceção era, obviamente, o primo Gui, mais conhecido como o "perdedor". "O primo Gui. Talvez seja ele o tratante. Quem sabe ele não se cansou de viver no passado e resolveu me foder agora? Me pegar pra valer, querendo mostrar que ainda tem algum poder?" Afasta a ideia. "Ele não teria a capacidade para fazer algo assim. É, pelo visto, ninguém tem. Primo Gui não tem. Juvenal não tem. Só o Pradinho teria. E olha, morando na Suécia!"

Além de conferir-lhe o *status* que almejava, existiu também um outro fator na decisão de seguir outro curso superior: Vanessa. Estava empolgado com sua relação com a garota, e ela estava estudando. O que ele ia fazer durante as noites? Ficar em casa assistindo novela? Decidiu cursar engenharia elétrica na PUC. "Já que é pra fazer o curso de novo, vou fazer algo diferente, pelo menos assim eu aprendo alguma coisa." Em 98, com o MBA fresquinho na mão, teve dúvidas se não estava se vendendo por pouco, mas a oferta da Concretek era por demais tentadora. A empresa tinha a tecnologia de um *software* de manutenção desenvolvido internamente. Era um sistema único, provavelmente o mais avançado do Brasil. Os donos da empresa decidiram comercializar esse *software*. Marcos seria chefe do setor de informática da Concretek e também da nova empresa, Concretek Informática. Com carta branca para contratar pessoal, objetivando elevar o *software* a um nível comercial, criariam um departamento de vendas. Muitas possibilidades de crescimento. E sem falar que queria logo casar com Vanessa, iniciar a vida a dois. Topou voltar à empresa. Achava o trabalho estimulante, apesar de ter de enfrentar a cara do Juvenal. "Optar é sempre renunciar." Talvez, se tivesse tentado se empregar em uma multinacional estivesse melhor financeiramente, mas com menos flexibilidade, sendo apenas mais um entre um exército de empregados. Lá, ele era chefe, participava de decisões, via o fruto do seu trabalho, encontrava-se com clientes. O salário fixo atual era de R$ 10 mil. Líquido, tirava uns R$ 8 mil por mês. Vanessa contribuía com uns R$ 3 mil vindos do bufê, mas era menos certo. Às vezes mais, às vezes menos. Com isso, eles mantinham um bom padrão de vida de classe média.

"É a minha vida toda que está em risco", pensa Marcos. E entra na sala do diretor-geral da empresa. Não tivera tempo de raciocinar muito. Pensa somente na história que vai contar. Da mudança. Que havia ocorrido um imprevisto e ele precisava saber a respeito do bônus. Se havia jeito de adiantá-lo. Está consciente que é uma proposta arriscada, na empresa nunca se fala daquela gratificação. Nunca havia cogitado anteriormente em pedir adiantado. Mas a situação é desesperadora. Tem de verificar as alternativas que existem. Em última análise, sobrava entrar no cheque especial, mas sabe que teria de cobrir rapidamente para Vanessa não descobrir. "Se pagar, corro o risco." E entrou na sala do diretor-geral, o Blair.

— Blair, você tem um minuto? Tenho uma coisa urgente para lhe falar — diz, e fecha a porta atrás de si.

Blair olha para ele, preocupado. Nota o semblante carregado do outro. Geralmente, Marcos é uma pessoa otimista. Imagina logo que é um problema muito sério, talvez um ataque de algum *hacker*, perda de informação. Algo grande.

— Com certeza, pode entrar.

— Blair, vou direto ao assunto. A questão é que, como você está sabendo, eu estou mudando de apartamento. Aconteceu que esse final de semana o aquecedor que fica no meu banheiro despencou, abriu o maior rombo no teto falso do banheiro. Parece que estava todo corroído. De quebra, ainda danificou a banheira. Tentei negociar com o comprador do apartamento, mas ele disse que tem um bebê e precisa da banheira e do aquecedor. Não quer entrar no apartamento e ter de mexer com reforma. Se fosse assim, ele teria comprado um outro imóvel. Até entendo a posição dele. Neném é mesmo difícil. A banheira é embutida e velha, e não existe mais desse modelo. Então os pedreiros vão ter de quebrar muito. Vai ficar tudo muito caro e, por causa da compra do outro imóvel, estamos bem no limite. Já compramos muita coisa para o apartamento novo no cartão de crédito, tá tudo no sufoco. Então, pensei no bônus. Como você sabe, geralmente, ele é pago entre abril e junho. Será que tinha jeito de adiantar isso?

O semblante de Blair desanuviou assim que Marcos começou sua explicação. Era um problema pessoal, não da empresa. "Menos mal", pensou. Blair também responde sem fazer rodeios:

— Bem, você sabe que o bônus é uma discrição da empresa. De qualquer forma, uma emergência como essa já aconteceu outras vezes e a solução encontrada foi, desde que a diretoria aprove, descontar um salário.

Blair tira uma chave do bolso, destranca uma pequena gaveta em sua mesa. Dela surge uma caderneta. Pequena, preta, parecendo uma agenda telefônica. Abre cuidadosamente, selecionando uma das letras. Lê algo. Fecha. Abre de novo. Parece conferir outra vez. Fecha. Enquanto coloca a agenda de volta na gaveta, fala:

— Este ano o seu bônus será de quatro salários. Não sei, e mesmo se soubesse não poderia falar quando ele será pago. Mas se você tiver mesmo essa pressa toda, posso conversar para te liberar o bônus, mas nesse caso você receberá apenas três salários. O que você quer fazer?

Marcos pondera rapidamente, mas a situação é drástica. "Melhor garantir isso agora." Lembra-se que no ano retrasado o bônus só foi pago depois das férias de julho. Ao mesmo tempo, os R$ 15 mil, na verdade, lhe custariam R$ 25 mil, se contasse a perda dos R$ 10 mil. Qualquer outra opção e corria o risco de Vanessa descobrir. Eles tinham contas de banco separadas e uma divisão de despesas. Ele arcava com as despesas fixas grandes, como apartamento, condomínio, escolas e as despesas pessoais dele, incluindo o carro. Ela se encarregava dos gastos com supermercado da família e despesas pessoais dela, além das roupas das meninas. O Suzuki Vitara de Vanessa era, na verdade, do bufê. A empregada deles era, na verdade, funcionária do bufê. "É uma das poucas vantagens de ser empresária no Brasil", costumava dizer Vanessa. Em contrapartida, algumas vezes ela fazia retiradas menores, caso o negócio estivesse mal ou houvesse surgido alguma despesa extraordinária. Eles mantinham também uma conta conjunta onde guardavam dinheiro para projetos, como uma festa, viagens etc.

Marcos já tinha se decidido a pedir o adiantamento, quando no último segundo diz:

— Vou pensar, te respondo depois, tá? Por enquanto, fica o dito pelo não dito. Deixa eu ver se consigo resolver isso de alguma outra forma. Qualquer coisa e te aviso. De qualquer forma, obrigado pelo seu tempo.

Blair abre um pequeno sorriso forçado.

— Tudo bem, fico então no aguardo. Tomara que você consiga solucionar isso aí — diz, faz um aceno com a cabeça e vira-se para o terminal de computador, dando por encerrada a conversa.

O tempo é curto. Tem de tirar o peso dos ombros. Vai pagar para ver. Fecha a porta da sua sala. Abre o segundo *e-mail* da noite anterior. Entra no PayPal. Já tem uma conta lá. Copia os dados do *e-mail*. Copia e cola na página do outro *site*. Checa. Checa novamente. No momento que aperta a tecla *Enter*, sente um grande alívio e, ao mesmo tempo, um aperto no coração. "Como fui deixar isso acontecer?", pensa. Espanta o pensamento com um "agora é tarde, é lidar com a situação". Em questão de minutos, seu cartão American Express já está debitado em R$ 15 mil em prol da conta designada no PayPal. Não era de praxe, mas muitas vezes ele já havia feito, por meio do seu cartão pessoal, compras para a empresa. *Softwares* ou computadores. Se por um acaso Vanessa visse a fatura era só dizer: "Ah é, tive de comprar um monte de *laptops* novos para uma obra que vai começar mês que vem". O difícil seria comprovar a entrada do suposto ressarcimento, mas isso nunca tinha sido necessário. Tranquilo. Pelo menos ele imaginava que seria.

Nesse momento, toca o telefone da mesa. É o sr. Sérgio, chefe do departamento de pessoal:

— Marcos, acho que nossa conexão com as obras deve estar com defeito. Não estou recebendo o relatório deles. Você podia dar uma olhada no que está acontecendo? O Juvenal está aqui, mas não conseguiu descobrir o que é.

Da sua sala, Marcos conecta-se ao sistema de pessoal. "Deve ser um problema simples, mato isso em um minuto."

Não matou. Felizmente ou infelizmente, era um problema complexo. Nem pôde almoçar, e passou o resto do dia tentando solucionar a falha. Conversou com o suporte da Telemar, que culpou a empresa de processamento de dados, esta que, por sua vez, culpou a obra, que por fim jogou a culpa no *link* da Telemar. Somente depois das 5 da tarde o sistema voltou ao normal. Pelo menos durante uma pequena parte desse tempo Marcos não pensou nos seus dilemas. Poderia até dizer que lhe fora um problema terapêutico.

* * *

Marcos chega em casa exausto. "Segunda-feira de cão", pensa. Imaginava que teria um dia tranquilo para refletir, analisar. Já tendo pago, no mínimo ele havia conseguido um tempo extra para poder tentar colocar a casa em dia. Os pensamentos em ordem. Dar o próximo passo certo, inteligente, em vez de sair correndo desembestado sem saber para onde.

Tem plena consciência de que, tecnicamente, é impossível vencer essa briga. Alguém havia gravado, em forma digital, ele transando com outra. Se fosse fita VHS, a história seria diferente. Poderiam ser feitas cópias, mas a qualidade progressivamente diminuía, era complicado copiar fitas. Porém, com a gravação digital, o problema é, pelo menos em tese, impossível de se resolver. Digamos que ele chegasse à pessoa. O filho da puta. Colocasse um revólver na cabeça dele ou dela. Forçasse o veadinho a apagar o vídeo. Primeiro, havia a possibilidade de recuperação. O que mais existe por aí são programas de recuperação de arquivos deletados. Só estaria seguro caso deletasse o filme e, feito isso, utilizasse um programa desses que escrevem zeros sobre o arquivo. Passo seguinte, formatasse o disco. E depois retirasse o disco rígido e o explodisse, jogando os restos em diferentes buracos dos alicerces dos edifícios que estão construindo perto da casa dos pais dele. Mesmo após toda essa operação, quem pode garantir que o sujeito não tenha uma, duas, um sem-número de cópias espalhadas nos hotmails, gmails, skydrives da vida? E ainda tinha a possibilidade de, se ele apertasse o gatilho e estourasse os miolos do sujeito, no dia seguinte ou um ano depois um programinha enviar automaticamente cópias do filme para as filhas, a mulher, o papa Bento XVI.

"Será que existe solução?", pensa, enquanto roda a maçaneta da porta. As duas meninas assistem TV na sala.

— Oi, pai — disse uma.

— Beijão, pai — fala a outra.

E voltam a olhar para a telinha. Ele diz:

— Beijos para as duas.

Quando era pequeno, imaginava-se chegando em casa e colocando para si uma dose de uísque, afrouxando a gravata e dizendo "ufa, como estou estressado", tal e qual via nas novelas da Globo. Agora que era "grande" não conhecia ninguém que fizesse isso. Ninguém que tivesse um balde de gelo na sala o esperando. Um gelo sequinho, sem água. "A empregada tinha de colocar o gelo lá assim que o patrão entrasse no elevador. Um grande aparato, operação de guerra. O porteiro avisa: 'o chefe tá subindo' e a empregada corre desembestada para colocar o gelo no baldinho. Quando ele entrasse na sala, ela teria acabado de sair, infalível, invisível. 'Missão cumprida', ela interfonaria de volta para o porteiro. Só pode ser assim", reflete.

É segunda-feira, não é dia de beber. Mas vai direto à geladeira, pega uma Antarctica *long neck*. Abre com a mão. Amaldiçoa a tampa que quase cortou seu dedo. Tem a mão fina, de quem nunca pegou numa enxada na vida. Toma um grande, um imenso gole. Quase metade da cerveja, de um trago só. Contém o arroto. Queria ter doze anos e dado um arroto que assustaria a vizinhança. Faria a cachorrada toda latir. Mas não o faz. Arrota para dentro do peito, com a boca fechada. Entra para o quarto do casal. Vanessa está seminua, quando vê a porta se abrindo ela se cobre num reflexo, mas no segundo que vê que é o marido ela relaxa e mostra que está apenas de sutiã e calcinha. Veste a calça. Ele a tira da mão dela, joga na cama. Beija-a com força. Um beijo longo. Abaixa um lado do sutiã deixando à mostra o pequeno peito direito. A aréola perfeita. Rosa. Ele a chupa, morde. Ela geme. Depois Vanessa o empurra e fecha o sutiã:

— Tenho de ir fazer o jantar; hoje todo mundo atrasou, né?

Mas, de repente, o semblante dela fica sério.

— Você não tem ideia do que me aconteceu hoje.

"O que será?", pensa Marcos. Lembra-se do medo de sábado, sente o mesmo frio na espinha. A cabeça a mil. Ela está séria demais. Vinha chumbo por aí. Do grosso. Tenta desconversar oferecendo-lhe a garrafa de cerveja. Ela pega, dá um pequeno gole e devolve para ele. Depois fala:

— O motor da câmara fria pifou. E justamente hoje. Início do mês, segunda-feira. O estoque estava zerado, ainda mais que no final de semana fizemos aquele evento. Aquela sexta que você saiu e eu trabalhei até lá pelas tantas. Chegamos do Makro, o trânsito estava horrível e as mercadorias já chegaram quase descongeladas. Liguei a câmara fria no congelamento rápido, de repente deu o maior estouro e um cheiro de queimado. Mandei a Zica lá no posto comprar gelo para não perder as coisas, arrumamos uns isopores, mas o jeito foi deixar tudo nas sacolas e colocar gelo por cima. Chamei o técnico. Em resumo, ele disse que o compressor tinha dado adeus a essa vida, a rebimboca da parafuseta tinha ido pro espaço, um tantão de coisas.

"Ele ficou lá de 2 da tarde até quase agora. Nessa brincadeira, entre peças, mão de obra e o extra por ser atendimento de emergência, ele me espetou em R$ 7 mil, 7 mil! Quase tive um ataque do coração. Mas também ele chegou no bufê, viu a gente com mercadoria até em cima, o motor lá estouradão. Deitou e rolou. Fez o Natal dele, já de uma vez. Agora, colocaram um motor novo que eu vi, tava dentro de uma caixa de madeira. O resto só Deus sabe. Não é o fim da picada?"

Marcos escutava em silêncio. Era, de fato, uma má notícia. Não podia vir em momento pior. A compra do novo apartamento, e a mu-dan-ça! "Ai caralho, esqueci de falar com o Patrício", lembra. Como que lendo a mente dele, Vanessa pergunta:

— E aí, você falou com o Patrício?

Era a hora de ele aproveitar o momento para falar as angústias também:

— Amor, não deu. Até lembrei, mas não deu. Hoje tive uns problemas também, nem almocei. Talvez a gente tenha de pedir um China In Box. Você não deve estar com saco para cozinhar, nem eu.

Eles raramente pediam comida. Tentavam ser uma família saudável e não comer muita coisa na rua, pelo menos uma refeição bem feita em casa. Mas aquela segunda parecia ter sido difícil para os dois. Vanessa estava visivelmente pra baixo. Ela parecia ler os pensamentos dele e disse:

— Pois é, que péssima hora para isso acontecer. Este mês e o que vem minha retirada no bufê será quase zero. Não gosto de deixar as finanças lá muito no vermelho. O mês passado foi fraco...

Marcos interrompe:

— Uai, você trabalhou pacas!

— É, mas foi um mês de muito movimento e pouca receita. Muita festa merreca. Dá giro, mas lucro pequeno.

Ele aproveita a deixa para soltar um balão de teste:

— E olha, capaz de piorar. Tá rolando um papo na empresa que o bônus esse ano vai ser fraco. Fraquíssimo.

— Ué, como assim? Você sempre fala que ninguém nunca comenta nada, que é o maior segredo... — retruca Vanessa.

— Segredo é, secretíssimo. Mas desde o ano retrasado, aquele que demorou séculos para o bônus sair, eu descobri que o engenheiro Salgado recebe. Eu e ele temos um bom relacionamento e um dia ele me perguntou, muito discretamente. Então, a gente troca figurinhas. Ele descobriu que o bônus é proporcional ao valor gasto em compras de máquinas no início do ano. Me mostrou até uma planilha.

Marcos falava a verdade. Existia o tal engenheiro Salgado e ele havia realmente feito uma pequena planilha em Excel. Mas a parte inventada apareceu:

— Você sabe como é o tal de lucro contábil, ainda mais em construtora é tudo invenção, coisa pra contabilizar impostos. Então analisar o lucro da empresa não dá pistas se o bônus vai ser grande ou não. Faz mais sentido pensar que quando eles estão com dinheiro invistam em máquinas e distribuam uma parte do lucro real para a gente. O problema é que o Salgado afirmou que este ano foi o mais fraco de todos, desde que ele começou com essa planilha. Não compraram quase nada de máquinas novas. Em suma, esse ano nossa gratificação tem tudo pra ser merreca — e faz cara de triste.

Ele a abraça. Diz, em tom muito meloso, desses usados por casais apaixonados de dezoito anos:

— Mas temos nós dois, nosso amor. É suficiente.

Vanessa o empurra, e responde com tom de dondoca da Savassi:

— Suficiente a tonga da mironga! — diz rindo. — Amor já me encheu a barriga duas vezes, agora eu quero joias e férias na Europa. Você é todo cheio das coisas, das contas no exterior, das empresas, até mulher no exterior tem. Vai ver você é casado lá com aquela piranhuda. Inclusive o pacote dela chegou, deixei em cima da mesa do computador. Quando é que você vai me dar vida boa, hein? — fala, entre risos.

— Amor, fica tranquila que em breve isso vai acontecer. Por enquanto, fica firme aí. Você vai ver, eu e o Pradinho vamos detonar. Quando eu e ele estivermos com uns oitenta anos, ainda estaremos falando 'Pradinho, o CruiseKontrol agora vai emplacar'" — Riram.

Ele sempre falava de um quadro do programa americano *Saturday Night Live* em que uma banda de garagem ficava treinando e dizendo "Vamos arrebentar, vamos estourar, vamos fazer o maior *show*", porém os integrantes já estavam todos com os seus setenta anos e as mesmas roupas da época da adolescência.

— Bem, com dinheiro ou sem dinheiro, hoje temos de comer e não estamos tão pobres assim que não podemos comprar uma comida chinesa, né? Faz o seguinte, você pede pra mim a tradicional carne com brócolis, vê lá o que as meninas querem. E pague você, tô sabendo que já me jogou esse papo que tá zerada, mas depois a gente acerta isso aí. No meio-tempo, vou ver um negócio que deixei rodando no computador.

— Tá, mas então você não se esqueça de falar com o Patrício amanhã. Sem falta! Bota um lembrete no seu telefone, você só lembra se for assim, já aprendi. Faz isso!

Marcos entra no escritório, o tal quarto reversível. No apartamento novo terá um local de trabalho mais espaçoso. Um envelope vindo da Suécia está no topo do computador. Atrás, o remetente: Eva Medman. No início, Vanessa ficou desconfiada desse envelope que chegava quase todo mês. Achava esquisito. Pensava que tinha treta nisso, que, às vezes, tinha alguma carta. Marcos a deixou abrir o envelope por alguns meses. No início, Eva ainda mandava um bilhete. Agora, apenas juntava a correspondência que recebia no nome dele e colocava em um grande envelope. Nos idos tempos, o envelope chegava, pontualmente, todo início de mês. Com a internet, tudo mudou para *on-line*. Extratos bancários, pagamentos, tudo isso acabou. Geralmente o que chegava era coisa do governo. Por isso a correspondência havia passado de mensal para trimestral, às vezes nem isso.

Abre o envelope. Lá dentro está um livrinho do imposto de renda 2011, e duas cópias da declaração em si, já preenchidas. O governo já mandava tudo preenchido. Era só assinar e mandar de volta. Podia também declarar pela internet. Dentro também está uma carta. É do departamento de imigração. A carta é datada de janeiro de 2011. Ele tem até junho de 2011 para se apresentar a um posto de imigração para renovar seu visto "permanente". "Que porra, outra má notícia. Hoje pelo visto é meu dia de azar. Que maré. Oxalá meu pai. Alguém me botou uma urucubaca, vou ter de tomar banho de sal", pensa e bate três vezes na madeira com o nó dos dedos.

Vira-se para o computador. Havia deixado dois escaneadores *on-line* (Mcafee e Kaspersky) bem como o residente AVG rodando durante a noite. Sempre havia a possibilidade de o sacana chantagista ter enviado o vídeo com um vírus de brinde. Felizmente, os escaneadores não encontraram nada. De repente, vem-lhe o pensamento que nem tudo está perdido. Os dois problemas, a mudança e a imigração na Suécia talvez, em vez de problemas, sejam a solução que procurava: "Quem sabe mudar de casa não é uma boa ideia? O puto perde meu endereço. E, mais dia menos dia, eu tenho de ir lá na Suécia ver o que o Pradinho está fazendo, porque do jeito que está não dá para continuar".

Pensa isso, e ouve o interfone tocar. Deduz que a comida chegou. Entra no Facebook, vai no CruiseKontrol. Funciona direitinho. Abre o Hotmail. Recado do Pradinho: "Marcos, temos de conversar urgente sobre a questão do capital da empresa. Chegamos no ponto crítico. Precisamos de uma decisão, me ligue o mais rápido possível. E sobre o Cruise, testei, tá tudo ótimo. Rodei no Opera, no Chrome, e no Internet Explorer antigão. Tudo ótimo. Qual era o problema?"

Ouve Vanessa:

— Meninas, Marcos, tá na mesa.

Ao sair, apaga a luz. "Talvez nem tudo seja tão ruim. Com sorte, superarei esse 'inferno astral'. E toma o último gole da cerveja. "Essa noite estou lotado de coisas pra fazer. Ver como vou me virar com a grana, tentar descobrir a identidade desse infeliz, mexer no CruiseKontrol, melhorar a publicidade, se for fazer uma lista tô fodido. Mas quer saber, eu vou mesmo é trepar. Tem gente que bebe para esquecer dos problemas, eu trepo e os esqueço."

Seguiu a ideia à risca. Naquela noite, eles foram para a cama cedo, pouco depois das nove. Mas só foram dormir mesmo após a meia-noite. Antes disso ele bebeu água da cacimba, sentiu-se macho realizado e só foi acordar no outro dia.

TERÇA-FEIRA, 5 DE ABRIL DE 2011

Marcos contra o mundo

NOVO DIA, PROBLEMAS ANTIGOS. Primeiro, enfrentar o trânsito. "Tenho de tirar um tempo para discutir com o Pradinho hoje cedo", lembra. Resolve desafiar as regras de trânsito e pega o celular. Como sempre, esqueceu o negocinho do ouvido. Arrisca-se a levar uma multa e perder sabe-se lá quantos pontos na carteira. "Foda-se." O Honda é automático, é difícil resistir à tentação de ganhar tempo fazendo a ligação enquanto dirige. Depois dos anos que morou em Houston, nunca mais comprou carro manual. "Pior que ainda vem gente dizer que gosta de passar marcha. Tudo bem, se o cara tem uma Ferrari, uma Maserati, aí é outra história. Agora vem o pessoal com o papo que 'curte' passar marcha, no trânsito de Belo Horizonte? Me engana que eu gosto."

Liga para o Pradinho. A ligação é local. Pradinho tem um número em Belo Horizonte. "Pior que até hoje ainda tem gente acreditando que número de telefone indica que o cara 'está' na determinada cidade", pensa. O número do Pradinho é do Skype, mas tem cara de número convencional. É 031, de Belo Horizonte. Basta qualquer pessoa de BH discar 3231-5589 que cai lá no computador do Pradinho. E ainda tem outra: se Pradinho não atende no computador, a ligação é automaticamente redirecionada para o celular dele. Na prática, significa que Marcos disca o número local e Pradinho pode atender tanto na casa dele sentado em frente ao computador, lá na longínqua Suécia, como pode atender de dentro do ônibus ou até em uma praia na Grécia. Maravilhas da tecnologia.

    Lembra-se dos velhos tempos nos Estados Unidos, quando raramente telefonava para os pais. Nunca telefonou para os amigos. Hoje, por esse serviço, Pradinho despendia por ano aquilo que Marcos pagava em uma ou duas ligações para o Brasil. Por causa disso, Pradinho já fizera muitos negócios em Belo Horizonte com os clientes achando que ele 'estava' lá. Como na época que ele mexera com exportação. Comprou um monte de bugigangas suecas, montou um *website*. Não vendeu nada. O brasileiro é um bicho desconfiado. Pensavam que seria mutreta, enganação. Empresa sediada na Suécia, etc. Não rolou. As mercadorias encalharam. Aí, ele comprou cinco números Skype. Números locais em Belo Horizonte, São Paulo, Salvador, Rio de Janeiro e Brasília. Fez um outro *website*, dando a entender que estava sediado no Brasil. Ficou parecendo uma empresa grande, de porte. Com filiais em várias cidades. De venda zero, o negócio deu um salto. Vendeu tudo, rapidinho. Na hora de repor os estoques, a dobradinha euro/coroa sueca se sobrevalorizou ou o real despencou. Um dos dois, não se recordava exatamente qual. Ficou caro. Fechou rapidinho. Claro que, volta e meia ele dizia: "Marcos, vamos retomar as exportações pro Brasil, cara". Mas nunca iam para frente com a ideia porque o frete Suécia-Brasil era cruel. Inviabilizava tudo. Trabalhar com produtos físicos entre os dois países é negócio para empresas multinacionais: Volvo, Ericsson, ABB. "Para nós, pequenos, as janelas de oportunidade para produtos físicos são, na melhor das hipóteses, temporárias." Marcos explicou a Pradinho. "Se formos fazer alguma exportação para funcionar a longo prazo, teria de ser de produtos ou serviços virtuais." E ficavam empacados sem saber exatamente o que esses produtos ou serviços seriam.

Escuta o sinal de chamada. Primeiro toque. Segundo toque. Terceiro toque. Pradinho atende. No fundo, Marcos ouve o conhecido som da voz feminina do metrô anunciando: "próxima estação, Östermalmstorg".

— Pradinho, tudo joia, tá me ouvindo bem?

— Tô sim. Na correria de sempre. E com você?

Pradinho sempre dizia estar na correria. Podia estar de férias, na praia, que estava na correria. Vai ver estava mesmo. Em movimento. Pradinho realmente não era muito de ficar sentado. Precisava andar, se movimentar, conversar. Vai ver a correria dele não era no sentido físico, mas sim mental.

— Comigo tudo bem, apenas a confusão da mudança, você sabe como é...

— Mudança é foda. Fim da picada. Pior coisa que existe. Um cu — diz Pradinho. — Tô aqui, na labuta. Correndo atrás de clientes. Estou indo ver um agora. Tentando fechar os contratos. O CruiseKontrol vai arrebentar. Qual foi o problema que você viu? Não vi nada.

Sete horas em Belo Horizonte, meio-dia na Suécia. Ao fundo, Marcos escuta a voz anunciar: "próxima estação, Karlaplan". Com quase toda certeza isso quer dizer que Pradinho deve estar indo para casa. Não está indo encontrar cliente nenhum. Marcos prefere manter essa informação para si e não comenta nada com Pradinho. Na sexta anterior, aquela mesma sexta da Sandrinha, teve problemas ao tentar acessar o CruiseKontrol lá na Concretek pela manhã. Isso o havia preocupado, mas o problema não se manifestou novamente.

— Não, cheguei à conclusão que foi doideira do meu computador. Essas coisas, me assustei, mas depois que desliguei e liguei de novo nunca mais deu nada. Loucuras da Microsoft. Vai ver era o dia da mentira e o computador estava de trote comigo. Esquece.

— Ah, bom. Depois temos que conversar sobre a nova versão. Se você vai fazer ou vai arrumar alguém no vWorker. Mas primeiro o assunto urgente é a grana. Você ficou na minha cola dois meses falando que precisávamos injetar dinheiro na empresa. Agora arrumei a grana. Tá na mão. Mas tá parecendo que você quer dar pra trás. Que é isso?

Marcos pensa em perguntar de onde havia saído o dinheiro. Mas era melhor deixar aquilo para depois. Concentrar no essencial. Tentar ganhar tempo.

— Pradinho, por causa da mudança estou com muitas despesas. Coisas inesperadas. O dinheiro que tava separado para a Protheus agora já era. Você tem que me entender.

No fundo, a voz anuncia: "próxima estação, Gärdet".

Pradinho deve ter se tocado que Marcos entendera para onde ele ia, ainda mais que agora estava saindo do metrô. Muda um pouco a história original:

— Pois é, estou indo agora para casa almoçar e me preparar para encontrar o pessoal da Viking Line. Eles estão superentusiasmados com a ideia, as conversas estão indo bem pra frente. Mas, se a empresa não tem dinheiro, a gente não tem como ir pra frente. É simples. O caixa está em zero, você sabe melhor que eu, já que é você que lida com o financeiro. Agora, se você não tem grana para tocar a empresa, vamos ter de ver como lidar com isso. Afinal, negócios são negócios, e lutamos muito para chegar até aqui; então agora é tocar o pau. Não tem como sair fora.

O tom de Pradinho era sério. Ele estava agora andando na rua. Pelo telefone, Marcos ouvia o barulho silencioso das ruas de Estocolmo. Muito diferente do som do Brasil. Neste, o som era estridente. Se estivesse com as janelas do carro abertas, com certeza não conseguiria conversar. Em Estocolmo, o barulho era um burburinho. Carros deslizando pelas ruas, alguns ainda com pneus de neve. Dava para ouvir bem a diferença. O som dos "preguinhos" de metal no asfalto era muito diferente dos pneus convencionais. Pradinho continuou:

— Talvez você queira sair fora. Posso tentar arrumar um outro sócio para comprar a sua parte. Se você não tem como investir a gente tem de dar um jeito, não posso ficar parado. Você entende isso. Afinal, foi você mesmo quem falou isso há um tempo quando eu estava meio sem grana, lembra?

Marcos ouvia aquilo. Tinha vontade de gritar: "Seu filho da puta, você armou isso pra mim, não foi? Fez igual você falou que seu irmão fazia. Aprontou comigo. Se você fez isso é porque a empresa deve estar valendo uma nota preta. Você está me escondendo o leite. Os contratos já estão assinados, você me faz vender, isto é, praticamente dar a minha parte para você e algum colega testa de ferro. Talvez seja até o seu irmão. Depois você pega os R$ 15 mil que conseguiu de mim, faz as camisas e fica na boa. Tudo à minha custa." Chega muito perto de explodir. Controla-se. Respira fundo.

"O CruiseKontrol foi ideia minha. Sem chance. Não vou abandonar a empresa, agora é ir com calma e ganhar tempo", pensa enquanto tenta subjugar os nervos à flor da pele. Sente-se suado apesar do ar-condicionado no máximo.

— Poxa Pradinho, você não é meu amigo? Vamos com calma, né? Até parece que quer que eu pule fora — falou.

— Marcos, amizade é outra coisa. Agora chegamos ao ponto em que não dá mais. Como disse, foi você que me convenceu disso. Você estava certo. Ou a gente injeta o dinheiro ou temos de pensar em todas as alternativas. E é pra já, pra ontem — respondeu Pradinho.

Marcos ouve o barulho de uma porta se abrindo. Conclui que o sócio havia chegado em casa.

— Olha, eu tinha feito a proposta de aumentarmos em R$ 20 mil, 10 de cada. Você depois inventou 20 de cada. Vinte é muito. Com certeza 20 seria bom, mas 10 é o máximo que consigo. Depois a gente coloca mais. Vamos devagar. O que você acha? É mais que razoável.

Marcos praticamente consegue ouvir a insatisfação de Pradinho ao telefone. Talvez ele já desse como certo que Marcos venderia a parte dele. Depois de uns segundos, Pradinho responde:

— Aqui. O problema é que para adquirir a quantidade de produtos que nos dará um bom lucro, esse capital não vai ser o suficiente. R$ 40 mil seria o mínimo para tocar a empresa nos próximos meses de acordo com meus planos. Comprar em quantidades pequenas vai ser perda de tempo e grana. Mas, já que é o jeito, a gente faz assim. Dá 10 agora cada um, mas já de sobreaviso que vamos em breve precisar de mais. Comprar camiseta da China com o nosso emblema e tudo mais só vale a pena se for de meio contêiner pra cima. Tem de investir. O pessoal da Viking Line tá contando com isso, já garanti pra eles. Agora, o dinheiro tem de ser liberado já. De imediato. Se você falar que vai demorar, esquece.

— Tô chegando no trabalho agora. Daqui a meia hora tá na conta da Protheus. Beleza?

— Falou. Vou correr atrás. É tocar pra frente. Vamos detonar, mas agora tenho de ir. Abração, te falo amanhã o que deu.

— Abraços. — E aperta o botão vermelho na tela do celular.

Marcos vai ter de usar praticamente todo o dinheiro da Suécia. Ficar zerado lá. Pior era não poder contar com esse dinheiro para quitar pelo menos parte da dívida que fizera no cartão. Ia ter de pensar em outro jeito. Pedir o adiantamento do bônus. Talvez fosse a única saída. Tudo indicava que era o Pradinho. Só ele podia ter arrumado uma dessas contra Marcos. Pradinho era foda. A Protheus nunca dava um centavo de lucro, mas todo mês vinha a conta de cartão de crédito. Um mês era 500 reais, no outro mil reais. Contas de restaurante: "saí com um cliente". Táxi: "tava atrasado". Táxi na Suécia era um absurdo de caro. Uma vez viajou para Gotemburgo, "fui visitar o pessoal da Stena Line, que é sediado lá, mas nem fiquei em hotel para economizar, fiquei na casa de uma conhecida". Foi de trem e voltou de avião. Todo santo mês tinha alguma coisa. Não era à toa que a empresa estava com o caixa zerado. Mas Marcos tinha de pagar para ver.

Restavam-lhe duas opções: 1) Contar a história para o Pradinho para ver a reação dele. Era uma boa, mas talvez lhe tiraria o trunfo da surpresa. A surpresa era o que viabilizaria a segunda opção. A opção dois era tentar de alguma forma penetrar no computador do Pradinho. Deletar o vídeo. Problema resolvido para sempre. Talvez existisse uma terceira opção. Não adiantava só pensar, tinha de colocar no papel para analisar.

Estaciona na Concretek. Para ao lado do carro do Juvenal. Um Fiat Palio ano 2000 branco. Devia ter sido táxi. Muda de ideia, troca de vaga. "Vai ver ele bate a porta do carro dele no meu só pra me foder." Entra direto na sala, saca o dispositivo para fazer assinatura eletrônica no banco sueco. Em dois minutos, 10 mil reais saem de sua conta e entram na da Protheus.

Na hierarquia da Concretek Informática, Marcos é o número dois. Seu cargo é de gerente técnico. Acima dele está o presidente da empresa. No mesmo nível que Marcos está o gerente comercial. Na realidade, trata-se de uma empresa dentro da empresa. Contabilidade, pessoal, tudo isso é "emprestado" da empresa-mãe. O tal Juvenal Pastor Júnior, felizmente, não tinha nada a ver com a Concretek Informática. Na "grande" Concretek ele está a cargo da administração do dia a dia. Tudo, desde compra de suprimentos, até a manutenção dos equipamentos. Ele é o tático. Marcos é o estratégico, implementando os novos sistemas, cuidando para que os investimentos sejam usados efetivamente dentro de uma ótica de longo prazo. Mas quando aparecia um pepino grande, como o do dia anterior, muitas vezes Marcos tinha de intervir. Juvenal sabia fazer o trabalho dele da forma como havia sido ensinado, se saísse disso ele colocava as mãos na cabeça careca e suada e dizia: "ah, não sei". O relacionamento dos dois era, no mínimo, tenso. O desgosto era mútuo e estampado na cara de ambos. Marcos tinha de conversar com Juvenal, fazê-lo entender que tinha de saber lidar com os problemas relacionados à sua área de atuação, não podia passar a bola para frente. Ou pelo menos tentar, quebrar a cabeça. Marcos teria de usar sua diplomacia. Juvenal adorava passar pepinos para ele. Como que dizendo: "Você não é o maioral? Então resolva". Só que o combinado era que Marcos dividiria seu tempo dedicando no máximo 20% para a grande empresa, e o resto para a Concretek

Informática. Já era a terceira vez, em menos de quinze dias, que isso acontecia. "Foda. Lidar com esse cara é um pé no saco." Como não acreditava em desejar mal para as pessoas, "isso acaba voltando contra você", torcia para que Juvenal se aposentasse, ganhasse na loteria. Que entrasse alguém novo, sem essa história de passado na empresa. Alguém que entendesse a nova hierarquia. "As coisas mudam. A realidade hoje é diferente da de ontem. O que passou, passou, já era. Epa, falando em mudar, tenho de ligar para o Patrício. Melhor fazer isso agora do que enfrentar a cara feia do Juvenal agora de manhã."

Assim que o telefone celular toca, Patrício confere o *display*: Marcos Reis, rua Monte Alverne. Sente-se orgulhoso da sua engenharia, da sua técnica. Aprendeu a sincronizar o telefone com o microcomputador. Faz isso regularmente. De cara, já sabe que o tal Marcos comprou o apartamento da rua Monte Alverne, então ele automaticamente deixou de ser um cliente importante. Todos os dias, acrescenta os novos clientes ao computador e passa os antigos para uma outra base de dados. Mantém assim sua agenda telefônica sempre em dia. Como tudo na sua vida, quando viu o nome Marcos Reis aparecer, ele se vangloria interiormente. "Sou o foda da informática, da tecnologia", diz para si mesmo. Ato contínuo, lembra que era tão foda que inclusive havia aberto uma exceção para o caso de Marcos Reis. Costumava sempre registrar na agenda algo como "Marcos e Vanessa Reis", mas no caso deles resolveu armazenar os números separados. Porque aquela gostosa da Vanessa merecia ter seu contato próprio. "Se ela facilitar, eu como ela. Faço ela engolir minha vara. Parto ao meio aquela bunda apertada dela. Ah, ela vai gritar muito, eu a seguro pelo cabelo. Meto a vara sem dó", imagina. Só que na verdade, no íntimo, Patrício sabia que não era nada disso. Não era o fera da informática. Custara a entender como lidar com o computador, e todo dia apareciam programas novos. Uns caras jovens vinham, mexiam no computador e bagunçavam tudo.

Era um homem com sessenta e dois anos. Tinha barriga. Os cabelos insistiam em crescer somente dos lados da cabeça. Quando não nos ouvidos. Tingia as poucas mechas de preto. Estava no auge da decadência. Tudo nele estava caindo. Os dentes. As orelhas. O pau. Esse então, cada dia mais temperamental. Custava a pegar, isso quando pegava. Tomava Viagra. Mesmo assim, não era garantido funcionar. Um dia tomou e não conseguiu comer a esposa. Ela cansou, virou para o lado e dormiu. Ele acordou, três horas da manhã, com o membro finalmente duro. Despertou a esposa, que não estava nem um pouco a fim de fazer nada àquela altura do sono. Mas ele insistiu. Pior que, com a discussão toda, o gostosão, todo temperamental, já tinha baixado de novo. A esposa falou:

— Pô, você me acorda a uma hora dessas e depois nem faz nada? Vai dormir então e me deixa quieta.

A maneira que encontrou de não deixar-se abater totalmente foi acreditar em suas imagens mentais. De foda na informática. De foda na cama. Viu-se gozando na boca de Vanessa. Na verdade, nunca havia feito tal proeza na vida. No seu tempo, isso não existia. Gostava de viver nesse mundo da fantasia. Se admitisse que não entendia nada de informática, que estava quase que totalmente brocha, que seu tempo havia passado, talvez entrasse em depressão. Cada um tem seu jeito de lidar com essas coisas.

— Olá, dr. Marcos, estou vendo que é o senhor no telefone. Vi aqui no meu celular. Sempre tenho o nome de clientes preferenciais como o senhor gravado. O senhor deve saber como se faz isso, já que mexe com informática. É um programa de sincronização com os meus contatos de *e-mail*.

Marcos faz voz de impressionado:

— Uau! Que tecnologia, hein? Depois você me explica direito como funciona isso aí. Uma outra ocasião, né? Mas aqui, conversei com a Vanessa, ela disse que você contatou o sujeito que me vendeu o apartamento lá da rua Monte Alverne e que eles não estariam interessados em antecipar a mudança. Como foi isso?

Marcos sente uma mudança no tom de voz do corretor.

— Seu Marcos, conversei sim com a esposa do senhor... da rua Monte Alverne, agora me fugiu o nome, e eles não estão interessados, não.

O tom de voz era incerto, não tão incisivo como antes. Marcos sente, como Vanessa, que talvez ele nem tenha conversado com os proprietários. Vai direto ao ponto:

— Patrício, acho que o melhor nesse caso é eu conversar com eles diretamente. Talvez a gente possa chegar a um acordo que seja benéfico para ambos. Você poderia me dar o telefone deles?

Patrício sabe que, na verdade, é antiético fazê-lo. Como corretor, seu papel é exatamente isolar as duas partes. Para evitar conflitos, acordos orais que acabam por causar desentendimento. Mas, na verdade, esse pessoal estava exigindo muito dele. Já havia feito sua parte, era assunto encerrado. Já tinha até recebido o seu pagamento e não estava em seus planos trabalhar de graça. "A não ser se a gostosa vier aqui e fizer uma chupeta em mim", pensa. "Esse pessoal é muito folgado. Tô aqui quieto no meu canto, cheio de clientes para atender e os caras ficam tomando meu tempo. Vão se foder porque eu tenho mais o que fazer", pensa.

— Peraí.

Olha no computador.

— Fernando Brandão, o telefone é 3223-1653. Mais alguma coisa em que posso ajudá-lo?

— Não, é só isso.

— Ok, então um bom dia para você e lembranças à sua esposa.

Desliga o telefone e acrescenta mentalmente: "aquela gracinha que qualquer dia desses eu vou foder bem gostoso! E você, Marcos, vai tomar no cu e para de encher meu saco". Pensa, enquanto clica no ícone do Excel: "Esse programa é fodido de complicado, nunca entendo essa porcaria".

Sem perder tempo, Marcos liga para o tal Fernando. "Assim evito esquecer ou alguma coisa aparecer e me desconcentrar."

Para sua não surpresa, o Fernando não havia ouvido falar nada a respeito de antecipar a mudança. De fato, até parece bem positivo à ideia. Porém, no meio da conversa, o homem muda de tom. Começa a lembrar de problemas, empecilhos. A casa para a qual ele irá se mudar não estará totalmente pronta, estão reformando. Ele quer mudar com tudo já pronto, já que tem uma criança pequena. Marcos se lembra da conversa com Blair no dia anterior. O papo do neném. Da banheira. "Algo me diz que não é por aí." O tal Fernando agora diz que infelizmente "é impossível". Marcos tem um lampejo. Sente que a mudança pode, sim, ajudá-lo e muito. Mudando de endereço poderia inviabilizar o chantagista de enviar algo para o novo apartamento. Não daria o novo endereço a Pradinho. Inventaria um motivo pelo qual ele, Vanessa e as meninas teriam de mudar seus *e-mails*. Se amigos recebessem alguma fita, caso fossem amigos mesmo talvez não o botassem na fogueira. Poderia ser a saída que precisava. Daria uma "perdida" no Pradinho ou em quem quer que fosse. "Caralho, é isso!", pensa. "Não sei exatamente como, mas é por aí. É minha chance." Oferece R$ 2 mil ao tal Fernando. Sente ele gaguejar, está baqueado. Nessa hora, batem à porta da sala. É a Ana, secretária. Ela coloca a cabeça para dentro do escritório:

— O Blair precisa falar com você, urgente. Te ligou, mas seu telefone tava ocupado e pediu para eu te avisar.

Não tem mais tempo para negociar, "o que será que o Blair quer?", e para pôr fim à discussão oferece R$ 3 mil. Fernando aceita de pronto. De repente, o tal Fernando quer mudar logo, amanhã se deixar. Combinam a mudança para o domingo. Jogo rápido. Desligam. "Beleza!"

Marcos vai na sala do Blair. Este quer apenas conversar sobre o problema de ontem. Se inteirar. Gosta de ter o pé da situação. É um gerente competente. Marcos explica. Aproveita para dar a entender que é da esfera do Juvenal. Blair concorda, mas no final diz: "Conversa você com ele, cheguem a um acordo." O que significa que ele não vai se envolver. Estaca zero. Antes de sair da sala, Marcos se certifica que estão à sós e acrescenta com a voz mais baixa: "Ah, Blair, sobre o bônus. Ou é isso ou ir aos bancos pegar um empréstimo desses de juros pela hora da morte. Tenta liberar para mim, ok?".

Blair diz simplesmente: "Ok".

Hora de pegar o chifre pelo touro. Marcos vai na sala do Juvenal. A porta está aberta. O espaço ali é grande, trabalham várias pessoas. Ao contrário de Marcos, que tem uma sala só para si. Juvenal está de costas para ele, não o vê chegar. De longe, Marcos vê que Juvenal está no *site* do PayPal. O coração dele dispara. "Juvenal no PayPal? Nem sabia que esse cara tinha noção que esse *site* existia." No que ele se aproxima da tela, Naomi, a digitadora, involuntariamente o denuncia falando alto:

— Bom dia, Marcos. Tá sumido, hein?

Numa fração de segundo, Juvenal minimiza a janela do PayPal e deixa na tela o *site* do Hotmail. Parecendo frustrado, Juvenal desliga completamente o monitor de vídeo apertando o botão do lado inferior. A tela escurece e ele imediatamente gira a cadeira como que para dar total atenção a Marcos. Justamente ele, Juvenal, que sempre adorava conversar com Marcos olhando na tela do computador e dizendo: "hum, hum".

Marcos está atônito. Mil pensamentos. "Juvenal? Seria possível? Ele tem acesso ao sistema de pessoal para meu endereço. Já me viu mil vezes no Facebook." Quase se esquece do que veio falar. Juvenal lhe acorda:

— E aí, tudo beleza?

Marcos pensa: "Até o tom dele está diferente. Alegre. Contente. Ou será jocoso? Irônico? Juvenal parece até alegre. Alegre de falar comigo? Como pode ser? Algo está muito errado nessa situação".

— Juvenal, vamos tomar um café? Preciso falar uma coisa com você.

Juvenal dá um salto. Diz, em um tom muito diferente, virando-se para Naomi:

— Vou ali tomar um café com o nosso gerente técnico.

Frisa as palavras "gerente técnico". Nunca na vida havia se referido a Marcos utilizando o título. Algo muito estranho está no ar. Marcos sente-se atônito. Resolve concentrar-se na história do problema que viera tratar. Focar. Quase não consegue articular as palavras, porque os pensamentos se atropelam. Ao mesmo tempo em que fala com Juvenal sobre a questão do dia anterior, seu cérebro tenta paralelamente processar se seria possível o Juvenal ter armado pra ele. Tenta encontrar um possível álibi, algo que mostrasse, sem sombra de dúvida, que seria impossível. Marcos se perde na explicação do problema da empresa. Tem de recomeçar. Juvenal olha para ele, sorriso nos lábios. Sente a confusão mental de Marcos. O cara havia ido à sala dele para tentar lhe dar um puxão de orelhas, mas não conseguia dizer coisa com coisa. "Maravilha, agora vou foder de vez esse babaca", pensa Juvenal. E diz:

— Veja bem, Marcos. Nem você está conseguindo explicar o que aconteceu. Se fosse tão simples, você não teria perdido a tarde toda, concorda? Pois é, minha obrigação é passar o pepino para você. Está fora da minha alçada. É um fato extraordinário. Senão, estaria no manual de operação que você tanto gosta de ficar atualizando. Agora deixa eu ir que tô cheio de trabalho pra fazer. Até.

E vai embora, com cara alegre. Marcos fica lá, parado. Desnorteado. Pega mais um café. Vencido. Derrotado. Por ninguém menos que o Juvenal!

Marcos fica propositadamente na empresa até mais tarde. Sabe que geralmente o bônus é entregue ou no início da manhã ou no final do expediente. Pensa para si: "hoje só vou embora depois que tiver certeza que o Blair já saiu".

Aproveita para correr um pouco com o serviço que estava se acumulando. A nova versão do Concretek PMP (Pacote de Manutenção Preditiva) estava quase três meses atrasada. O Waldir, gerente do projeto, havia lhe dado mil explicações e razões para o problema mas, no frigir dos ovos, o responsável era ele, Marcos. O gerente comercial, o Saulo, já estava pegando no pé dele. Dia desses na reunião o Saulo exagerou. Na frente dos diretores. O Saulo era complicado. Era bom de serviço, mas talvez o ego dele fosse o grande problema. Marcos via-o como o "tipo do cara que pisa na goela da mãe só para ficar dois centímetros mais alto na foto". Sob pressão, tinha de botar a mão na massa.

Estuda o diagrama de Gantt do projeto. "Amanhã tenho de marcar uma reunião com o Waldir para mudar esse cronograma. Tentar redividir e redistribuir as tarefas. Acho que dá pra tirar uns quatro pacotes da linha crítica. Jogar umas funcionalidades pra próxima versão. Senão tô fodido." Conforme havia imaginado, Blair chega de manso, confere se não tem ninguém além de Marcos e entrega-lhe um pacote envolto em papel pardo fechado com gominha. Entrega, pergunta por alto sobre a nova versão do PMP e sai rapidinho. Marcos tem um cofre na sua sala, onde guarda documentos confidenciais. Por exemplo, uma lista de usuários e senhas que poderiam ser utilizados no caso de uma eventualidade da qual ele não gostava de pensar muito, pois era no caso da morte dele próprio; um plano estratégico de desenvolvimento do PMP nos próximos dois anos; uma planilha de custos real e estimada da nova versão do PMP e uma detalhada argumentação de valor para cada uma das novas funcionalidades previstas para a nova versão e também a subsequente; ainda continha o Plano Diretor de Informática da Concretek, bem como o leiaute da arquitetura dos servidores. Somente Marcos, Blair e o presidente tinham cópia das chaves.

Abre o envelope: R$ 30 mil. Guarda 25 mil no cofre. Fica com 5 mil. Não gosta de andar com muito dinheiro. "Hora de ir pra casa."

* * *

São apenas 7 horas da noite, mas Fernando Brandão está na cama com a mulher. Estão bêbados. Fernando fala muito quando bebe.

Já fala muito por natureza, quando alcoolizado, então, fica terrível. Ele havia chegado em casa com um vinho espumante italiano. A esposa não entendera nada.

— Leonara, você não acredita! Lembra que a gente tava no maior aperto porque ia ter de pagar condomínio tanto aqui quanto as despesas lá da casinha que nunca fica pronta? Que a gente queria mudar logo? Pois é, aquele cara que comprou o nosso apartamento, qual é mesmo o nome dele? O todo emperiquitado, cheio da grana? Ah, pouco importa. O cara me liga, no maior desespero. Mas no que eu vi que ele tava no sufoco mesmo, me fiz de difícil. Tirei proveito da situação, né? O cara nunca me viu mais gordo, não é meu amigo, nem parente. Não paga minhas contas. Vou ajudar ele pra quê?

"Me fiz de desentendido, teve uma hora que eu já tava abrindo as pernas, quando o cara ofereceu R$ 2 mil. Ha, ha ha! Eu quase caí pra trás. Esse apartamento é um elefante branco pra gente, o condomínio caro demais, herança que tava virando presente de grego. As prestações pela hora da morte. Você sabe, mudamos pra cá porque não tinha outro jeito mesmo, melhor morar aqui enquanto vendíamos. Mas quanto mais cedo sairmos... O cara acabou oferecendo R$ 3 mil. Você acredita?"

Ele ri. Ela ri também. Só o neném no quarto ao lado chora, mas eles dizem para si mesmo: "Tá na hora dele dormir, deixa chorar". E continuam rindo da sua sorte e bebendo o que restava do espumante.

* * *

Assim que recebera as mensagens, no domingo, a primeira reação de Marcos foi tentar usar seus conhecimentos da tecnologia de *e-mails* para tentar descobrir quem estaria por trás da chantagem. Porém, à primeira vista, os endereços nos cabeçalhos das mensagens apontavam somente para os servidores do Hotmail. Não havia nenhum nome, nenhum outro endereço IP que pudesse ser identificado. Já devia ser por volta das 2 da manhã quando decidiu que não teria condições de descobrir nada. Não naquele domingo, aliás, já era segunda. Não com as 20 milhões de hipóteses, teorias e cenários que se desdobravam em sua mente. Tinha dificuldade de se concentrar. Precisava de calma. Sentia-se atordoado. Pensava em tudo e, ao mesmo tempo, não pensava em nada claramente. Essa tarefa teria de ficar para depois. Tinha de trabalhar no dia seguinte.

Agora, 48 horas depois, era a hora de recomeçar o trabalho de investigação. Já passa das 11 da noite e a casa está silenciosa. Todos dormem. Tem de recomeçar por aquilo que é sua única pista concreta: os *e-mails*. "Obviamente, ele os dividiu em dois porque não há como provar que eles sejam parte da mesma mensagem. Analisados separadamente, eles não contêm nada que o implique, caso eu entregue os *e-mails* à polícia. E certamente será impossível provar que vem de um mesmo servidor. Provavelmente ele usou diferentes computadores. Se não física, pelo menos logicamente. Conectou-se a um e depois a outro servidor. Esse cara é muito esperto. Mas deve ser possível fazer algum tipo de traçado reverso de um *e-mail*. Ninguém nunca consegue ficar invisível na internet, disso eu tenho certeza", e põe-se a procurar no Google dicas de como fazer esse tipo de pesquisa. Busca informações durante duas horas, tenta algumas dicas que encontra. Fracasso total.

A segunda pista era o endereço em que ele havia clicado para ver o filme. Ao clicar novamente no *link* www.seeyou.net/01012011, recebe apenas a resposta "arquivo não existente". Novamente, não há provas, já que não consegue baixar o vídeo. Mas com certeza www.seeyou.net tem de ser registrado. Existem vários *sites* de identificação de IP para encontrar a localização de uma página. Basta digitar "Whois" na procura do Google e encontram-se vários. Tenta, mas não obtém nenhum resultado. É como se o endereço fosse inválido. Talvez o infeliz tenha tirado o *site* totalmente do ar logo após o filme ser visualizado. Passa um bom tempo no Google pesquisando como poderia fazer para localizar um *site* com essas características, tenta alguns truques, mas não encontra nenhuma resposta que elucide a questão. Estaca zero ali também.

Olha no relógio: 2h30. Sente-se ainda desperto, resolve checar o Facebook. Várias mensagens de amigos. Os antigos colegas do Santo Antônio haviam formado um grupo, formandos de 1986. Já está em mais de 150 membros; por dia recebe, no mínimo, dez notificações do Facebook avisando que alguém tinha postado alguma coisa ou alguém havia "curtido" algo. A nostalgia comia solta, postavam vídeos antigos dos Titãs, do Legião Urbana, Biquíni Cavadão, Paralamas do Sucesso. Era difícil reconhecer as pessoas. "Incrível como a gente muda", pensa. O tempo faz mesmo horrores. Pelo menos metade dos homens era careca ou tinha pouco cabelo. "Graças a Deus que não me casei com a menina mais bonita da sala na 8ª série." O rosto dela tinha dobrado em largura. Não era uma exceção. Pouquíssimas estavam em forma. A esmagadora maioria tinha aquela cara de mãezona. "O que será que elas pensam quando me veem? Será que é: 'ele mudou pouco, tá o mesmo' ou 'nossa, será que ele sofreu um acidente? Primeiro foi atropelado por um ônibus, depois engordou 200 quilos?'". Apagou todas as quinze notificações do dia. Na última, Nívea mandava seu alô. "Querido, você não conversa mais comigo, que foi?". Responde: "Falta de tempo, amor, mas estou com saudades, beijão".

O episódio com o Juvenal ainda martela sua cabeça. "Muito esquisito. Muito estranho. Impossível. Ou será possível?" Tinha de tirar a história a limpo. Não deveria ser difícil. No dia seguinte, pela rede, daria uma busca no computador do Juvenal. Mas, se ele fosse mesmo capaz de fazer algo do gênero, teria sido esperto o suficiente para não armazenar o filme na rede da Concretek porque, obviamente, Marcos teria a capacidade de encontrá-lo. Ou talvez o sujeito partisse do princípio de que "o melhor esconderijo é aquele que fica perto dos olhos, é o último lugar em que procuramos". "Até que não é um mau pensamento, para desencargo de consciência, amanhã vou fazer uma limpa geral na rede, em todos os computadores", Marcos pensa. Nem trabalhoso era. Como tinha a autoridade de administrador, podia rodar um *software* de auditoria. Iria fazer uma busca em todos os arquivos, em todos os computadores que estivessem conectados à intranet da Concretek, a fim de localizar todos os arquivos com mais de 10Mb que fossem identificados como vídeo. Não apenas os que tivessem a extensão ".avi" ou ".mpeg", mas todos os que fossem rastreados com outras terminações. Dessa forma, mesmo se o pilantra tivesse trocado a extensão do arquivo para tentar evitar que fosse reconhecido, o *software* o detectaria. "Provavelmente vou é receber telefonemas o dia inteiro, reclamando da lerdeza da internet, mas pode-se sempre argumentar que 'é por causa de um vírus novo, temos de fazer uma série de *updates* bem como uma busca profunda em todos os computadores da empresa'."

Já ia desligar o computador, quando resolve ler, pela milésima vez, os dois *e-mails*. Repara em um detalhe que lhe havia escapado esse tempo todo: Vanessa Rennó Reis. Rennó estava escrito errado. Ninguém no mundo escrevia certo. O nome de sua esposa tinha um H mudo no final. Somente bancos, o governo, empresas de mala-direta escreviam certo. Os amigos, sempre errado. Como ela somente assinava Vanessa Reis, o Rennóh passava despercebido. Alguns nem sabiam desse sobrenome. Aquilo era uma pista. Tinha um significado importante, só precisava entendê-lo. Se o chantagista tivesse tirado o nome deles de uma base de dados pública, o Rennóh estaria escrito corretamente. Como não estava, reforçava então a hipótese de que era um conhecido? O *e-mail* deixava a entender que a chantagem era uma coisa pessoal, com o texto "Por meio do nosso convívio, conhecemos as suas necessidades específicas". "O Pradinho, por exemplo, se soubesse do Rennóh da Vanessa, será que ele escreveria certo? Puxa pela memória, tenta lembrar se alguma vez o Pradinho teria visto o nome dela escrito corretamente. Será que ele recebeu o convite de casamento? Acho que não. Sabia que ele não viria mesmo, mandar convite só para ser jogado fora? Não lembrava.

Resolve deixar a questão do Rennó sem H para depois. Não consegue. De repente, lhe vem uma dúvida: na base de dados da Concretek há informações sobre cônjuge, família, etc. Como está escrito lá? Conecta-se à empresa. Primeiro tem de se conectar à Concretek, depois inicia o *software* de Gestão de Pessoal. Nova tela de identificação. Abre o seu próprio cadastro. Na tela, lê: "cônjuge: Vanessa R. Reis". "Dependentes: Valéria A. Reis, Verônica A. Reis". "Ninguém manda carta de chantagem colocando Vanessa R. Reis", pondera. Olha o Facebook. Vanessa Reis é o nome que consta. Se o tal cara tivesse tirado apenas pelo Facebook, não saberia do Rennóh. Conclusão final: o sujeito sabe, de alguma forma, que Vanessa tem o sobrenome Rennóh, mas não tem ou teve acesso a esse nome por escrito da maneira adequada. Provavelmente sabia por ter ouvido. Talvez por ter perguntado pelo telefone. Lembra que, às vezes, ele fala "senhora Vanessa Rennóh Reis", quando quer chamar a atenção dela para alguma coisa, geralmente negativa. Como ela sabe disso, com mesma frequência ele também fala isso para provocar nela a reação do tipo: "vixi, lá vem chumbo", para depois falar "que tal irmos ao cinema amanhã?".

Provavelmente já o ouviram falar isso ao telefone. "Provavelmente não, com certeza muitos já me ouviram. No clube, no trabalho." Teria o Pradinho ouvido ao telefone? Era possível. O Juvenal já tinha escutado. "Com certeza, já." E estando apenas o "R" na base de dados da Concretek, ele não teria como saber do H no final. Pensa que, caso venha a descobrir que foi o Juvenal, paradoxalmente talvez até gostasse mais do sujeito. "Pelo menos ele terá provado que não é tão bitolado quanto parece."

Keyloggers. Programas instalados no computador para gravar tudo que alguém tecla. Precisa de algo assim caso queira descobrir mais a fundo a questão do Juvenal. Pegar a senha do Hotmail dele, ver por que ele estava no PayPal. Alguns *Keyloggers* mais poderosos eram capazes também de gravar a posição do *mouse*. Há relativamente poucos anos, soubera de uma programa desses em um *cyber café* e com menos de dois dias o dono tinha os nomes de usuários e senhas dos bancos de uma porção de gente. Era brincadeira de criança. Por isso o Bradesco, por exemplo, tem aquele sistema de forçar a pessoa a escrever a senha numérica somente usando o *mouse*, e o teclado digital aparece sempre com os números em posições diferentes. Uma vez que os números sempre mudam de posição na tela e o usuário não pode usar o teclado, um eventual *keylogger* não gravaria nada importante. Ademais, hoje em dia qualquer antivírus detecta esses programas *keyloggers* facilmente. "E outra: se o antivírus não detectar, a *firewall* certamente bloqueia o envio do arquivo gerado para um computador estranho", conclui.

Entra no Google, escreve "keylogger". Muitos *sites*. Várias opções. Havia pensado somente no *software*, mas lembra que também existe a possibilidade de uma peça física. Essa prometia ser totalmente invisível a qualquer detecção, não necessitava de nenhum tipo de *software*. Acoplava-se diretamente ao teclado. Ficava visível apenas se o teclado tivesse um extensor um pouco mais longo justamente no encaixe com o computador. Semelhante àqueles conversores usados quando se quer encaixar um teclado de plugue redondo em uma porta USB. Resolve comprar: R$ 180 reais. Garantiam entrega no dia seguinte. "Pode ser até um bom investimento porque, como pai, hoje em dia o sujeito tem obrigação de investigar as filhas adolescentes. Daqui a pouco vai ser necessário." O computador de Juvenal ficava contra a parede. "Imagino que ele não chega todo dia ao serviço e confira se alguém mexeu no plugue do teclado." Efetua a compra, desliga o micro, vai deitar. Quando estava caindo no sono, pensa: "a partir de amanhã vou passar a criar o hábito de sempre checar o plugue do teclado. Obviamente já me descuidei, dei bobeira uma vez. Não vão me pegar de novo. Porque, puta merda, hoje eu tive o sentimento de que está todo mundo querendo me foder".

QUARTA FEIRA, 6 DE ABRIL DE 2011

Os Assa-sinos

MANUTENÇÃO CORRETIVA É AQUELA que o sujeito faz no carro em ocasião de sufoco. O dito um belo dia para de funcionar e aí resta chamar o mecânico e encarar aquela conta altíssima, ter de andar de táxi ou ônibus por alguns dias. Isso se o carro não para no meio de uma avenida, com a família toda lá dentro ou quando o cara está a caminho do aeroporto para uma viagem internacional. Ou voltando do motel com a amante. Com esse pequeno exemplo, entende-se rapidamente que manutenção corretiva é a mais chata e a mais cara. Para uma empresa como a Concretek, cujo produto consiste no aluguel de horas trabalhadas de máquinas usadas em mineradoras e construções pesadas, máquinas com pneus maiores que uma pessoa em pé, o que está em discussão são perdas na casa de centenas de dólares por hora parada. Sem contar o cliente insatisfeito que pode decidir não renovar o contrato. Já a manutenção preventiva é aquela revisão programada que o sujeito faz no carro. Trocam o óleo (mesmo o óleo ainda podendo ser usado por mais um tempo), trocam peças porque elas, em teoria, chegaram ao fim da vida embora possam ainda estar em razoáveis condições. Tudo para evitar a situação desagradável da manutenção corretiva. O problema da preventiva é que, usando-se apenas um exemplo simples, enquanto o carro de passeio tem quatro ou cinco litros de óleo, as máquinas de construção pesada têm 900 litros só de fluido de freios. Estender a vida útil desse óleo, de maneira que seja segura, representa uma economia significativa. Não só o óleo, mas qualquer peça que podia ter sua vida útil prolongada, desde que de maneira segura, impactava diretamente no lucro da Concretek de forma positiva.

Entra em cena a manutenção preditiva. Por meio de uma análise de amostras de óleo, por exemplo, o engenheiro de manutenção pode determinar não apenas se o óleo ainda está adequado ao uso como também, muito semelhante a um exame de sangue no corpo humano, consegue detectar um possível início de problema em uma máquina. Por exemplo, a presença de ferro pode indicar que um eixo está perto de se quebrar, a presença de terra pode indicar vazamento etc. Naturalmente, tudo vai depender do tipo de máquina bem como do tipo de fluido que está sendo analisado. Além da análise do óleo, outras ferramentas podem ser usadas para tentar prever futuros problemas: a análise de vibrações, o uso de raios-X etc.

No Brasil, a Concretek foi uma das pioneiras na utilização da análise preditiva como ferramenta estratégica. No início dos anos 80, a empresa Prosal Engenharia contratou um PhD no assunto e criou seu próprio sistema de manutenção preditiva. Quando a Prosal se fundiu com a Minerações Otoni, dando origem à Concretek, esta já nascia líder isolada na produtividade por equipamento, graças a essa tecnologia própria. Em 95, os donos já cogitavam comercializar o *software* para terceiros. Seria uma forma de não só aumentar os lucros, mas também diminuir os próprios custos internos, bem como captar importantes influências de outras empresas. O plano ficou arquivado enquanto a companhia se dedicava à árdua tarefa de integrar as empresas do grupo. Com a volta de Marcos e a criação da Concretek Informática em 98, o *software* Concretek PMP foi lançado oficialmente na Fenasoft de 99. Rodava, na época, Windows 95 em apenas um computador. De lá para cá, o mundo mudou, e a tecnologia avançou ainda mais. Computador isolado, sem estar conectado à internet, é sinônimo de computador quebrado.

A próxima versão do PMP, que seria chamada de PMP Live, proporcionaria maior interação exatamente com os componentes do Microsoft Live, Skype e suportaria o uso do iPad e do iPhone, possibilitando aos engenheiros maior mobilidade em campo, dispensando o uso do *laptop*. Isto é, pelo menos em teoria. Na prática, tanto o iPad como o iPhone mostravam-se um enorme desafio técnico. Primeiro, por serem novidades, os programadores ainda não estavam bem adaptados a eles. Segundo, porque a ausência do Flash na plataforma Apple era um obstáculo monstro. Marcos havia julgado que os produtos Adobe seriam portados rapidamente para os produtos da Apple, mas isso não aconteceu. A versão atual do PMP fazia uso extensivo da interface Flash e Air da Adobe. Modificar isso era tarefa hercúlea.

Em virtude desse problema Marcos estava, desde as 9 horas da manhã, trancado em uma sala de conferência com o Waldir, o gerente do projeto. Os dois quebravam a cabeça tentando extrair o máximo dos recursos à mão, mas por mais que tentassem, o progresso até ali havia sido tímido. Obviamente, teriam de escolher entre liberar a versão *Live*, que poderia ficar pronta em, no máximo, um mês, porém sem compatibilidade com o iPhone e o iPad, ou apostar na versão completa que talvez, na melhor das hipóteses, só ficasse pronta dentro de três meses. "Se meu bônus este ano já foi sofrido, o do ano que vem, então, vai ser zero", constata para si mesmo ao sair da reunião sem ter chegado a uma solução.

Um dia inteiro de reunião, de mexe daqui e tira dali. Sente-se moído. "Pior que o problema persiste. Se correr tô fodido, se ficar tô fodido. Grande bosta." Vai à sua sala, pega R$ 12 mil do cofre e entra no carro. Quer depositar o dinheiro logo no banco, pelo menos a parte não oficial, a fim de cobrir a despesa do PayPal. Assim completava o fictício "reembolso" da empresa. Os dois mil extras levaria para casa. Geralmente, quando recebia o bônus, ele preferia passar um tempo pagando praticamente tudo com dinheiro vivo a fim de evitar que esses gastos aparecessem na conta do banco. Era sempre bom evitar um possível conflito com o imposto de renda. Para todos os fins, havia contado a Vanessa que o bônus tinha sido de apenas R$ 15 mil, o menor dos últimos 100 anos.

Quando já está na BR lembra-se de que hoje tem festa na casa do primo Gui. É aniversário do filho dele. Se tivesse lembrado disso antes, teria deixado o dinheiro no cofre. "Agora é tarde." Assim que passa o detector de velocidade após o *shopping*, Marcos muda de fila e pega a pista da esquerda. Imediatamente, ouve uma buzina e gritos: dois rapazes numa moto haviam quase trombado no canteiro. Sem querer, ele os havia fechado, estavam bem no ponto cego do Civic. Marcos faz um gesto de desculpas para os dois e segue em frente. Para no semáforo, próximo à favela do Papagaio. Uma pequena fila de carros se forma atrás dele. Olha no retrovisor e vê a moto do incidente se aproximando. Está a uns quatro carros de distância. Os rapazes não usam capacetes, estão vestidos com roupas surradas e têm cara de quem comeu e não gostou. Ou melhor, de quem foi fechado e está muito irritado com isso.

Marcos sente a adrenalina entrando no sangue, um calafrio o sacode de alto a baixo. À frente, o trânsito de carros cruzando é intenso. Confere as travas das portas num reflexo. Fechadas, vidros fechados. Sem problema. Dois carros de distância. Olha para o rapaz do carona justamente no momento em que o dito põe a mão esquerda nas costas, como que pegando algo colocado na parte de trás da calça *jeans*. Ainda olhando pelo retrovisor, sente uma corrente elétrica percorrer-lhe o corpo quando o sujeito do carro pelo qual eles acabaram de passar arregala os olhos e faz um gesto para Marcos juntando todos os dedos e abrindo a mão rapidamente, como que arremessando uma bola imaginária. Um clássico: "Sai fora, espirra meu amigo porque você tá fodido. Vão te detonar". Marcos fura o sinal, quase bate em três carros que cruzavam a avenida com o sinal verde. À frente, tem a pista toda para si, o cruzamento detém a moto, mas sabe que pouco adiante tem um outro sinal e ele terá de parar o carro. Pelo retrovisor vê que o sinal abriu e a moto vem a todo gás, liderando o pelotão de carros.

Está do lado esquerdo da pista, lá na frente os carros já estavam parando no sinal. É quando nota a abertura de uma rua lateral à direita, rua Colômbia. Naquela altura, a Colômbia encontra a BR num ângulo extremamente fechado — a rua é quase que paralela à BR, portanto trata-se de uma curva de quase 180 graus. Com um golpe de direção, Marcos sai do lado esquerdo da avenida, cruza as duas outras filas e pega a curva da rua Colômbia, quase um cavalo de pau. O carro sai de traseira e vai se chocar com um poste quando, mais por milagre que por habilidade, Marcos retoma o controle e o Civic prossegue à frente com uma sacudida. Assim que sente o alívio de ter conseguido fazer a manobra, vê que um grande caminhão de areia está atravessado na rua, parando o trânsito em todos os sentidos. De imediato, um Fiat Uno preto para atrás dele, cortando-lhe a possibilidade de uma ré em alta velocidade. Rapidamente, engata a ré e faz sinal para o Fiat também ir para trás.

O motorista só entendeu o recado quando Marcos começou a andar para trás quase batendo no outro carro. Ao abrir um pouco de espaço entre ele e o caminhão, Marcos faz o balão. Imagina que os rapazes da moto o tenham perdido porque já havia passado uns quinze segundos — a essa altura eles teriam aparecido. Talvez eles não tivessem conseguido fazer a curva na Colômbia a tempo. Nesse caso, eles, não tendo como voltar, devem ter parado a moto um pouco mais à frente na esperança de que Marcos retornasse à BR. Não sabe. A essa altura, uma pequena fila havia se formado do lado da pista onde ele havia chegado, isto é, de quem vinha da BR. Do lado da rua onde ele agora está, o caminhão começa a buzinar para que Marcos prossiga em direção à BR. Não tem como fazer o balão novamente, o que torna impossível tentar chegar em casa por algum caminho alternativo que passe por dentro do bairro do Sion. O caminhão buzina agora continuamente, o motorista grita, o sujeito do Fiat Uno preto manda Marcos tomar no cu. Naquela posição o Civic está travando todo mundo, já que não permite que o caminhão saia do meio da pista. "O jeito é descer a BR de novo." A entrada na BR é nervosa. Talvez estivessem apenas à espreita, num canto, prontos para abrirem fogo à queima-roupa assim que o vissem.

O trânsito está lento, ali a avenida tem dois canteiros, caso os motoqueiros tenham parado em algum ponto será moleza terminarem o serviço. Meninos chegam vendendo balas, homens se oferecem para lavar os vidros do carro. Em vez de passar pela Savassi, opta por subir a Afonso Pena. O percurso é mais longo, nunca usa esse caminho, mas o trânsito ali flui melhor e, por algum motivo, talvez estivesse estampado na cara dele que iria passar pela Savassi.

Quando chega ao alto da Praça Milton Campos, pensa que somente uma coincidência muito estranha poderia fazer com que eles aparecessem ali, agora. Sente a tensão sair-lhe do corpo. Os músculos, que estavam todos contraídos, relaxam. A perna, principalmente a esquerda, começa a tremer. Para o carro na Afonso Pena, sentido bairro, numa descida onde viu uma vaga. Não consegue mais se controlar. Chora. Chora de tensão, chora por estar vivo, chora por ter pensado que nunca mais iria rever as meninas, Vanessa, os pais. Por pensar que tem gente que morre numa bobeira dessas. Tenta retomar o controle de si. Com muito custo, chega em casa.

Todas prontas para irem à festa, mas assim que olham para a cara dele entendem que algo aconteceu. Ele senta-se na poltrona. Pede a Vanessa para pegar uma dose de Southern Comfort. Aliás, "traz a garrafa toda". É o único uísque que ele toma. Culpa do Bob e da Ruth, que o ensinaram a beber esse uísque americano de sabor caramelizado. Prefere bebê-lo à moda caubói. Em doses pequenas, sem gelo. "Finalmente realizei meu sonho de criança: chegar em casa e tomar uma dose de uísque. Falta o balde com gelo novinho, mas digamos que posso considerar meu sonho realizado. Se é pelos mesmos motivos que o pessoal das novelas toma, então prefiro continuar meu dia a dia sem uísque após o trabalho", pondera, enquanto olha para o copo.

Conta, sem muito drama, o que aconteceu. Pensou em não falar nada, mas entendeu que não tinha como esconder. A filha Verônica faz cara de choro, Valéria a abraça e as duas vão para o colo de Marcos. Vanessa também está assustada. "Você quer ficar em casa?", ela pergunta. Marcos pensa. Talvez seja melhor. Mas não há muito o que fazer. Se arrepende de ter falado, porque ambas as meninas estão agora com cara de choro. Então para tirar o drama da coisa, resolve que o melhor seria ir. Lembra-se do dinheiro. Ficou embaixo do banco do carro. Vai até a garagem, pega o pacote. Traz para o apartamento. Guarda 10 mil reais em uma caixa que fica no escritório escondida atrás de uma foto da família toda, tirada há três anos. A foto está numa moldura grande do tipo que fica em pé e a caixa cabe exatamente atrás. Como a moldura está na estante em um lugar alto, Marcos considera um arranjo bem seguro. Separa R$ 2 mil. No quarto, mostra para Vanessa:

— Aqui, vamos gastar esse dinheiro agora e economizar o que está no banco. Certo? Vou deixar na gaveta de cima que tem chave.

O primo Gui mora em um apartamento de dois quartos na rua Carioca, no bairro Minas Brasil, próximo à Universidade Católica. Marcos gosta dessa área, tem boas lembranças do tempo da faculdade de engenharia. A pracinha logo abaixo da PUC é rodeada de barzinhos, no último ano do curso deve ter passado mais tempo na pracinha do que nas salas de aula. O Gui está de ótimo humor. Naquela noite era o churrasqueiro. O apartamento dele ficava no térreo com uma área privativa aberta, um pilotis razoavelmente grande onde tinha colocado a churrasqueira e umas mesas de plástico.

Para não perder o costume, sempre que longe dos ouvidos das mulheres, e preferencialmente perto do ouvido dos outros parentes homens, conta a história de quando ele pegou a menina mais linda da festa e Marcos acabou ficando com a mais feia, ou de quando ele pegou Marcos se masturbando no banheiro. As histórias de praxe. Há poucos anos Marcos se tocou que, nessa época, Gui tinha dezessete anos e ele, treze. Competiriam, em qualquer situação, em ligas diferentes. Mas era um detalhe que Gui nunca mencionava. Estava particularmente satisfeito porque tinha trocado de carro. Todo novo convidado que chegava ele descia para mostrar aquele que chamava de "o mais novo membro da família".

Marcos se recusou a ir, estava ainda abalado com o incidente. Sem saco para isso. Gui tinha feito o *upgrade* de um Gol 1.0 ano 2002 por um Gol 1.6 2011 zerinho. Primeiro carro zero da vida dele. Vinha com a história do cheiro, dos plásticos, do nervoso de quando saiu da concessionária, aquela coisa toda. "Deixa ele curtir", pensa Marcos. Todos os outros primos e parentes mais próximos que estavam ali na festa já haviam vivido essa emoção anteriormente, então era um papo meio que atrasado no tempo. Sente que os outros primos também tinham a mesma disposição de "deixá-lo curtir o momento". Afinal, Gui sempre fora o "diferente", "o menos afortunado" da família. Aliás, a bem da verdade, nem da família propriamente dita ele era. Gui era primo de Marcos por parte de mãe, mas com a morte do pai, Gui passou a frequentar tanto a casa de Marcos que acabou "adotado" pelo lado da família do pai. Que era o lado que contava, porque fora o primo Gui não tinham contato com mais ninguém da família pelo lado da mãe.

Começam a discutir a questão de preço. Marcos nunca foi bom para saber preço e modelos de carro. Um dos homens, casado com uma prima de Marcos, entende muito porque tem uma revendedora de carros usados. Ele solta seu veredito:

— Olha, Gui, você pagou aí uns 15 mil reais por essa troca. Talvez 14 se tu fez um ótimo negócio ou 16 se te sacanearam, mas foi por aí.

Na hora, o rosto de Gui cora, engasga, tosse. A menção de 15 mil reais o faz perder a pose por um momento. O sujeito da revendedora prossegue: "Mas e aí, Gui, o que você fez para conseguir esse dinheiro assim?".

Gui fica visivelmente embaraçado. Marcos pensa consigo que o comportamento de Gui está estranho. Claro que a menção de 15 mil reais por um segundo faz Marcos pensar nos seus problemas, mas decide não dar uma de paranoico e imaginar que toda e qualquer pessoa que gastasse 15 mil fosse o chantagista. Não tinha cabimento achar que havia alguma conexão, apesar de o primo Gui estar perturbado e negar-se veementemente a explicar a origem do dinheiro. Ele agora trabalhava no Minas Tênis Clube, em uma função administrativa, e já tinha feito de tudo lá. No momento, Marcos nem sabe direito em que função o Gui atua. Mas daí a ter a capacidade técnica de criar páginas da *web* tão bem escondidas... "Se bem que geralmente é tudo uma questão de procurar na internet como fazer, achar a página certa. Às vezes é como receita de bolo, não precisa ter todo o conhecimento. Basta seguir a receita." Gui tem um computador no quarto do filho. Sempre está logado no Hotmail, Facebook. Manda mensagens, piadas, muda o *status* no Facebook com frequência. "Agora estou realmente ficando paranoico se imagino que até o primo Gui esteja por trás disso."

Quando os ânimos se acalmaram, a turma masculina deixou de azará-lo e passou a falar de futebol. O primo Gui está com o rosto mais vermelho ainda. Agora não é por estar vexado, mas sim por causa das caipirinhas. Visivelmente afetado, ele puxa Marcos para um canto e diz algo inesperado:

— Grande Marcos, eu vi umas meninas no seu Facebook. Você que não abre o olho, não. Fica dando essas suas saídas incertas por aí, uma hora dessas um marido ciumento, ou talvez uma dessas mulheres mesmo vá aprontar uma pro seu lado. Depois, quero ver como você vai se safar. Vai acabar lhe custando caro, viu?! De 15 mil reais pra cima!

Falava baixo e, apesar de bêbado, parecia compenetrado, sério. Marcos fica quieto.

— Vanessa, vamos embora? Tá na hora, né? Amanhã todo mundo tem de acordar cedo.

Não sabe se é da bebida, da conversa ou da tensão de horas atrás, mas está com uma enxaqueca dessas em que se ouve sinos martelando na cabeça.

SEGUNDA-FEIRA, 11 DE ABRIL DE 2011

Mudanças

MARCOS CHEGA À CONCRETEK na segunda já sonhando com a sexta-feira seguinte. Está exausto. Foi dormir às 3 da manhã em meio às caixas de mudança que se empilhavam por toda a casa. "Mudança é uma das coisas mais chatas que conheço." Gosta do novo apartamento. É bem mais amplo, mais arejado, mais claro. O outro estava sempre escuro, frequentemente tinha de manter as luzes acesas no meio do dia se o tempo estivesse um pouco mais fechado. Outra coisa que o alegra é que, como está no 11º andar, ninguém consegue ver dentro do seu apartamento. Achava um saco ter de, no meio do bem-bom, levantar para fechar as cortinas. Agora podia mandar bala olhando as estrelas, vendo o corpo delicioso de Vanessa banhado pelo luar. Era uma grande vantagem, mas ainda não tinha tido a *première* no quarto novo. Faltou energia no pós-mudança. Ela disse que ia tomar um banho antes de dormir, ele ficou na cama esperando, mas só acordou com o despertador tocando às 6h30 da manhã.

Domingo de manhã, o sujeito dono do apartamento estava lá esperando, de prontidão, quando chegaram com o caminhão de mudança. Era o tal de Fernando. Pelo visto, ele não deixaria a mudança entrar se não recebesse os R$ 3 mil combinados. O imóvel já estava completamente vazio. Quando Patrício mostrou o apartamento pela primeira vez, Marcos chegou a pensar que ali morava alguém temporariamente. Poucos móveis, todos pequenos, que destoavam do tamanho do apartamento. A mesa velha de madeira com quatro cadeiras ficava ainda mais acanhada no meio da sala desproporcionalmente grande; o berço de neném no quarto, sem nenhuma decoração infantil, denunciava falta de preparo ou dinheiro. Chegou a suspeitar de mutreta, já que estava tudo esquisito. Ficou tão desconfiado que, para se precaver, pagou por fora um segundo despachante que conferiu que estava tudo em ordem. Pelo que soubera, Fernando tinha herdado o imóvel do pai e colocado à venda mesmo morando lá. Estava tudo certinho.

Se a investigação do despachante fora rápida e efetiva, a outra investigação, a da chantagem, parecia um esforço inútil. "E pensar que cheguei a acreditar que tivesse sido o Juvenal. E pior que agora imagino que é o primo Gui. Estou é ficando louco. O único que conheço com capacidade para algo assim é o Pradinho. Que por sinal anda quieto. Quieto até demais." Tentara entrar em contato com o sócio todo o final de semana sem sucesso. O cartão de crédito da empresa estava sem débitos, menos mal. A questão era saber se o Pradinho estava fazendo algo ou se talvez tivesse resolvido se dedicar a alguma outra coisa.

A maldita investigação lhe consome os parcos momentos livres, que antigamente eram dedicados à Protheus, ao CruiseKontrol. Na sexta-feira passada, chegou bem cedo na Concretek. Havia recebido o pequeno dispositivo USB para acoplagem. Não havia checado previamente se o teclado de Juvenal era com plugue USB ou redondo. "Falha técnica." Acabou acoplando ao plugue do teclado um adaptador redondo para USB e, depois disso, o *Keylogger*. Qualquer um que olhasse aquilo ficaria intrigado com aqueles "estranhos prolongamentos" encaixados no plugue do teclado. Felizmente, o computador ficava em uma posição em que somente o sujeito puxando a máquina e olhando bem lá trás é que veria alguma coisa. Conectara o dispositivo pela manhã bem cedo. Por precaução, mudou o conector do próprio teclado para uma posição na parte da frente da máquina, mesmo que isso significasse um fio atrapalhando a saída da gavetinha do DVD. Perdeu toda a sexta-feira analisando os resultados da busca feita nos computadores da empresa. Surpreendeu-se com a quantidade de filmes pornôs baixados da internet. Principalmente nos computadores dos diretores. Pelo visto, o "trabalhar mais tarde" deles tinha outro significado. Fez uma anotação mental do fato de um dos diretores mais machões, desse que sempre queria botar a mão na graxa, que sempre fazia questão de andar de galochas, visitar as obras, "sentir o pulso da empresa", tinha uma queda por filmes com homossexuais. Trepadas homéricas de *gays*, não raro surubas de três ou quatro. Como o cara era casado, com dois ou três filhos, "vai ver que essa história de viajar para as obras tinha também um outro lado", refletiu. Concluiu que "o filme dele" não se encontrava na Concretek. "Mais horas e esforço gasto sem nenhum resultado útil."

Tendo feito isso, restava esperar o Juvenal ir embora. Ficou de sobreaviso, discretamente esperando todos saírem da sala onde o cara de porco e o resto da tropa trabalhava. Sexta-feira o pessoal ia embora mais cedo: 5 horas, e a empresa se tornava um deserto. Desconectou aquela improvisação malfeita "pelo menos deu conta do recado" e foi para a sua sala. Pensou que fosse precisar efetuar uma busca, mas logo nas primeiras linhas do arquivo do *Keylogger*, aparecia o seguinte:

jupj@hotmail.com
5gostoso8

Entrou no Hotmail com esses dados. Funcionou. Estava logado. Tomou cuidado de não abrir nenhum *e-mail* por acidente. Àquela altura, Juvenal estava no trânsito. Obviamente, ler os *e-mails* do sujeito levaria muito tempo. Corria o risco de um dia o Juvenal chegar em casa, entrar no PC e receber uma mensagem do tipo "Você está logado simultaneamente em um outro computador". Marcos tinha uma ideia muito melhor. Abriu o seu próprio Outlook. Configurou uma nova caixa de entrada, a qual só se abria com uma senha que ele criou. Sabia que a Microsoft havia disponibilizado, sem muito alarde, a possibilidade de acessar o Hotmail via POP3. Para concorrer com o Gmail, claro. Configurou essa nova caixa de entrada como:

Servidor POP: pop3.live.com
User name: jupj@hotmail.com.
Senha: 5gostoso8
Servidor SMTP: smtp.live.com
Autenticação: ativado
TLS/SSL: ativado

Escolheu ainda a opção mais importante. "Deixar *e-mails* no servidor".

Tudo pronto, abriu a nova caixa de mensagem e escolheu "Enviar/Receber". Todos os *e-mails* da conta do Juvenal começaram a ser baixados para o computador de Marcos. Desciam na ordem dos mais recentes para os mais antigos. Logo de cara, notou uma abundância de mensagens vindas de nanalinda@hotmail.com. O primeiro era curto, de poucas horas atrás: "Se já é bom sem, imagina quando chegar?". Tentava não perder tempo. Queria ir embora logo para casa. Sexta-feira, relaxar um pouco, assistir a um filme. Sábado era dia de empacotar as coisas. Mas, enquanto os *e-mails* iam baixando, ele matava o tempo lendo os mais interessantes. Imaginava que demoraria até descobrir algo. Mas logo de cara apareceu um *e-mail* candidato a suspeito, ainda mais que estava em inglês, com data de 5 de abril:

De: service@intl.paypal.com
Assunto: Você acabou de enviar um pagamento para Astro Shops referente à fatura 17543
Transaction ID: 0SC49030PY8882140
Prezado Juvenal PJ,

Obrigado por usar o PayPal. Aguarde alguns momentos para que essa transação apareça na sua conta.

Merchant Astro Shops billing@astroshops.com

Número	Descrição	Preço Un.	Quant.	Preço Total
Ref: 4075	Vibrador Rotativo Pink Jack Rabbit Vai e Vem	$45.00	1	$45.00
Ref: 5574	Brilho Corporal Perfumado Cereja Exuberante	$17.50	1	$17.50
Ref: 49227	Estimulador de Próstata c/ Encaixe p/ Dedos	$27.30	1	$27.30
Ref: 4933	Gel retardante masculino - RETARD	$9.90	1	$9.90
Ref: 3345	Conjunto Enfermeira tamanho XL	$29.90	1	$29.90

Atenciosamente,
PayPal

"Agora está explicado. Se ele está importando dos Estados Unidos e pagando com o PayPal, imagino que não é para usar com a senhora dele. Realmente o cara me enganou, eu achando que ele era brocha e o problema dele é outro: ejaculação precoce. E estimulador de próstata, parece uma coisa bem avançada." Não conhecia. Digitou "estimulador de próstata" no Google. Leu um pequeno artigo na Wikipédia. "Talvez, quando eu chegar na idade do Juvenal, quem sabe? Até lá, estou fora."

Pensa em ir embora. A descarga dos *e-mails* ainda não terminou. Tem vários documentos anexados. Seleciona um que tem um pequeno anexo. Vinha da mesma nanalinda@hotmail.com, mas esse era de janeiro do mesmo ano. Abriu. Era curto. Dizia apenas "gostou?". A "Nanalinda" aparentemente não era de muitas palavras. A foto mostrava os peitos de uma mulher. Grandes, bem caídos. Gigantescas aréolas marrons. Pele morena. Outra foto mostrava do umbigo até o meio das canelas. Ambas haviam sido tiradas com telefone celular. Em frente ao espelho do banheiro. A mulher estava de calcinha vermelha, que contrastava muito com a cor dela. Era barriguda e as pernas eram gordas, com celulite. Olhando novamente a primeira foto, reparou um pequeno detalhe. Viam-se umas roupas no cantinho da foto. Pelo visto a Nanalinda tirou as roupas e colocou-as na beirada da pia. Em cima das roupas, um crachá, do tipo usado em empresas, estava virado de cabeça para baixo, mas o cordão utilizado para prendê-lo ao pescoço era exatamente o mesmo modelo usado na Concretek por vários funcionários. Marcos não usava, preferia prender o crachá ao bolso da calça. Seria Nanalinda uma funcionária? Lembra-se de Juvenal virando-se para Naomi: "Vou ali tomar um café com o nosso gerente técnico". Nanalinda. Naná Linda. Naomi. Achava que já tinha ouvido alguém chamá-la de Naná. Naomi era quase cinquentona. Morena. Fora de forma, aqueles peitos de mãezona que amamentou três filhos até quando eles tinham cinco anos de idade. A digitadora. Ela era casada. Juvenal também. De repente lembrou-se que um dia chegou na sala de digitação e estavam só os dois, com cara de quem tinha sido pego no flagra. Assim que ele entrou ela saiu depressa. "Caraca, vai ver eles tavam se pegando." Isso tinha acontecido havia menos de dois meses. "Pelo visto estão no auge da paixão. Ou da suruba descarada. Sei lá."

Baixava agora um monte de *e-mails* com anexos. Filmes. Vinham de um luizaorocha@gmail.com. Abriu o primeiro. Aniversário de criança, cantando parabéns, assoprando velinha. Abriu o próximo. Um desses vídeos melosos com uma mensagem bonita que se esquece trinta segundos depois. O seguinte era uma cena de "Bonitinha, mas ordinária". Data. Tem que procurar por data. A transa com Sandra foi no fatídico 1º de abril. Portanto, se o filme existir, teria essa data, um dia para mais ou para menos. Um arquivo com anexo. Vem do jopj@hotmail.com:

"Aí mano, para você que gosta, veja e compare o antes e o depois". Fotos da Cláudia Ohana. Aquela de 1985 em que ela está sentada. Toda exposta. "Virgem santa!!! Pensar que uma vez comi uma assim. Como era o nome dela? A alemã... Maren!" Vê a Cláudia Ohana em 2008. "O mato está meio que dominado, digamos assim que 'sob controle', seria a melhor expressão. Melhorou, mas não faz meu estilo." Nenhum outro *e-mail* com anexos no dia 31, 1 ou 2. Estava quase no final. Faltavam cinco minutos, ou pelo menos é o que a barra de progresso mostrava.

Três minutos. Troca de caixa de entrada para caixa de saída para ver os *e-mails* enviados pelo Juvenal. Nada de bom. Chamando um pessoal para uma festa na casa dele. Chamou a Nanalinda também. "Canalhice", é o veredicto de Marcos. Juvenal repassara um *e-mail* desses de corrente dizendo que se você enviá-lo para outras pessoas sua vida vai ser maravilhosa, porém caso não repasse estará fodido pra sempre. Enviou um longo *e-mail* com piadas de português. Nada de especial. Segunda-feira à noite tinha um interessante, com o título "surpresa urgente" para a Nanalinda:

> Tenho que te contar uma coisa. Já estava quase indo embora, queria sair logo pro mala do Marcos não me pegar pra Cristo, já que tinha dado um pau na transmissão das obras, mas eu tinha de terminar aquele relatório para o Blair. Aí o Blair apareceu, pensei que fosse pra pegar o relatório, mas não, ele me deu 5 mil reais na mão. Disse que era um "incentivo de performance", que eu já tava na empresa fazia tempo. Que eles gostavam muito do meu trabalho. Que eu devia ver aquilo como um atestado de que a empresa me via como um elemento-chave. Não garantia que isso ia ser algo regular, mas que tudo ia depender do meu próprio esforço daqui para frente. E ele fez questão de dizer que isso era algo muito especial. Pouca gente ganha isso. Não disse com todas as letras, mas deixou subentendido que o Marcos nunca ganhou. Acho que o Marcos está perdendo muito cartaz com a gerência,

ele andou dando uma pisada de bola violenta com eles. Por mim, ele está na corda bamba. Ouvi dizer que quebrou um pau feio com o Saulo, com grito e tudo mais. Acho que os diretores, na verdade, querem me preparar para tomar o lugar dele. Te falo depois, mas o mais importante é saber se tem jeito de você tentar escapar amanhã depois do trabalho. Dá uma desculpa hoje à noite para amanhã a gente sair daqui e ir direto pro Chalet. Pena que nossos brinquedos só vão chegar na semana que vem. Mas a gente se vira, né? HAHAHA. Beijo na boca, te quero, delícia!

"Agora entendi o sorriso e a atitude dele dessa semana." O *download* acabou. Marcos desconectou-se, entrou na configuração da caixa postal, renomeou para FATMAN. No tempo livre ainda ia conferir os *e-mails* para desencargo de consciência, mas Juvenal conseguira recuperar o *status* anterior. O *status* de "Zé Ninguém".

Antes de entrar no carro, tira o *blazer* azul-marinho. Estava calor. Lembra-se de tirar o celular do bolso. Para o caso de alguém ligar. Desce a BR com cuidado, especialmente com motociclistas. Ainda recorda vivamente do evento de quarta da semana passada. Por três ou quatro vezes depois disso, quase teve um ataque do coração com uma moto que aparecia colada a ele, como que surgida do nada. Tinha desenvolvido uma pequena fobia de motoqueiros ao lado dele no sinal. Imagina-os tirando uma pistola e dando-lhe um tiro, à queima-roupa. Talvez os rapazes reconheçam a combinação Marcos-Civic. "Tomara, pelo bem dos outros motoristas, que eles tenham anotado a placa do carro. Se não vai ter muito neguinho tomando tiro na cabeça só porque está dirigindo um Honda Civic azul-metálico." O pensamento lhe provoca um certo asco. Asco da violência gratuita do Brasil de hoje. Faz uma nota mental de conferir no jornal se alguém morreu nos últimos dias baleado em um Civic azul. "Por via das dúvidas."

De novo sem o maldito viva-voz. "Foda. Transgredir as regras. Viver perigosamente. É o meu lema." "Eles só se sentem felizes quando vivem... p-e-r-i-g-o-s-a-m-e-n-t-e", pensa ironicamente, lembrando-se do "Casal 20" e sacando o celular. Ligou para Pradinho. "6 horas da tarde aqui, 11 da noite na Suécia. Dormindo ele não está, pode estar trepando, mas dormindo com certeza não." Ninguém atende. Deixa mensagem: "Pradinho, é o Marcos. Tô atrás de você tem três dias. Dá notícias. Algo interessante acontecendo?".

É a sexta antes do pânico da mudança. "Detesto mudança. A próxima vez será, no mínimo, daqui a uns dez anos."

Chega em casa, não pede uísque. "Pelo amor de Deus deixa o uísque pra lá, cerveja tá bom. Já realizei meu sonho, não quero de novo. Uma vez só chega." Sexta-feira na casa dos Reis é dia de DVD. Ou melhor, de filme. Porque DVD físico mesmo faz anos que eles não usam. Os adultos. As crianças ainda têm seus filmes infantis. Às vezes, assistem filminhos até por certa nostalgia dos tempos em que eram menores. Vanessa disse que estava a fim de assistir *Diário de uma paixão*. Era de 2004 ou algo assim, mas eles nunca tinham visto e ela lera na revista *Elle* que o filme era considerado um dos mais românticos da atualidade. Ele debochou:

— Você quer dizer que o tal filme é "um clássico do romantismo moderno"?

Ela disse que sim, rindo. Ele respondeu:

— Acho que deve ser um filminho fraco, vai ver pior que *Sex and the City 2*.

Só iam ao cinema em casos especiais. Por exemplo: *Avatar*. "Pra ir ao cinema, tem de ter algo a mais", dizia Marcos. Mas ela o convenceu a assistir *Sex and the City 2* no cinema. Depois, findo o filme, até ela mesma admitiu que estariam mais bem servidos vendo-o em casa.

Ele baixou o tal "clássico moderno" sem problemas pelo eMule, veio rápido e ainda por cima era o filme correto e não sacanagem. E de ótima qualidade. Baixava sempre as legendas, o que era bom para as meninas também aperfeiçoarem o inglês. Nunca assistiam nada dublado. Marcos considerava "saber inglês" algo primordial. Acreditava que na sua vida havia sido aquela língua que lhe abrira as portas. Que inglês era algo como uma carteira de motorista. Simplesmente: "é essencial ter". "Não ter" estava completamente fora de cogitação.

Enquanto Vanessa cuidava do jantar, que seria lombinho de porco com batatas cozidas, Marcos testou o filme. Lembrava-se de uma vez ter testado um filme no computador com a Valéria olhando e um pornô começou a tocar. O reflexo dele foi desligar a tela o mais rápido possível... Ela tinha dez anos na época. Ficou meses se reprimindo pela mancada. Estava cansado de saber que no eMule, 90% do que vem é filme pornô com nome dos filmes atuais. Ainda mais se for sucesso recente. Agora, quando testava os filmes tomava sempre um cuidado redobrado. Mas esse estava bom. Esperou os 1,9 Gb copiarem para a memória USB. Enquanto isso chegou o Facebook: dezenove mensagens do pessoal do Santo Antônio. "Tá começando a encher o saco." Combinando missa de celebração de vinte e cinco anos de formados e tudo mais. Estavam se encontrando regularmente. Marcos nunca conseguia ir. Pelo visto, já tinha gente até namorando no grupo. "Legal." Ele próprio havia reencontrado duas pessoas na vida. A Eva e a própria Vanessa. "A Eva foi surpresa reencontrar. Vanessa não, Vanessa estava escrito nas estrelas", pensou. Tinha também uma mensagem da Nívea: "Quero ir te ver. Quando você pode?". Respondeu rápido: "Estou com problemas no trabalho, nos falamos depois. Também quero te ver. Beijos". Olhou o CruiseKontrol: 1.345 usuários. Conferiu a curva de adoção, estavam na média de setenta e dois novos usuários por dia. Havia imaginado, antes da chantagem do 1º de abril, que ele próprio iria fazer a nova versão, mas agora já estava mais inclinado a criar um novo documento com os requisitos e leiloar no vWorker. Aliás, o mais esperto seria fazer um "convite" por meio do vWorker para o mesmo sujeito que fez a primeira versão. O mesmo cara de Bangladesh. Era possível colocar trabalhos *on-line* e convidar só algumas pessoas. Só faz sentido se você já tem alguém que conhece e já trabalhou para você. Mesmo já tendo trabalhado uma vez é sempre bom ter o vWorker para intermediar.

Cópia feita, legendas baixadas também para o USB. Marcos foi para a sala testar. Antigamente não fazia isso até o dia em que a cópia fracassou. Tocava no PC, mas não tocava no DVD. Usava o DVD Philips modelo DVP 3360. Um modelo baratinho. "É o bicho. Toca tudo que você joga nele. E sem precisar gravar DVD, só usando a entrada USB." Só que agora, ele não quer tocar. Parece travado. Marcos está em pé, o DVD fica embaixo da TV no móvel que tem as portas de vidro. Enfiou o *pen drive*, ligou o DVD. Nada aconteceu. Aparecia *on*, depois *load*. Mais nada. O USB geralmente dava um sinal de luz quando era acessado. Marcos se abaixou. Olhando de perto, a bandeja do DVD estava numa posição esquisita. Meio enjambrada. O *eject* não funcionava, fazia um barulho, mas nada acontecia.

Precisava de um material fino e duro. Foi na cozinha, pegou a faca. Não funcionou. A ponta ainda assim era muito grossa. Precisava de algo mais fino. Um cartão de visitas. Foi ao escritório. Pegou um antigo de Vanessa. Também não funcionou. Era muito mole. Tinha de ser algo mais firme. Um cartão de crédito. Foi no quarto, procurou a carteira. Achou o celular. A carteira não. Os dois andam praticamente juntos. "Putz, a carteira ficou no *blazer* que deixei no banco de trás." Pensou em ir na garagem. Foi na bolsa de Vanessa. Detesta mexer em bolsa de mulher. Tem pavor de bolsa de mulher. É adepto daquela teoria que "é melhor não mexer lá, vai ver encontro algo que pode não me agradar". Pior que mexer em bolsa de mulher é ter de *segurar* bolsa de mulher. "É o fim do mundo e o cúmulo do ridículo." A contragosto, abriu a bolsa da esposa. Abriu a carteira. Pegou um cartão do Bradesco. Arrependeu-se. "Vai que eu estrago o cartão ou que ele fica preso no DVD eu tô fodido." Pegou o cartão de sócio do Minas Tênis Clube. "A Vanessa entra lá com ou sem cartão, isso é tranquilo. Esse é quase inútil." Foi na sala. Enfiou o cartão na ranhura que estava meio desalinhada. Encontrou uma resistência. Parecia que um DVD estava, de alguma forma, travado. Não deixava a bandeja sair. Com o cartão, Marcos forçou o DVD para baixo e para o lado — *"click"* e a bandeja deslizou para fora. "Vitória." Deixou o cartão no chão, pegou o USB, desligou o aparelho, enfiou o USB, ligou o aparelho, tudo funcionando. Perfeito. Assistiu ao início do filme, tudo ótimo. Desligou o DVD, fechou a porta de vidro, pegou o cartão. Nele estava escrito "Vanessa Rennó Reis".

TERÇA-FEIRA, 12 DE ABRIL DE 2011

O outro cara

TERÇA-FEIRA DE MANHÃ CEDO. Marcos senta-se na frente do computador na Concretek. Não sem antes checar se alguém havia colocado algo no plugue do teclado. Era quase maníaco por isso agora. Todos os computadores que ele utilizava regularmente estavam com o plugue do teclado na frente, à vista. No trabalho, jamais teclava em outro computador antes de checar o tal plugue. Os colegas achavam que estava meio maluco, ou de gozação com eles. Volta e meia ele puxava a máquina, olhava atrás.

Somente depois disso é que teclava alguma coisa.

Lista de endereços:

Primo Gui. 345

Concretek. 445

Pradinho. 235

Feito isso, sincroniza o computador com o SonyEricsson Xperia. Agora tem uma lista também no telefone. Tinha um plano: "Antes que algum dos 'suspeitos' liguem lá para casa e peguem o novo endereço com a Vanessa ou com as crianças, eu já vou enviar a informação errada. Se por um acaso chegar um novo *e-mail* eu vou saber quem mandou dependendo do endereço".

Envia um *e-mail* para o primo Gui: rua Monte Alverne, 345, ap. 1.101. CEP: 31015-400. O Minas requer um fax assinado.

Usa o mesmo endereço. "Ninguém hoje mais usa fax", pensa. Escreve um pequeno documento no Word. Imprime. Assina. Com caneta azul de ponta bem larga para ninguém reclamar. Vai no fax. Envia.

Entra na base de dados da Concretek e muda seu próprio endereço: rua Monte Alverne 445, ap. 1.101. CEP: 31015-400.

Envia um *e-mail* para o Pradinho: rua Monte Alverne, 235, ap. 1.101. CEP: 31015-400

Havia dito para Vanessa que ele ficaria a cargo de todas as mudanças de endereço. Inventou uma história. Misto de realidade com uma pitada de fantasia:

— Vanessa, li no jornal que sequestradores agora estão pegando o lixo das pessoas para descobrirem nome, endereço. Cruzam as informações com o Facebook e telefonam para as vítimas. Os bandidos contam que sequestraram a filha ou o filho, falam um monte de informações todas tiradas de correspondências e do Facebook. Ligam sempre quando o filho ou filha estaria em aula, sem poder atender ao telefone. Por isso, eu já me decidi que nós vamos passar a ter uma caixa postal. Vou transferir todas as correspondências para lá. E tem mais, quero que você tire seu sobrenome do Facebook, parentesco também. Vou falar para as meninas fazerem isso também. Seguro morreu de velho.

— Nossa, o que aconteceu com você? Por que essa preocupação toda?

— Não te contei, mas isso aconteceu com um colega meu de Santo Antônio. Fiquei sabendo agora que eles organizaram aquele grupo no Face. Ele mandou um *e-mail* alertando a todo mundo, então deve ser verídico. Não foi aquela história de ouvi-falar-que--fulano-disse. Aconteceu com ele mesmo. Fiquei impressionado.

— Bem, se você o conhece, então é melhor tomarmos as precauções mesmo. Anda tudo tão violento. Deturpam tudo. O Face é bom porque você encontra amigos que nunca encontraria de outra forma, tirando o sobrenome fica complicado as pessoas te acharem. Perde um pouco a graça.

— A gente faz todas essas mudanças agora aproveitando que temos de alterar o endereço de qualquer jeito. O Facebook depois a gente vê como fica, mas tira o sobrenome só por agora, tá bem?

— Se você acha importante, então tá.

Foi no escritório, pegou um cartão antigo do Bufê Vanessa e escreveu atrás "CXP 34521 CEP: 31015-400". Colocou visível em cima da bolsa dela. Voltou para a cozinha:

— Amor, inclusive coloquei agora para você o número da caixa postal. Está em cima da sua bolsa.

Vanessa praticamente não recebia nenhuma correspondência em casa, então essa mudança praticamente não a afetava. Mas ela ainda lembrou-se de perguntar:

— Isso não significa que você vai ficar me pedindo para ir pegar correspondência todo dia, né?

— Não, pode deixar comigo. Quero criar o hábito de ir lá buscar todo sábado. Aproveito para fazer uma caminhada. Essa caixa postal fica na agência ali da rua Itajubá. Vai ser bom. Às vezes até emagreço um pouco.

— Seria bom mesmo, você anda meio gordinho. Daqui a pouco está sem energia, cansado, nem quer mais saber de nada. E aí, como eu faço?

— Aqui, Vanessa, você pode deixar que dessa parte eu cuido — disse ele, dando-lhe um beijo. — Você nunca aguentou meu pique.

— Ha ha ha! Você que não abre o olho. Não adianta viver de glórias passadas não, viu? Não foi você mesmo que falou que seus superpoderes acabaram? Agora virou um garoto normal de vinte anos? Acho que esse garoto aí tá mais pra trinta ultimamente.

O que não era de todo mentira, já que o estresse da mudança e da investigação estava conseguindo afetar o outrora insaciável apetite de Marcos.

Pensou em pegar ela ali, naquele momento. Mas lembrou-se que tinha de fazer cena.

— Se não fosse essa dor nas costas, eu ia te mostrar quem tem trinta anos agora!

— Dor nas costas, tá vendo? Idade chegando, ha ha ha! Mas não se preocupe não, você espremendo ainda sai alguma coisa. Talvez ainda dê conta do recado uns dois ou três anos. Mas tá mesmo na hora de fazer uma ginástica, uma academia.

— Vou fazer, Vanessa. Prometo. Deixa só eu resolver esses problemas com o trabalho e o Pradinho que estão me tirando o sono.

— Ele não entrou em contato?

— Não, está sumido mesmo. Deixei mensagens. Vai ver viajou.

Sai da sala de trabalho, toma um café. Conversa rapidamente com o Waldir, aquele gerente de projeto. Volta. Hora de pôr em prática a parte dois do plano. Operação "dar uma perdida". Conectado na internet, entra com o usuário e senha, troca o endereço no Bradesco, na seguradora do carro, no Sindicato dos Engenheiros. Até mesmo na Cemig. Não se esquece do Minas Tênis Clube. Faz o *login* na página do clube e, como todos os outros, altera o endereço. Transfere tudo quanto é correspondência para a caixa postal.

Por enquanto é só. Daqui a uns três dias ia passar no endereço antigo, pegar as cartas que porventura ainda aparecessem lá. Espera que daqui a uma semana já esteja tudo indo para a caixa postal. Ele já tinha colocado muitas contas no débito automático, então recebia uma fração de correspondência comparado ao que recebia, digamos, cinco anos atrás. Liga para o *Estado de Minas*. Queria receber o jornal em casa, não dava para ir todo dia no correio. Disse que iria viajar e queria que suspendessem a entrega nos próximos dois meses. Pediram que ele enviasse isso via fax. "Outro saco." Envia. Por via das dúvidas, não troca o endereço. Mantém o antigo.

Passo final: entra na página da Oi. Estava atrasado em trocar os endereços de telefone para cobrança. Ficariam sem telefone fixo uns dias. Sem problemas. Quase ninguém ligava para o fixo mais. Entra na Oi, pede mudança de endereço, marca "não" na pergunta "gostaria de manter o seu número de telefone atual no seu novo endereço?". Pelo contrário. Fazia questão de ser um número novo. Aproveita para entrar no serviço "não figuração em lista". Por enquanto, isso não era importante porque a lista de 2011 já havia saído. A próxima ainda demoraria. Mesmo assim, ele preenche os dados e envia.

Faz uma revisão mental. Operação "dar uma perdida" estava concluída. Pode até ser que funcione, caso seja uma pessoa "de fora". Ou algum dos suspeitos. Era pelo menos uma tentativa. Fazer alguma coisa. Sentia-se impotente, sem nenhuma pista. Pelo menos estava se mexendo.

O único problema na ideia brilhante foi convencer Vanessa a não fazer a festa do aniversário de Verônica no apartamento novo, porque isso, é claro, o forçaria a dar o endereço certo pelo menos para um dos suspeitos, o primo Gui. Depois da história da caixa postal, teve de ir com bastante cuidado para não levantar suspeitas. Já esperava que Vanessa fosse reagir, por isso já chegara na segunda-feira à noite em casa reclamando de uma "terrível" dor nas costas para retardar o progresso em desembrulhar as coisas. Foi o único jeito. Vanessa estava superativa, se dependesse dela, na quarta ou quinta-feira o apartamento já estaria todo pronto. À noite o bicho pegou porque quando foram deitar ele estava com o sem-vergonha em pé, sem dor nenhuma, ela estranhou. "É que tomei dois comprimidos de Voltaren para conseguir dormir, estou anestesiado." Mas, para fingir dor contentou-se com receber um oral, limpar o próprio peito, ir dormir. "Raio de trepada com a Sandra que não me deixa em paz", pensou antes de cair no sono.

À tarde, quando Vanessa lhe telefona para tirar a dúvida sobre o endereço novo do Eduardo, constata que seu plano está indo bem. Essa batalha estava ganha. Com o apartamento novo em arrumação, a ideia da festa ali ia por água abaixo. Ainda continua encucado com a conversa do primo Gui e a descoberta, na sexta-feira passada, de que a base de dados do Minas tinha o nome de Vanessa errado. "Desde que a gente se casou, quando mudei o sobrenome alguém deve ter digitado errado. Nunca lembro de trocar, também não faz a menor importância", ela respondeu quando ele lhe perguntou, na sexta-feira. Naquele dia, para não levantar suspeitas, ele não falou mais nada sobre o cartão. Como já havia passado quatro dias, sente que já é hora de tentar coletar mais informações. À noite, em casa, resolve puxar papo durante o jantar:

— Vanessa, você lembra que o primo Gui sempre fala do grande amigo dele lá do Minas?

— É, já falou muitas vezes.

— Você lembra o que o cara faz lá?

— Acho que é alguma coisa relacionada a informática, não? Por quê?

— Nada, porque, na verdade, a gente nunca viu esse amigo, né? Tantos anos, já devíamos ter conhecido esse sujeito. Todos os outros amigos dele já vimos pelo menos uma vez.

— Acho que uma vez eu vi o primo Gui com um cara lá na piscina do clube. Um domingo. Na época que nós terminamos.

— Uai! O Gui já trabalha lá deve ter uns três anos ou mais e nunca vi ele na piscina. Uma vez ele me disse que não curte muito piscina de clube, como que ele apareceu lá justamente nessa época?

— Sei lá, tinha arrumado um convite com esse amigo, mas nem conversei com ele direito. Eles só passaram por mim. Faz muito tempo isso. Vai ver ele fala que não curte, mas é desculpa porque está gordão. No dia em que o vi até que ainda estava apresentável de *short*.

Vanessa sabia que estava mentindo, mas isso fazia muito tempo. Na época o primo Gui deu em cima na cara dura, mas não resultou em nada, então não havia razão de levantar essa bola. Só ia causar desagravo e confusão. Fazia muito tempo, mas Vanessa lembra-se que "o outro cara, que estava com o Gui, até que não era de todo mal: Águas passadas".

— Estranha essa história, hein? De qualquer forma eu tenho pra mim que esse amigo trabalhava mesmo com informática no Minas. Então estamos lembrando a mesma coisa.

Marcos tinha agora esse fator novo. Primo Gui subitamente "rico". Ele que sempre andava na penúria. De repente carro novo, papo esquisito. Amigo que trabalha no Minas. Justamente com informática. Com acesso ao banco de dados onde o nome de Vanessa estava escrito errado. Tinha de averiguar isso. Mas como? Faltavam-lhe ideias.

Era hora de dar uma espairecida nas conversas. Essa noite só tinha tido conversas pesadas. Resolveu dar uma aliviada:

— Valéria, que filmezinho ruim aquele de sexta-feira, hein? Devia se chamar "Diário de uma mulher sem coração".

Verônica, do alto dos seus quase nove anos, concordou:

— É mesmo, pai, muito chato. — Ela havia dormido com menos de vinte minutos de filme.

Valéria disse:

— Paieeeeê, você que é chato. É muito romântico. Manhê, como é que você foi se casar com ele? Ele não sabe nada de romance.

Vanessa concorda sem conseguir conter o riso:

— Sabe como é, filha, na época eu tava meio confusa...

Marcos a interrompe:

— Valéria, não tem ninguém aqui nessa casa que saiba mais de romance do que eu. Eu. Euzinho aqui. Por isso te digo que aquele filme é péssimo. Porque eu entendo de romance. Eu penso no OUTRO cara.

— Que outro cara? — perguntaram Valéria e Vanessa quase ao mesmo tempo.

— Aquele que ela fez de idiota largando ele no final do filme e voltando para o primeiro.

— Ah, o outro cara não tava com nada, pai. Ela gostava mesmo era do primeiro, não pode impedir que o amor deles se realizasse. Entendeu? *Capisce?*

— Pois é. Pode até ser que ele não estivesse com nada, mas eu penso nele. O cara fez tudo para ela, a tratou como uma princesa. O filme todo ele foi legal com ela. Esse era o sujeito mais romântico do filme. E te digo uma coisa: você sabia que o filme foi baseado numa história real?

Falava tão sério, que todos em volta da mesa ficaram com uma sombra de dúvida. Será que era verdade?

— Real. É uma história real. Se você pegasse a capa do filme iria ver. Você sabe como o 'outro cara' se chamava na vida real?

Silêncio. Todo mundo meio na dúvida. Vanessa diz, com cara de desdém, mas curiosíssima:

— Então fala.

— Bin Laden.

E elas explodiram em riso.

— Vocês não acreditam, mas é. O Bin Laden. Depois do pé na bunda tamanho monstro que ele levou, o jeito foi ir pras cavernas do Afeganistão. Detonar o povo. Amor tem dessas coisas. Ele fez o que fez porque levou um tremendo de um pé na bunda. É serio.

As meninas gargalhavam. Ele ainda completou:

— E aqui, Vanessa, fica o aviso. Você me dá um pé na bunda que eu garanto não explodir ninguém, mas assim que passar para a outra vida eu venho aqui todas as noites puxar seu dedão do pé. Pra você aprender o que é romance. Romance é isso. É não te largar mesmo contra a sua vontade. *Capisce?*

— Pai, só você pra pensar no "outro cara". Ninguém nem lembra dele.

— Tá vendo. Por isso eu sou romântico. Eu penso no coitado que foi esquecido. Ele é o meu herói. Agora me ajudem a colocar a louça na máquina.

DOMINGO, 17 DE ABRIL DE 2011

A festa tem de continuar

Domingo, aniversário de Verônica. Haviam decidido fazer uma festa-almoço. Mais relaxado, com mais tempo. O clima ajudou com bastante sol. Domingo à noite é sempre ruim, todo mundo com pressa de ir embora para acordar cedo e tudo mais. Sendo almoço, desfruta-se mais.

Chamaram a turma toda, serviço completo. Todos os parentes de Vanessa e de Marcos, os amigos de Verônica da escola. Liberaram Valéria para chamar três amigas. O suficiente para ter diversão, mas não exagerar, já que a festa não era dela. Entre Valéria e Verônica existia apenas dois anos de diferença. Elas eram grandes amigas. Raramente brigavam. Justamente agora, talvez houvesse um pouco mais de distância entre elas. Verônica, com nove anos, ainda era mais "criança", enquanto Valéria já ensaiava entrar na adolescência. Marcos achava ótimo que Verônica ainda gostasse de brincar de boneca, essas coisas. Ela "puxava" Valéria para trás. "As meninas hoje em dia têm uma infância muito curta. Com onze anos já tem menina ficando grávida, ou até pior, tem também aquelas fofocas de escola e os grupinhos, cada uma tentando ser a mais popular da turma."

Marcos queria que as filhas desfrutassem bem a infância, porque teriam muito tempo para a adolescência ainda. Para ele, o fato de as duas filhas serem muito amigas, era a melhor coisa do mundo. Sempre dizia que a amizade entre irmãs era essencial. Talvez fosse porque ele mesmo não era muito próximo da sua irmã Juliana. Os dois eram pessoas muito diferentes, personalidades opostas. Mas, apesar de tudo, sempre gostou muito da Ju. Mas nunca tinham sido melhores amigos como a Valéria e a Verônica. Ultimamente, pensava na Ju como quem pensa em uma santa. Ela sempre se incumbia de levar o pai aos médicos. Trabalho pesado: o pai tinha sempre algo para fazer no mínimo uma vez por semana. Fazer uma consulta. Ir ao laboratório coletar material para exame. Voltar no médico para levar o resultado do exame. Ir à podóloga fazer as unhas. Ir à nutricionista ver o cardápio do mês. Com isso, perdia-se sempre uma manhã, uma tarde toda. A Ju, ultimamente, era uma heroína. Pensa nisso, enquanto vê as meninas conversando. Apalpa a carteira no bolso. Não é a carteira que usa todos os dias. É uma outra. Preparou-a, retirando alguns cartões de crédito, deixou só três cartões (Carrefour, Makro e Minas Tênis), a carteira de identidade e pouco dinheiro. Está usando uma calça chinos bege, com os bolsos da frente bem cavados e uma camisa azul de manga curta.

Marcos chamou também seus amigos. Queria fazer uma boa celebração. Chamou até dois colegas da PUC que há muito não encontrava. A maioria dos companheiros de faculdade havia mudado de cidade. Muitos estavam, coincidência ou não, em Vitória. Um outro em São Paulo. Chamou, claro, os seus três melhores amigos. Conhecia-os desde a época do Santo Antônio, nunca perderam contato. Mesmo depois das ausências, dos anos de Marcos fora do país, eles se reencontravam e continuavam unidos. Ele sempre deu muito valor a essas amizades em especial. No Santo Antônio eram o "grupo dos 4". Sempre juntos. Coincidentemente, o Eduardo, que meses atrás havia se mudado para Campinas, estaria em Belo Horizonte. Os outros dois ainda moravam em BH: Bruno e Matias. Marcos confiava plenamente em todos eles. Para os três amigos ele enviara o endereço correto pelo Hotmail: rua Monte Alverne, 125. Há menos de uma semana, tivera a ideia de convidá-los para uma esticada, depois da festa, para conhecerem o apartamento novo. Talvez, se tivesse a oportunidade, podia contar para algum deles o "problema". Felizmente não chegou a contar a ideia da "esticada" até o novo apê porque agora ele tinha uma outra prioridade. Talvez marcasse um encontro outro dia. Se abrir com eles, ou pelo menos um deles. Precisava de um apoio. Quem sabe eles não tivessem até alguma solução brilhante? O ideal seria com o Eduardo, o de Campinas. Além de dar ideias, ele também era muito bom com computadores. Principalmente programação *Web*. Os outros dois eram menos técnicos. Atualmente o Eduardo se dedicava a fazer, nas horas vagas, aplicativos para iPhone. Marcos cogitava, inclusive, se o amigo não estaria disponível para uma consultoria na Concretek. O problema com a nova versão ainda não tinha sido solucionado. Teria uma reunião definitiva esta semana, com os diretores, mais ele próprio e o Saulo.

Fica ali, próximo ao portão de entrada. A festa já corre solta lá dentro, mas ele fica ali no portão. Disse que era para "recepcionar o pessoal", mas a maioria dos convidados já havia entrado. A festa era regada a Chopp Brahma e churrasco. Salgadinhos também. Decoração infanto-juvenil. Cinderela seria muito infantil. Acabou sendo tema "Ídolos". No telão passavam vídeos do Justin Bieber, Israel Lucero, Miley Cyrus, Sandy, sem o Júnior, e outros ídolos da garotada de nove a doze anos. Com a vantagem que havia menos de dois meses Vanessa tinha feito uma festa com o mesmo tema. Foi só reaproveitar tudo.

Vanessa chama:

— Vem, querido, vamos lá que todo mundo já chegou.

Ele disse:

— Espera só um minuto, porque estou vendo que chegou alguém, acho que é o Eduardo.

Sabe que não era. Está esperando o primo Gui. Para sua infelicidade, o Gui, que é sempre um dos primeiros a chegar, está atrasado. "Raios, quando a gente precisa do infeliz ele não aparece."

Vanessa já o tinha chamado três vezes quando, finalmente, o primo Gui aparece. Marcos vai ao seu encontro. Cumprimenta a esposa Janete e o filho Júnior.

— Então Gui, essa é a máquina nova?

— Pois é, você não quis ver na semana passada lá em casa, né?

— É, eu tava meio estressado naquele dia, sem paciência. Também não valia a pena, estava escuro. Mas agora quero que você me mostre.

O primo Gui fica visivelmente contente. Finalmente tem uma oportunidade para impressionar. E Marcos dá corda.

— É *flex*?

— É sim. Mas eu coloco mesmo a gasolina aditivada. Dá uma performance melhor.

— Sabe, estou pensando em trocar o Honda. Talvez até pegue algo nesse estilo. Faz anos que não dirijo um Gol. Podemos dar uma volta?

— Claro, vamos lá. Só não vai bater o carro.

— Não, pode deixar. Só quero sentir o motor.

Marcos entra no carro. Ajusta o banco do motorista. Gui dá a volta e senta-se no banco do passageiro. Marcos abre o vidro, olha para trás e diz:

— Gui, o carro atrás está muito colado. Vê lá pra eu não bater.

— Eta, como você é roda dura, hein? O carro tá lá longe.

Mas por via das dúvidas ele se apressa para sair do carro e olhar a distância. Marcos aproveita a distração. Dão uma volta de cinco minutos. No sinal, ele arranca forte.

— Muito bom, Gui. Estou quase convencido.

Voltam. Agora sim, Marcos vai poder relaxar e aproveitar a festa. Apalpa novamente o bolso. Ri para si mesmo. "Sucesso, agora falta a segunda parte. Até lá o melhor a fazer é tentar descontrair e bater papo com os amigos", os quais reclamavam da sua ausência. Assim que chega ao grupinho dos três, encontra Vanessa conversando com Mônica, a esposa do Bruno. Ela diz:

— Amor, duas semanas atrás quando você saiu à noite e dormiu na casa dos seus pais, você não tinha dito que ia beber com o Bruno? A Mônica está falando que eles viajaram aquele fim de semana lá para casa dos pais dela.

Marcos sente um leve frio na espinha. "Merda de noite que só me assombra", pensa.

— Não, Vanessa. Talvez eu tenha até falado do Bruno porque eu tinha chamado ele para ir, mas ele não pôde porque tinha ido viajar. Foi justamente quando o pessoal do Santo Antônio tinha começado com o Facebook, então foi o primeiro encontro. Foi pouca gente. Até porque o grupo do Santo Antônio tinha só umas vinte pessoas. Agora já tem mais de 150.

Bruno não lembra de ter recebido nenhum convite de Marcos, então justamente por isso é hora dele intervir:

— Pois é, eu vi mesmo que o pessoal se reuniu. Eu queria ter ido, quem comentou disse que foi muito bom. Mas a gente tinha mesmo combinado de ir lá nos pais da Mônica; então, fica pra próxima. Inclusive a próxima pelo visto vai ser gigante. É legal demais encontrar esse pessoal depois de tanto tempo.

Marcos olha firme para Bruno, transmitindo o recado de "valeu, meu chegado". Nos alto-falantes, Justin Bieber tortura os mais velhos para o delírio das meninas. Bruno aproveita para mudar de assunto:

— Gente, esse Justin Bieber é um saco, não é?

Juntos, a família "estendida" de Marcos e Vanessa era relativamente grande. Marcos tinha muitos primos das mais variadas idades. Alguns mais chegados, outros nem tanto. "Engraçado como as coisas mudam, o tempo passa." Marcos filosofa consigo mesmo sobre o tempo em que aqueles da geração dele eram todos crianças. Ele junto com todos os primos e primas. Os mesmos que haviam comparecido em peso e estavam ali, correndo atrás dos filhos e filhas que pipocavam em todos os lugares. Na festa havia um animador infantil para entreter os menores, mas sempre tinha um que se machucava ou que era muito novo e tinha de ficar no colo da mãe. Sente-se feliz e ao mesmo tempo triste. Em meio a isso tudo, lembra-se de um poema de Vinicius de Moraes. Justo ele, que nunca foi dado a poemas. Inexplicavelmente, veio-lhe à cabeça:

Dialética

É claro que a vida é boa/ E a alegria, a única indizível emoção
É claro que te acho linda/ Em ti bendigo o amor das coisas simples
É claro que te amo/ E tenho tudo para ser feliz
Mas acontece que eu sou triste...

"Por que será que o Vinicius era triste? Será pelo mesmo motivo que eu? Será porque ele tinha demais? Uma mulher linda, o amor das coisas simples, tudo para ser feliz. Uma vida boa. Mas mesmo assim, ele não se contentava com o que possuía, queria ter prazeres efêmeros, clandestinos. Para isso arriscava destruir a família perfeita que tinha por causa das mulheres, as mesmas que esqueceria meses depois."

Seria um distúrbio psicológico? Necessidade de se afirmar, de provar para si mesmo que o primo Gui estava errado e que ele, Marcos, era o verdadeiro sedutor? Ou será que a sedução, conforme já foi dito por outros, era um vício tal qual a bebida, o jogo ou as drogas?

Pensa em tudo isso enquanto a festa se encaminha para o seu final. Talvez todos esses pensamentos melancólicos sejam causados pela bebida. Já havia notado que o álcool, às vezes, lhe causava euforia, outras vezes ligeira depressão. Iniciam-se as despedidas. Os beijos. Recorda-se quando se despedia das tias. Uma longa fila de tias, ele era pequeno. Talvez cinco, seis, sete anos? Tinha quase medo daquela parentada. Incontáveis beijos, puxões de bochecha, mais beijos. Isso da parte de pai. Da parte de mãe, a família era menor e menos unida. O único que sobrou foi o próprio primo Gui. Nem sempre tinha sido assim. Pelo contrário. A mãe de

Marcos tinha um irmão que era o tio favorito. Disparado. Era o pai do primo Gui. O nome dele era Carlos. Tio "Carlim". Ele pegava Marcos para passear de carro. Comprava pipoca. Trazia presentes. Brinquedos! Os pais de Marcos eram caseiros, mas o Carlos botava fogo nas coisas, agitava. Chegava uma sexta à tarde, fazia o pai de Marcos botar todo mundo no carro e ir lá para a casa dele em Santa Luzia passar o final de semana. Um dia, o telefone tocou. Não lembrava se era de manhã ou de tarde, mas não era um horário esquisito. Era algo como 10 da manhã, ou 3 da tarde ou 7 da noite. Horário de falar no telefone. Alguém atendeu. Confusão. Correria. Desespero. O tal tio havia sido internado para uma operação de rotina. Coisa boba. Marcos entendeu que Carlos havia morrido. Justamente ele. O mesmo tio que havia se vestido de Papai Noel no Natal passado. Até hoje não sabe por quê, mas começou a rir. Nem sabe se alguém notou. Nunca perguntou nem à mãe nem ao pai. Na correria, ninguém pareceu se importar com ele. Deram a notícia na lata, sem enrolar. Ele riu. Os grandes foram tomar as providências, conversavam baixo. Ele foi brincar. Vai ver o primo Gui tinha esses esquemas porque havia perdido o pai muito cedo. Ele tinha seis, o primo Gui devia ter dez ou onze anos. "Imagino só a barra que deve ter sido perder o pai em uma idade dessas." O tio Carlos era o elo que unia a família. Depois que ele passou desta para a melhor, a mãe de Marcos falava com o irmão dela, Roberto, no Natal e olhe lá. Para piorar ainda mais a situação, Gui tinha um irmão mais velho. O sujeito era membro da Igreja do Santo Daime, havia se mudado para o Acre. Na última vez que o vira, ele tinha barba e cabelo de estilo terrorista muçulmano. Antigamente, por cortesia, ainda perguntavam notícias dele para o primo Gui. Depois notaram que ele ficava era irritado e por isso ninguém nem mais o mencionava. O dito, pelo que entenderam, havia abandonado os laços originais e tinha uma outra família no Acre. Ninguém sabia se estava vivo ou morto. Quando deu por si, Vanessa estava dizendo:

— Vamos embora, né? Já foi todo mundo.

Chega em casa, prepara um café para melhorar do leve pileque. Põe a água numa xícara bonita, não gosta de "café de pedreiro". Aquele servido no copo de geleia de mocotó. O mesmo que geralmente é servido bem frio, "às vezes com uma pedrinha de gelo opcional", como Marcos costumava dizer. Fica olhando a fumaça saindo do líquido preto. Sabe que está um pouco bêbado, mas não pode demonstrar isso. As meninas assistem TV. Por segurança, turbina com mais duas colherinhas extras de pó. Para ficar alerta. Vanessa chega e pergunta:

— Ué, tomando café? Pensei que você fosse tomar mais cerveja. Gostou da festa? Foi boa, né? Todo mundo compareceu em peso. Fazia tempo que não reuníamos a família dessa forma. Geralmente falta um ou outro. Filho que está doente, pessoa viajando. Hoje veio a galera em peso!

— É tudo uma questão do nível da boca-livre, né minha nega? Hoje em dia você diz "salgadinho" o cara fica na dúvida. Gasolina no preço que tá e tudo mais, fica complicado. Aí você joga um churrasco em cima, o cara já está 90% convencido. Em cima disso você ainda diz que a comida é do bufê Vanessa, onde o sujeito já conhece que tem aquele Chopp Brahma no ponto, não tem jeito. Comparecimento em massa!

— Você fala desse jeito, mas bem que ficou contente. Vi você todo alegre porque até o Eduardo apareceu. Fazia tempo que ele não dava as caras, né? — diz e lhe dá um beijo.

— Fiquei mesmo. E pra ser sincero, gostei muito da festa de hoje. Deu pra espairecer bem. Só estou preocupado com uma coisa agora: cheguei em casa e fui tirar o celular e a carteira, cadê a carteira?

— Ai, ai, ai. Você tem mesmo a cabeça de vento, né? Peraí, você foi com essa calça?

— Pior que fui. Ela tem mesmo o bolso muito raso. Essa calça é danada, mas é a única que eu tinha que combinava com a festa. O resto ou era muito formal ou muito esporte.

— Com certeza você deixou cair lá na festa. Amanhã a gente acha.

— Estou matutando aqui comigo a última vez que lembro ter sentido a carteira. Me lembro de estar com ela no início da festa. Depois, não senti mais e nem me dei por conta. Acho que até sei o que aconteceu, ela caiu quando entrei no carro novo do primo Gui.

— Você entrou no carro dele?

— É que da vez passada, ele fez a maior onda que eu tinha sido o único que não tinha ido lá olhar o carro e tudo mais. Resolvi compensar hoje. Acho que foi nessa que a minha carteira caiu.

— Bem feito! Ha ha ha! Foi dar uma de puxa-saco ou sei lá o que, dá é nisso. Tô te estranhando, você não é desse jeito. Puxando saco do primo Gui? Isso é novidade. O que tá havendo?

— Vou ligar para ele e perguntar.

O primo Gui constata que a carteira tinha mesmo ficado caída debaixo do banco do motorista. Ele se prontifica a levar a carteira no outro dia até a casa de Marcos:

— Não, não dá. Tem problema se eu for aí agora buscar? Eu vou precisar dela amanhã cedo.

Não tinha problema.

— Amor, está lá na casa do primo Gui. Vou lá pegar agora.

— Deixa para depois, outro dia.

— Não, vou lá agora. Preciso dela amanhã. O trânsito agora está bom, vou e volto rápido. Tchau.

Descendo o elevador, confere novamente: bolso direito, nada. Bolso esquerdo, *ok*. E a chave do carro. Tudo pronto.

Na porta da casa do Gui, usa o telefone para acessar o Hotmail. Pega um *e-mail* da piada do Djalmão. Essa era boa:

Na favela dois homens entram num barraco arrastando um cara pelos braços. Lá dentro, o Djalmão, um negão enorme, limpa as unhas com um facão.

— Djalmão, o chefe mandou você comer o cu desse cara aí, que é para ele aprender a não se meter a valente com o nosso pessoal.

— Pode deixar aí no cantinho que eu cuido dele daqui a pouco.
Quando o pessoal sai o rapaz diz:
— Ô seu Djalmão, faz isso comigo não, depois de enrabado minha vida vai acabar, tem piedade pelo amor de Deus, ó homem santo.
— Cala a boca e fica quieto aí!
Pouco depois mais dois homens arrastando outro cara:
— Esse aí o chefe mandou você cortar as duas mãos e furar os olhos, que é para ele aprender a não tocar no dinheiro da boca.
— Deixa ele aí que eu já resolvo.
Daí a pouco chega outro pobre coitado:
— Djalmão, esse o chefe quer que você corte o pinto e a língua para ele não se meter com mais nenhuma mulher da favela!
— Já resolvo isso. Bota ele ali no cantinho junto com os outros.
Mais alguns minutos entra outro:
— Aí Djalmão, esse aí é pra você cortar em pedacinhos e mandar cada pedaço pra família dele.
Nisso o primeiro rapaz diz em voz baixinha, baixinha:
— Seu Djalmão, por favor, com todo respeito, só pro senhor não se confundir: O CARA DO CU, SOU EU, TÁ?
(Tá vendo, conforme a gente vai conhecendo os problemas dos outros, percebemos que o nosso nem é assim um problemãoooo.)

Envia a piada para o primo Gui. Sai do carro.
No apartamento, o primo Gui oferece uma cerveja. Traz a cerveja e a carteira.
— Tá aqui. Sortudo você, hein? Foi cair logo dentro do meu carro. Podia ter caído na rua, em qualquer lugar. Pior que nem dinheiro tinha, ha ha ha!
— Nem gosto de usar essa calça por isso. É um saco. Pior que eu sei, mas eu gosto dela. Deixa eu dar um pulo no banheiro rapidinho. Vim lá de casa já pensando em um banheiro.
— Vai lá.

Em frente ao banheiro fica o quarto onde está o computador. Tudo apagado. A porta está aberta. "É agora." O computador fica na mesa, na parte de cima. Bem acessível. Se enrola um pouco. Não consegue achar o cabo. Ouve uma porta se abrir, pula para o banheiro. Faz xixi. Está suado. Sai do banheiro. O Júnior agora está sentado no computador. "Fodeu." Volta para a sala. Gui e a esposa assistem ao Faustão. Estão meio com cara de domingo, hora de colocar um roupão, ficar quieto.

— Gui, não tem mais uma cerveja, não?

Com cara de contragosto, Gui vai lá pegar. O casal, ali na sala, olha para ele com cara de "bem, já veio, já pegou a carteira, não vai embora não?" Marcos pensa: "Raios, não posso sair daqui sem resolver isso".

— Aqui, queria ver uma coisa no computador. Peguei outro dia, queria te mostrar.

O Gui faz menção de levantar, Marcos fala:

— Me deixa preparar que eu te chamo.

Vai ao computador. Ligado, mas sem ninguém. Acha o cabo. Conecta o *Keylogger*. Assim que o faz, sente o primo Gui chegar atrás dele.

— Que foi?

— Não, estou só olhando como foi que você conectou esse vídeo.

Marcos soube, já ao bater o olho, que aquele não era um vídeo normal. Era uma TV, mas precisava ganhar tempo. Com o corpo, bloqueia a visão do encaixe do teclado. Faz sinal para o primo Gui se sentar.

— Ah, você nunca viu isso, né? É que, em vez de comprar um vídeo normal, que só funciona com o computador, eu comprei uma dessas TV, de tela plana e conectei o computador nela. Você troca o *input* da TV com o controle remoto. Aqui, é TV normal.

Mostra, mudando de canais. "Clica aqui e funciona como vídeo do computador." Realmente, era uma solução engenhosa, pondera Marcos, que fala:

— Boa pedida. Economiza muito espaço, né? E tem TV a cabo?

— Claro. Aqueles canais que te mostrei são da TV a cabo. Tenho em todos os quartos. Mas o que você queria me mostrar? Tive de vir aqui porque lembrei que o computador tem senha.

— Ah, não é nada importante, não. Eu te mandei uma piada por *e-mail*. Vou ao banheiro de novo, enquanto isso você lê.

Do banheiro, ouve a gargalhada do Gui.

Sai do banheiro.

— Boa essa. Muito boa — diz Gui.

— Bem, já vou então.

— Tá cedo ainda — diz Gui, sem a menor ênfase. Não contava com a possibilidade de uma resposta positiva.

— Vamos tomar a saideira, então? Pega lá, enquanto isso eu vou aproveitar para ler o meu Hotmail, se você não se importar.

— Tá, beleza. Vou pegar lá.

Volta rápido. Traz os dois copos com cerveja abaixo da metade. Decerto tinha aberto só uma latinha pequena ou nem isso. Marcos vira o conteúdo do copo, agradece, despede-se. Sente-se zonzo, mas tinha de fazer cara séria. A esposa deve ter pensado seriamente em nem levantar do sofá. No final das contas, ela termina levantando para não fazer feio. Marcos agradece novamente. Vai embora.

Minutos depois, o Júnior aparece na sala:

— Pai, o computador tá doido. Nada que teclo aparece. Preciso dele funcionando, tenho de entregar um trabalho amanhã. Está quase pronto, falta só digitar o final e imprimir, mas não estou mais conseguindo fazer nada.

Gui vai lá ver. Desliga o computador. Liga. Aparece uma mensagem de erro *Keyboard error*. Desliga. Checa o teclado. Segue o cabo. O cabo parece que está conectado direito, mas na verdade não está encaixado até o fundo. Liga a máquina. *Boot* normal. Tudo funcionando perfeito.

— Só pode ter sido o Marcos. E o cara diz que é chefe na área de informática. Mas ele não tinha tido a ideia de ligar a TV igual eu tive. Deve ter ficado mexendo para ver se entendia como mexer. Só pode ter sido isso e numa dessas acabou desconectando o teclado. É foda. Os caras têm cursos, diplomas, mas não têm a menor criatividade. Escola não dá inteligência. Pior é que a gente que sabe fazer acaba não sendo reconhecido. Hoje em dia, o que vale é o diploma. Se você não tem o diploma os caras não te dão o menor valor, mesmo você sabendo mais do que os supostos *experts*.

— Filho — diz em voz alta. — Já resolvi. Pode vir aqui terminar seu trabalho.

E vai para a sala. "Diabos, perdi quase o programa todo." E se joga no sofá acordando a esposa que, no seu canto, já cochilava.

TERÇA-FEIRA, 26 DE ABRIL DE 2011

Reis. Marcos Reis.

DE DENTRO DO CARRO, MARCOS monitora o entra e sai de pessoas do Krug Bier usando um pequeno binóculo, desses pequenos no estilo que se usa em óperas. Havia sido presente do seu pai, comprado na Importadora Chen, na época em que essa era a única loja de Belo Horizonte que vendia produtos importados, exóticos e diferentes. Marcos devia ter por volta de doze anos. Nos primeiros dias, usou-o para espiar pássaros, os vizinhos, a mãe na cozinha. Findo o período de entusiasmo, o mesmo ficou jogado em uma gaveta que sempre manteve contendo "itens diversos que um dia poderão ser úteis". Essa gaveta agora era a última da escrivaninha do escritório. Mas isso fora até aquela noite. De binóculo na mão, Marcos sente-se como um ridículo investigador fracassado. Tenta ser discreto, mas imagina os transeuntes olhando-o e imaginando: "Que grande babaca". De onde está, tem uma boa visão da entrada do Krug Bier.

Desde o fatídico *e-mail* que procurava, nas páginas de acompanhantes, por Sandra. Era uma atividade em si, perigosa. Não queria que Vanessa o flagrasse olhando esses tipos de páginas. Tinha o cuidado de sempre usar a opção "surfe privado" evitando assim deixar rastros no computador. Não podia fazer no trabalho, por motivos óbvios. Restava-lhe, então, poucas horas durante a noite. Isso, quando não estava investigando alguma outra "pista". Pistas no estilo de quando suspeitou do Juvenal, que estava apenas comendo a colega. Ou quando suspeitou do primo Gui que, após uma rápida inspeção no Hotmail, ficou comprovado ter ganho na raspadinha. O único crime que ele cometeu, no caso, foi dar uma de gostoso. Para fazer essas investigações, Marcos usava a desculpa que estava trabalhando no CruiseKontrol, que, na verdade, andava abandonado, empacado. Empacado no sentido de falta de novidades, pois em relação a usuários, já contava quase dois mil. Marcos não achava tempo para fazer as mudanças necessárias nem para escrever uma descrição detalhada o suficiente para colocar no vWorker. Como estava de volta à estaca zero, sem nenhuma outra pista, dedicava-se à única possibilidade que lhe restava: encontrar a tal Sandra.

O problema é que Vanessa gostava de dormir cedo, entre 10 e 10h30. E ele queria transar antes de dormir. O tempo era curto. Ainda mais que, aparentemente, o mundo das *escorts* de Belo Horizonte tendia ao infinito. "Pelo menos 10% da população feminina da cidade deve ser profissional do sexo", concluiu. Era um sem-número de *sites*. Sem contar as independentes, com *site* próprio. Ainda existia a possibilidade de a garota, realmente, não morar em Belo Horizonte. Vai ver nem era profissional. Apesar de que o *e-mail* deixava claro que ela não estava envolvida, talvez fosse tudo parte do golpe, para que ele não tentasse achá-la. Sandra não poderia ter agido sozinha, isso era certo. Ela não saberia, por si só, o endereço dele. O nome completo da esposa.

Nos *sites* de *escorts*, algumas não mostravam o rosto, o que dificultava ainda mais a pesquisa. Mantinha uma planilha no Excel com aquelas que tinha dúvida. Já eram mais de quinze. Para dificultar ainda mais, a rotatividade era imensa. Quando voltava ao mesmo *site* na semana seguinte, uns 20% das garotas já haviam desaparecido, sendo trocadas por outras. Estava decidido a não desistir. Naquele momento, era a única pista que restava. Até que, uma noite, quando já ia desligar o computador, mas resolveu olhar "só mais uma", ela apareceu.

Era ela, sem dúvida. Não mostrava o rosto, mas em uma das fotos aparecia, claramente, a tatuagem de Sininho. Baixou a foto no computador, deu um *zoom* na tatuagem. O cabelo preto, liso. O corpo de violão. O pendente do umbigo não era o mesmo. Nos detalhes dela liam-se: Sandra, 25 anos, R$ 200 a hora + táxi, faz oral, anal. "Uma bela morena, estilo universitário, liberal e completa, provocante e sedutora. Alto nível, 24 horas." Não podia estar errado. Pensou em como proceder. Marcaria um encontro por telefone. Usaria seu celular tendo o cuidado de ocultar o número, a fim de que ela não pudesse mais tarde telefonar-lhe fazendo ameaças. Tentaria disfarçar a voz, fazê-la um pouco mais grave.

Ele reconheceu a voz dela. Tinha um tom jovial, alegre. Tentou falar pouco. Ele telefonou na hora do almoço e marcaram o encontro para aquela mesma noite. Daí ele estar, naquela hora, dentro do carro. De binóculos. Sentindo-se ridículo. Ele imaginava que, se chegasse primeiro, talvez ela o visse e corresse. Se escafedesse. Com certeza, se isso acontecesse, ela teria culpa no cartório. Mas talvez nunca mais tivesse a chance de encontrá-la de novo. Por isso ficou no carro, à espreita. Esperaria que ela entrasse no Krug Bier e se sentasse. Ele entraria, não dando oportunidade para ela fugir. Se necessário, a seguraria. Imaginou-a gritando: "estupro! estupro!" caso ele tentasse segurá-la. Tinha de correr esse risco. Talvez ela armasse o maior barraco, desse até polícia. "Foda-se. Agora é pagar pra ver", pensa.

Nesse exato instante, uma morena gostosa passa bem rente ao seu carro. "É ela." Anda apressada. Já está atrasada, ele já havia começado a imaginar que tivesse tomado bolo. E se ela estivesse, também, esperando ver a pessoa aparecer primeiro para depois mostrar-se? Não está com a roupa combinada. "Esse é o truque dela. Talvez venha com uma roupa diferente para poder ver o cliente. Se não gostar, ela vai embora. Como o cliente em potencial não conhece o rosto dela, fica fácil a garota se esquivar. Vai ver ela não aceita qualquer um. Tem lá seus critérios. Talvez refute os gordões." Imagina-a trepando com um desses lutadores de sumô que assolam Belo Horizonte e o mundo. Lembra-se de Houston, que até recentemente tinha o título de "a cidade mais obesa dos Estados Unidos". Imagina que Houston ainda continua na liderança desse campeonato, mas vislumbra Belo Horizonte brigando pelo título. "No espaço de duas décadas, BH deve ter saído do mais completo anonimato para estar lá na frente, competindo barriga a barriga com os grandes líderes mundiais da gordurice. Dê-nos apenas mais uma década e tomaremos a liderança de Houston", pensa enquanto sai do carro, ainda com o nojo da imagem mental de Sandra sufocada por 200 kg de pura banha, pelos e suor.

Ela não corre. Muito pelo contrário. Abre um largo sorriso.

— Eu sabia, tinha certeza total que, mais dia menos dia, você iria aparecer. Seu amigo acabou te contando, né? — diz rindo. — Isso acontece mesmo nas melhores famílias — ela completa.

"Se ela está fingindo, deveria imediatamente encerrar a carreira de puta e dedicar-se à sua verdadeira vocação. Com certeza ganharia um Oscar." Na sua cabeça rolavam mil pensamentos: "Que amigo? Do que ela tá falando? Alguém se passou por meu amigo. Raios, que diabos é isso?". Faz cara alegre.

— Pois é, não teve jeito. Ele me contou. Mas não a história toda. Estou até curioso para saber como foi.

Ela ri e não perde tempo:

— Certo. Mas olha, você vai querer ficar por aqui mesmo ou prefere matar as saudades em um outro lugar? Você sabe, fiquei torcendo para você me procurar. Nunca vi tanta energia, você é uma fera, hein? Cheguei em casa acabada!

Ele ri e pensa: "conversa de puta é foda. Nunca se sabe se ela está falando a verdade ou apenas quer faturar uma grana". Ficam no Krug somente o tempo suficiente para terminarem os dois chopes que Marcos pediu ao garçom assim que se sentou à mesa. Pede a conta. No meio-tempo disfarça, conversa sobre o tempo, o trânsito. Ela não se mostra nervosa, de forma alguma. "Se ela tivesse culpa na jogada não toparia ir a um motel, ficar sozinha comigo. Vai que me dá uma doideira. Ela deve saber, com a profissão que tem, que seria muito arriscado. Ela tá inocente na história, sem chance."

No caminho da BR 040, ela conta um pouco mais:

— Pois é, seu amigo foi muito detalhista em tudo. Ele disse que você andava muito nervoso, problemas em casa. Essas coisas. Isso acontece muito no meu trabalho. Às vezes a gente é mais psicóloga que... Bem, no início, fiquei até desconfiada se tinha alguma sacanagem envolvida. Ele explicou que você precisava muito de dar uma trepada por fora, que havia contado para ele que tava doido pra dar uma, mas que pesava na consciência. Que a esposa já não transava com você há mais de dois anos. Ainda mais você com esse pauzão duro o tempo todo, quando penso nisso me dá até dó.

Ela ri, enquanto afaga o pênis dele por cima da calça. A essa altura, mesmo estando curioso para saber o que havia acontecido, ele sente-se excitado. "É apenas um reflexo", pensa, como que pedindo desculpas para si mesmo. Ela, sem parar a mão esquerda, prossegue na história:

— Pois é, então foi assim. Ele me disse que havia feito um perfil para mim no Facebook. Eu tenho a minha própria página no Face, mas não coloco clientes lá. É da minha família. Eles não sabem que faço esse tipo de trabalho. Você sabe, estou estudando. Pré-vestibular. É muito difícil se manter em Belo Horizonte. Trabalhei em lojas, mas no final das contas sempre acabava que o dono queria que eu ficasse a noite para 'conferir o estoque'. Só se fosse conferir o estoque de porra dele. Em vez de um emprego fodido onde teria de transar com um dono asqueroso, feio, velho, prefiro então trabalhar por conta própria. Não trepo com qualquer um não. Tem suas vantagens — diz sorrindo, e continua: — Às vezes dou sorte e transo com um gostosão como você.

Marcos não sabia se gostava ou se detestava quando ela o chamava de "gostosão". "Vai ver ela fala isso até pro lutador de sumô", pensa, enquanto a imagem grotesca volta-lhe à mente. Mesmo tendo visualizado tal coisa, o membro continua duro, resultado das carícias que ela ainda faz. Ela fica muda, põe a mão direita de Marcos entre as pernas dela. Parecia ter acabado de contar a história. Marcos pergunta:

— Mas então, de onde veio aquela história toda de modelo, etc.?

Ela responde rápido:

— Ah, isso foi coisa lá dele. Um dia, me mandou um *e-mail* dizendo que havia conversado com você pelo Facebook como se fosse eu. Me passou o *script* completo do que eu tinha de dizer. Ele disse que você "nunca transaria com uma profissional, mas também não sabia como arrumar uma namorada fora do casamento. Ha ha ha! Ele tava errado, muito errado, senão eu não estaria aqui com você, não é?".

"A gente acaba se acostumando com qualquer coisa, não é verdade? Eu mesma, nunca pensei em ter essa profissão. Aliás, não é profissão. É uma coisa temporária. Eu ainda vou…"

Marcos a interrompe. Ela estava saindo do assunto.

— Mas então ele te disse o que você tinha de falar?

— É, mais ou menos. Ele me passou o que dizer, qual hotel ir. Teu parceiro preparou tudo. Disse que só com uma história dessas você iria aceitar. Grande amigo esse seu, hein? Achei que fosse até sacanagem, mas quando cheguei no hotel vi que era tudo legal.

Marcos diminui a velocidade, entra à direita. Chegaram aos motéis. Sem pensar, escolhe o Chalet. Na entrada, enquanto fala com a atendente, um pensamento o apavora: "E se eu der de cara com o Juvenal agora?".

No quarto, ele decide tomar uma ducha. Ao sair, ela já está nua. Ela o chupa, gostosa, gulosa, demoradamente. Ele tenta pensar em tudo que tinha ouvido, ao mesmo tempo em que ela demonstra que se a vida de puta não desse certo ela poderia trabalhar em um circo como engolidora de espadas. Solta-lhe o esperma dentro da garganta. Ela engole tudo sem parar o boquete. O pênis continua duro, ela abre a bolsa, tira uma camisinha. Empacota o bicho usando a boca. Coisa de profissional. Vem por cima, cavalga-o. Joelhos erguidos, sola dos pés na cama, a respiração fica profunda.

— Meu tesão, delicioso...

Aquilo que da primeira vez foi algo sensacional, agora soava-lhe falso. Ouve a mesma gargalhada, ela diminui a velocidade para recobrar-se. Ele aguarda ela pegar um fôlego, depois a vira de quatro, bomba um tempo, aumenta o ritmo e goza novamente. Após o gozo, pensa: "Estou aqui apenas a fins profissionais. Isso é parte da investigação". Aí lhe vem à mente a figura do 007, também comendo a mulherada sob o pretexto de investigação. Com a vantagem que ele era pago pelo governo da Inglaterra para isso. Sugere a banheira de hidromassagem. Ela faz que sim com a cabeça ao mesmo tempo que liga a TV. Pergunta:

— Quer um filmezinho gostoso para te animar de novo, meu gato?

Ele faz que sim com a cabeça enquanto caminha para a banheira, afinal, isso aparentemente ajudava o 007, quem sabe não funciona com ele também? Na tela da TV, esta posicionada de forma a poder ser vista tanto da cama quanto da banheira, duas mulheres chupam juntas um homem.

— Sabia que eu gosto disso? — diz Sandra.

"Pelo visto, está tentando fazer um *marketing*", pensa Marcos. Ela continua:

— Pois é, agora que você descobriu as coisas boas da vida, vai ver quer continuar a descobrir mais. Se você quiser, marco com uma colega minha. Ela é muito linda. Gosto de beijá-la, tem a boca macia. Gosto de homem macho como você, mas ela me chupa tão gostoso. Ia ser bom beijar a boca dela tendo seu pau no meio — ela diz, se contorce e faz uma cara de quem está gostando.

"Eta caralho. Mulher de merda. Talvez a única coisa que eu consiga com isso seja me meter em mais confusão", pensa. Ela ainda continuava fazendo propaganda:

— E olha, ela faz anal também. Uma loucura. Nós duas, quando juntas, sai de baixo. O cara tem de ser muito macho, senão não aguenta o tranco.

Ri, achando graça das próprias palavras.

— Mas pra você é capaz de a gente fazer quase de graça. Você vai ficar maluco. Nunca mais vai querer saber de outra coisa.

Ele a chama para a banheira. Quando ela se assenta, ele pergunta:

— Você chegou a ver o meu amigo?

— Ah, caralho, lá vem você de novo com essa história. Por quê? Vai dizer que não gostou? Ele foi muito legal, te deu o maior presentão de aniversário, né? Pagou hotel legal, me pagou bem. R$ 1 mil pela noite fechada. Deu 500 antes e 500 depois.

— Então você o encontrou?

— Não, nunca o encontrei. Ele fez depósito em conta. Disse que era conhecido na praça. Vai ver seu amigo é político. Ha ha ha! Acertei, né? Para ter feito o que ele fez, tinha grana. Nem mesmo quando conversou comigo pelo MSN eu o vi. Mas ele me viu. Acho que queria ter certeza de que as fotos que mandei eram legítimas. Tem muita gente com foto falsa na internet, isso tem. Me pagou 100 reais por três fotos. O dinheiro mais fácil que já ganhei na vida. Ele disse que precisava das fotos para fazer meu Facebook. Que as fotos do BHModels pegavam mal, tinha de mostrar o rosto. Acabou que nunca o vi. Acho que é o governador, você tem cara de rico. Ou de amigo de rico.

Marcos pensa, matuta as palavras, analisa, nada que ela falava dava-lhe uma pista. Por baixo da água, ela começa a massagear o pênis dele. Na televisão, o filme pornô mostra agora um casal, a câmera foca bem a penetração. Uma loira sensacional está sentada em cima de um moreno-claro de cabeça raspada e uma vara imensa. Ele tira tudo de dentro dela, usa o enorme instrumento como cassetete, dando pancadinhas do lado de fora dos lábios vaginais. Depois coloca tudo de novo. Marcos olha aquilo, mas tenta concentrar-se na investigação. A essa altura o campeão já está estalando de duro e ele não tem mais perguntas. "O 007 deve ser muito foda mesmo, porque conseguir investigar qualquer coisa na base da trepa, pelo visto, é bem complicado."

Não consegue lembrar-se de mais nada que seja relevante, exceto como iria comê-la agora. Em vão tenta ainda raciocinar: "Ela nunca o viu. Ele a viu pelo MSN. Ele tinha fotos dela, instruiu o que ela tinha de falar. Marcou o hotel. Pelo visto, eu nunca conversei com ela pelo Facebook. Conversei com o desgraçado, filho da puta. Ele devia estar rolando de rir. Deve estar rindo até agora".

Nesse instante, ela parou de estimulá-lo e disse:

— A única coisa engraçada foi que o segundo depósito de 500 reais veio dividido. Um de duzentos e um de trezentos.

Ele quase a empurra quando ouve isso. Lembra-se imediatamente dos depósitos divididos do *money transfer*. "Filho da puta!", esbraveja dentro da sua cabeça. Tinha de conseguir os envelopes de depósito. Ia ter de contar a verdade para ela. Daqui a pouco faria isso. Agora, ela continuava o estímulo com a mão. Ele lembra-se do anúncio dela na internet: "Faz anal." Põe a mão na bunda dela. Ela ri:

— Já sei o que você quer, tarado né?

Levanta. Fica em pé na banheira, sai.

— Eu vou no banheiro, vou me preparar. Você se seque que vai ter isso que tá querendo.

Ele faz como ela instruiu. Quinze minutos depois, com um urro, goza. Sente-se satisfeito, saciado. Ela está com cara alegre:

— Se satisfez né, meu gato? Agora imagina quando minha amiga estiver aqui.

Ele não consegue imaginar. Não naquele momento, naquele segundo. Saciado, volta a pensar nos envelopes de depósito. A história do amigo não colaria mais. Senta-se na cama. Conta-lhe a história resumida. Os *e-mails*, a chantagem. Ela ouve tudo, atenta. Ele diz que precisa da ajuda dela. Ela fala: "aqui, me põe fora disso. Eu não tenho nada a ver!". O tom de voz dela agora era diferente. Acabaram-se os "meu bem". Ela começa a se vestir rapidamente.

— Vamos embora e me paga que eu tenho de ir, tá?

Ele lhe segura a mão, ela puxa com força.

— Olha, eu lamento muito que isso esteja acontecendo com você, mas eu não tenho que me intrometer. Isso é com você e esse cara aí que quer te foder. Vamo embora.

— Sandra, eu sei que você não tem nada a ver com isso. Não se preocupe. Mas você pode me ajudar. Você é a única pessoa no mundo que pode me ajudar. Não quero que você faça nada demais. A única coisa que preciso é que você peça no Bradesco a cópia do envelope de depósito. Eles devem ter isso lá. Deve ficar filmado. Alguma coisa, indicando agência de depósito, sei lá. É só isso. Mais nada. Eu te pago o que custar.

Ela se acalma:

— É só isso?

— É.

— Tem certeza? Você não vai chamar a polícia, querer me foder, né? Se meus pais descobrem eu tô fodida lá em casa. Mais do que você na sua.

— Não, Sandra. Não quero e não vou te causar problemas. Quero apenas solucionar os meus. Esse depósito é a única pista que tenho.

— Aqui, como é que o recibo de depósito vai te ajudar?

— Não é o recibo. É a cópia daquele envelope que a gente enfia no caixa para fazer o depósito. Talvez lá esteja escrito o nome do remetente, algo assim. Uma pista qualquer. Preciso tentar.

— Se eu te arrumar isso aí você me deixa em paz?

— Deixo sim. Quer dizer, e o lance da sua colega?

O rosto dela se ilumina.

— É, tem isso. Eu sozinha é 200 a hora, com ela a gente vai fazer pra você por 300. Olha que legal. Isso porque você é um tesão, ainda mais que você está com todos esses problemas aí. Não sei se ela vai topar, nem conversei com ela, nosso preço na verdade é 500 as duas, mas isso é preço de tabela. Ela vai topar sim quando souber o quão gostoso você é.

— Você arruma o recibo? — pergunta ele, e rapidamente corrige: — Recibo não, preciso da cópia do envelope.

— Já sei, já entendi, também não sou burra, não. Já falou mil vezes. Isso vai custar caro né?

— Não sei. Mas aqui — diz ele, tirando a carteira. — Por hoje foram três horas, dá 600 reais. Mas no *site* está que você fica a noite toda por 500...

— Mas isso é só quando o cliente avisa antecipadamente. Você não avisou. Mas 500 tá bom, vou te dar um desconto. Você me faz gozar tão gostoso. Ainda mais que vamos nos ver de novo.

— Então. Vou te dar 550, 50 pelas cópias dos depósitos. As cópias. Não deve ser mais que isso

— Se for eu não vou fazer, tá?

— Tá. É só me avisar que te dou mais dinheiro. Deposito na sua conta. Qual o seu *e-mail*?

— Você tem o da BHModels mas vou te dar o meu pessoal: é sandra.gatagostosa@hotmail.com.

— Beleza. Vou te mandar um *e-mail*. Quando receber as cópias, me manda. Combinado?

— Combinado, meu gato. Aqui, você quer já marcar com a outra gata?

— Por enquanto não. Deixa eu receber essas cópias primeiro. Isso tá me azucrinando a cabeça. Aí a gente marca, te aviso.

— Então tá. Já que não vamos trepar mais vamos embora, né? Ai, você me machucou atrás, é muito grosso! Tá doendo.

Descem as escadas do motel. O trajeto de volta é feito em silêncio. Faz questão de levá-la em casa, ou aquilo que ela disse que era sua casa. Ficava num edifício na Praça Raul Soares, naquele cruzamento do Mercado Municipal da Amazonas. Pelo menos assim ele tinha um lugar para ir, caso ela desaparecesse do mapa. Ela salta do carro, ele abaixa o vidro elétrico e fala:

— Aí, não vai dar pra trás não, viu?

Ela ri e responde:

— Bem, hoje já dei, agora é tarde, né? — E completa: — Pode deixar, querido, que vou te ajudar. Mas vai ser só isso e nada mais.

Leva o dedo aos lábios e encosta o dedo na boca dele:

— Aqui, tô esperando seu *e-mail* pra gente fazer aquilo nós três. Você vai ver, ela é linda. Nossa, você vai enlouquecer. Tchau.

Marcos espera a mulher entrar no prédio, quer ter certeza de que mora lá. Arranca com o carro. Pensa na transa da noite. Nas cópias dos depósitos. "Vai ver, ela nunca vai mandar porra nenhuma." Pensa na transa a três. "Quando isso acabar, quem sabe eu não topo?" Lembra-se de Vanessa. "Puta que pariu, sou um fodido mesmo." Trafega rápido pelas ruas vazias. Fura os sinais, nem tanto por medo de assalto, mas pela vontade de chegar rápido em casa. Pensa que talvez esteja cheirando a motel. "Caralho, será que me lavei direito? Pelo sim, pelo não, vou chegar de mansinho e entrar no banheiro. Digo que tava meio tonto, precisava tomar um banho, que tinham derrubado cerveja em mim." Complicação detectada de imediato: "Onde vai estar a camisa com cheiro de cerveja? Uma estúpida mentira fácil de ser descoberta. É numa mentira dessas que o cara se fode. Sem complicar. Quanto mais complica, mais chance de dar errado. Digo apenas que tava passando mal. Misturei vinho e cerveja."

Chega em casa e vai direto ao banheiro. Vanessa dorme. Deve ter acordado com o barulho do chuveiro, porque quando ele sai, ela pergunta:

— Amor, você demorou, não falou que ia voltar tão tarde.

— É, mas fomos ficando, ficando... acabei misturando, então tomei um banho para não passar mal.

— Até que você não está com cheiro ruim — diz, enquanto lhe dá um beijo.

Ele cogita transar com ela, mas faltavam forças. Está exausto. Pelo sexo e também pelos pensamentos. Ela acha esquisito. O marido refutar sexo era algo raro.

— Ué, o que aconteceu com você hoje?

— Te disse, estou meio passando mal.

— Se você acha que vai vomitar é melhor enfiar o dedo na garganta logo.

— Não, não vou. Pode deixar. Estou mais é empanzinado e meio com dor de cabeça.

— Então tá, dorme — disse ela, virando-se para o outro lado.

— Boa noite, então.

— Boa noite.

Custa a dormir. Pensa nos envelopes. Que eles provariam que havia sido o Pradinho. Que ele tinha feito o pagamento via *money transfer*. Se fosse assim, só poderia ser ele, tava provado. "Caralho, justo o Pradinho. O dinheiro corrompe mesmo as pessoas. A gente era tão ligado. Foda isso."

Na noite seguinte, recebe um *e-mail* vindo de sandra.gatagostosa@hotmail.com.

"Estou ansiosa esperando você marcar aquele nosso outro encontro." Em anexo, dois arquivos do tipo JPG mostravam as fotos dos envelopes de depósitos de respectivamente 200 e 300 reais. Não tinham nada escrito. Remetente, nome. Nada. Tudo em branco. Mas tinha o carimbo da agência de depósito. Agência Bradesco Candelária de São Paulo. Era a mesma agência que a EasyTransfer sempre usava. A mesma que eles usavam quando trabalhavam com *money transfer* na Suécia. O Pradinho era, realmente, um grande filho da puta. Quer dizer, só podia ser ele. Estava 90% provado e comprovado. Faltava apenas a prova final, que agora sabia exatamente como conseguir.

QUINTA-FEIRA, 28 DE ABRIL DE 2011

Pegadinhas

No DIA SEGUINTE, a primeira coisa que Marcos faz ao chegar ao escritório é contatar o Fernandão, da EasyTransfer. Já havia falado muitas vezes ao telefone com ele. Aparentemente, o apelido fazia jus à pessoa: o Fernandão tinha aquele tom grave típico das pessoas obesas e a respiração ofegante ao telefone. Tem certeza absoluta que o Fernandão não é uma pessoa em plena forma física, apesar de a foto no MSN mostrar o rosto de um rapaz alegre e jovial. Fernandão parece trabalhar constantemente, a julgar pelo *status* de ativo no seu MSN. Na frente dele, a cópia impressa dos envelopes. Descobriu que Sandra, na verdade, chamava-se Maria.

"Grande Fernandão, aqui é o Marcos, lembra-se de mim?", teclou pelo MSN. Silêncio. Nada de resposta. Quando já ia desistir, recebe o "pling" de volta.

"Há quanto tempo, hein? Tudo bem?"

"Você tem um minuto para termos uma conversa por voz? Assim anda mais rápido", tecla Marcos.

"Peraí."

"Pronto. Pode chamar", tecla Fernandão.

— Oi Fernandão, está me ouvido? Como você está?

— Tudo bem, tudo bem. Vamos levando. Muito trabalho. E vocês, quando vão voltar a fazer remessas?

— É, não sei. Estamos estudando isso ainda. — Marcos tinha pavor de pensar em voltar a mexer com *money transfer* depois das mudanças na lei. Não queria nem ouvir falar. Mas tinha de manter o interesse de Fernandão: — Sabe como é, depois daquela mudança da lei aqui na Suécia...

— Tô sabendo. Todo mundo fechou. Estão falando em implementar isso aqui também no Reino Unido. Se fizerem, provavelmente fechamos também.

— Aqui, Fernandão, o motivo que eu estou te ligando é porque uma antiga cliente minha chamada Maria Tereza Durval Gomes me ligou. Ela veio reclamar que recebeu muito a menos do que tinha combinado com o remetente. E o remetente diz que pagou o correto. Mas o fato é que a gente, como você sabe, não faz mais remessas. Então, na verdade eu não tenho nada a ver com isso. Mas, como ela é uma conhecida minha aqui de Belo Horizonte, amiga minha de longa data, achei por bem ajudá-la. Ela me mostrou que o depósito foi feito na Agência da Candelária em São Paulo. Será que você tem algum registro dessa transação?

— Qual o nome dela mesmo e o dia que ela recebeu?

— Maria Tereza Durval Gomes e o recebimento foi em 5 de abril.

— Peraí.

Pelo visto o Fernandão usava um *kit* fone de ouvido com microfone, porque o tempo todo que eles conversavam Marcos ouvia ele teclando no computador. Talvez estivesse batendo papo com alguém no meio-tempo. Ouve o computador do outro lado da linha fazer "bip".

— Aqui, Marcos. Olhei, não foi feito com a gente, não.

— Tem certeza? Olha lá, hein?

— Não, tenho certeza. Sem dúvidas. Uma pena que não posso te ajudar. Mais alguma coisa?

Era óbvio que o Fernandão àquela altura tinha notado que a conversa não iria trazer-lhe nada de bom e estava disposto a encerrá-la rapidamente.

— É, é uma pena. O cara meio que deu o calote nela, pelo que entendi.

— É o que mais acontece, aqui a gente vê muito disso.

— *Ok*, Fernandão obri...

Fernandão interrompeu.

— Bem, uma coisa que você pode fazer é checar com a FastTransfer, um parceiro nosso. Eles usam nosso mesmo pagador no Brasil. Mas eles estão localizados na Irlanda. É a única coisa que posso imaginar. Talvez valha a pena tentar.

— Você tem o contato?

— Tenho. O número deles é (+353) 1-882-3232. O chefe lá é o Tarcísio. Pode falar no meu nome.

— Valeu, Fernandão. Valeu mesmo. Um grande abraço.

Marcos entra no Skype. Não queria fazer uma ligação internacional pelo telefone da empresa. Telefona. Custam a atender. Uma voz de mulher, muito preguiçosa, diz "bom dia". "Se eu fosse cliente, já tinha desligado", pensa. Diz que quer falar com o Tarcísio. Ela disse, com o mesmo tom de quem havia acabado de acordar depois de uma ressaca digna de Charlie Sheen:

— Olha, ele está em outra ligação, você quer esperar ou quer que ele te retorne?

Pensa até que a ligação caiu, mas depois de uns dez minutos, uma voz ágil e enérgica, muito diferente da primeira, atende. Fala em inglês, agora em tom bem profissional:

— Você está falando com o Tarcísio, da FastTransfer, em que posso ajudá-lo?

— Bom dia, Tarcísio. Meu nome é Marcos Avilar Reis. Eu já trabalhei com o Fernandão, era dono da Protheus Money Transfer, em Estocolmo.

Repete a mesma ladainha que falou com Fernandão. No final da história, o Tarcísio parece hesitante. Marcos não o ouve teclar. Por três segundos, o telefone fica mudo. Marcos pensa que Tarcísio havia desligado. Por fim, ele fala:

— Marcos, como você já trabalhou com o Fernandão e tudo mais, você sabe que existe uma certa confidencialidade nesse negócio. Deixa eu ver o que eu posso fazer por você. Qual o nome da pessoa mesmo e a data?

— Maria Tereza Durval Gomes e o recebimento foi em 5 de abril.

Silêncio. Agora sim ouve o bater nas teclas do computador. Provavelmente Tarcísio não é gordo. Não arfa no telefone.

— Ô Marcos, fomos nós que fizemos essa transferência, sim. Você pode explicar melhor o que aconteceu?

Marcos sente o coração disparar. Finalmente chegava a algum lugar. Mas não tinha preparado uma história muito convincente, pensava em enrolar com o Fernandão.

— Essa amiga fez um trabalho pela internet para um sujeito. Agora eu me esqueci o nome dele, se for o caso depois eu ligo para ela e peço para entrar em contato com você. O tal sujeito havia contratado seus serviços por 800 reais, mas ela só recebeu 500. Só que ela agora não está mais conseguindo entrar em contato com ele, o cara sumiu.

Marcos pensa em ganhar tempo, talvez tivesse que fazer a Maria/Sandra ligar pessoalmente para conseguir convencer o Tarcísio. Agora sabia que estava no caminho certo. E, se bem lembrava, a empresa de *money transfer* tinha a obrigação legal de suprir esse tipo de informação ao recebedor. Mas naquele exato instante não lembrava em detalhe da lei e decerto aquela não era a hora de "apelar" para os temos legais, ainda mais que, provavelmente, se fosse optar por essa tática, a própria Maria/Sandra é quem teria de fazê-lo. O jeito era ganhar tempo, já que havia localizado a empresa:

— Mas vamos fazer o seguinte, eu vou pedir para ela...

Tarcísio o interrompe. Aparentemente, a perspectiva de ser novamente aborrecido no trabalho por uma ligação que não iria lhe render nem um centavo de renda soa-lhe como uma má ideia.

— Aqui, o nome do remetente é a empresa Worldwide Translations AB da Suécia. Tá tudo certinho na documentação deles. Estou com tudo aqui na minha frente, atenderam a todas as exigências legais. O montante contratado para o envio foi de 500 reais limpos no recebedor. É só o que posso te falar agora. Mais alguma coisa?

Agora é Marcos quem anota tudo no computador à medida que Tarcísio fala. Sente estar próximo de desvendar o mistério. Que empresa era essa?

— Tarcísio, valeu pelas informações. Vou conversar com a Maria para ver o que ela vai fazer. Obrigado, tenha um bom dia.

Desliga o telefone, relê suas anotações. É uma pista, mas ao mesmo tempo um fator complicador. Pradinho teria se precavido até esse ponto? Feito a transferência por meio de uma outra empresa? Ele nunca teria imaginado que Marcos pudesse chegar à FastTransfer na Irlanda. Parecia que Marcos havia aberto uma porta apenas para encontrar atrás dela mais três. Tem de pensar no próximo passo.

Na Irlanda, Tarcísio passa a mão na cabeça. Telefonema estranho o que recebera. Pelo sim, pelo não, o cliente era bom. Parecia ter negócios em Belo Horizonte. As transferências eram sempre feitas para BH. Tratava-se de um cliente relativamente novo. Inclusive, ele não havia feito o procedimento chamado *compliance total*, apenas o "parcial". O que significava que o sujeito não havia ido fisicamente à loja, apenas submetido cópias dos documentos via internet. Mas como a lei não exigia a presença física da pessoa para valores acumulados anuais abaixo de 50 mil reais, ele ainda estava dentro do limite da lei.

Abre o Outlook. Escreve:

De: Tarcísio Capere, FastTransfer, Ireland
Para: Johannes Brixare, jb@worldwidetrans.com
Assunto: Reclamação

Prezado Sr.,

Há poucos instantes, um senhor chamado Marcos Avilar solicitou-me seus detalhes para contato. Disse falar em benefício de uma

Maria Tereza Durval Gomes à qual o sr. enviou 500 reais no dia 4 de abril com recebimento no Brasil dia 5 de abril. Aparentemente, disseram que o combinado teria sido um valor mais alto.

Conforme o senhor está ciente, de acordo com as diretrizes da União Europeia EU 345/2008, a Fast Transfer tem obrigação de prover aos beneficiários da remessa ou alguém devidamente autorizado, os dados de cadastro dos respectivos remetentes.

Porém, como o senhor é um cliente preferencial, tomamos a liberdade de também enviar-lhe esse *e-mail* para que o senhor fique ciente e tome as devidas providências.

Atenciosamente,
Tarcísio Capere
Fast Transfer (+353) 1-882-3232

Na sua sala, Marcos fica cada vez mais na dúvida: "Vamos por partes: o que realmente isso prova? Prova que essa empresa fez o pagamento a Sandra. Não inocenta o Pradinho de forma alguma. Basta entender a ligação entre essa empresa e o Pradinho. Porque se não for ele, quem será, então? Não existe outro candidato. Por que essa empresa iria querer me pegar? Como me acharam? Por que eu? A empresa é registrada na Suécia! Muita coincidência, não?".

* * *

EM FRENTE AO SEU MONITOR, Daniel também está pensativo. Acaba de ler a mensagem da Fast Transfer. Raciocina uns instantes, decide que esse fato inusitado pode ter interessantes desdobramentos. Talvez o copo esteja meio cheio em vez de meio vazio. Quem seria esse tal Marcos? Uma rápida pesquisa e encontra a resposta. O fio da meada: Marcos, Sandra, 1º de abril. Hoje era 28 de abril.

Ainda faltava o segundo pagamento. Lembra-se de Marcos em definitivo. É o sujeito do CruiseKontrol. Parece ser um cara interessante. A ideia dele de pedir amizade antes do passeio de barco era boa. Obviamente, ele tinha conexões na Suécia. Talvez tivesse morado, estudado. Tem de entender como foi que esse sujeito conseguiu chegar ao nome dele. Tinha de aperfeiçoar o sistema. Tapar os buracos. Encomenda um livro *on-line*, chamado *Programando no Facebook*. Geralmente é assim. Quando tem uma dúvida, encomenda um livro. Já acumulou vários. Tem as estantes cheias. Todos novinhos. Isso porque, até o livro chegar depois de dois dias, ele geralmente já tinha resolvido o problema. Mas não perdia a mania.

Uma vez encerrada a compra, ele entra no Facebook, escolhe a opção "Desenvolvedores" no menu do rodapé da página e põe-se a ler sobre como programar aplicativos para o Facebook. "Hoje vou perder o dia nisso", pensa e volta os olhos para a tela.

* * *

O RESTO DO DIA É EXTREMAMENTE frustrante. Agora sabe um nome, mas nem durante o almoço tem oportunidade de tentar achar algo mais sobre a tal empresa. Isso o irrita profundamente, mas está com muito trabalho na empresa pendente. A Concretek é seu ganha-pão, também não pode simplesmente ignorar isso e passar o dia mexendo com seus problemas pessoais, por mais tentador que seja. Se fizesse isso, corria o risco de causar um problema ainda maior quando fosse demitido por justa causa. Os ânimos na companhia andavam inflados ultimamente, com a indecisão referente ao lançamento do PMP. Tinha de pensar estrategicamente: transformar aquele limão em uma limonada parecia impossível, em uma laranjada então, nem se fala. No máximo, em limõezinhos menores, mais fáceis de serem chupados.

No meio-tempo, enquanto se debruça sobre problemas da empresa, tem no íntimo uma infantil esperança de que a chantagem contra ele desapareça como num passe de mágica. Que o Pradinho e seus comparsas fiquem satisfeitos, ou se arrependam. Ainda resta a dúvida dos motivos do Pradinho. Tem que continuar investigando no tempo livre.

Somente naquela noite, depois de transar com Vanessa, é que ele se levanta com a desculpa de sempre: "estou sem sono, e preciso fazer umas coisas no CruiseKontrol". Vanessa nunca dormia um sono pesado sem ele. Cochilava, mas sempre acordava quando ele voltava para a cama. E o pior de tudo é que o aplicativo estava mesmo precisando de uma repaginada. A demografia do *site*, que nascera com uma ideia de sacanagem e transa rápida, estava mudando inesperadamente. A maioria dos novos usuários que se cadastrava estava agora na faixa acima dos sessenta e cinco anos. Aposentados. O raciocínio era simples: na Suécia existiam muitos aposentados com saúde, que gostavam de dançar. Os barcos, entre segunda e quarta, eram lotados desses tipos. Portanto, eles estavam também usando o *site* para encontrar pessoas com o mesmo interesse. "Será que esse pessoal ainda transa?" Tinha planos de tornar o *site* menos "jovial" e assim atrair ainda mais o pessoal da terceira idade. "Diabos, tanta coisa para fazer e nunca tenho tempo."

O tempo era sempre curto. Como no caso do nome, por exemplo. Tem um nome, mas e daí? Ainda não havia tido tempo de investigar a empresa, os diretores. Tem de priorizar. Ir no mais importante e urgente primeiro. Não quer dar chance pro Pradinho encher o saco. Há tempos tinham descoberto um pequeno *bug* no aplicativo. Se o usuário tivesse optado dentro do Facebook por uma combinação de privacidade que o fizesse basicamente invisível para os outros usuários, o CruiseKontrol entrava em colapso total e, em vez da tela de usuários encontrados, apareciam as mensagens de erro do SQL server. Coisa fácil de resolver, mas mesmo assim pendente há muito tempo. Bastava colocar uma cláusula do tipo "IF". Coisa simples.

Marcos edita a linha diretamente no seu micro, já que tem a mais recente versão local no seu PC. Nem precisa testar. Faz o *upload* do pequeno arquivo. Entra no Face, escolhe CruiseKontrol no menu de opções à esquerda. Inesperadamente, o *site* responde solicitando que ele aceite, novamente, o aplicativo CruiseKontrol. "Merda!!!" Não contava com isso. Caso a mesma anomalia acontecesse com todos os outros usuários, certamente iriam perder um grande número deles. "*Ok*, aceito sim adicionar."

O que já é ruim, fica ainda pior quando o antivírus lhe pergunta com uma tela grande vermelha: "Detectado possível vírus ou Trojan Horse. Deseja continuar?". É o fim da picada. Havia simplesmente mudado umas poucas letras no próprio programa e o antivírus detectava aquilo como uma ameaça. Ordena o antivírus a ignorar o problema e mesmo assim rodar o programa. Afinal, o programa era dele, sabe que está livre de vírus.

Fecha o Facebook. Entra novamente. Desta vez o aplicativo roda direto, sem perguntar nada. Não se dá por satisfeito. Abre novamente o arquivo que havia alterado. Tudo *Ok*. Pradinho não está no MSN. Também pudera: meia-noite aqui, 4 horas da manhã na Suécia. Abre o Hotmail. Digita nome, senha, escreve um *e-mail* para o Pradinho: "Urgente. Teste o CruiseKontrol. Fiz aquela mudança relativa ao usuário com privacidade máxima e tive um resultado esquisito. Por favor teste para mim". Pradinho rodava Windows Vista e Marcos, o Windows 7. Assim eles tentavam testar todas as possibilidades.

Acha melhor não alertar sobre a confusão do vírus. Está exaltado. Isso seria catastrófico. Talvez amanhã ao acordar terá perdido de 30 a 50% dos usuários. Checa o código novamente. No MSN, Nívea aparece *on-line*. "Oi. Pode falar?" Marcos imagina que a intervenção poderia ser até benéfica. Pensaria em outras coisas, isso poderia lhe fazer até bem. Sente-se perdido. Provavelmente ia acabar fazendo besteira, apagando algo importante, piorando ainda mais a situação. Existia a não muito remota possibilidade de ser tudo uma doideira de computador: poderia perder horas tentando resolver o mistério, quando, na verdade, se desligasse e ligasse o PC de novo, o problema nunca mais se manifestaria. Já perdera a conta das horas perdidas com esses tipos de problemas. "Queira Deus que seja um caso desses", pensa enquanto conclui: "Não existe ciência mais 'inexata' que computação". O que era a pura verdade. Os chamados 'vazamentos de memória' causados por *software* mal escritos eram capazes de produzir os efeitos mais estranhos. O mais comum sendo o sujeito rodar o programa que sempre rodou quando, de repente, aparece a tela azul do Windows. Sem contar a questão das "incompatibilidades". Mesmo dentro do Facebook, o CruiseKontrol penava com o fato de que o mesmo código gerava resultados diferentes dependendo da versão do sistema operacional e do *browser* utilizado.

"Posso sim. Saudade", ele responde. De imediato, aparece a pergunta: "Nívea quer compartilhar fotos. Você aceita?". "Pergunta besta", pensa Marcos: "Vai ser ótimo!" Segundos depois, aparece uma foto que ele reconheceu ser ela, porém a cabeça estava cortada. Nívea tinha os peitos grandes, siliconados. Não eram gigantescos, estilo bizarro, mas eram no nível da Pamela Anderson. Talvez tamanho F. Ela tinha porte físico para isso, pois era alta e com ampla caixa torácica. Relativamente magra, fruto não de exercícios, mas das muitas lipos às quais havia se submetido, lipoaspirada, lipoesculpida. Ela devia ter uns trinta e cinco anos, entretanto parecia perseguir o ideal de beleza de quando tinha vinte e cinco. Era ela, sem dúvida, que aparecia na foto apertando os peitos um contra o outro. "Tirei para você, pensei que talvez tivesse com saudade. Sei como você curte uma espanhola."

Marcos gosta da foto. A Nívea sempre se mostrou muito sacana. O marido era brocha, pelo que havia entendido. Muito brocha. Mas devia ser rico porque ela sempre andava com muitas joias. Desde que a conheceu ela só se hospedava nos melhores hotéis. Ela se apressava em pagar a conta. Ele se sentia um gigolô. Não se importava. Talvez até gostasse. Aquilo era raríssimo. Sempre pagou para todas as mulheres. Agora, ela pagava para ele. Tomavam champanhe, às vezes até mesmo da Cristal. E ela queria sacanagem. Da grossa. Queria ser dominada. Tinha quase certeza que se desse uns tapas Nívea iria adorar. Mas ele, mesmo se tentasse, não conseguiria. Não era o seu estilo. Não tinha essa de sadomasoquismo. De bater. Já havia até cogitado dar uns tapas na bunda da Vanessa. Mas faltou-lhe coragem. Talvez pudesse experimentar com a Nívea. Já havia até fantasiado com a ideia algumas vezes, mas na hora H percebia que o sado era o limite dele. O limite de Nívea ele não conhecia. Ela parecia gostar genuinamente dele, além do mais notava que ela era bem carente de toques, de carinho. Dentro do esquema de encontros esporádicos eles se davam bem. Sem cobranças. Ela sumia um, dois, às vezes até três meses. Viajava. Curtia a vida. Mandava um *e-mail* curto: "meu macho, estou indo para Paris. Vou ficar lá quinze dias. Beijo".

Uma vez, ela confessou que havia mais de quatro anos não transava com o marido. Ainda mais ela, toda fabricada, emperiquitada e cheia de tesão. E outra, ainda dizia que "o único homem que eu já transei fora do meu casamento foi você, ninguém mais serve, ninguém tem a sua potência. Procurar outro é caçar dor de cabeça e aborrecimento". Marcos acreditava, desconfiando. Mas de fato, quando eles se encontravam, ela parecia não ter transado há meses. A vagina estava como que fechadinha de novo. E ela queria tudo, de todo jeito, de todas as formas.

Uma nova foto. Não é ela. A loura tem os seios banhados por gosma branca. "Ai, que saudade", ele recebe na sua janela do *chat*. A essa altura, Marcos está com o membro duro. Pensa na foto, lembra da última vez com Nívea. Sente-se quente. Passa a mão no pênis, sente-o pulsar. Pensa em tirá-lo para fora da cueca exatamente na hora em que ouve um barulho de porta. Reconhece pelo ritmo do andar, que é Vanessa. Escreve rápido "tenho de ir, tchau", fecha o MSN. Abre o Facebook na página do CruiseKontrol, justamente na hora que Vanessa aparece. Ela não tem uma visão do computador. Fica na porta, sem entrar. Diz com voz lânguida:

— Amor, vem, não consigo dormir sem você, sabe disso. Anda logo.

Ela não entra, mas não arreda o pé da porta.

— Ai Vanessa, deu um pau aqui no aplicativo — diz ele. — Fodeu meio mundo. Ou então não é nada, é doideira de computador mesmo. Mas estou preocupado. Talvez amanhã o CruiseKontrol entre em colapso e os usuários nos abandonem...

Vanessa o interrompe dizendo:

— Sei, sei, vem logo. Amanhã você resolve isso.

Ele sente o membro ainda pulsando. Fecha o Facebook. Fecha tudo, assegura-se que o MSN foi finalizado. Nada aberto. Nada que alguém pudesse abrir por acaso depois. Ou olhar em algum histórico. Tem de ficar de olho. "É numa dessas que a gente se fode." Pensa em rodar o *scan on-line* do Mcafee e Kaspersky. Mas demoraria até iniciar e Vanessa já está impaciente. Põe somente o AVG antivírus para rodar. Um *scan* completo do computador. Sente o membro ainda duro. Vanessa está cansada, com sono.

— Não saio daqui enquanto você não vier comigo — diz ela.

Ele pensa: "Mas talvez ainda role um oral". Eles vão para a cama, abraçados. No caminho, põe a mão de Vanessa no seu pênis.

— Amor, olha como estou.

Ela ri. Se despem, sempre dormem nus. Totalmente nus. Desde sempre. Eles se beijam, ele ameaça fazer nela, ela diz que não quer. Ela se posiciona, começa o oral. Ele curte. Mesmo no escuro, vê o rosto dela subindo, a boca, os lábios, a língua. Não consegue deixar de pensar em Nívea. Está perto de gozar, pensa em Nívea, mas a realidade é Vanessa, que tira a boca e termina com a mão. Sente a pulsação baixar, pega um paninho no criado, limpa a si próprio. Beija Vanessa com carinho. Se abraçam. Se beijam. Ela diz "boa noite" e vira pro outro lado. Ele ainda continua desperto um bom tempo, olhando para o escuro. Não consegue relaxar pensando em acordar e encontrar o CruiseKontrol abandonado por todos os usuários.

No dia seguinte, acorda meia hora mais cedo e antes mesmo de tomar banho vai para o computador. "Vírus detectado." "Caralho, eu estou mesmo com vírus. Provavelmente nada a ver com o aplicativo. Era vírus. Foda. Também com o tanto de *site* pornô que eu sempre olho, não é estranho." Pede a remoção do vírus. *Vírus removido.*

Entra no CruiseKontrol. Tudo está funcionando perfeitamente. Vinte novos usuários nas últimas quatro horas. Nenhum usuário perdido. Agora vai fazer o serviço direito. Faz o *updates* do AVG e gasta os dez minutos necessários para iniciar o Kaspersky e Macafee *on-line*. Inicia um triplo *scan* do computador. Toma banho, acorda as meninas, faz o café. Corre-corre matinal do dia a dia. Antes de sair para o trabalho, confere o computador. "*No vírus*" é o veredito de todos os antivírus. Alternativa 1: estava realmente com vírus, embora estranhamente o nome do arquivo não aparecesse. De qualquer forma, o mesmo foi removido. Alternativa 2: "pode ser que o pessoal da AVG tenha lançado uma definição de vírus errada que deu pau com alguma coisa no Facebook. Acusou vírus onde não existia. Aí, eles corrigiram, mandaram uma nova versão. E o suposto vírus desapareceu". Por via das dúvidas, para ficar totalmente tranquilo, ele ainda faz *login* na TrendMicro e na Symantec. Pede um *scan* completo do computador nos dois *websites*. Devido a demora, as meninas começam a reclamar:

— Pai, vamos chegar atrasadas.

Ele pede calma:

— Aqui, pega a chave do carro e desçam. Eu vou em um minuto.

Depois de cinco minutos, ele aperta o botão de *escanear* nos dois *sites*, o que levaria provavelmente a manhã toda. Finalmente desce para a garagem.

SEXTA-FEIRA 29 DE ABRIL DE 2011

Contatos

MARCOS PRECISA DE MAIS informações sobre a empresa Worldwide Translation Services AB. Sabia que não seria difícil. Bastava entrar no cadastro de empresas da Suécia. A Suécia era um país muito organizado e eficiente em se tratando de registro de empresas. Estava tudo *on-line*. Escreve www.bolagsverket.se na barra de endereço do *browser*. Escolhe a opção "procurar por empresas". Digita Worldwide Translation Services AB. Uma empresa encontrada. É do tipo sociedade anônima, registrada no território de Estocolmo, mais precisamente em Bromma. Bromma é um subúrbio próximo ao centro. Lá, existe o aeroporto original da cidade. Um arranjo similar ao aeroporto da Pampulha de Belo Horizonte. A Pampulha antiga, não a atual, com dezenas de bairros novos. Bromma é um bairro tradicional, tendo tanto pequenas casas e apartamentos antigos dos anos 40, 50, quanto casas geminadas e até belos casarões. Bem misturado, bem tradicional escandinavo. Todas as classes sociais representadas. O ideal sueco. O filho do padeiro, do pedreiro, do banqueiro, todos frequentando a mesma escola pública. Sendo tratados no mesmo hospital do bairro. Próximo ao aeroporto existe uma área comercial. Um *shopping center*, supermercado, escritórios.

No menu ao lado, clica na opção "Solicitar Prova de Registro". Sente um pequeno desapontamento, "putz, vai demorar para eles enviarem isso". De qualquer forma, faz a solicitação. Uma nova página aparece, dizendo que o registro será enviado imediatamente. É um *site* desses de comércio eletrônico. Lembra-se que não se pode subestimar os suecos. Coloca o produto no carrinho de compras, faz o pagamento utilizando o cartão de crédito. Custa 20 reais. Em questão de segundos, um arquivo do tipo PDF é baixado no seu computador.

    Informações de registro
Data de registro da empresa: 2008-09-09
Número de registro da empresa: 556791-7856
Firma: Worldwide Translation Services AB
Endereço: P.O Box 1435, 16865 Bromma
Distrito de Estocolmo, comunidade de Estocolmo
Diretor responsável: 900606-9494 Johannes Brixare, Bällstavägen 745, 16865 Bromma

Marcos imprime o comprovante de registro.
Busca a empresa no Google. O *site* é www.worldwidetrans.com.
"Somos a maior empresa nórdica especializada em traduções. Nossos clientes podem tanto usar nossos serviços com a garantia Worldwide Translations como optar pela possibilidade de utilizar nossos contatos no mundo. Nesses casos, para garantia de ambas as partes, a Worldwide Translations se incumbe de agir como o mediador nessas transações."

À primeira vista, o *site* assemelha-se ao vWorker. Trabalhos virtuais. Não consegue ver muita coisa. Aparentemente, o sujeito só consegue ver os trabalhos depois de cadastrado. A página inicial é bem-feita, dá impressão de uma empresa séria. Tenta se cadastrar para descobrir mais. Dá um nome qualquer: Pedro José João. Inúmeras opções. Mil perguntas. "Número de telefone incorreto", aparece na tela. Preenche tudo rápido. País: Ilhas Bermudas. Cidade: XXX. Qual seu nível de instrução, escreva um pouco sobre você. Preencheu com XXXX XXXX XXXX XXXX. Erro. "Será que estão até detectando se escrevo algo que faz sentido?". Perde dez minutos preenchendo o cadastro. Quando finalmente chega ao final, uma mensagem de erro *Invalid command. Data cannot be saved*. Aperta o botão de voltar no *browser*, e a tela inicial aparece. Limpa. Tinha de começar do zero. "Ai, caralho." Desiste. Procura as opções de contato.

    Tel.: +46 8 279098
    Email: info@worldtrans.com

    Resolve telefonar. Um toque. Uma voz feminina atende. "Pressione um para inglês ou dois para sueco." Marcos pressiona um. A mesma voz continua, em inglês: "Obrigado por entrar em contato com Worldwide Translations. No momento, todos os nossos atendentes estão ocupados. Lembramos que, na maioria dos casos, as respostas às suas perguntas se encontram no *site* www.worldwidetrans.com. Se mesmo assim você desejar entrar em contato conosco, deixe um recado com seu nome e telefone de contato e lhe responderemos dentro de 24 horas. Ou envie um *e-mail* para info@worldwidetrans.com". Marcos ouve em seguida o sinal de ocupado indicando que a ligação havia sido desconectada.

    "Vai ser o jeito." Entra no Hotmail. Escreve em inglês, usa a mesma lengalenga da vez passada. "Vamos ver o que eles respondem."

    To: Worldwide Translations AB
    From: Marcos Avilar Reis
    Reference: Trabalho feito por Maria Tereza Durval Gomes

Prezados senhores,

    Minha prima, Maria Tereza Durval Gomes, recebeu, no dia 5 de abril a importância de 500 reais. O contratado dela, entretanto, havia sido de 800 reais. O contratante não cumpriu com sua parte e não mais responde a *e-mails* ou telefonemas dela. Precisamos da sua ajuda para contatarmos essa pessoa, a fim de tomarmos as devidas providências legais.

Contamos com sua ajuda para nos suprir os dados de contato que os senhores tiverem no seu cadastro.

Atenciosamente,
Marcos Reis

Pressiona a tecla de envio. Agora tem de se concentrar em outros afazeres. A vida ao redor infelizmente não para esperando ele resolver suas pendengas pessoais. Queria poder tirar férias e se dedicar a resolver isso, de uma vez por todas. Sente-se cansado, estressado. Passa o resto da manhã com um olho no trabalho e outro no Hotmail. Está com sono, pela noite curta e mal dormida. O almoço é corrido. Volta. Olha o Hotmail. Nada. Nenhuma resposta. Vai conversar com o Waldir. Ao retornar, por volta das 14 horas, chega a resposta:

To: Marcos Avilar Reis
From: Worldwide Translations AB
Reference: Trabalho feito por Maria Tereza Durval Gomes

Com referência ao trabalho, temos aqui nos arquivos que nossa empresa pagou, no total, R$ 1,1 mil à referida pessoa. O contratante liberou um pagamento inicial de 100 reais feito no dia 4 de março, tendo como referência "adiantamento"; outro feito em 28 de março no valor de 500 reais com referência "primeira entrega"; e um final, de 500 reais, no dia 4 de abril liberado sob título "entrega final". Nossa empresa tem os comprovantes de pagamento que foi efetuado por meio de uma empresa de *money transfer*, uma vez que ainda não temos a ligação *on-line* com a rede de cartões de crédito do Brasil. Tudo isso está devidamente documentado nos nossos sistemas. Nessa transação em específico atuamos apenas como um agente intermediário, não tendo controle do trabalho em si. Entretanto, pudemos verificar que o valor total do contrato estipulado foi de R$ 1,1 mil, que foi pago de acordo com o esquema proposto pelo contratante e aceito pela sra. Maria Tereza, conforme consta nos nossos arquivos eletrônicos.

Devido à questão de confidencialidade que o senhor certamente entenderá, já que nossos sistemas demonstram não haver qualquer irregularidade, não estamos aptos a liberar nenhum dado relativo ao contratante.

Atenciosamente,
Worldwide Translations AB

Vê aquela porta que pensou ter aberto se fechar no seu nariz. A empresa não ia liberar o nome do contratante. Quem quer que fosse, tinha se precavido bem. Talvez já o tivesse feito com empecilhos futuros em mente, e por isso pagou à Sandra dessa forma. Com certeza Sandra não se cadastrou naquele *site*. O sujeito abriu uma conta para ela como tradutora, outra conta para ele mesmo como contratante. Isso colocou essa empresa no meio, agindo como um *buffer*. "Uma proposta esperta. A única pessoa que eu conheço que teria cacife para uma ideia dessas é o Pradinho. E olhe lá. Nem ele talvez."

Não está na estaca zero, mas também não tem nenhuma prova concreta. E se fosse mesmo o Pradinho, ainda não tinha entendido bem os motivos. Pradinho estaria dando um tiro no pé, sem Marcos para tocar o *site*. Continuava também sem uma proteção, um escudo contra uma nova chantagem. O filme continuava solto em algum lugar do mundo, pronto para fazer uma nova aparição surpresa.

Pensa nisso, quando batem na porta. É o Tomás, um dos programadores:

— Marcos, você poderia me dar um minutinho e ver uma coisa aqui comigo? Tenho uma dúvida na sub-rotina do teste de óleo no iPad que às vezes você pode dar uma luz.

O minuto de Tomás consome o resto da tarde de Marcos.

SEGUNDA-FEIRA, 2 DE MAIO DE 2011

Presente de sócio

Segunda-feira brava. 2 de maio. O primeiro de maio fora o feriado mais inútil dos últimos tempos. Caiu em um domingo. "Onde já se viu isso? Devia ter sido transferido para a segunda. O pessoal diz que o Brasil tem muitos feriados. Quem fala isso, nunca foi à Suécia. Lá, funcionários do governo têm ponto facultativo no dia anterior ao feriado. Qualquer feriado. E para deixar ainda mais com inveja os caras inventaram o feriado 'do dia depois'. Natal, Páscoa, festa de meio do verão. Todos com folga no dia em si e no dia depois. E ainda falam que a gente, tadinhos de nós no Brasil, é que temos mordomia."

Campainha. Campainha? Não, interfone. Às 6h30 da madrugada? Vanessa e Marcos estão confusos. Ainda não se banharam, o café ainda está em pó dentro do pacote. 6h30 não é hora de se fazer nada. No máximo, uma de ladinho para despertar.

— Cesta de quê? Pra quem? É, sou eu. Manda subir, então.

Atende à porta. "Se for ladrão ou sequestro, vou pedir para eles me deixarem dormir pelo menos até as 8h. Depois disso nós podemos negociar o resgate." É um motobói. Entrega a cesta. É enorme. Coisa fina. É cesta de café da manhã. O motobói. entrega a encomenda, fica parado. Marcos diz: "peraí". Fecha a porta. Vai na carteira, pega três reais. Abre, entrega. O sujeito faz cara de pouco-caso. Talvez pensasse em jogar as moedas no chão. Ou lhe mostrar uma pica com o dedo. Não fala nada, vira-se e sai para o lado do elevador. Marcos fecha a porta. Do lado de dentro, a comitiva de recepção já está formada. As meninas estão extasiadas. *Croissants*, pães de sal, pão de queijo. Tudo quentinho, saindo fumaça. Manteigas com ervas, patês diversos, requeijão. Polenguinho. Bolo. Geleias de framboesa, uva, morango, pêssego. Chás ingleses. Cortes de frios: presunto suíno, de peru, lombinho canadense. Queijos: saquinho de muçarela de búfala, suíço, minas. Frutas: uvas, mamão, maçã. É cesta de café da manhã, mas tem até garrafa de champanhe. Champanhe mesmo. Daquele feito na região de Champanhe na França, nada de Cava, Sekt ou Frizzante. Era o legítimo. Marcos procura, mas não acha nenhum cartão.

 O café veio em um copo grande de isopor, e o jeito foi degustar aquelas delícias enquanto ainda estavam quentinhas. Todos, é claro, perguntam para Marcos quem mandou. "Só pode ter sido algum admirador secreto, meu ou da sua mãe", respondeu. No fundo, está com um pouco de medo. Talvez isso fosse algo relacionado com a chantagem, com o *e-mail*. O chantagista dizendo: "Ha ha ha! Eu sei onde você mora, idiota". Naquela hora, o melhor a fazer era deixar esses pensamentos para depois. A cesta pelo menos proveu um lauto café. Um bom jeito de iniciar a semana, iniciar o mês. "Vamos, meninas. Estamos atrasados!"

 Logo que deixou as filhas na Cultura Inglesa o celular tocou. Novamente, sem o negocinho do ouvido. "Vou levar multa com certeza." Era o Pradinho. Depois de semanas desaparecido, inúmeros *e-mails* sem resposta, o sujeito finalmente dava sinal de vida:

 — Salve, Marcos. Desfrutou da cesta, meu grande amigo?

 Confusão mental. Pradinho enviou a cesta. Por quê? E como?

 — Inclusive, você escreveu o endereço errado, seu mala. Trocou os números. O entregador já está acostumado. Isso acontece sempre. A sorte foi que ele notou que o número do apartamento era de um prédio alto. Ali, na sua rua, naquela região, só tinha um prédio com pelo menos onze andares. Número 125. Ele foi lá e perguntou para o porteiro se tinha alguém com o seu nome. Tinha. Cara bom de serviço. Outro teria voltado para trás. Seria foda porque cesta de café da manhã é bom quando está quentinha. Eu tinha combinado de ele me ligar assim que entregasse, mas pensei melhor e resolvi esperar deixar você degustar o presente. E aí, gostou?

— Muito boa, Pradinho, muito boa. Poxa, você sumiu totalmente. Faz tempo que quero entrar em contato com você e nada. Te mandei vários *e-mails*, telefonei. O que foi isso?

— Pois é, Marcos, a cesta é um pedido de desculpas. Foi mal. Andei tendo uns problemas pessoais aqui. Sabe a Patty? Ela me botou pra fora de casa. Fiquei na rua. Ela me pegou com uma amiga dela na cama. Armou o maior barraco. Demorei uma semana para poder pegar meu computador, minhas roupas, o carregador do meu celular! No final, acabei tendo de chamar a polícia, você acredita? Pior que a filha da puta ainda deu um jeito de queimar meu *laptop*. Mas no final consertaram, porque ela deve ter injetado água dentro dele e só queimou a fonte de força. E isso, com as coisas rolando. Tá tudo detonando. O CruiseKontrol tá pegando fogo por aqui, meu amigo. Você não faz ideia!

"Então, eu fiquei morando uma semana na casa do Fredrik. Você não sabe quem é. É um colega novo. Para encurtar o papo, no meio desse problema todo fui para a Holanda. Fechar negócio com os chineses. Aliás, chineses não, vietnamitas. Terceirizados dos chineses. A China está ficando cara. Fiquei uma semana em Amsterdã discutindo os *layouts*, as cores, todos os detalhes. Depois que a gente recebe dez mil camisetas e descobre que houve algum erro, fica complicado retornar, entende? Mas não se preocupe, fiquei num hotel baratinho. Agora já está tudo encomendado. As camisetas, as calcinhas, as miniaturas de barcos.

"Contando as despesas de viagem e o adiantamento pra iniciarem a produção, a Protheus tá zerada. Essa é a notícia ruim. Mas fica tranquilo. A notícia boa é que agora que está tudo fechado, redondo, estou com um comprador em potencial. Ainda não o encontrei pessoalmente. Mas ele quer investir na empresa. Com certeza quer comprar uma parte. Vamos entrar numa grana boa. Eu estou desesperado porque tenho de arrumar um lugar para morar urgente. No momento tive sorte e passei a morar no apartamento de um colega que está viajando a trabalho, mas ele retorna daqui a três meses. Por enquanto, a Protheus está funcionando aqui. Instalei os computadores e tudo, mas até julho tenho de resolver a minha vida. Dar entrada em um apartamento. Você sabe como é difícil comprar apartamento aqui em Estocolmo. Ter dinheiro é só uma parte da história. A oferta é pouca e a procura é sempre muita. Eu não posso mais ficar morando com essas mulheres que arrumo. Só dá confusão, tenho que conseguir um lugar pra mim.

"Estou contando com esse investidor para sair da lama. Já conversamos pelo telefone várias vezes. A empresa dele se chama Worldwide Translations. Aqui, eu vou ter de sair. Só queria te dar as boas notícias. Vamos entrar numa grana preta. Provavelmente, você vai ter de vir aqui. Vai pensando nisso. Depois te mando um *e-mail* com calma contando tudo. Desculpa aí a ausência e a falta de notícias, mas tá tudo encaminhado. O bicho pegou, mas agora é só relaxar. Grande abraço, tenho de ir, tchau."

Desliga.

"Recapitulando: teve de sair de casa. Viajou para a Holanda. Dinheiro da Protheus todo gasto. Worldwide Translations quer investir na nossa empresa. Pradinho decidiu que quer comprar um apartamento", Marcos pensa.

Tem mais: "Worldwide Translations na Suécia. Mesma empresa que mandou o dinheiro para a Sandra. 'Dinheiro este oriundo de uma pessoa que eles não podem revelar.' A cláusula da espingarda na empresa. Funciona bem se os dois parceiros têm o mesmo nível. Se essa empresa estiver por trás do Pradinho, eles fazem um lance baixo de vinte a trinta mil reais e eu não tenho como retrucar. Tenho de vender. Aliás, nem tem sentido também permanecer nessa se eu não tenho um parceiro confiável na Suécia. Mas se estão fazendo isso tudo é porque a empresa já deve realmente estar valendo bem mais".

"Algo está muito esquisito. Eu me rendo. Quer saber de uma coisa, vá a Worldwide Translations e o Pradinho pra puta que pariu, junto com a Protheus. Foda-se. Não quero mais saber de nada com esses caras. Quero ficar em paz."

Quase bate no carro da frente. Lembra-se que isso aconteceu há cerca de um mês. Será que tinha mais coisa por vir ou esse era o último lance do Pradinho e dessa empresa fajuta? Tinha de vender sua parte logo, porque pagar para ver estava fora de cogitação. Sair fora. Era o jeito. "Antes que eles partam para a ignorância e fodam a minha vida pra sempre."

Nem bem chega na sua sala na Concretek e pessoas já o abordam no corredor. A agenda do dia está lotada. Tem reuniões com o pessoal da empresa de *marketing*. Serão obrigados a alterar o *website* do PMP. iPhone e iPad passariam a ser um opcional da nova versão. Um adicional, vendido à parte, mas que só seria realmente comercializado daqui a dois meses. Foi o único jeito encontrado. Talvez fosse até bom economicamente porque poderiam cobrar por esse "opcional". Marcos estimava que a nova configuração funcionasse por um ano, quando, então, seriam obrigados a tornar esse "opcional" parte do pacote para continuarem competitivos. Porém, essa mudança também significava custos e mais trabalho para refazer o leiaute e os temas da campanha de lançamento.

O dia é corrido. Sente-se pressionado de todos os lados. Só teve tempo de pensar nos seus problemas quando chegou em casa, à noite. Fechou-se no escritório cedo, logo depois do jantar. Hoje ele iria resolver sua vida.

Entra no Hotmail. A caixa de entrada está lotada de documentos vindos do Pradinho. Desenhos técnicos, especificando dimensões, materiais, posição do logotipo. Alguns em estilo bem profissional, outros parecendo feitos por uma criança de dez anos. Documentos de todos os tipos. Um contrato, no qual a Protheus se prontifica a pagar vinte e sete mil reais em duas parcelas: uma de dezessete e a outra de dez mil. Um recibo no valor de dezessete mil reais assinado por uma empresa chamada Red Delta Industries sediada em Amsterdã. O *website* dessa empresa está quase todo em chinês, japonês ou algo semelhante. Em inglês, apenas o "sobre nós". "Somos a maior empresa de manufatura da região do Delta Vermelho, produzindo artigos de plástico e têxteis. Nossa carteira de clientes contém 135 das empresas listadas no Fortune 200." E só.

Consulta a conta bancária da Protheus na Suécia. Mil reais de saldo. O pagamento de dezessete mil reais havia sido feito via transferência bancária pela internet. O cartão de crédito tem despesas de três mil reais. Hotel, passagens aéreas de ida e volta de Estocolmo para Amsterdã. Impossível checar a autenticidade dessa empresa. O recibo, na verdade, um pedaço de papel impresso e fotografado usando-se um telefone celular, é algo ridículo de tão amador. Nada de papel timbrado da empresa, carimbo. Idem no tocante ao contrato. Este tem duas páginas. Marcos não é advogado, mas a falta de cláusulas de "penalidades de atraso", "o que fazer no caso de uma disputa" demonstra que nenhum advogado passou por perto daquela negociação.

A essa altura, é difícil, estando a centenas de quilômetros de distância, saber o que está acontecendo. Senão impossível. Nenhuma referência a documentos relativos à empresa que Pradinho mencionara. Nenhum tipo de prova que essa possível venda seja algo legítimo. Com o caixa da empresa negativo, o que acontecerá assim que a fatura do cartão de crédito chegar é que Marcos terá de colocar mais dinheiro no empreendimento. Dinheiro vivo que não tem. Por mais que estude os documentos é tudo uma questão de se confiar ou não no Pradinho. Somente ele encontrou pessoalmente os tais fornecedores, somente ele sabe da legitimidade deles. É possível que a tal empresa nem exista, e simplesmente o dinheiro tenha ido para a conta de um amigo em Amsterdã.

Chega uma nova mensagem na caixa de entrada do Hotmail. "Deve ser do pessoal do Santo Antônio. Vou olhar o que é, talvez isso me ajude a relaxar um pouco."

Sente novamente o sangue gelar. A mensagem vinha de 01april2011volpi@hotmail.com com o assunto "Urgente. Marcos Avilar Reis. Favor ler imediatamente".

Sr. Marcos,

Temos uma ótima notícia para você. Você irá adorar essa surpresa. Clique em www.seesomeone.net/01042011 para uma amostra do que preparamos para você.

Atenciosamente,
01April2011Volpi

Marcos pensa: "Merda total. É o golpe final. Quer me mostrar o filme para que eu relembre que continuo na mão dele". Clica.

O mesmo filme de antes. Lembrava-se bem. Fazia um mês que o vídeo estava impregnado na sua memória. De novo, o foco no rosto dele. Só que, desta vez, o filme recomeça. Estranho, agora... "Puta que pariu, é um outro cara comendo a Sandra. Quer dizer, sou eu... mas não sou." No final, o foco de novo no rosto dele, mas o rosto se transforma em uma outra face, agora não é mais ele, depois volta a ser novamente ele. Tela preta. Tenta recarregar, mas novamente *file not found*.

Novo beep. Nova mensagem. Vindo de um outro endereço, "15presentes15@hotmail.com" com o assunto "Urgente. Marcos Avilar Reis. Seu orçamento. Válido somente por 24 horas".

Prezado senhor Marcos Avilar Reis,

Conforme o senhor pode ver, resolvemos presenteá-lo com uma elegante solução para os seus problemas. De posse desse material o senhor teria condições de contra-argumentar em qualquer circunstância. Mostra, de forma contundente, que hoje em dia se é possível criar truques de estúdio impensáveis há até poucos anos.

O custo será de 15 mil reais, pago através do PayPal para a conta 15presentes15@hotmail.com até as 23 horas de amanhã.

Caso o senhor resolva pelo não pagamento, o material da gravação original será devolvido à sua residência situada na rua Monte Alverne 125, apt. 1.101.

Caso o senhor sabiamente opte pelo pagamento, receberá instruções dentro de duas semanas de como proceder para o fazer *download* do arquivo que será postado em um *site* público protegido por senha.

Gostaríamos de adiantar que o custo não é negociável e que essa será nossa única oferta.

Atenciosamente,
A Gerência.

De alguma forma, ele já esperava. Por que o chantagista iria se satisfazer com uma vez só? Sabia que isso iria acontecer, mais dia menos dia. A esperança que seria uma vez só era um tipo de negação. Uma negação inconsciente da realidade. Dizer não ao óbvio: que aquela noite iria, para sempre, assombrar-lhe e que não haveria saída. Que, no final, a verdade viria à tona, Marcos seria desmascarado e sua vida arruinada. Ainda não tinha entendido direito por que o próprio sujeito agora acenava com uma real possibilidade de salvação. Talvez, ou melhor, muito provavelmente, ele nunca enviaria o vídeo modificado. A posse daquele filme era o seu grande trunfo, dessa forma mantinha a pessoa refém. "Realmente, a solução de mudar o rosto da pessoa é algo elegante, o sujeito pode se defender alegando que era tudo uma chantagem e que foi tudo um truque de estúdio! Tenho de confessar que não pensei nisso."

Marcos precisa ganhar tempo. Não tem mais ilusões de que as ameaças cessem por si só. O chantagista irá espremer sua laranja até a última gota. Mas nesse momento, precisava ganhar tempo. Tinha um plano. Um plano para resolver tudo. Sabia que estava tudo ligado: a chantagem, a Protheus, o Pradinho, o sucesso do CruiseKontrol, a empresa Worldwide Translations.

Não tem mais dúvidas. Porém, agora, ele era um homem com um plano: resolveria tudo na semana que vem.

Entra no PayPal. Paga os quinze mil reais. Usa o cartão de crédito da Protheus. Paga os sacanas com o próprio dinheiro da empresa deles. Pradinho só descobriria no mês seguinte, quando a conta do cartão chegasse. Como Marcos é quem pagava as contas, talvez já até estivesse fora da Protheus quando tudo viesse à tona.

Entra no *site* da Tallink. Compra uma cabine superluxo. Ida para Tallinn, terça-feira, dia 10 de maio, às 17 horas. Chegada a Estocolmo na quinta-feira, dia 12. Dois passageiros: Marcos Avilar Reis e Luiz Antônio Prado. Compra também dois tíquetes para o bufê do jantar tanto na ida quanto na volta. O bufê do café da manhã seria exagero porque nunca acordavam a tempo. Envia um *e-mail* para o Pradinho:

Grande Pradinho,

Poxa, fiquei muito feliz com tudo que você me enviou. Pelo visto realmente a empresa está fazendo sucesso e nossos planos estão se concretizando. Estou saindo daqui na segunda-feira, dia 9 de maio. Vamos comemorar no barco em grande estilo. Utilizei as minhas milhas para comprar uma cabine superluxo para nós. Bufê incluído. Envio anexo para você o PDF do tíquete. Saímos no dia 10 e retornamos a Estocolmo no dia 12. Aproveitaremos os dias no barco para discutirmos os negócios também. Marque com o comprador de nos encontrar no dia 12 à tarde. Retorno ao Brasil no dia 12 à noite. Envie-me seu endereço e o código de abertura da porta da rua. Vamos detonar como nos bons tempos!

Abraços,
Marcos

Entra no YouTube. Procura sobre "como abrir portas fechadas". Encontra vários vídeos. A maioria ensina métodos rápidos, não destruidores. Usando ferramentas baratas. Basta adquirir o material adequado. Existe também o método da força bruta. Do pé de cabra e da furadeira. Hora de ir dormir por hoje.

No dia seguinte está na Concretek quando recebe a resposta do Pradinho.

"Excelente ideia. Vamos detonar. Meu apartamento fica na Sankt Paulsgatan 22. O código da porta é 3435. Na terça-feira então você vem primeiro aqui para casa e de lá vamos para o terminal da Tallink, certo?"

Marcos levanta, vai até Blair. Conta para ele que um grande amigo da época da faculdade na Suécia morreu. Que quer ir ao enterro, dar um apoio aos familiares. Grandes amigos. Sempre se comunicavam, morreu repentinamente. Um grande choque para todos. Pensa em falar também da sua situação na Suécia, que tem que ir renovar o certificado de residência, mas deixa de lado. Muita explicação às vezes complica. Melhor falar só na morte do tal sujeito. Seria uma viagem muito rápida. Perderia, no máximo, uma semana, esta descontada das férias. Blair ouve, atento.

— E o lançamento da nova versão, isso não vai ser afetado, né?

— Não, essa semana a gente acerta os detalhes finais. Já está tudo encaminhado.

— *Ok*, então. Mas veja isso com cuidado pra não deixar nada pendente. Se não…

Não terminou a frase. Fez apenas uma cara feia.

Marcos sabe do perigo. As coisas não estão todas encaminhadas conforme ele havia dito. Muita coisa pendente. Mas, com sorte, conseguirá que tudo se encaixe. Essa viagem irá colocar tudo de volta nos eixos.

À noite, conversa com Vanessa. Explica que vai precisar fazer essa viagem por causa da situação na Protheus, que provavelmente irá vender a parte dele. Está tudo muito incerto e estão apenas perdendo dinheiro.

— Vanessa, essa empresa só está me estressando. O Pradinho não é confiável para representar a empresa lá. Vou dar um jeito na coisa, tem de ser agora porque estamos zerados no caixa. Ele vai querer que eu enfie mais dinheiro e, sem ver o que realmente está acontecendo, não vai dar. Tenho de ir, inclusive aproveito para renovar o visto.

— Esses seus esquemas. Olha, estou cansada de você varar as noites. Não dá atenção a mim nem às crianças, fica só estressado. Sem retorno nenhum. Vai, mas resolve isso. Volta com tudo acertado. Ultimamente toda noite você só quer chegar no meio da madrugada e *bam-bam-bam*. Não dá.

— Xá comigo que vou resolver, sim. E pode deixar que as coisas vão melhorar. Agora deixa eu ir marcar a minha passagem, tá? E hoje eu vou pra cama cedo, viu?

— Cama nada, eu quero que você assista a um filme comigo. Depois que as meninas forem para a cama. Se não tiver romance não vai ter mais nada depois. Você agora tá muito folgado, não sou mulher-objeto não, tá sabendo? — diz, fazendo uma careta.

— Que é isso, minha nega. Você sabe que às vezes pra conseguirmos algo temos de fazer um sacrifício. Senão a coisa não anda. Mas tudo bem, deixa eu fazer a minha reserva e hoje a gente toma um vinho. Mesmo sendo terça-feira. Vamos celebrar essa viagem porque ela nos trará boas notícias.

— Tá — diz ela, fazendo cara de triste, mas depois dando um sorriso. — Me dá um beijo e vai lá, então.

No escritório, entra no *website* da Lufthansa. Compra uma passagem para Estocolmo. Saída dia 10 de maio às 18 horas com escala em Frankfurt, chegando a Estocolmo por volta do meio-dia, horário local do dia 11. Retorno dia 12 à noite.

Entra em outro endereço: www.hotels.com. Procura por um hotel próximo à Sankt Paulsgatan. Tem um pertinho. Hotel Rival. É caro, mas foda-se. Vai tudo pro cartão da Protheus. O dono é o cara que cantava no ABBA. Uma diária só. Quarta, dia 11, saída na quinta de manhã. Pago. Confirmado.

Olha novamente clipes no YouTube. Entra no *site* da Clas Ohlson. Uma empresa que vende coisas para pessoas que fazem reformas em casa, semelhante à Leroy Merlin. Clica. Compra. Confirma o endereço de entrega: Hotel Rival, hóspede chegando no dia 11 de maio.

Por fim, entra no *site* da Gol. Fará o percurso Belo Horizonte— São Paulo. Escolhe um voo na segunda, dia 9. O mais tarde, 20 horas. Isso lhe dará chance de terminar qualquer pendência. Entra no Facebook. Manda uma mensagem para a Nívea: "Estou indo para a Suécia na terça, dia 10, à noite. Chego no aeroporto de Guarulhos dia 9, após as 20 horas. Tenho a noite e o resto do dia 10 livre. O que você acha de nos encontrarmos? De preferência em um hotel perto do aeroporto. Me dê um retorno quando puder."

Não espera resposta. Já está atrasado. Abre um vinho. Senta-se com Vanessa. Bebem. Assistem ao filme *The Tourist*. Detestam.

— Não seria bom a Angelina Jolie um dia fazer um papel de feia? Igual a Charlize Theron. Porque a Angelina passa os filmes todos fazendo caras e bocas pra soar gostosa e só. Um saco.

Vanessa concorda:

— Realmente ator bom tem de ser mais versátil.

— Você é superversátil — diz Marcos, enquanto baixa a camisetinha decotada que ela estava usando sem sutiã. O seio esquerdo, pequeno, duro, pula para fora. Ele chupa o mamilo rosado, perfeito. Ela diz:

— Cuidado, as meninas podem aparecer.

Ele continua sugando. Começa a passar a mão por cima da calcinha. Ela começa a ofegar, a pulsação acelera. Quando ele penetra nela, de quatro, ela grita. A bunda é grande, mas firme. Ela já o chupou, já recebeu o leite como sempre gosta. Ela sempre quer primeiro na boca. Porque é quando sai em maior quantidade. Gosta de sentir os jatos iniciais no fundo da garganta e depois o calor do líquido no rosto. Usa os seios turbinados para massageá-lo, geme. Eles têm hoje à noite e amanhã. Ela marcou no Marriot, aquele perto do aeroporto. Ele chegou já passava das 22 horas, o voo atrasou. Ela já estava no quarto, de cinta-liga, calcinha e sutiã pretos. Não falou, mas queria mostrar a última lipo que havia feito. E a cor combinava com os cabelos pretos longos e anelados. Já bebera meia garrafa de champanhe Veuve Clicquot. Já tinha liberado os canais pagos, olhado um filme pornô. Em suma, já tinha feito as preliminares sozinha. Quando Marcos chegou, sentiu que ela já estava mais que pronta. Ela quase gozou apenas fazendo o oral nele. Assim que ele retribuiu, com dois minutos de língua ela já estava revirando os olhos. Ele sabia que, se a penetrasse logo depois do gozo oral ela teria um duplo. Ele fez, bem fundo, bem forte. Ela deve ter acordado se não o hotel todo, pelo menos os vizinhos. Continuam por horas, com paradas para champanhe, cochilos, sanduíches pedidos pelo serviço de quarto. Dormem de vez das 4 às 9h. Ele acorda com ela chupando-o.

— Pelo menos você já tomou sua dose de proteína matinal — disse ele ao terminar. Ela sorri:

— Você é uma delícia, sempre doce, seu pau é doce, seu leite também.

A bordo do Boeing 747-300, Marcos só tem medo de atrasos. É crucial chegar no máximo às 4 da tarde. Caso atrase muito, correrá riscos. Por enquanto tudo parece *ok*. Havia explicado para Pradinho que só chegaria na quinta. Tivera problemas no trabalho, deu uma pane total e foi forçado a adiar a viagem, mas disse a Pradinho que aproveitasse o barco sem ele. Já estava tudo pago mesmo. Marcos dissera também que talvez mudasse a passagem de volta para a sexta. Na verdade, não tinha vontade de fazer isso. Não via muito sentido em prorrogar a viagem uma vez que a verdade viesse à tona. Provavelmente na quinta de manhã já saberia de tudo, teria tempo de ir na imigração e, à tarde, pegaria o boi pelo chifre. Terminaria a história da chantagem, da Protheus, tudo. Ficar lá fazendo o que, então? Melhor voltar logo.

"Mais bebida?", pergunta a aeromoça. Ela é alemã. Lembra-se da Maren. Existe uma semelhança entre elas. Claro que a Maren agora devia estar gorda. Talvez, por outro lado, ela tivesse se rendido à gilete. "Aquela deve ter sido uma fase natureba das alemãs. Já passou." Mas está cansado. "A Nívea realmente não deve dar para o marido. Estava com uns cinco meses de tesão acumulado." Assiste ao filme na telinha individual. Era muito raro ver um filme bom no avião porque toda e qualquer cena de sexo ou violência era cortada. Editavam tanto, que muitas vezes o filme ficava até sem sentido. Agora vê a comédia *Entrando numa fria maior ainda com a família*. Claro que tinham censurado tudo que era remotamente engraçado.

Infla o travesseiro de pescoço. Está sentado na janela. Ao lado dele, um sujeito com cara de alemão lê um livro. "Melhor dormir. Amanhã é o dia D." Não dorme. Fica acordado, olhando o vazio negro do lado de fora. O mesmo vazio que, olhado de outra forma, deixa Marcos ver sua própria imagem. "Talvez sejamos nós dois a mesma coisa. Eu e o vazio. Eu sou o vazio." Dorme.

PARTE IV

QUARTA-FEIRA, 11 DE MAIO DE 2011

Abre-te, sésamo

EM 2003, QUANDO AXEL morreu e Ingrid retornou à Suécia com o filho Daniel, o absurdo aconteceu. Como a morte havia ocorrido no Brasil, a certidão de óbito não era válida na Suécia. Nem na Suíça. Sem contar que o próprio casamento dos dois não tinha reconhecimento internacional. Tendo sido consagrado apenas no Brasil, na prática, Axel e Ingrid não eram casados nem na Suécia nem na Suíça. A própria paternidade de Axel não era reconhecida em nenhum outro país além do Brasil, já que o nascimento acontecera no Brasil e nenhum dos pais havia tido o cuidado de registrar a criança no próprio país. Para fins legais, Daniel era um brasileiro qualquer. O que à primeira vista pareceu um pequeno entrave legal, na verdade se tornou uma batalha judicial — uma batalha sem opositores, exceto a burocracia existente entre países. A Suíça exigia que a certidão de óbito fosse traduzida por um tradutor juramentado para uma das línguas do país e, posteriormente, registrada no consulado suíço. Feito isso, que dessem entrada nos papéis no cantão de Genebra, onde Axel havia residido. As mesmas exigências no que se referia à certidão de casamento e nascimento de Daniel. Procedimentos semelhantes eram também requeridos pela Suécia. Com o agravante que no Brasil não existia tradutor juramentado de português para sueco. Isso significava que o juiz deveria apontar alguém para fazer a tradução. Apenas essa parte do processo, o de se apontar um tradutor, demorou três meses. A pequena família, devastada pela trágica morte do pai, teve de aturar três anos, até que tudo ficasse devidamente registrado.

Durante esse tempo, Ingrid trabalhou como secretária, tempos depois demitiu-se justificando que não gostava, contudo, a verdade é que estava farta do chefe sempre tentando comê-la. Pensou em voltar a trabalhar como organizadora de eventos, mas o emprego requeria viagens constantes e naquele momento sentia que Daniel precisava dela. Foi ser caixa de supermercado. Nos piores momentos, teve de fazer faxina para complementar o orçamento. Teoricamente ela e o filho eram herdeiros de uma respeitável fortuna, já que Axel, apesar das farras no Brasil, nunca havia mexido no dinheiro que lhe era depositado como salário na Suíça, mas sem direito a receber o patrimônio, eles viviam uma vida difícil e regrada. Ingrid suspeitava também que a Credit Suisse usava da burocracia para tentar protelar ao máximo o pagamento dos benefícios. Sempre alegavam detalhes técnicos. Cada detalhe significava trâmites entre Brasil, Suíça e Suécia. A cada entrave eram dois, três meses perdidos. Ela assinou Ingrid Stella Cotto em um documento, mas na Suécia seu nome oficial ainda era Ingrid Stella Lindemann. Novo trâmite, nova assinatura, agora Lindemann. Porém, a essa altura já havia sido legalizada a mudança de sobrenome na Suécia. Por questão de data, o papel inicial não era válido. Novo trâmite.

Moravam de aluguel em um pequeno apartamento num dos subúrbios mais longínquos de Estocolmo, Märsta. Uma área predominantemente ocupada por imigrantes e refugiados, onde se ouvia mais dialetos africanos e árabes que a língua sueca propriamente dita. Eram os únicos suecos do complexo de apartamentos onde moravam. Daniel não sabia se fora o choque da morte, da mudança brusca de vida, de ter de se adaptar a uma dura realidade que fez a mãe envelhecer dez anos nos primeiros seis meses ou se fora apenas o choque de saber que o marido havia sido infiel. Eles ficaram sabendo que tinha uma mulher com Axel no carro e dentro da bolsa dela o cartãozinho do motel Playboy com o carimbo do fatídico 7 de julho. "Provavelmente a causa do desgaste foi tudo isso junto."

Em 2006, quando pelo menos parte da burocracia se ajustou e o *Credit Suisse* aceitou liberar uma porção do dinheiro, mudaram-se imediatamente para uma ampla casa em Bromma, comprada à vista. Moravam em uma das ruas mais tranquilas na parte mais rica do bairro, e a nova morada, construída nos anos 50, era geminada, unida à do vizinho. Uma pequena cerca viva de meio metro de altura dividia os dois quintais na parte de trás. Na parte da frente, não havia cerca nem muro. Apenas um gramado separava a porta de entrada e a rua. No asfalto, estacionados, somente carros novos de marcas como BMW, Volvo e Mercedes. Muito diferente da vizinhança em Märsta. Mas o relativo conforto conquistado, o fato de a mãe não precisar mais trabalhar, de poderem ter uma vida tranquila e serem financeiramente independentes, nem de longe serviu como compensação para os três anos anteriores. Tinham sido anos perdidos, de sufoco desnecessário. Mas Daniel aprendera algo: países, normalmente, não conversam entre si. Nem em caso de morte.

Em 2008, no dia em que completou dezoito anos, Daniel exerceu seus direitos de acordo com os postulados das leis suíças. Requereu a mudança de nome passando a se chamar Jarvis Lindemann, tendo adotado o sobrenome de solteiro da mãe, alegando homenagear o avô materno. João era um nome estranho na Suíça, sentia-se discriminado, mas como era por esse nome que se reconhecia, e não Daniel, optou por se chamar Jarvis, para honrar sua cultura francesa. Ao mesmo tempo, requereu a troca de nome na Suécia.

Assim, para a identificação naquele país, Daniel criou para si o sobrenome Brixare e optou por fazer o nome João mais inteligível ao idioma sueco adotando Johannes. Três meses depois, tinha em mãos três passaportes diferentes, três identidades diferentes, uma para cada país. Era hora de abrir as empresas, continuar os planos.

Passaram-se três anos e hoje Daniel debruça-se sobre o diagrama esquemático do fluxo de dinheiro das empresas. Desde 2008 repete esse exercício mental trimestralmente tentando encontrar falhas, buracos. Age como "advogado do diabo", imaginando cenários desastrosos. Sempre considera as piores hipóteses. De tempos em tempos, o fluxo muda. Já foi muito menor. Com certeza, daqui a um, dois, três meses estará maior.

Hoje está assim:

1) O dinheiro chega por meio do PayPal, em contas diversas para não gerar muita movimentação em uma única conta. Cada conta PayPal utiliza um endereço Hotmail específico e um nome aleatório. Associada a cada conta está uma conta bancária na Suíça.

O primeiro nível de proteção é o próprio PayPal. Provavelmente esse *site* congelaria a conta se suspeitasse de algo (talvez um *e-mail* de um cliente nervoso fosse suficiente), mas entregar o número da conta bancária requereria o pedido de uma autoridade. Talvez um juiz qualquer pudesse expedir algo. Não seria complicado fazê-lo, mas, a essa altura, quando a conta fosse congelada, Daniel seria avisado. Poderia tomar providências como, por exemplo, enviar o filme, ou então apagar todos os rastros de *e-mails* e, até mesmo, empresas relacionadas com esse cliente específico.

O nome no Hotmail e no PayPal é virtual e não é "oficialmente" vinculado à pessoa de Daniel, mas o número da conta suíça é real. Os bancos suíços exigiriam nada menos que um mandado de segurança expedido por uma autoridade no nível de uma Interpol para quebrar o sigilo dessa conta. Seria um processo demorado. Mas eventualmente chegariam assim às empresas controladas por Jarvis Lindemann.

2) Jarvis, por sua vez, investe parte dos lucros na Suíça ao mesmo tempo em que também contrata serviços de terceiros por meio de *sites* de trabalhos *on-line*.

As autoridades teriam de intimar várias empresas desse tipo (vWorker, etc.), situadas em diversos países (Estados Unidos, Inglaterra, França, etc.), para conseguirem definir exatamente quais delas foram contratadas por Jarvis. Se fossem bem-sucedidas, entenderiam que grande parte do montante que sai da Suíça vai para empresas sediadas na Suécia, estas controladas por Johannes Brixare.

Não existe uma única base de dados de cidadãos estabelecendo uma ligação entre Johannes Brixare e Jarvis Lindemann. Somente uma íntima cooperação entre os governos suíço e sueco possibilitaria a descoberta de que os dois são, na verdade, a mesma pessoa.

3) O dinheiro chega ao Brasil para o pagamento de fornecedores (empresas que oferecem serviços tais como o transporte e instalação dos equipamentos bem como os hotéis propriamente ditos. E, lógico, as garotas) por meio de operações não regulamentadas. Muitas dessas transferências são feitas utilizando a identidade de Daniel João Cotto, cidadão brasileiro, o que dificulta a identificação das transações pelos governos sueco e suíço. Para complicar ainda mais, sempre que possível, muitas dessas transferências são feitas utilizando-se a documentação (cópia do passaporte) de um brasileiro qualquer, obtida no mercado negro na internet. Sempre tomando-se o cuidado para não exagerar nas transações feitas com o uso de uma só identidade, para assim manter-se a salvo de averiguações das autoridades econômicas.

Novamente, as autoridades suecas seriam obrigadas a intimar empresas situadas em outros países (Irlanda, Portugal, Espanha), no caso, empresas de *money transfer*, a fim de tentarem obter nomes dos beneficiários e cruzar as informações. Como a maioria dos beneficiários eram prostitutas, imagina-se que seja uma profissão em que a pessoa mude de endereço com frequência. Pelo menos parte delas seria muito difícil de localizar passados alguns meses.

4) Somente uma investigação muito bem conduzida pelos governos da Suécia, Suíça e Brasil seria capaz de trazer à tona que Johannes-Daniel-Jarvis criara um complicado sistema de enviar dinheiro para si mesmo entre países, o que por si só não constitui um crime. Pode-se alegar que isso tudo era por motivos de "planejamento fiscal" das empresas a fim de minimizar o pagamento de impostos e que os envios via *money transfer* eram também para evitar os custos excessivos dos envios via bancos.

Caberia às autoridades brasileiras, então, provar que os pagamentos recebidos por uma das identidades, no caso Jarvis, foram fruto de chantagem. Assumindo-se que o cofre funcione e todos os vídeos sejam apagados, as autoridades teriam de basear seu caso no depoimento de um número "razoável" de chantageados. Como o *PayPal* protege não somente a identidade do recebedor, mas também do pagador, novamente seria necessário abrir os arquivos do *PayPal* para compilar uma lista das pessoas que transferiram dinheiro para Jarvis. É razoável acreditar que a maioria dos ex-chantageados já pagou e após o segundo vídeo sentem-se "livres", podendo-se assumir que não serão muitos os que irão, voluntariamente, agir como testemunhas e arriscar seu casamento que defenderam tão arduamente.

Com poucas testemunhas de acusação e sem a prova do crime, isto é, os vídeos, o jeito seria provar que Jarvis, Daniel ou Johannes enviaram *e-mails* de chantagem. Uma ideia fraca, com pouco apelo judicial. Entretanto, para sustentarem a prova dos *e-mails*, os acusadores teriam de intimar as empresas de "IP Secreto" localizadas nos Estados Unidos e Holanda a abrirem seus registros. Outra batalha judicial. E mais: as únicas duas empresas de "IP Secreto" têm como preceito não manterem registros. Exatamente para, se intimadas, não terem o que mostrar.

Se tudo desse errado, após vários anos de batalhas judiciais, o máximo que poderia acontecer seria um processo movido contra Daniel por envio de cartas de chantagem. Nessa hipótese, os acusadores teriam leves indícios capazes de enquadrá-lo como um esquema semelhante às famosas "cartas da Nigéria" que proliferam pela internet. "O que, pelo que me consta, ninguém nunca chegou a ser processado por isso."

"É, tá bom, mas sempre pode ser melhorado", pensa Daniel. "Minimizar os envios via *money transfer* seria um passo à frente. É um ponto fraco. Mas solucionável", e abre o Hotmail para confirmar as datas do voo e a reserva do hotel. Entra no *site* do aeroporto de Arlanda. O voo estava confirmado e no horário. "Melhor eu já me aprontar para sair, senão acabo me atrasando."

* * *

ARLANDA. AEROPORTO DE ESTOCOLMO. Meio-dia. Não há tempo a perder. Segue pelos corredores, arrastando a maleta com pressa. Pega um táxi de cor preta. Volvo. Ar-condicionado. "Hotel Rival, Mariatorget", diz. Quarenta e cinco minutos depois e está na frente do hotel. Paga o táxi usando o cartão de crédito da Protheus. Todos os táxis na Suécia recebem cartão de crédito *on-line* desde o final dos anos 80.

No hotel, o *check-in* é rápido. O recepcionista conversa em inglês com ele:

— O senhor tem uma série de pacotes que chegaram.

Pensa em pedir para entregarem no quarto. "Mas, nunca se sabe. Às vezes, podem demorar. Os suecos são muito eficientes em termos de sistemas e rotinas. Mas serviços é outra coisa. Pode demorar horas até que apareça uma pessoa para levar isso ao meu quarto", pensa.

— Prefiro levar tudo agora — diz em inglês.

"Melhor que ele apareça 'na foto' como um estrangeiro qualquer a negócios. Quanto menos souberem sobre mim, melhor." O recepcionista some. Volta trazendo uma caixa grande, pesada. Mais outra. Também pesada. Uma caixa grande, longa, como se tivesse em seu interior um tubo grande. Outro pacote. Colocam tudo em um carrinho de levar malas. Marcos mesmo empurra o carrinho. Ninguém o ajuda: "Bem-vindo à Suécia", pensa.

No quarto, Marcos rapidamente abre os pacotes. Um macacão, desses de pintura. Ferramentas: chaves de fenda, chaves Philips, chave inglesa. Um pé de cabra. Uma caixa de ferramentas. Uma furadeira manual. Tira, da própria mala, um adesivo que trouxe do Brasil. "Lars Lås & Nyckeltjänst AB", algo como "Lars fechaduras e serviços S/A". Prega na parte de trás do macacão. Veste o macacão, põe um boné. Coloca todas as ferramentas na caixa adequada. Pensa em usar óculos escuros, mas se arrepende: "Isso seria ridículo". Coloca o pé de cabra em uma mochila de *hockey* longa. Examina-se. Está preparado.

O plano é simples: São 13h30. O apartamento de Pradinho fica a menos de dois quarteirões dali. Nesse horário, todos estão trabalhando. Irá arrombar a porta, passando-se por chaveiro. Tem, inclusive, um documento assinado por Pradinho autorizando o serviço, caso alguém resolva conferir. A autorização é forjada, claro. Irá pregar o documento na própria porta a fim de prevenir perguntas. Em virtude do plano, chegara um dia mais cedo. Sabe que Pradinho está fora, com certeza. Curtindo seu passeio "grátis" de navio. Passeio pelo qual Marcos havia pago caro. Uma vez dentro do apartamento, não irá perder tempo tentando descobrir o vídeo. Simplesmente roubará os *laptops*. Se houver algum modelo *desktop*, o abrirá e levará somente os discos rígidos. Ainda existia a possibilidade de haver algum *backup*, fosse em memória USB ou em algum CD gravado. No dia seguinte, encontraria um Pradinho chocado, dizendo que seu apartamento fora roubado. Não sabia o que iria fazer então. Tudo dependeria do que encontrasse. Talvez confrontasse Pradinho. Talvez se recusasse a vender as ações. Ameaçasse ir à polícia, já que teria as provas na mão. Simplesmente não sabia ainda. Com sorte, dentro de poucas horas estaria de volta ao hotel, e poderia analisar o conteúdo dos computadores com tranquilidade. Seria fácil extrair as informações mesmo que o computador solicitasse nome de usuário e senha. Bastava retirar o disco rígido do *laptop* ou computador e colocá-lo como disco auxiliar em outro PC. Para isso havia trazido seu próprio computador portátil e três adaptadores especiais chamados de encapsuladores. Conectaria o disco rígido ao seu *laptop* usando o encapsulador adequado. Sabia que Pradinho não usava encriptação de disco. Portanto, ao voltar ao hotel ele conseguiria ler os dados. Estava convencido de que o sócio teria o vídeo, sí precisava encontrá-lo.

Marcos imagina que o irmão do traidor ficou a cargo da filmagem e logo depois enviou-lhe o vídeo. Pradinho com ou sem a ajuda de alguma outra pessoa fez a chantagem para tanto extrair-lhe dinheiro como para, de quebra, tomar o controle da Protheus. Se o Pradinho fora tão longe, aquilo era um sinal de que realmente a Protheus estava indo muito bem. "Que tudo se foda, hoje vou dar o passo decisivo para colocar um ponto final nessa história."

Do lado de fora do prédio, consulta o celular, digita no teclado situado ao lado do portão eletrônico o código que Pradinho havia lhe dado: 3435. Um bip longo, e o portão se abre. O apartamento fica no terceiro andar. Sobe as escadas. Justamente no terceiro andar, defronta-se com um rapaz. Louro, magro, alto. Novo. Uns vinte e poucos anos, no máximo. Está sentado nas escadas. Justamente no terceiro andar. Parece esperar alguém. Marcos pede licença e continua subindo as escadas. "Caralho. Que puta azar." Decide esperar. Senta-se. Espera dez minutos. Fica impaciente. Resolve pegar o elevador. Desce, tentando vislumbrar no caminho, pela janela do elevador, se o sujeito ainda está lá. Não o vê. Arrisca. Sobe de novo. O rapaz não arredou o pé. Dá um riso amarelo para o tal sujeito e arrisca no sueco:

— Achei que fosse no quarto andar, tive de confirmar que realmente é aqui. Temos de ser cuidadosos para não abrirmos a porta errada, sabe como é, né?

Prega o aviso na porta, este escrito em letras bem grandes. O rapaz sorri para ele, não fala nada. Marcos coloca a caixa de ferramentas no chão e encosta a mochila de *hockey* em pé na parede. "Raios, esse cara vai ficar aí o dia todo?" Finalmente, o rapaz diz algo, em português claríssimo:

— Marcos, sabe que eu estava curioso pra saber como você pensava em entrar no apartamento do seu amigo?

Marcos fica chocado ao ouvir aquilo. "Mas que merda é essa? Como esse cara me conhece? Estou sonhando, é pesadelo?", pensa, enquanto sente a adrenalina ser bombardeada no seu sangue. Está em máximo estado de alerta.

— Meu nome é Brixare. É melhor a gente sair daqui antes que um vizinho curioso chame a polícia — disse, enquanto se abaixava para pegar a mala de ferramentas como que ajudando na rápida retirada.

Marcos não se mexe. Seu cérebro simplesmente não consegue processar o que está acontecendo. Notando o estado de choque de Marcos, o rapaz tira do bolso um *iPhone*.

— Não sou um homem que curte Apple, mas tenho de admitir que o montante de aplicativos é uma vantagem, não concorda? — falou.

O homem mexe no iPhone por um momento, antes de estendê-lo para Marcos. Um vídeo estava tocando. Era o vídeo da transa dele com Sandra. O tal. O famoso. O pivô de tudo. Marcos segura o telefone e de imediato pensa em jogá-lo no chão, destruí-lo. O tal Brixare deve ter lido a mente dele porque diz rápido:

— Não seja estúpido de quebrar meu iPhone. Isso iria diminuir a confiança que tenho em você — disse, estendendo a mão para receber o telefone de volta.

Marcos lhe entrega o aparelho.

— Não se preocupe. Em pouco tempo você entenderá tudo, prometo.

Só então Marcos nota que o jovem também carrega uma maleta rígida preta.

— Talvez seja melhor você tirar esse macacão aqui mesmo. Vamos voltar ao seu hotel. Lá teremos o ambiente tranquilo que precisamos para falar sobre negócios.

Marcos tira o macacão ali mesmo e coloca-o na mochila que trouxera. O trajeto para o hotel é a pé, em silêncio. Marcos aproveita para colocar os pensamentos em ordem. Estuda o rapaz com o canto do olho. Ele é jovem, tem vinte ou vinte e dois anos. Vestido com *jeans*, camisa de manga comprida, nada o denunciava como alguém *especial*.

Chegam ao hotel. Marcos dirige-se ao elevador, o rapaz continua andando para um canto do *lobby*. Sorri para Marcos e diz:

— Melhor não arriscar, talvez você ainda esteja em choque. Quer uma cerveja, uma água?

— Cerveja — diz Marcos.

O rapaz vai ao balcão, volta com duas cervejas. De repente, Marcos imagina que talvez a bebida esteja envenenada. "Tenho visto muitos filmes", pensa. O rapaz lhe estende a cerveja. Novamente ele lê sua mente: "Pode tomar. Não está envenenada. Fique tranquilo. Isso só acontece nos filmes. Se quiser, pode ficar com essa outra. Você escolhe o copo". Marcos escolhe mesmo. O outro. Não aquele que o desconhecido lhe ofereceu inicialmente. "Por via das dúvidas." Toma um gole. Um gole imenso. Mais da metade do copo goela abaixo.

— Você poderia me explicar que merda é essa? — diz. — Como é seu nome mesmo?

O rapaz o examina. À sua frente está um homem, quarenta e poucos anos. Relativamente em forma. Ainda tem seu charme. Aparenta ser inteligente, decidido. Sabe muito sobre ele. Onde estudou. Onde morou. Seus amigos. Gastou horas lendo, estudando os *e-mails hackeados*. "Malditos depósitos quebrados, sabia que eles eram um risco", pensou. Compreendeu que havia sido eles que o "denunciaram". Sabia o endereço novo de Marcos. Não batia com a última atualização de endereços da base de dados do Minas Tênis Clube. Leu os *e-mails*, cada um com um número de rua diferente. Obviamente o certo era aquele que havia mandado para três pessoas diferentes.

Em vez de responder à pergunta, o jovem faz uma reflexão em voz alta:

— Incrível como muito da vida de uma pessoa hoje está exposto nas contas de *e-mail*, não concorda? Veja seu caso, por exemplo: sei muito sobre você graças ao seu *e-mail*. — Consulta o telefone novamente e prossegue: — m3544@hotmail.com, senha DfdT49€. Uma senha realmente difícil de ser *hackeada*. Invadir o seu computador levaria, sei lá, talvez uns três ou quatro dias — diz, sem tentar ocultar o orgulho que sente da própria inteligência. — Mas *hackear* o seu domínio Protheus.com, comprado da empresa One.com, não levou nem uma hora. Você sabia que eles são horríveis em termos de segurança? Qualquer idiota consegue nomes e senhas administrativas da One.com. Está por todo lado na internet. Eles realmente deveriam fazer alguma coisa a respeito. Então foi fácil colocar um *keylogger* dentro da sua rotina do CruiseKontrol. Você aceitou o Trojan Horse. Bingo!

Marcos lembra-se de quando isso aconteceu. O "problema" do Facebook que desapareceu. Entendeu tudo. O garoto colocou um *keylogger* vírus dentro do seu aplicativo. Quando Marcos rodou o programa, a despeito do antivírus ter avisado sobre a presença de contaminação, o computador foi infectado. E ainda, o vírus fez o *upload* das senhas para a Protheus.com, já que esse domínio era liberado para *upload* automático. Depois ou o próprio vírus se deletou ou foi removido pelos antivírus. Como o garoto tinha conseguido acesso ao Protheus.com, bastou entrar e pegar a senha. Daí ter aparecido à noite e nada mais no dia seguinte. "Puta merda. Tão simples."

— Acho que agora você já entendeu boa parte da história. Você saberá preencher os vazios. Vamos ao que interessa. Como você deve ter entendido, eu sou o cabeça de um negócio interessante. Primeiro, eu adquiro a bases de dados de nomes e endereços onde se concentram homens de média e alta renda, como, por exemplo, nosso conhecido Minas Tênis Clube. Apenas um exemplo. Existem outras fontes, claro. De posse dessas informações, eu as cruzo com o Facebook. Isso me dá uma lista de clientes potenciais. Potenciais, claro. Nada garantido, até então. Em paralelo, eu negocio também com as fornecedoras. As mulheres. Como a Sandra que você bem conhece. Pelos *e-mails*, entendi que você andou conversando com ela, então entende como funciona. Vamos pular os detalhes. Você viveu a situação. O lucro é certo.

— O que te garante que não vou agora à polícia?

— Bem, seria uma coisa interessante. Primeiro, eu e você sabemos que não existem provas sobre os meus *crimes*. Os *e-mails* poderiam ter sido forjados por você mesmo. Segundo que eu ainda tenho o vídeo e continuo podendo enviá-lo. Mas, calma, não precisa se exaltar, porque se você está aqui é porque não pretendo fazer isso. Fique tranquilo.

O rapaz exalava confiança. Certeza. Segurança.

— Que porra você quer de mim então, caralho? Quem sabe não te...

— Marcos, não vamos levar a discussão adiante usando esses termos. Estou aqui para te fazer uma proposta. Uma proposta que um homem como você certamente irá achar muito interessante.

— Que proposta?

— Hoje em dia, minhas empresas estão indo de vento em popa. Clientes estão fazendo fila. Fornecedoras também. Quarto de hotel em Belo Horizonte é tranquilo. Tudo vai muito bem.

— Muito bem o caralho. Você está fodendo todo mundo. Você vai se foder, vão te pegar — diz Marcos.

— Você sabia que até hoje nunca houve ninguém que não pagou?

— Sempre tem a primeira vez — retruca Marcos, começando a se enfurecer. Sentia-se quente de ódio, o rosto estava esfogueado. Pensava em partir a cara do cretino ali mesmo, o cara era magro, não seria páreo.

— Claro. Um dia acontecerá. Não será problema. Ainda nem me decidi se enviarei realmente o vídeo. Vou ver na hora.

— Você nunca enviou o vídeo?

— Até hoje não.

— Nunca?

— Nunca.

— E como você tem certeza que o cara não vai à polícia?

— Bem, como falei, até hoje ninguém foi. Mais do que a falta de provas, provavelmente isso se deve ao fato de as teorias da suíça Elisabeth Kübler-Ross serem tão fiéis à realidade. Sabia que as estudei profundamente? Deixe-me perguntar, como você se sentiu quando recebeu o primeiro *e-mail*?

Marcos estava atordoado, não estava ali para falar como havia se sentido, mas resolveu continuar para entender o rapaz:

— Atordoado, confuso, me pegou de surpresa.

— Exatamente! Você viu sua vida acabar ali. Viveu, quase que fisicamente, uma grande perda. Ou viu-se na iminência disso. Quando isso acontece, o primeiro estágio é a negação. No caso, você pagou, mas tinha a vã esperança de que pagar resolveria o problema. Você negou o óbvio. Enganou a si mesmo pensando: "quem sabe isso vá embora". Não foi assim?

Marcos confirmou com a cabeça.

— O segundo *e-mail* geralmente mistura os estágios de raiva, depressão e negociação. Os demais estágios da perda. Nessa hora, o sujeito deixa de lado a fantasia do "isso vai ser simples". Então, o que o sujeito precisa é ganhar tempo para poder agir. Nisso se dá o estágio seguinte: a aceitação. Aceitar que o vaso se quebrou, que não tem volta. Provavelmente, se eu enviasse um terceiro *e-mail*, mais de 50% iria contar a verdade às esposas. Porém, nunca faço isso. Pelo contrário, após o devido pagamento eu realmente envio o vídeo alterado, aquele que prometi no segundo *e-mail*, e encerro a transação. Mas junto do vídeo de salvação anexo um aviso do tipo: "Estou de olho em você". A maioria, provavelmente, fica cagando de medo pelo resto da vida. Andam na linha agora. Talvez passem a ser bons e fiéis maridos. Quem sabe não estou fazendo até um serviço de utilidade pública? Exercendo meu papel social para transformar o mundo em um lugar melhor? — diz, rindo levemente. Marcos não está certo se o jovem ironizava ou se falava sério.

— E por que eu?

— Bem, pergunta "por que você me escolheu?", a resposta é óbvia. Você foi um cliente típico. Caiu na rede fácil. A escolha foi, como sempre é, por acaso. Mas assim que eu converso com os homens no Facebook é muito rápido distinguir quais deles cairão na rede, e quais posso descartar. Posso te garantir que o percentual de vítimas promissoras é altíssimo!

"Mas se a pergunta é 'por que estou aqui', essa sim é uma dúvida interessante. Retornemos ao fato de que tenho, em mãos, um negócio altamente lucrativo. Como te disse, clientes-vítimas não faltam, bem como fornecedoras capazes de suprir a demanda. Porém, e esse é o grande porém: o percentual de aproveitamento ainda é relativamente baixo. O lucro que perco todo mês devido às garotas que não seguem o *script* é fabuloso. Você não iria acreditar quanto de dinheiro se perde assim. A Sandra, pelo visto, seguiu certinho. Uma significativa parcela, no entanto, acho que nem lê o que envio. Muitas chegam no cara com uma história diferente, se confundem, trocam tudo. Alguns, mesmo depois disso, ainda vão pro hotel com elas. Veja só! Mesmo sabendo que algo está esquisito. O cara não aguenta. Sabia que desde que comecei com isso nunca mais baixei filme pornô? Você não acredita no que as pessoas fazem entre quatro paredes."

Foi o único momento em que Marcos sentiu o rapaz perder o controle. Sair do papel de "empresário" e mostrar uma outra face. Mas isso foi em um momento rápido, no segundo seguinte ele estava de volta com seu porte de "homem de negócios". Parecia até alguém falando nas páginas amarelas da *Veja* explicando "Como ser bem-sucedido". O moço prosseguiu:

— Pois bem, eu preciso melhorar essa parte da operação. Preciso de um homem local. Alguém que possa me ajudar em terra.

Marcos sente uma certa revolta. "Esse cara é doido. Se pensa que vou ajudá-lo deve estar maluco. Pode entregar a fita lá em casa hoje, vai tomar no cu", pensa. Mas continua sentado.

— Então, Marcos, o que quero te oferecer, e é por isso que estou aqui, é uma proposta de trabalho. Para começar, em fase de experiência, R$ 25 mil por mês. Pagos aqui na Suécia. Foi por isso que comprei parte da CruiseKontrol do seu amigo Luiz. Não quero ele envolvido. Você, sendo o único dono do aplicativo, pode receber o pagamento por intermédio da empresa. Você alega que prestou serviços para mim. Isto é, para a Worldwide Translations. Propaganda no *site* no Facebook, etc. Mas isso é o de menos. Isso a gente discute depois. Já tenho tudo planejado, tudo dentro da lei e ao mesmo tempo sem levantar a menor suspeita. Te explico como será feito.

"Então, o que preciso é de uma ajuda com as garotas. Coisa simples. Hoje em dia gasto muito tempo com elas. O *script* é sempre o mesmo, nunca mudo para não dar confusão. Então, tanto eu quanto você podemos conversar com as meninas, as fornecedoras. Você sabe, nunca uso a mesma duas vezes. Uma vez só. Medida de segurança. Para ambos. Não quero que nada de ruim aconteça a elas. Nada que seja causado por mim. E também não quero elas contando que já fizeram isso outras vezes.

"Como você mesmo disse, um dia quem sabe alguém não vai pagar? Não repetir as meninas é um ponto chave. Você vai aprender outros com o tempo. Esse é um dos mais importantes. Então, é aí que vem o detalhe interessante. Você vai gostar. Acabei de te dizer que só uso as meninas uma vez, certo? Pois é. Apague isso. Porque, na verdade, o que eu preciso é de uma noite de teste. Entendeu? Um *test-drive*. Ou melhor, um 'test-trepa'. Quando sentir que a garota está em ponto de bala, treinada e tudo mais, em vez de mandá-la para o cliente, mandarei ela para você. Você será o cliente. Vai pro hotel com elas, faz tudo. Ou nem precisa ir pro hotel. Você se cansaria, né?

"O importante então é o encontro. Constatar que elas estão realmente prontas. Que não vão bichar. Que vão aguentar a pressão. Que seguirão o roteiro e já sabem se comportar. Uma vez que elas passem no seu teste, aí a gente entra com elas no Facebook e acha um cliente. Já sabendo que com essa garota vai dar certo. Atualmente ando perdendo lucro por falta de *otimização* do processo. Não dá pra continuar assim. Talvez você até consiga conciliar seu emprego. R$ 25 mil por mês a mais no orçamento não é nada mal, concorda?"

O jovem faz uma pequena pausa e prossegue com sua oferta:

— Outro ângulo do trabalho é que você vai pagar as meninas. Marcos, você quase descobriu o esquema. Conseguiu chegar na empresa, mas não ligou os pontos. Achei perigoso. Aprendi a lição. Então, resolvi mudar o modo de operação. Vou te dar um cartão. Um cartão de banco internacional. Você saca o dinheiro diariamente num caixa automático, vai em outra máquina igual e faz o depósito para quem eu indicar. Não coloca remetente nem nada. Ninguém saberá que foi você. De tempos em tempos te mando um cartão novo. Isso acaba com aquela trilha que eu estava deixando, mesmo utilizando os *money transfer*. Mas isso aí levaria dez, no máximo, quinze minutos por dia. Você guarda os recibos, tira uma foto com o telefone celular e me envia. Depois queima.

Marcos está atônito.

— A única coisa que já vou te falar é que você tem de declarar todo o dinheiro que ganhar aqui na Suécia. Tudo direitinho. E declarar no Brasil também. Porque só um governo, ou melhor, só uma coalizão de governos poderia me pegar, entende? O sujeito no Brasil faz uma queixa, vai na polícia, denuncia que o filmaram, etc. Isso nunca vai chegar aqui.

Para me pegar, precisa de mandado de segurança, só se a Interpol agir. Envolveria um sem-número de países que você nem tem noção. Não vão fazer isso por causa de 15.300 reais. Fica mais barato darem o dinheiro para o sujeito e deixarem pra lá. Agora, com países não se pode mexer. Portanto, eu já te aviso que vou querer a cópia da sua declaração do imposto de renda. Tanto aqui na Suécia quanto no Brasil. Isso é sem negociação. Faz parte da segurança da empresa, como estou te dizendo. Entende?

"Uma andorinha só não faz verão, se lembro bem o ditado. Minha segurança é essencial, aliás, a nossa. Você estará protegido, intocável. Caso alguém vá à polícia, a garota poderá dizer 'ah, também fui pra cama com um tal de Marcos dentro do mesmo esquema'. Digamos que a polícia bata à sua porta. Você vai dizer: 'Puta? Não! Conheci no Facebook, tudo diretinho, ela me contou a história assim, assado. No máximo, você seria uma vítima. Supostamente teria sido filmado. Você estará limpo, ileso. Entendeu? Você fica acima de qualquer suspeita. Tranquilão. E já pensou no lado bom do serviço? Não é todo mundo que ganha dinheiro assim, né?"

"Pra terminar: esses 25 mil são iniciais. Belo Horizonte é um local de teste. Em breve vamos nos mudar para a capital mundial da putaria. Onde a sacanagem reina, a *alta* sacanagem, do mais alto nível. Sabe onde é? Não?"

Daniel não espera resposta:

— Brasília. O clube que entrei agora chama-se Congresso Nacional. Você não acreditaria na quantidade de senador e deputado no Facebook. Sem foto, mas outros dados batem. Em Brasília, ainda não cheguei à conclusão do valor mínimo, aquele que o cara paga porque é pouco demais para foder a família toda. Em BH eu fixei em 15 mil reais. Em Brasília, talvez o dobro. Ainda não me decidi. Isso quer dizer que provavelmente a partir de 2012 você terá de ir com frequência até lá. Nada que você não consiga arrumar tranquilo. Claro que seu salário vai subir de acordo. Não se preocupe com isso. Vou saber recompensá-lo.

"O que você tem a fazer agora é o seguinte: amanhã você explica pro Luiz Prado que conversou comigo. Que você resolveu não vender a sua parte. A parte dele foi comprada por uma tal de Ingrid Cotto. Não se preocupe com ela. É uma funcionária minha, cuida da parte administrativa. Na fachada, vamos manter a Protheus funcionando. Deixa o Luiz vendendo as camisetas dele. Vamos lhe fazer uma boa oferta. Um salário. Tipo R$ 3 mil por mês. Ele parece ser bom vendedor. Deixa a empresa aí, rodando. Ele só não pode ter acesso à parte financeira. Mas se ele tiver, é problema seu. A empresa funcionando é bom, melhor que só empresa de fachada. Depois disso, vai lá na imigração receber seu carimbo. Você tem de continuar tendo residência aqui, né? Ah, tomei a liberdade de trocar sua passagem de volta."

Marcos pensa em reagir com um "como?", mas antes de falar lembra-se que está tudo no Hotmail, dados da passagem, senha da reserva, tudo.

— Paguei o seu hotel também para o dia extra. Você verá tudo no seu Hotmail. Ah, abra pelo menos três contas extras em bancos diversos, além da sua no SEB. Vai precisar delas para poder fazer compras com os cartões, debitando direto na Suécia. Você pode também repatriar o dinheiro que ganhar para o Brasil usando os *money transfers*, mas eles cobram muito caro. Use os cartões e você estará mais bem servido.

"Acho que é só. Ah, ia quase me esquecendo. Esta pasta aqui é para você. Dentro dela encontrará um celular. Somente o use para RECEBER chamadas e mensagens. E também um *laptop*. Ele está encriptado. Usaremos esses dois equipamentos para nos comunicarmos. Não se preocupe em entender agora. Aliás, quanto menos você souber da operação, melhor. Seu papel é apenas testar as garotas. Separar as boas daquelas que vão trocar os pés pelas mãos na hora H. Não há o que temer, e garanto que esse emprego é melhor do que o que você tem hoje. Paga mais e é mais prazeroso. E também fazer os pagamentos que eu indicar. Sempre tirando o dinheiro em um banco e fazendo os depósitos em outro. Não seja preguiçoso. O cartão de banco para esses pagamentos também está na maleta. Você receberá a senha numérica via celular daqui a alguns dias quando estivermos em operação.

"E, ainda, um pequeno presente de estímulo. Ao final de um ano de trabalho, como bônus, te darei os meus 50% da Protheus de presente. Pode até ser que, daqui a um ano, todos nós nos aposentemos. Você poderá, então, voltar a brincar de empresário da internet em tempo integral."

Marcos nem sabe o que responder. Começa a ensaiar um "não acho que" quando o rapaz o interrompe:

— Pense. Relaxe. Respire. É muita informação ao mesmo tempo. Um choque. Não tome nenhuma decisão agora. Cuide bem do equipamento dentro da maleta. É tudo muito especial, feito para você. Tudo cuidadosamente manipulado, impossível de ser rastreado. Não faça nada sem pensar. Manteremos contato, não se preocupe, tenho o seu *e-mail* — completa, com um sorriso.

Ao sair, vira-se para Marcos:

— Imagino que você não tenha planejado levar esse material de volta para o Brasil — diz, apontando para a caixa de ferramentas e a mochila de *hockey*. — Melhor eu levar, então. Tenha uma boa viagem. Estaremos em contato.

Pega a caixa, a mochila e em poucos instantes desaparece atrás da porta giratória.

À noite, Marcos aproveita para ver Eva. Tudo bem com ela. Na mesma. Um jantar no restaurante Rött, perto da estação do metrô St. Eriksplan. Um menu típico sueco tradicional: estrogonofe de carne de rena com pequenas batatas à dorê. A sobremesa é na casa dela mesmo, também em estilo tradicional: ela de quatro, recebendo tudo bem fundo. Ela gozou. Ele a vira, fazem um papai e mamãe e ele goza. Tudo bem no padrão. Pausa para ducha individual. No segundo tempo, ele faz ela gozar com um oral, Eva devolve na mesma moeda, engolindo tudo. Está com os peitos maiores. Parece mais velha. Eles deitam-se olhando para o teto. Calados. Cada um imerso em seus próprios pensamentos. Dormem.

QUINTA-FEIRA, 12 DE MAIO DE 2011

Caminhada da vergonha

De manhã, Eva ainda faz um outro oral, bem no estilo velhos tempos. É bom. Mas também um pouco melancólico. Típico de antigos amantes que sabem que o amor ficou para trás. O sexo é igual *pizza* fria, comível, mas já fora melhor antes.

Sai de lá direto para o departamento de imigração. Fila única com senha. Espera quase meia hora. Vai na janelinha, mostra o passaporte, não leva nenhum outro documento. Está tudo no computador. A atendente confere o documento longamente. Olha o rosto dele. Olha o passaporte. Ela é lindíssima. Loura, nova. Cara séria. Ela confere o rosto dele de novo. Ele sorri para ela. Ela retribui. Não sabe se é por educação. "Quantos anos será que ela tem?" Pensa em chamá-la para sair à noite. Ri sozinho. "Hoje à noite é minha e do Pradinho. Vamos detonar."

Tenta espairecer os pensamentos. Mesmo ontem, enquanto bombava com Eva, ainda pensava na proposta. No cara louco. Qual era o nome dele mesmo? Brix alguma coisa. No "trabalho" proposto. Testador de putas. Um bom título para um cartão de visita. Ganharia mais que o dobro do salário atual. E mais horas livres. "Como vou explicar as ausências noturnas?", pensa. "É. Complicou. Mas, quem disse que não posso testar as putas durante o dia?" Imaginou como Pradinho iria ficar enciumado se soubesse dessa proposta inusitada. "Era capaz dele largar a Suécia no mesmo minuto." Tenta pensar em outra coisa. Na loura gostosa à sua frente, separada pelo vidro grosso, provavelmente à prova de bala. Com certeza à prova de cuspe. Ela some. Mais ou menos dez minutos depois retorna com o passaporte dele na mão. Residência prorrogada por mais dois anos. Talvez ele volte antes, acompanhado da família para passear. "Sempre bom conhecer essa região."

Almoça um lanche rápido. Segue para o apartamento do Pradinho. Tem de pedir sérias desculpas a ele pelos mal-entendidos dos últimos tempos. O coitado levando a culpa. Já passa das 13 horas. Toca a campainha, o sócio atende com a cara amassada. Amassadíssima. A noite no barco devia ter sido boa. A ressaca dele é nítida. A casa está uma bagunça. Pilhas de caixas de camisetas, de diversos tamanhos e cores com o logotipo CruiseKontrol. Miniatura de barcos. Calcinhas. Para todo lado, vê-se caixas e mais caixas.

— Grande Marcos, finalmente, hein? Quanto tempo! Que diabos que foram essas últimas semanas? Nossa, muita confusão, mas tá aí. Veja só. Aqui, olha o que acabou de chegar.

Ele aponta para uns documentos. São contratos. Não contratos estilo Pradinho, mas contratos desses de papel timbrado, com várias assinaturas, várias folhas, carimbos. Contratos de venda em consignação na Viking Line, Silja Line e Stena Line. Preto no branco. Ele havia conseguido.

— Pois é, Marcos, sei que houve horas em que você duvidou de mim. Mas tá tudo aí para você conferir. Pena que a gente não vá desfrutar disso na sua totalidade. Eu já saí fora. Vendi minha parte. Acredite ou não, 200 mil reais. Nada mal, investimos 20 mil cada e dois meses depois cada um recebe 200. Um bom lucro, não acha? Hoje à tarde você vai se encontrar com o cara. Chama-se Johannes. Johannes Brixare. É um menino. Parece inteligente. Mas é pau-mandado de uma outra pessoa. Ele tem uma procuração dela. Ela se chama Ingrid alguma coisa. Ela não apareceu. Deve ser ela a investidora. Aquele menino não tem cacife para uma coisa dessa. Ele...

Marcos o interrompeu.

— É, eu encontrei com ele ontem.

— Você o quê? Achei que tivesse acabado de chegar. Aliás, cadê a sua mala?

— Foi o seguinte. Acabei conseguindo sair antes. A troca da passagem ficaria muito cara e a Concretek não queria pagar, então acabaram me liberando. Isso foi decidido no último minuto e não consegui te avisar. Como você não estava na cidade, aproveitei para dar uns giros, ir na imigração, adiantar o que podia. Encontrei a Eva. E também o cara aí, como é o nome dele mesmo? — olha no pedaço de papel na mesa de Pradinho. — Johannes Brixare. Pois é. Ele me mandou um *e-mail* se apresentando quando eu ainda estava no Brasil, então aproveitei para ganhar tempo e encontrá-lo. Durante nossa reunião ontem, papo vai, papo vem e senti que vai dar certo trabalharmos juntos. O cara tem altos planos e está muito confiante em você. Sentiu muita firmeza no seu trabalho, na sua capacidade, na sua atitude. Então, resolvi esperar. Acho que, daqui a um ano, eu vendo para ele a minha parte por 300, 400 mil reais.

"Tô tranquilo. Prefiro navegar essa onda do que saltar fora agora. E, inclusive, a gente conversando ele resolveu te oferecer um salário para continuar na Protheus. Para continuar os contatos, dar prosseguimento ao trabalho. Expandir para outras empresas em outros países. Como a Carnival Cruises. Tocar o pau. Continuar no ritmo que você está. Daí chegamos à conclusão que 3 mil reais por mês não está mau. Você continua tendo sua liberdade de horários, e tudo mais. Na verdade, o tal Johannes, como você falou, quer ser apenas o sócio capitalista. Quem vai continuar tocando a empresa somos nós dois. Eu pobre e você recebendo seu salário, o que acha?"

— Uai, por mim tá ótimo. Contanto que o pessoal venha logo desobstruir meu apartamento. Você assina os documentos, eu já nem devo poder assinar mais nada a essa altura, já que foi tudo enviado para o registro oficial. Assina isso aí que eu tomo conta do resto. Minha primeira prioridade como funcionário será transportar toda essa tralha aí pra eles iniciarem logo a venda, senão vocês não vão ter dinheiro para pagar meu mísero salário. Inventário parado é dinheiro perdido. Agora, ainda acho que você tá fazendo besteira, melhor pegar a oferta, dinheiro na mão é coisa certa. Mas se você quer arriscar...

— Pradinho, deixa eu sentar aqui e assinar essas coisas. Depois vou conversar com ele para oficializarmos os papéis de contrato de emprego, essas coisas. Ele deve saber melhor como fazer isso. No meio-tempo, já que estou indo amanhã, vou logo te avisar que hoje à noite é toda por minha conta. Vamos farrear. Igual nos bons tempos. Bem, quer dizer. Nos bons tempos a gente farreava comendo *pizza* e bebendo cerveja barata. Hoje quero ir lá no Café Ópera. Vamos detonar. Viver a vida. Celebrar os contratos.

Marcos pensa para si mesmo que a questão da Protheus era independente de qualquer coisa. De todo jeito, pelo bem ou pelo mal, ele agora era dono de 50% da Protheus e o tal de Brixare, dos outros 50%. Isso era fato. Quanto a isso, não existia nada a fazer. "Isso não quer dizer que aceitei a proposta louca dele. Nada a ver, né?", reflete, tentando se convencer que "uma coisa é uma coisa, outra coisa é outra coisa".

Passam a tarde verificando se os papéis estão em ordem, se tem algo a assinar, conferem o estoque, discutem os próximos passos, a evolução do *site*. A noite chega e os dois vão de metrô para o Café Ópera. Essa é uma noite de celebração. Tomam champanhe. Dançam. Flertam. Paqueram. Ao final, Pradinho está com uma garota. Chinesa. Pequena. Uma amiga dela dá mole para Marcos. Mas Marcos vê a noite chegando ao fim. Sente-se cansado. Conseguiu desligar alguns momentos, relaxar. Mas agora as dúvidas lhe voltam. O passado recente o aflige, a tensão dos dois últimos meses. O plano de entrar, por bem ou por mal, no apartamento de Pradinho. O tal Brixare. "Provador de putas, tem base?", pensa, quase em voz alta.

Despede-se de Pradinho, que já quer ir logo embora, rebocando a chinesinha. A amiga dela chama Marcos para ir junto, que ia ser divertido. Pradinho faz sinal para Marcos, fala em português: "Você tá maluco, cara? Nós vamos comer as duas juntas!". Marcos diz que está se sentindo mal. No final, Pradinho vai embora com as duas. Depois saberia se o amigo comeu só uma ou o que aconteceu. Dá de ombros. Resolve passear pela cidade. Passa em frente ao Palácio. Está uma noite agradável. Fria, mas não exageradamente. Veste um casaco quente o suficiente. Continua ao longo do cais Skeppsbrokajen.

Estocolmo é uma cidade muito silenciosa. Nem se compara com Belo Horizonte. Passa no ponto chamado Slussen. Na verdade, um canal com desníveis. Os barcos param e têm de esperar a comporta se encher de água para prosseguirem viagem. Barcos pequenos, porque os grandes não passam por esse ponto. O lugar é constantemente votado como um dos mais feios de Estocolmo. Volta e meia novas propostas de revitalização aparecem. Revitalizar em Estocolmo é tarefa difícil. Uma cidade que balança entre as necessidades dos dias modernos e a preservação do antigo. Querem *retocar* o Slussen, mas sem que ele perca as características originais.

Está chegando no hotel. É um hotel chique. Moderno. Um chique escandinavo. Um chique de linhas sóbrias, sem excessos. Chique como aquela morena elegante, de traços finos. Seios na medida certa. Maquiagem nem de mais, nem de menos. Nem alta nem baixa. Elegante. Ela está tomando um drinque, sozinha, no bar. Convidativa. Nunca havia encontrado um brasileiro na vida. Na verdade é francesa. Tem um sotaque forte. Fala mal inglês. Está numa das suítes mais suntuosas.

Ela paga um boquete de estrela de filme pornô. A elegante havia virado puta, da pior estirpe possível. Ou da melhor estirpe. Batia o membro dele no rosto, lambia as bolas. Usava as mãos.

Mordia. Falava coisas em francês. Deviam ser palavrões, pelo tom de voz. Não lembra se tinha comido uma francesa. Será que já? "Acho que sim, no Canadá." Ou foi nos Estados Unidos? Se fosse igual a essa não teria esquecido.

Ela para de chupar. Pergunta algo. Marcos não entende. Não sabe se ela quer que ele goze nela, na boca ou onde for. Ele irá descobrir agora. Tira o pênis da boca dela, que entende que ele vai gozar. Ela enfia-o profundamente na boca. Marcos goza. Não sabe se saiu muito ou pouco. Ela continua chupando, "como esses segundos pós-gozo são deliciosos", ele pensa. "Talvez sejam os melhores de tudo." Ela levanta. Vai na estante. Pega um vidrinho, parece um líquido oleoso. Molha os dedos com ele, enfia-os na vagina. Põe mais óleo no dedo. Enfia de novo. Mais óleo. Depois, se deita, oferecendo-se. Ele não tem camisinha, ela faz sinal que é uma trabalho pra boca dele. Quer ser chupada. Ele chupa. É um óleo com sabor. Uma mistura de mel e limão. Adocicado. Muito bom. Ela colocou óleo lá atrás também. "Melhor deixar disso", pensa Marcos e concentra-se na parte que sabe, que conhece bem. Sente que ela quer porque pressiona a cabeça dele para baixo ao mesmo tempo em que levanta as ancas. Ele coloca a pontinha do dedo. Ela parece se assustar. Se retrai na cama. Ele põe a pontinha do dedo de novo, ela retrai, mas volta. Ele continua chupando-a na frente.

O óleo acabou. Agora sente mesmo o gosto da seiva dela. Ela se levanta novamente. Entrega o mesmo vidro, aponta para o dedo. Ele atende o pedido. Continua chupando-a, enquanto lubrifica o dedo, depois o põe lá atrás, timidamente. Ela começa a arfar pesado. Um pouco mais do dedo, um arfar mais pesado. Ela arqueia o corpo, solta um "aaah" contido e põe-se a tremer. Ele continua chupando-a. Gosta dessa hora. Ela se recompõe, levanta, vai na bolsa e volta com uma camisinha na mão. Chupa-o. Encapa o bicho. Fica de quatro. Ele pensa em anal. Ela retrai, pega o frasco, mostra o dedo. Ele enfia na frente mesmo, inicia o vai e vem. Delícia. Francesinha gostosa. Ela se dá um tapa na bunda. Queria que ele lhe batesse. Está louca. De quatro, balança a cabeça para cima e para baixo como num *show* de *heavy metal*. Transtornada. Ela pega o frasco de óleo, molha bem o próprio dedo e o coloca atrás. Ele está quase gozando, segura um pouco, ela, que já estava dando pinotes, começa a gritar e corcovear.

Marcos não aguenta mais e explode. Ela deve ter gozado também, porque desabou na cama. Ele ainda fica em cima dela, mexendo. Pensando se iria dar mais uma. Ou se ia embora. Ou se ficava. Ou se topava a proposta. Se voltava para o Brasil e jogava a maleta no rio Arrudas. Ou se metia nela de novo. Com certeza ela queria anal.

Acorda com o quarto vazio, a francesa já tinha ido embora. Não deixou um bilhete, nada. Saiu à francesa, literalmente. Sente-se magoado. Usado. Na verdade não sente nada disso, apenas pensa: "Como é duro ser um homem-objeto hoje em dia!". Ri de si mesmo. Já passava das 9 horas. Hoje voltaria à realidade. Porém, ainda tinha muito trabalho a fazer. E começa a procurar a chave do seu quarto. Acaba tendo de fazer outra na recepção. Uma versão hoteleira da "caminhada da vergonha", só que em vez de ser a mulher voltando para casa de manhã com um vestido de festa, salto alto, maquiagem borrada etc., era um jovem senhor de barba por fazer, *blazer* com camisa em desalinho para fora da calça no *lobby* do hotel pedindo para fazerem uma nova chave do quarto.

Viva a igualdade entre os sexos. Estilo sueco.

SEXTA-FEIRA, 13 DE MAIO DE 2011

Apocalipse real

DECIDIDO A MANTER TODAS as opções em aberto: "por que fechar uma porta? Melhor analisar tudo com a cabeça fria". Marcos segue as indicações do tal Brixare e inicia uma peregrinação pelas ruas do centro de Estocolmo. As agências bancárias suecas, mais parecendo uma recepção de um grande laboratório médico do que um banco brasileiro, são relativamente pequenas e desprovidas de qualquer aparato policial aparente.

Munido apenas de sua carteira de motorista sueca, o processo todo não leva mais que trinta minutos. O atendente avisa que o cartão Visa/Mastercard de acesso à conta será enviado dentro de um ou dois dias e o código de acesso segue passados outros dois dias. Todo o restante do processo se dá pelo correio e internet, com a correspondência sendo destinada para o endereço de Marcos na Suécia conforme registrado junto ao Fisco. Isso significa que Eva receberá em breve uma grande quantidade de correspondências bancárias. Mas não será difícil enrolá-la com algo do gênero "estou fazendo umas consultorias *on-line* para firmas diversas e elas requerem que eu tenha conta em bancos diferentes". Ou então uma desculpa ligada ao sucesso do CruiseKontrol. Isso era o mais simples.

A primeira parada é no banco estatal Nordea, em seguida o Swedbank e, finalmente, o Handelsbanken. Na sequência, para no Ica (algo como o Carrefour da Suécia), que hoje em dia além do próprio cartão de crédito, mantém também contas bancárias comuns. A falta de guichê e lugar para preencher os papéis é irritante. Acaba tendo de preencher duas vezes porque era primeiro seu número pessoal no governo, depois escreve o endereço errado. Finalmente, tudo pronto, entrega os papéis diretamente ao caixa. "Já que estou na fila, vou aproveitar para comprar um picolé GB Magnum sabor chocolate. Será o calor do início de verão sueco, o *blazer* que estou usando ou os pensamentos que fervilham na minha cabeça?"

Como a manutenção dessas contas tinha um custo relativamente baixo, em sua mente, Marcos ainda mantinha sua "isenção", isso não queria dizer que havia se decidido que sim nem que não. Era apenas uma questão de se precaver, certo? Por outro lado, era bom fazer isso agora que podia e tinha tempo do que ter de fazer uma outra viagem à Suécia no caso de... não, era melhor nem pensar nisso. Ele sabe que é um bastardo infiel, mas daí a tornar-se estelionatário a distância aí já era demais.

Com Vanessa, ele sempre tomava todo o cuidado para evitar qualquer tipo de complicação ou dano, fossem estes físicos ou mentais. Por isso as mentiras estudadas, as histórias bem armadas, a proteção da camisinha. Não queria machucar ninguém, principalmente a mulher que tanto amava. Sabia que a amava: Isso de sexo era uma coisa à parte, uma necessidade animal que ele simplesmente não conseguia controlar; já a extorsão era uma história bem diferente, tratava-se de premeditadamente armar uma cilada para uma pessoa desconhecida, que nunca lhe fizera nenhum mal, e tirar proveito da situação. Apesar do esquema armado por Brixare parecer "infalível", existia sempre a possibilidade de um elemento surpresa. Já vira muitos filmes, sabe que planos infalíveis não existem. Além do mais, é sempre perigoso tentar prever a reação das pessoas quando pressionadas. E agora

Brixare pensava em mexer com políticos, talvez fosse uma ideia terrível... talvez ele estivesse superestimando sua inteligência ou subestimando os "clientes", mas obviamente um dia o golpe iria falhar... certo?

A possibilidade de anos em uma cadeia superlotada no Brasil não é, certamente, nada animadora... Brixare tinha a vantagem de contar com a proteção da distância, da burocracia entre países e... se algo por fim desse errado, ele contaria com a possibilidade de uma hospedagem numa cadeia sueca, que comparada à cana brasileira é algo como um hotel cinco estrelas. Não, Marcos é muito mais vulnerável, apenas uma pequena peça descartável no esquema total. "E como confiar nesse Brixare, será que o nome dele era esse mesmo? Não tenho dúvidas de que ele irá, se necessário, me entregar para livrar sua própria pele."

Enquanto percorre o caminho de volta à praça central de Estocolmo, a Sergels Torg, os pensamentos se atracam numa luta entre o sim e o não, o bem contra o mal. E, assistindo a tudo isso, o tempo, que não corria, voava. O relógio já marcava 13 horas e com o primeiro voo planejado para as 16 horas com destino a Frankfurt, Marcos decide que será melhor pular o almoço. Pode comer algo no aeroporto de Arlanda quando feito o *check-in*.

Geralmente, na Suécia, os táxis só são disponibilizados mediante ligação para a central do táxi, sendo quase impossível pegar algum na base do "dar sinal". Esses veículos trafegam somente quando já estão com um passageiro ou a caminho de pegar alguém. Porém, um pouco adiante da Sergels Torg está a Stockholmscentral, estação central de trem e também conjugada junto ao metrô. Ali há sempre uma fila de táxis. Marcos decide caminhar até lá, em mais ou menos cinco minutos ele encontra-se a bordo de um luxuoso Mercedes E-Class a caminho do aeroporto.

Afundado no banco de trás, temperatura na faixa de 24 graus, rodeado por um acabamento todo de couro preto e madeiras nobres, Marcos mira seu próprio reflexo no vidro do carro enquanto do lado de fora a cidade ficava para trás, e o trânsito passava a fluir com mais velocidade. Em breve, o limite de velocidade mudaria de 70km/h para 90km/h. Marcos fecha os olhos e tenta não pensar em nada, quer limpar sua mente como um monge budista. Nesse instante, o silêncio do carro é interrompido pelo toque de um celular. Um toque apenas, desses não de chamada de voz, mas de mensagem de texto. Marcos olha para o motorista à espera da reação normal de procurar pelo celular, mas o chofer se mostra impassível. Ato contínuo, o motorista também olha pelo retrovisor à espera da mesma reação do passageiro. Esse impasse dura uns cinco, dez segundos, quando Marcos se lembra do aparelho que recebera de Daniel. Faz um aceno de cabeça para o motorista, telepaticamente dizendo "ah, você está certo, foi o meu celular mesmo", enquanto pesca o SonyEricsson X10 Mini Pro de dentro da maleta que havia recebido de Brixare. A luzinha verde piscava incessantemente, indicando que o celular esperava pacientemente por alguém que se interessasse em saber das novidades.

O envelopinho de nova mensagem se fazia presente e o texto dentro dela era lacônico. "Por favor, abra o *laptop* para um teste", seguido da única opção de pressionar "ok" para fechar a mensagem. Marcos imediatamente notou que após pressionar "ok" a mensagem desapareceu do telefone sem deixar rastros, similar a quando os operadores enviam uma mensagem de saldo.

Oscilou entre "esse viadinho pensa que é alguma coisa só porque consegue mandar uma mensagem usando USSD, o truque mais velho do mundo" e "esse cara pensa em tudo mesmo!". Deixa esses pensamentos de lado e retira o *laptop* da valise, e ao abri-lo, o mesmo inicia-se em poucos segundos sem nenhuma mensagem. "Será que está usando um sistema operacional novo como o Chromebook ou é apenas o bom e velho Windows em *sleep mode*?" A tela preta é substituída pelo colorido de algum programa, possivelmente um *browser* em tela cheia, mas sem nenhum botão, menu ou opção. O computador parece ter dificuldade em coordenar o montante de dados que o HD certamente está recebendo a julgar pelo pisca-pisca incessante. No final, o poder da rede da operadora Telia ou qualquer um que fosse o provedor 3G/4G conectando o *laptop* aos servidores de Daniel em Bromma foi maior e um filme, muito escuro, começou a passar.

Um gigante louro, de fazer inveja a Arnold Schwarzenegger nos seus melhores dias, comia uma lourinha *mignon*. O tamanho do homem contrastava com a delicadeza da lourinha. Ela estava de quatro na cama, o louro de joelhos. Como no filme em que o próprio Marcos era a estrela, a cena era vista do pé da cama, e apesar do quarto inesperadamente muito bem iluminado, a câmera estava desfocada. Via-se bem os contornos, mas não os detalhes.

Como que instintivamente, Marcos protege a tela dos olhos do motorista, que parecia estar entretido em fazer o melhor tempo possível para o aeroporto ficando alheio a todo o resto. Olha em volta, também instintivamente, como se fosse possível que outros motoristas pudessem ver o *display* do seu *laptop* agora trafegando a quase 120km/h. Os raios do sol, a essa altura bem na altura dos olhos, forçam-no a ajeitar o ângulo da tela para conseguir ver a cena mais claramente. De volta do seu um segundo de distração, Marcos observa que a câmera está focando novamente, mostrando agora nitidamente o ponto da penetração. O ritmo dos dois corpos era acelerado, o pênis gigante, visto com nitidez, entrava e saía do que claramente era o orifício anal da lourinha. "Essa aí é profissional do ramo mesmo, com certeza." Notou que o louro não usava camisinha. "Esses ou são doidos ou são amantes."

Atento à cena, Marcos sente o próprio membro dar sinal de vida. Contorce-se um pouco no banco, olha de soslaio para o motorista que continuava impassível e volta os olhos para a tela. O foco agora fica novamente distorcido, os amantes trocam rapidamente de posição como num filme pornô americano: a mulher deita-se de barriga pra cima e o louro parece que está prestes a gozar. "Bem que o Daniel falou que isso é melhor que filme pornô, isso é real, pelo menos nisso tenho de dar razão a ele." Apesar da falta de foco, era possível discernir que a mulher era versada nas técnicas do sexo oral, sendo capaz de abocanhar toda a ferramenta sem grande dificuldade. Mais uns segundos e entendeu que o louro estava gozando enquanto a câmera se aproximava para fechar a cena com chave de ouro.

De repente, sente um soco no estômago. A cabeça começa a rodar, na tela a loura com o rosto todo banhado em sêmen continuava a beijar o pênis que começava agora a perder o gás. Marcos sente que ele também está engolindo o sêmen do louro, o leite quente queima-lhe a garganta, lhe atinge os olhos, que também começam a queimar. Sente uma absoluta falta de ar, olha de novo para a tela, o filme terminou, mas a imagem da mulher de grandes olhos verdes ainda estava congelada na tela, os vários filetes brancos lhe cortando a face, a boca beijando a cabeçorra enorme do pênis, uma felicidade, um contentamento, um quê de entrega e realização e, ainda, prazer total espelhado no brilho dos olhos.

Atira o *laptop* para o canto, sente que vai desmaiar, está empapado num suor frio. Pressiona o botão para descer o vidro e deixa o vento entrar no carro. O motorista olha para ele e pergunta em sueco:

— Você está bem?

Marcos responde apenas com um gesto de mão e cabeça de "prossiga viagem", enquanto tenta sorver energias do vento, do ar. O táxi sai da estrada principal virando à direita já tomando a estrada que leva a Arlanda. Sabe, por experiência, que a viagem a partir desse ponto leva aproximadamente cinco minutos, então é melhor tratar de tentar se recompor. Coloca o *laptop* de volta na valise, seguido do celular num compartimento próprio na mesma mala tipo 007. Pressiona os dois fechos, certifica-se que está fechada. Age metodicamente, como que programado. De repente, num *flash*, pensa em atirar a valise pela janela. Segura-a pela alça com força. Num movimento rápido, a põe no colo. Segura-a pelos lados, utilizando as duas mãos. Nesse momento, o carro diminui drasticamente a velocidade, sobe uma rampa e para em frente a uma cancela. Essa se abre automaticamente e o carro entra na área destinada aos táxis. Atirar a valise pela janela agora seria um ato maluco. Melhor esperar por outra oportunidade.

Desce do carro, o motorista lhe diz que vai pegar a mala que está no banco de trás. Pergunta novamente se ele está bem, enquanto lhe põe a Samsonite de bordo aos seus pés e lhe entrega a cobrança de 450 coroas suecas junto com o cartão de crédito que Marcos sequer se recorda de haver lhe dado.

Finalmente, o motorista vai embora após conseguir a assinatura de Marcos, que continua com o pensamento fixo na maleta que carrega: "E se logo antes de embarcar, eu a deixasse dentro de um banheiro? No dia seguinte irei ler nos jornais que o Aeroporto de Estocolmo ficou interditado por três ou quatro horas devido a um 'objeto suspeito' encontrado no aeroporto. Talvez a polícia até investigasse. Quem sabe um detetive incrivelmente inteligente, como os do programa CSI, fizesse todos os tipos de testes e acabasse descobrindo toda a jogada de Daniel. Seria a minha vingança, por ele ter destruído a minha vida. Destruiu nada, provavelmente ele usou de todo o seu arsenal de truques para conseguir montar aquela cena. Tudo farsa. A loura é outra. Tudo um grande efeito especial, qualquer um com um programa de vídeo e um bom PC consegue fazer isso hoje em dia. Quantas celebridades já não passaram por isso? Certamente por isso a má qualidade do filme. É tudo falso. Mas como ele conseguiu um vídeo do rosto dela? Ocorre-lhe a ideia de tomar um táxi de volta. "Posso me hospedar num hotel barato, perder o avião. Seria difícil, mas não impossível conseguir uma arma. Depois, é só bater na porta da casa dele e lhe dar um tiro na cara. Não..."

Podia fazer melhor. Voltaria agora para Estocolmo e pediria um novo encontro com o pretexto de esclarecer algo e quando estivessem a sós, o mataria. Talvez com um martelo. "Fácil de esconder, fácil de adquirir. Um golpe na testa, outros na cabeça. Nunca irão me descobrir no Brasil." Plano bom, mas podia dar zebra. Testemunhas. "Não consigo me concentrar. Essa dor de cabeça está me matando, preciso de uma bebida."

— Garçom, um uísque. Aliás, um Southern Comfort. Sem gelo, estilo caubói. Mais um. Mais um. Sim, estou com medo de viajar. Na verdade, tenho pânico total.

O garçom parece relutar quando Marcos pede a quinta dose consecutiva. "Garçom filho da puta." Na Suécia, o *barman* tem a obrigação de não servir se o cliente se mostra perturbado, sob influência de drogas ou bêbado.

"Caralho, eu queria uma boa droga agora. Na veia. Beber, cheirar, fumar, tudo ao mesmo tempo."

— Que merda é essa, você não vai mais me servir? Fuck, you. Son of a bitch. Você acha que é o rei da cocada preta? Você é um imigrante sujo, vem lá do Irã, Iraque, desses países de merda. Você e o Osama Bin Laden que foderam com a gente, se fosse antigamente talvez me deixassem beber em paz.

— Tudo bem, tô saindo. Não precisa chamar segurança não, caralho. Tira a mão de mim. Já te falei que tô indo.

No alto-falante chamam pelo seu nome. Algo como ele estar atrasando o voo e se não chegar em questão de minutos partirão sem ele. "Porra, não entendo mais nada, quando foi que fiz o *check-in*? Cheguei com muita antecedência, como pode estar na hora do voo? Foda-se, tenho de passar agora no controle do detector de metais e essa merda toda. Não vou chegar a tempo. Ah não, já estou na ala de embarque. Meu portão é o 5D." Esteve o tempo todo no bar exatamente na frente do tal portão.

— É, meu nome é Marcos Avilar Reis, aqui está... cadê meu passaporte? Ok, está aqui, já estou indo, pode deixar.

Se dá conta que continua puxando tanto a Samsonite de bordo como também carrega uma valise preta, modelo 007, ao ajeitar as duas malas no bagageiro acima do seu assento: "Talvez essa valise me seja útil, no final das contas. Afinal, eu batalho tanto, tô sempre correndo atrás. Tenho uma família linda, filhas que merecem ter muito mais do que têm hoje. Eu mereço o melhor. Um carro melhor. Um apartamento de cobertura com piscina, por que não? Casa na praia. Massagem uma vez por semana. Por que se importar com os outros? O negócio é cuidar do que é meu, da minha família e, se der, dos meus amigos. O resto, eles que cuidem do deles. Eles que se virem, que corram atrás. Eu vou correr atrás do meu. A vida é assim. Não é culpa minha, não sou eu que faço as regras. O mundo é um lugar muito fodido. A culpa deve ser de Deus. Minha é que não é. Estou apenas igual a todo mundo, correndo atrás do meu. Espero que o voo seja legal e que, se não for pedir muito, uma gostosa sente-se ao meu lado. Quem sabe hoje eu não entro pro clube dos 10 mil metros?"

LEIA TAMBÉM

Coleção Muito Prazer

Histórias envolventes, libertadoras, com altas doses de erotismo e romance. Assim é a Muito Prazer, coleção lançada pela Geração Editorial.

Inspirada nos restaurantes tailandeses, que indicam o quão picante será a comida através das cores das pimentas que figuram nos seus cardápios, a coleção Muito Prazer também será classificada por suas pimentinhas nas capas dos livros: pimenta verde para "picante", pimenta laranja para "médio picante" e pimenta vermelha para "muito picante".

Desta forma, o leitor poderá temperar a sua leitura conforme a fome do dia. Experimente!

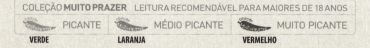

Títulos da coleção

Algemas de Seda

Mimi Lessing está noiva do homem que ama, quando seu colega de trabalho, o irresistível Jake Teller, desperta a sua curiosidade e interesse. Disposto a seduzi-la, Jake a convida a assistir, sem ser vista, aos jogos eróticos dele com suas parceiras, a quem leva ao êxtase sexual por meio da dor. A imaginação de Mimi é estimulada a tal ponto, que ela começa a questionar os seus planos de casamento e a sua vida sexual plácida demais com o noivo, sem perceber que, enquanto isso, um homem excêntrico e perigoso secretamente a segue e a observa, inclusive nos momentos mais íntimos. Então, as mulheres com quem Jake dormiu começam a ser assassinadas, e a própria Mimi desaparece. Homens e mulheres não deixarão a leitura deste thriller erótico e absorvente até a última página, para a qual se caminha num clima de sensualidade e suspense eletrizantes.

Classificação: Picante

50 Versões de Amor e Prazer

Românticas.
Refinadas.
Sensuais.
Obscenas.
Pervertidas.
Bizarras.
50 histórias de alta voltagem erótica e qualidade literária
por 13 escritoras brasileiras da atualidade
Állex Leila . Ana Ferreira . Ana Miranda . Ana Paula Maia . Andrea del Fuego . Cecilia Prada . Juliana Frank . Heloísa Seixas . Leila Guenter . Luísa Geisler . Marcia Denser . Marilia Arnaud . Tércia Montenegro

Classificação: Muito Picante

Fantasias Gêmeas

Jenna Kerry tem um segredo. Ela sempre fantasiou em ir para a cama com dois homens ao mesmo tempo, mas o seu noivo Ryan nunca aprovaria. Então, certo dia, Ryan surge inesperadamente e dá a ela a noite de amor mais alucinante da sua vida. O problema é que ele não é Ryan. Quando ela descobre a verdade — que o seu noivo tem um irmão gêmeo —, reacende-se uma longa rivalidade entre os dois irmãos, tão diferentes em temperamento quanto idênticos na aparência. Ambos estão determinados a tê-la, e se dispõem a provar seus talentos nas formas mais eróticas imagináveis. Com qual dos dois ela vai ficar?

Classificação: Médio Picante

CTP • Impressão • Acabamento
Com arquivos fornecidos pelo Editor

EDITORA e GRÁFICA
VIDA & CONSCIÊNCIA

R. Agostinho Gomes, 2312 • Ipiranga • SP
Fone/fax: (11) 3577-3200 / 3577-3201
e-mail:grafica@vidaeconsciencia.com.br
site: www.vidaeconsciencia.com.br